U0568225

# 中国革命博物馆

## 藏品选

## 《中国革命博物馆藏品选》编辑委员会

# 中国革命博物馆

# 藏品选

中国革命博物馆　编

文物出版社

封面设计：张希广
责任印制：王少华
责任编辑：张广然　贾东营

**图书在版编目（CIP）数据**

中国革命博物馆藏品选／中国革命博物馆编
北京：文物出版社，2003.6
ISBN 7-5010-1573-2

Ⅰ.中...　Ⅱ.中...　Ⅲ.①革命文物－简介－中国－近代②革命文物－简介－中国－现代　Ⅳ.K87

中国版本图书馆 CIP 数据核字（2004）第 003067 号

**中国革命博物馆藏品选**

中国革命博物馆　编

文物出版社出版发行
北京五四大街 29 号
http://www.wenwu.com
E-mail:web@wenwu.com
北京文博利奥印刷有限公司制版
北京画中画印刷有限公司印刷
新 华 书 店 经 销
787×1092　1/8　印张:39
2003 年 6 月第一版　2003 年 6 月第一次印刷
ISBN 7-5010-1573-2/K·798　定价：800 元

# 目 次

# 序

坐落在北京天安门广场东侧的中国革命博物馆，是收藏中国自1840年鸦片战争以来近现代历史文物、图书资料、照片、艺术品，研究、展示中国近现代历史和社会主义革命、建设、改革开放发展历程与辉煌成就，在国内外颇具影响的国家级博物馆。50多年来，经过几代博物馆人的艰苦努力，已成为中国目前收藏近现代文物及馆藏一级品数量最多的博物馆。现有馆藏文物20余万件，含一级品2220件；图书资料近30万册；历史照片约15万张，含原版照片1万余张；艺术品500余件。举办过中国近代史、中国革命史和中共党史陈列以及数百个专题展览，出版过数百种图书，发表过大量的学术论文，开展过许多国际文化交流活动。

中国革命博物馆的前身是成立于1950年3月的中央革命博物馆筹备处。它伴随着共和国的发展而成长。1958年8月在北戴河，毛泽东主持召开的中共中央政治局扩大会议决定在北京天安门广场东侧建立新馆（1960年8月定名为中国革命博物馆）。同年10月动工兴建，翌年8月建成，总面积65000平方米，中国革命博物馆位于北半部（南半部是历史博物馆）。经中共中央政治局、书记处领导审查，邓小平亲自审定，1961年7月1日，中国革命史陈列正式开放。1990年7月1日和2001年6月20日，江泽民等中央领导同志先后两次来馆观看了陈列展览。

博物馆藏品是社会和自然发展的实物见证，从不同侧面反映了事物的本来面貌，是人类的宝贵财富。藏品是博物馆存在的物质前提。因此，中国革命博物馆从一开始，就把征集大量的珍贵的近现代文物作为首要任务。自1950年中央人民政府专门发布《关于征集革命文物的命令》和文化部文物局发布《征集革命文物启事》，以及1959年中共中央批发中宣部《关于中央革命、历史两个博物馆调用文物》电报后，全国各省、自治区、直辖市人民政府、文教机关和人民群众对中国革命博物馆给予了大力支持，拨交和捐赠了大批文物。本馆也通过派人参与中宣部、内务部到老区的访问团，组织多批征集小组赴各地以及举办专题展览等办法，积极主动地开展文物征集工作。到1961年开馆时，仅用11年就使馆藏基本上达到了国家级博物馆的水平，可以较完整地反映自1840年以来中国近现代重大历史事件和重要人物，尤其是中国共产党领导全国各族人民进行民主革命和社会主义革命、建设的历史。其中有许多珍贵文物早已家喻户晓，有的已成为镇馆之宝。

近现代文物的第一个显著特点，是它的来源以传世品为主，甚少考古发掘品。我馆藏品的来源，首先是单位拨交，包括中共中央、国务院、全国人大、全国政协的办公厅和中央各部委、机关团体，各省市自治区政府、文化宣传部门的拨交。其次是个人捐赠，包括一般群众、收藏家、烈士亲属、老一辈无产阶级革命家和社会知名人士及其亲属。仅柳亚子后人捐赠我馆的遗物就有6000余件，李德全捐赠的冯玉祥文物多达35箱。再次是收购。

近现代文物的第二个显著特点，是文物的价值往往不在于工艺或造型图案的精美、材质的贵重，也不在于年代的久远，而在于其深刻的内涵、感人的保存和流传经过、给人的教育和启示及其与历史事件的直接联系，更增强了其见证历史、资政育人的作用。许多弥足珍贵的近现代文物的保存者就是文物形成的当事人或知情人。本馆收藏的许多革命文物，是人民群众在白色恐怖的环境里经历千辛万苦、冒着生命危险甚至付出了鲜血和生命的代价保存下来的，体现了群众对革命胜利的信心和对共产党、革命领袖的热爱。

近现代文物的第三个显著特点，是作为与社会同步发展的近现代历史博物馆，藏品的征集将随着历史发展不断向前延伸，永无止境。应立足于“为未来而征集”，包括抓住机遇作前瞻性的征集。有时还应采取必要的有效措施，进行抢救式的征集，以确保文物博物馆事业的可持续发展。

近现代文物的数量、质地和功能，都比古代文物增加了许多倍，门类品种，无所不包，其中也包括无形文化遗产，如音像制品等。关于藏品的分类，博物馆界至今尚无统一的方法。我馆藏品分类主要是根据物品的用途（功能、性质）大致上分为三十余类，可概括为生产工具、武器装备、文献、手稿、书法绘画艺术品、旗帜标识、徽章、印章、票证、书籍报刊、生活用品、文体娱乐用品、宗教用品、标本、照片、音像制品等十多大类。

从鸦片战争到五四运动前的旧民主主义革命时期，有关馆藏文物精品较多，如鸦片战争时林则徐、邓廷桢等合奏虎门销烟完竣折，太平天国天王玉玺，严复译赫胥黎《天演论》手稿，方声洞烈士致父绝笔书，武昌起义军战士劈开臬台牢门用的刀，清宣统帝溥仪退位诏书等。

从五四运动到中华人民共和国成立的新民主主义革命时期，有关馆藏文物十分丰富，如周恩来《警厅拘留记》手稿，孙中山手批的《国民政府建国大纲》，李大钊就义的绞刑架，井冈山斗争时的"六项注意"包袱皮，中华苏维埃共和国中央执行委员会印章，毛泽东著《调查工作》石印本，方志敏著《清贫》、《可爱的中国》手稿，红军长征时的木板标语，八路军百团大战部署略图，白求恩用过的X光机，人民政协第一届全体会议代表签名册、选举票箱等。

从中华人民共和国成立开始的社会主义建设和改革开放时期，有关文物收藏也比较丰富，如开国大典时毛泽东升起的第一面国旗，中央人民政府代表和西藏地方政府代表签订《关于和平解放西藏办法的协议》时用的文具、印章，朱德的元帅服和一级八一勋章、一级独立自由勋章、一级解放勋章，许海峰在第23届奥运会上获得的第一块金牌，美国总统里根赠给邓小平的水晶玻璃鹰，中英关于香港问题联合声明签字笔，中葡关于澳门问题联合声明签字时用的两国国旗，陈景润关于《哥德巴赫猜想》简要论文手稿，中共中央、国务院、中央军委颁授的两弹一星功勋奖章，世界贸易组织（WTO）宣布中国加入时用的木槌。馆藏文物中还有部分国际共运史文物，如马克思主编的《新莱茵报》终刊号和列宁创办的《真理报》创刊号等。

馆藏图书资料中有许多珍本书刊，如邹容著《革命军》、《中国女报》、《苏报》、《新青年》、《每周评论》、《电通》画报、陈望道译《共产党宣言》的最早版本、初版《鲁迅全集》、《毛泽东自传》的各种早期版本、吴虞日记等。

摄影术的发明，使与社会和自然发展有关的某些真实形象得以平面影像的形式长久保存。历史照片比绘画能更原状地保留历史，已成为陈列展览不可或缺的基本手段。原版照片的文物价值正在逐步为人们所认识。本馆收藏的历史照片中有许多珍贵的原版照片。如清末的工厂、铁路、军舰、新军、社会风情的原版照片，还有老一辈革命家和其他名人的原版照片，以及数量可观的延安时期的原版照片。

早在20世纪五六十年代，根据陈列的需要，本馆曾多次组织全国著名美术家开展了以中国近现代史为主题、反映重大历史事件和重要人物活动的艺术创作。如1951年为纪念中国共产党成立30年，由蔡若虹、江丰、王朝闻等组织创作的许多优秀作品，是中华人民共和国成立以来第一批有较大影响的革命历史画作。1952年本馆委托中央美术学院组织、由董希文于1953年完成的油画《开国大典》，以其独特的民族形式、大胆的构图和雄伟的气势，在当代中国美术史上占有重要地位。1959年建新馆时，张仃、蔡若虹、罗工柳等又组织全国著名画家、雕塑家创作了一大批思想性、艺术性很高的优秀美术作品。本馆收藏的油画《地道战》（罗工柳）、《南昌起义》（黎冰鸿）、《毛泽东在十二月会议上》（靳尚谊）、《刘少奇和安源矿工》（侯一民），国画《转战陕北》（石鲁），素描《血衣》（王式廓），雕塑《翻身农民》（潘鹤）等早已成为蜚声中外的经典之作。此外，一些美术家和外国友人也捐赠了不少艺术品。

根据本馆藏品的历史价值、科学价值和艺术价值，本书选录了自鸦片战争至改革开放各个历史时期的部分珍品，奉献给广大读者，并希望本书在国内外文化交流中能起到应有的作用。

编　者

# 图版目录

34.《民报》号外《民报与新民丛报辨驳之纲领》

35. 孙中山在镇南关起义时戴的帽子

36. 秋瑾男装像

37.《中国女报》

38. 京师大学堂总监督关防

39. 徐特立断指血书“请开国会断指送行”

40. 《京张路工摄影》集

41. 清末海军巡洋舰队各舰照片册

42. 南社成立合影照

43. 黄兴书赠方声洞的七绝诗幅

44. 孙中山致比利时中国同盟会会员信

45. 四川人民逐条批驳的赵尔丰镇压保路运动布告

46. 方声洞致父绝笔书

47. 武昌起义军守城司令官颁发的出入城门证

48. 武昌起义军周文才劈开臬台牢门用的刀

49. 浙江革命军攻打南京用的炮弹弹壳

50. 中华民国临时大总统孙文告海陆军士文

51. 清宣统皇帝溥仪退位诏书

52.《吴虞日记》

53. 孙中山为重组革命党等事致黄芸苏信

54. 孙中山为重建革命党事致黄兴信及黄兴复信稿

55. 中华革命党暹罗支部印章

56. 周恩来与南开学校同学常策欧、王朴山的两次合影

57. 吴观岱绘《南海子流水音图》手卷

58. 李大钊起草的《敬告全国父老书》传单

59. 袁世凯手批“二十一条”汉文稿

60. 蔡锷在护国运动中用的指挥刀

61. 蔡锷致妻潘惠英家书

62. 《新莱茵报》终刊号（德文）

63. 巴黎公社《为公社成立告人民书》(No.44)（法文）

64.《真理报》创刊号（俄文）

65.《新青年》杂志

66.《旅欧杂志》

67. 宋庆龄题赠柳亚子的孙中山、宋庆龄结婚照

68. 叶剑英等云南陆军讲武学校同学合影照片

69. 廖仲恺、朱执信用的英文打字机

70. 李大钊书赠杨子惠对联

71.《每周评论》

72．廖仲恺译孙中山草拟的《第一纲领》手稿
73．周恩来书赠张鸿诰的“大江歌罢掉头东”横幅
74．徐志摩在美国留学时的日记
75．“誓死力争　还我青岛”标语
76．五四运动中北京大学讲演队第九组布旗
77．上海汽车业《警告同胞》传单
78．克书关于“五四”运动情况的家信
79．毛泽东等新民学会会员合影
80．《五月一日北京劳工宣言》传单
81．周恩来编写的《警厅拘留记》手稿
82．《民国日报》副刊——《觉悟》
83．《文化书社敬告买这本书的先生》传单
84．陈望道译马克思、恩格斯著《共产党宣言》
85．上海共产党早期组织出版的《共产党》月刊
86．毛泽东汇编的《新民学会会员通信集》
87．发起马克思学说研究会启事
88．中华海员工业联合总会徽章
89．江岸京汉铁路工会会员证章
90．萍矿总局、株萍铁路与安源路矿工人俱乐部签订的十三条协议
91．安源路矿工人游行时佩带的符号
92．开滦赵各庄矿工罢工时持的布旗
93．广西苏门陈氏卖子契约
94．《京汉工人流血记》
95．聂荣臻家书
96．孙中山手批《国民政府建国大纲》稿本
97．国民党一届中执委和中监委第一次全会签名录
98．国民党广州大本营特别出入证
99．孙中山演讲《同胞都要奉行三民主义》录音片
100．《中国国民党第一次全国代表大会宣言及决议案》
101．瞿秋白著《赤都心史》
102．黄埔军校颁发给蔡昇熙的卒业证书
103．上海学生为五卅运动罢工工人募捐用的竹筒
104．陈云等上海商务印书馆发行所职工会执行委员合影
105．五卅运动中上海总工会会议记录及文件底稿集
106．省港罢工委员会发的罢工工人凭证
107．海丰县农民自卫军站岗放哨用的号角
108．抽玉（萧楚女）著《国民革命与中国共产党》
109．中央军事政治学校学员王铁猛的笔记簿

110.国民党中央农讲所学员抄录的萧楚女病中答疑的笔记本
111.《农民问题丛刊》
112.尼罗夫赠李济深的东征摄影纪念册
113.蒋介石送给林伯渠的纪念瓷盘
114.谭延闿赠李富春的怀表
115.农民协会会员手抄《中国农民协会章程》
116.李大钊亲笔自述（定稿）
117.张作霖杀害李大钊等革命志士用的绞刑架
118.长江书店版《湖南农民革命（一）》
119.王一飞为上海工人武装起义运送军火用的箱子
120.国民革命军总司令部赠给国际工人代表团的锦旗
121.《孙宋庆龄对时局宣言》传单
122.南昌起义军安民布告
123.安源工人参加秋收起义用的马刀
124.广东海陆丰工农革命军佩戴的红领带
125.《布尔塞维克》
126.陈毅安在进军井冈山途中致未婚妻信
127.红四军司令部布告
128.俞作豫题“华丰”商号招牌
129.井冈山斗争时写有“六项注意”的包袱皮
130.“完成土地革命”刻竹标语
131.东古平民银行发行的铜元票
132.孙中山奉安大典纪念册
133.兴国县《土地法》
134.毛泽东著《调查工作》石印本
135.柔石致冯雪峰信
136.贺页朵入党誓词
137.彭友仁烈士绘《难民行》图
138.韦拔群在右江地区坚持斗争时用的鼎锅
139.中华苏维埃共和国中央执行委员会印章
140.中华苏维埃共和国临时中央政府布告（第一号）
141.赣东北“赤色邮政”花卉图邮票
142.兴国县高兴区苏维埃政府设置的控告箱
143.北京大学南下示威团袖章
144.金贞吉在狱中钩织的被单
145.《电通》画报
146.天津市邮政职工制作的纪念邮品
147.何香凝为救济国难义卖绘的《竹菊图》

148.“当红军是最光荣的”横幅
149.史艾生给红军送盐用的竹篓
150.中央军委颁发的一等红军奖章（第13号）
151.中央军委授予王诤的二等红星奖章（第37号）
152.中央军委颁发的三等红星奖章（第23号）
153.少共国际师袖章
154.川陕省苏维埃政府发行的马克思像邮票
155.红四方面军第三十军政治部石刻标语门框
156.中华苏维埃共和国国家银行银币券石印版
157.闽南游击队通讯员用的雨伞
158.林伯渠长征时用的马灯
159.方志敏烈士著《清贫》及《可爱的中国》手稿
160.红一方面军在长征中写的木板标语
161.中央红军宣传民族政策的布告
162.红一军团（坚）政治部出版的《战士》报
163.清华大学学生自治会救国委员会《告全国民众书》
164.张子意集红二方面军照片册
165.红军给白利寺喇嘛的收据
166.刘毅长征途中采的野菜
167.《北平笺谱》
168.《救国时报》
169.斯诺在陕北采访用的摄影机
170.毛泽东在陕北戴过的红军八角帽
171.尼姆·威尔斯用罗炳辉赠的玛瑙佩珠镶的戒指
172.红军《战士读本》
173.张学良手令
174.“七君子”题词扇面
175.中央军委主席团关于红军改编的命令
176.中国人民抗日军政大学第二期毕业证章（322）
177.左权致叔父信
178.毛泽东致陈伯钧亲笔信
179.晋冀察边区临时邮政局半白日徽图伍分邮票
180.朱德致许小鲁、挹清信
181.延安中央印刷厂用的印刷机
182.李公朴藏抗战照片册
183.沈均儒的国民参政会证章
184.周锐购买的救国公债万元券
185.埃德加·史诺著《毛泽东自传》

186.埃德加·斯诺著《西行漫记》

187.《西行漫画》

188.《鲁迅全集》

189.朱德等赠给国际纵队中国支队的锦旗

190.世界学联代表团访华照片册

191.伊文思赠给延安电影团的手提摄影机

192.白求恩用过的X光机

193.卫立煌送给刘少奇的钢笔

194.国民政府军事委员会颁发给张秋明的“抗日负伤荣誉证”

195.八路军总部黄崖洞兵工厂制造的独角牛枪

196.张自忠赠给冯玉祥的日军军刀

197.史沫特莱译《新四军军歌》手稿

198.八路军某部印发的“黑红点”传单

199.于右任等为沈钧儒题词的《与石居》手卷

200.八路军《百团大战战役部署略图》

201.铁道游击队队员化装穿的长衫

202.白洋淀雁翎队的战斗船

203.邢女花为琼崖游击队传送文件用的竹篮

204.延安新华广播电台发射机

205.陕甘宁边区“新华牌”肥皂模

206.毛泽东著《新民主主义论》的伪装本《文史通义》

207.彦涵作套色木刻年画《保卫家乡》

208.胡一川出席延安文艺座谈会的请柬

209.古元作木刻画《减租会》

210.延安《解放日报》报头印版

211.王震在南泥湾开荒用的锄头

212.宋学义的“坚决顽强”奖章

213.冀中冉庄群众挖地道用的镐

214.戎冠秀护理八路军伤病员用的碗和勺

215.叶挺《囚诗》手稿

216.吉福庚为游击队修理枪枝用的铜匠担

217.小英雄王璞用的红缨枪头

218.晋察冀边区第一届参议会纪念瓷碗

219.日军在河北兴隆县制造“无人区”地图

220.黎族人民在白沙起义时用的“福安团”旗

221.中共太行区党委授予李顺达的锦旗

222.《昆明文化界关于挽救当前危局的主张（草案）》原稿

223.八路军一二九师献给中共“七大”的礼品——降落伞

224.鲁艺文供社献给中共“七大”的毛泽东像纪念章

225.谢觉哉出席中共“七大”的代表证

226.新四军淮南新闻电台收抄的《论联合政府》电稿

227.美军观察组在延安照片册

228.国民政府委派董必武为出席联合国大会代表的特派状

229.美国政府授予李温平的“自由勋章”

230.太岳军区对伪军伪组织通牒

231.远东国际军事法庭照片

232.梅汝璈参加东京审判时穿的法袍

233.《远东国际军事法庭审判书》(英文)

234.闻一多撰《一二·一运动始末记》手稿

235.郭沫若撰书“四八”烈士祭文

236.山西昔阳县白洋峪村土改时丈量土地用的步弓

237.李公朴烈士的血衣

238.北京大学学生抗议美军暴行签名单

239.重庆新华日报社在被国民党军警包围时抢出的最后两张《新华日报》

240.“军事调处执行部”牌匾

241.周恩来转战陕北时用的木箱

242.李济深、何香凝致谭平山等人的密信

243.朱自清日记

244.太行军区政治部印制的《三大纪律八项注意》宣传画

245.上海申新九厂工人抗击军警镇压用的水龙头

246.刘邓大军挺进大别山时刘伯承用的望远镜

247.陕甘宁边区《保护各地文物古迹布告》

248.贴有巨额印花税票的上海申新九厂栈单

249.孟良崮战役中缴获的美制卡宾枪

250.济南战役时解放军攻城用的云梯

251.锦州战斗阵地配备及射击要图

252.淮海战役中董力生支前用的独轮车

253.中国人民解放军平津前线司令部约法八章布告

254.北平市军管会成立布告(第一号)

255.余祖胜烈士在狱中刻制的红心

256.国民党新疆省银行发行的陆拾亿元纸币

257.渡江战役中最先到达南岸板石矶的木帆船

258.解放军缴获的国民党政府“总统”办公室日历

259.解放军接收的中央银行发行局库房钥匙

260.南京市军管会布告

261.鞍钢第一号高炉命名标牌

262.沈雁冰等人关于文字改革问题给毛泽东的复信稿

263.曾联松设计的中华人民共和国国旗图案原稿

264.中国人民政治协商会议第一届全体会议代表签名册

265.《中国人民政治协商会议第一届全体会议会刊》

266.中国人民政治协商会议第一届全体会议选举用的票箱

267.开国大典时毛泽东升起的中华人民共和国第一面国旗

268.开国大典用的礼炮

269.中华人民共和国中央人民政府之印

270.中央人民政府政务院印

271.毛泽东题“庆祝中华人民共和国诞生”半身照

272.中央人民政府任命沈钧儒为最高人民法院院长的任命书

273.刘少奇签署公文用的签名章

274.中华人民共和国国徽图案石膏模型母模

275.北京市军管会收回市内外国兵营地产布告

276.中央人民政府命令颁布《中华人民共和国土地改革法》的发文稿

277.上海市军管会和人民政府加强市场管理、取缔投机暂行办法修定稿

278.海南岛战役时琼崖纵队用的联络灯

279.《全国战斗英雄代表会议纪念刊》

280.刘少奇给无锡华昌丝厂职工的亲笔贺信

281.签订《关于和平解放西藏办法的协议》时用的文具、印章

282.张澜庆贺成渝铁路通车的题词

283.亚洲及太平洋区域和平会议签到册

284.胡志明赠给毛泽东的手表

285.中国人民志愿军用被击落美机残骸制作的烟灰碟

285.中国人民志愿军坚守的上甘岭阵地的一铲土

287.志愿军战俘为揭露美方暴行写的大事记

288.朝鲜人民致中国人民志愿军和中国人民的感谢信屏风及签名簿

289.西四十里铺农业生产合作社土地入股登记簿

290.喀什市第一次全国基层选举时张贴的选民榜

291.毛泽东题词的第一汽车制造厂基石

292.齐白石绘赠毛泽东的松鹤旭日图

293.周恩来书写的人民英雄纪念碑碑文

294.朱德的一级八一勋章、一级独立自由勋章、一级解放勋章

295.朱德的中华人民共和国元帅小礼服

296.全国工商界李烛尘等 33 人献给中共中央的报喜信

297.各民主党派和无党派民主人士献给中共“八大”的牙雕

298.“跃进龙舟”牙雕

299.周恩来批改审定的国家统计局关于“一五”计划执行结果的公报

300.全国群英大会奖给时传祥的英雄牌钢笔

301.中国登山队首次登上珠穆朗玛峰顶采集的岩石

302.何香凝、廖承志等合绘陈毅题跋的“长征会师图”

303.安娜·路易斯·斯特朗出版《中国通讯》时用的刊头章

304.苏加诺赠给刘少奇的宝剑

305.上海市民杨燕秀登记的家庭收支明细账簿

306.邓稼先领导研制中国第一颗原子弹用的手摇计算机

307.上海生物化学研究所等进行人工合成牛胰岛素实验的关键部分记录

308.陈景润的“哥德巴赫猜想”简要论文手稿

309.王淦昌秘密从事核武器研制工作时装运资料用的箱子

310.周恩来在床上批阅文件用的斜面小桌

311.尼克松赠给毛泽东的嵌月球表面岩石碎片摆件

312.田中角荣赠给毛泽东的东山魁夷绘画《春晓》

313.田中角荣赠给周恩来的杉山宁绘画《韵》

314.周恩来致张文裕并转朱光亚的信

315.廖沫沙写在烟标背面的《咏桔皮花》诗

316.美国康宁公司赠给中国代表团的玻璃蜗牛

317.袁隆平使用的简易显微镜

318.王选发明汉字激光照排核心技术的欧洲专利申请书手稿

319.中科院一O九厂群众清明节悼念周恩来的诗牌

320.中国向太平洋预定海域发射的第一枚运输火箭的仪器舱

321.胡耀邦致华罗庚的信

322.里根赠给邓小平的水晶玻璃鹰

323.许海峰获得的奥运会金牌

324.中国女子排球队获奥运会冠军签名纪念排球

325.中国南极考察队在南极洲升起的第一面五星红旗

326.王赣骏乘航天飞机带上太空的五星红旗

327.王淦昌获得的国家科技进步特等奖奖章和证书

328.上海宝山钢铁总厂一期工程投产的产品样品

329.中英签署关于香港问题的联合声明时用的国产台式英雄金笔

330.中葡签署关于澳门问题的联合声明时用的两国国旗

331.上海飞乐音响公司首次公开发行的伍拾元股票

332.沈阳市工商局发布的关于市防爆器械厂破产通告

333.江泽民为中国革命博物馆中国革命史陈列题词

334.科威特政府颁发给中国灭火队的奖牌

335.蒋纬国赠谈家桢的CUBOY收音机

336.台湾同胞何文德返乡探亲时穿的夹克衫

337.武汉龙王庙闸口16名共产党员立的抗洪抢险“生死牌”

338.武汉海军工程学院潜水抢险队队旗

339.联合国授予中国多吉才让、王昂生的“联合国灾害防御奖”奖杯

340.中共中央、国务院、中央军委授予姚桐斌的“两弹一星”功勋奖章和证书

341.国际体育记者协会颁发给李宁的本世纪最佳运动员奖杯

342.中国北极科学考察队队旗

343.申办2008年奥运会北京代表团团长刘淇签署举办城市合同时用的签字笔

344.世界贸易组织宣布中国加入时用的木槌

345.列宁宣布苏维埃政权成立（油画）

346.战斗后的休息（油画）

347.开镣（油画）

348.地道战（油画）

349.过雪山（油画）

350.开国大典（油画）

351.春到西藏（油画）

352.南昌起义（油画）

353.狼牙山五壮士（油画）

354.毛泽东在十二月会议上（油画）

355.延安火炬（油画）

356.武昌起义（油画）

357.刘少奇和安源矿工（油画）

358.英勇不屈（油画）

359.夜渡黄河（油画）

360.山花烂漫时（油画）

361.周恩来在病中（油画）

362.峥嵘岁月（油画）

363.兼容并包（油画）

364.遵义会议（油画）

365.延河边上（油画）

366.血衣（素描）

367.转战陕北（国画）

368.北平解放（国画）

369.六盘山（国画）

370.包身工（国画）

371.刘胡兰（雕塑）

372.翻身农民（雕塑）

373.大路歌（雕塑）

374.运筹帷幄（雕塑）

# 图版

## 1. 林则徐、邓廷桢、怡良合奏虎门销烟完竣折

清道光十九年五月二十五日（1839年7月5日）
纵21.7、横10厘米
纸质，毛笔写。字体秀丽，书写工整

林则徐（1785～1850年），字少穆，福建侯官（今福州）人。1838年底，受命为钦差大臣赴广州查禁鸦片。1839年6月3日至25日，他亲自监督，在虎门海滩将收缴的英、美商人的两万余箱共2376254斤鸦片当众销毁，并于7月5日会同两广总督邓廷桢、广东巡抚怡良上奏道光皇帝（旻宁）。道光帝阅奏折后，朱批“可称大快人心一事，知道了”。此奏折原为清宫档案，清亡后，由章士钊收藏，后赠中国历史博物馆，1959年拨交。

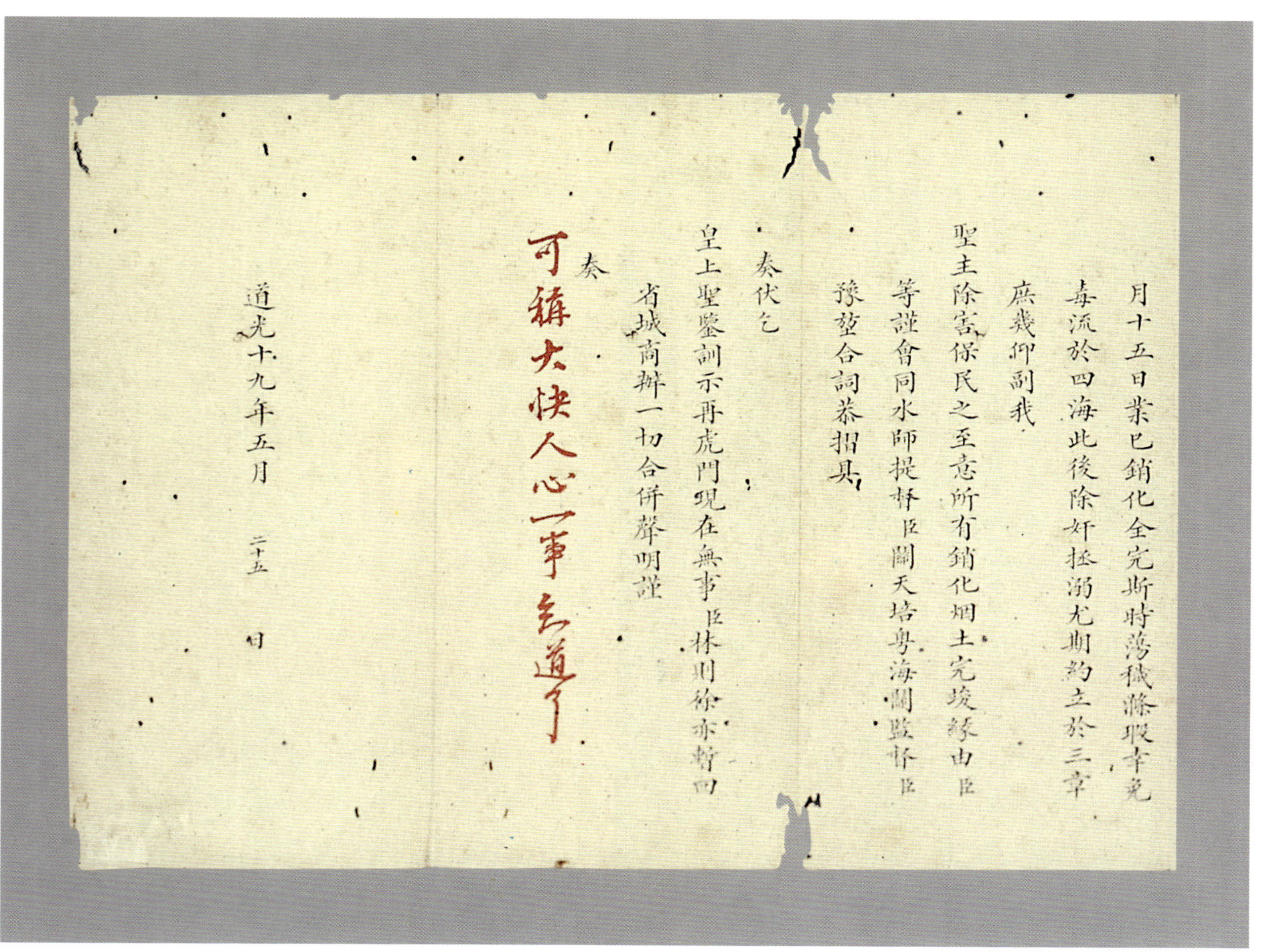

月十五日業已銷化全完斯時蕩穢滌瑕幸免
毒流於四海此後除奸拯溺尤期約立於三章
庶幾仰副我
聖主除害保民之至意所有銷化烟土完竣緣由臣
等謹會同水師提督臣關天培粵海關監督臣
豫堃合詞恭摺具
奏伏乞
皇上聖鑒訓示再虎門現在無事臣林則徐亦暫回
省城商辦一切合併聲明謹
奏
可稱大快人心一事 知道了
道光十九年五月 二十五 日

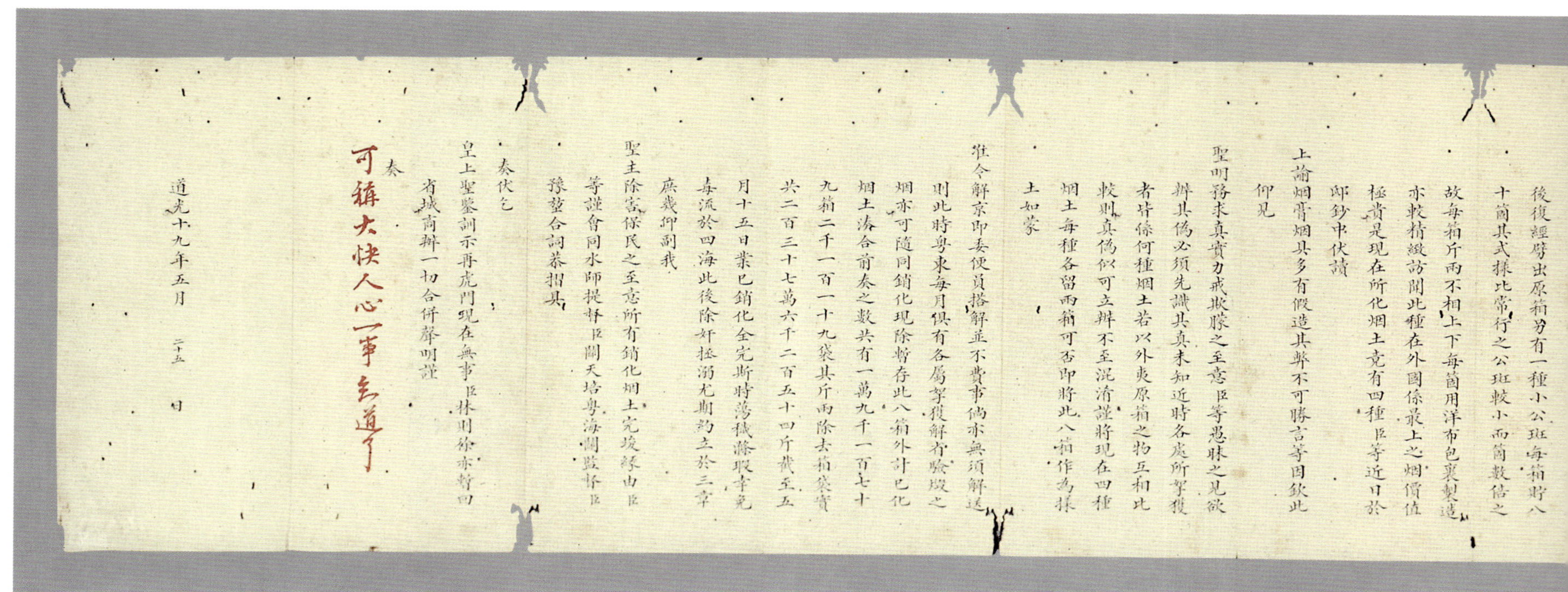

後復經劈出原箱另有一種小公班每箱對八
十箇其式樣比常行之公班較小而箇數倍之
故每箱斤兩不相上下每箇用洋布包裹製造
亦較精緻訪聞此種在外國係最上之烟價值
極貴是現在所化烟土竟有四種臣等近日於
邸鈔中伏讀
上諭烟膏烟具多有假造其弊不可勝言等因欽此
仰見
聖明務求真實力戒欺朦之至意臣等愚昧之見欲
辨其偽必須先識其真未知近時各處所拏獲
者皆係何種烟土若以外夷原箱之物互相比
較則真偽似可立辨不至混淆謹將現在四種
烟土每種各留兩箱可否即將此八箱作為樣
土如蒙
准令解京即委便員搭解並不費事倘亦無須解送
則此時粵東每月俱有各屬拏獲解省驗燬之
烟亦可隨同銷化現除暫存此八箱外計已化
烟土滚合前奏之數共有一萬九千一百七十
九箱二千一百一十九袋其斤兩除去箱袋實
共二百三十七萬六千二百五十四斤截至五
月十五日業已銷化全完斯時蕩穢滌瑕幸免
毒流於四海此後除奸拯溺尤期約立於三章
庶幾仰副我
聖主除害保民之至意所有銷化烟土完竣緣由臣
等謹會同水師提督臣關天培粵海關監督臣
豫堃合詞恭摺具
奏伏乞
皇上聖鑒訓示再虎門現在無事臣林則徐亦暫回
省城商辦一切合併聲明謹
奏
可稱大快人心一事 知道了
道光十九年五月 二十五 日

奏

奏為虎門銷化烟土公同覈實稽查現已一律完
竣恭摺奏祈

臣林則徐臣鄧廷楨臣怡良跪

聖鑒事竊臣等欽遵
諭旨將夷船繳到烟土二萬餘箱在粵銷燬所有覈
實杜弊並會督文武大員公同目擊情形已於
五月初三日銷化及半之時先行恭摺會
奏在案嗣是仍照前法劈箱過秤將烟土切碎抛
入石池泡以鹽滷爛以石灰統俟戳化成渣於
退潮時送出大海臣等會督文武員弁逐日到
廠看視稽查其間非無人夫乘機圖竊而執事
員弁多人留神偵察是以當場拏獲之犯前後

奏

奏為虎門銷化烟土公同覈實稽查現已一律完
竣恭摺奏祈

臣林則徐臣鄧廷楨臣怡良跪

聖鑒事竊臣等欽遵
諭旨將夷船繳到烟土二萬餘箱在粵銷燬所有覈
實杜弊並會督文武大員公同目擊情形已於
五月初三日銷化及半之時先行恭摺會
奏在案嗣是仍照前法劈箱過秤將烟土切碎抛
入石池泡以鹽滷爛以石灰統俟戳化成渣於
退潮時送出大海臣等會督文武員弁逐日到
廠看視稽查其間非無人夫乘機圖竊而執事
員弁多人留神偵察是以當場拏獲之犯前後
共有十餘名均即立予嚴行懲治並有賊匪於
貯烟處所乘夜爬牆鑿箱偷土亦經內外看守
各員弁巡獲破案現在發司嚴審尤當按律重
辦其遠近民人來廠觀看者端節前後愈見其
多無不肅然懔畏並有咪唎堅國之夷商啞與
唎啱吠唏𠹭等攜帶眷口由澳門乘坐三板向
沙角守口之水師提標游擊羊英科遞稟求許
入柵瞻視臣等先因欽奉
諭旨准令在粵夷人共見共聞咸知震讋曾經出示
曉諭是以該夷等遵諭前來且查夷商啞等平
素係作正經買賣不販鴉片人所共知因准派
員帶赴池旁使其看明切土搗爛及撒鹽燃灰
諸法該夷人等咸知一一點頭且皆時時掩鼻
旋至臣等廠前摘帽斂手似以表其畏服之誠
當令通事傳諭該夷等以現在
天朝禁絕鴉片新例極嚴不但爾等素不販賣之人
永遠不可夾帶更須傳諭各國夷人從此專作
正經貿易獲利無窮萬不可冒禁營私自投法
網該夷人等傾耳敬聽俯首輸誠察其情形頗
知傾心向化隨即公同賞給食物歡欣祇領而

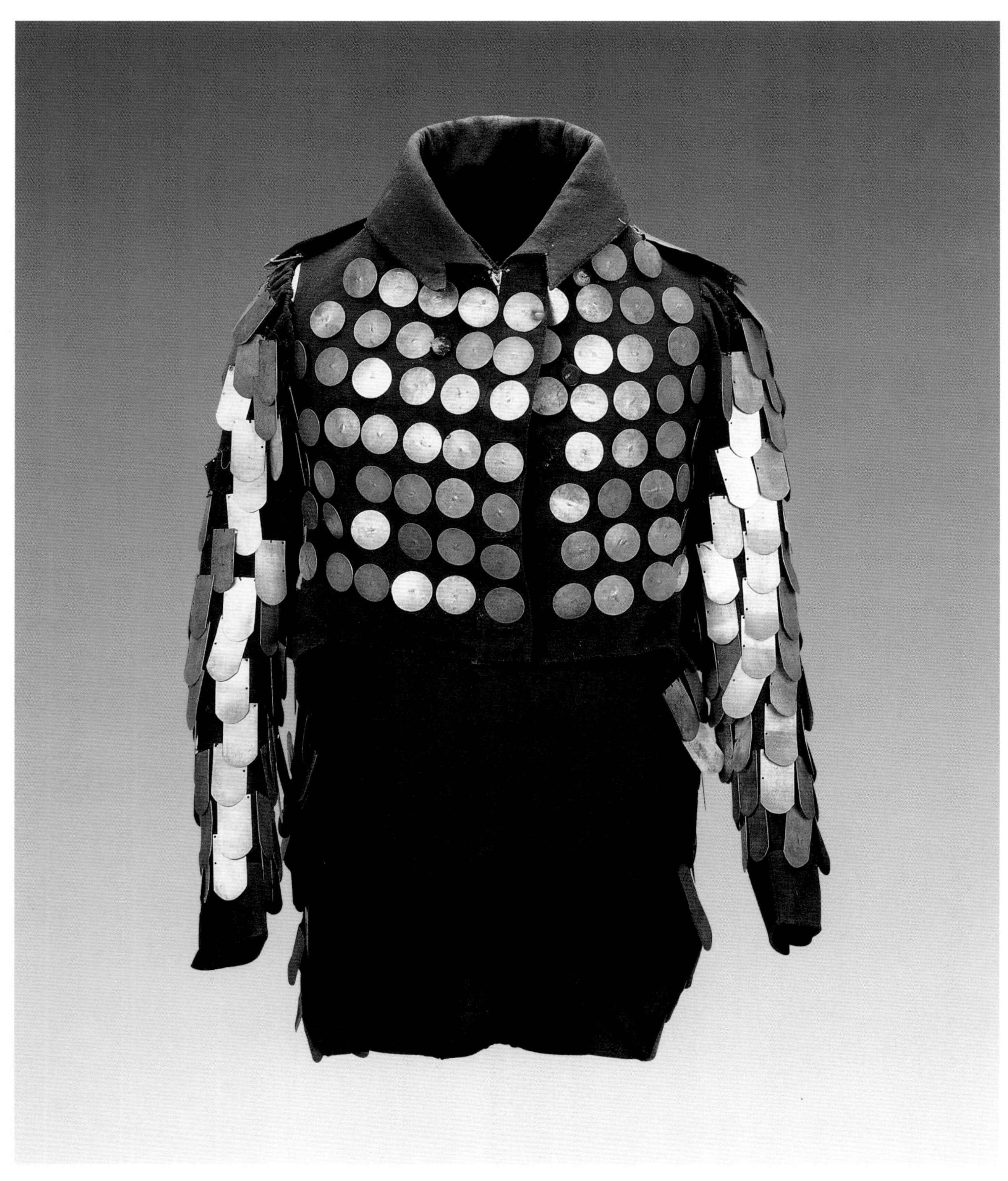

2．广东佛山人民缴获的英军甲衣

1841年
衣长87厘米
呢质，挂铁甲片，黑色

1841年英军进犯广州，士绅吴璧光等人出资，招募义勇300余人，于佛山一带防堵。5月28日，英军劫掠载有迁往佛山之妇女的渡船数只，被吴氏等追回。并于当夜攻克英军占领的龟冈炮台，打死打伤英军数十人，缴获武器、军服、旗帜等物品。7月14日，靖逆将军奕山、参赞大臣齐慎、两广总督邓廷桢上奏朝廷报告此役经过，并将部分缴获品上送京城。此甲衣即为其中之一。1965年故宫博物院拨交。

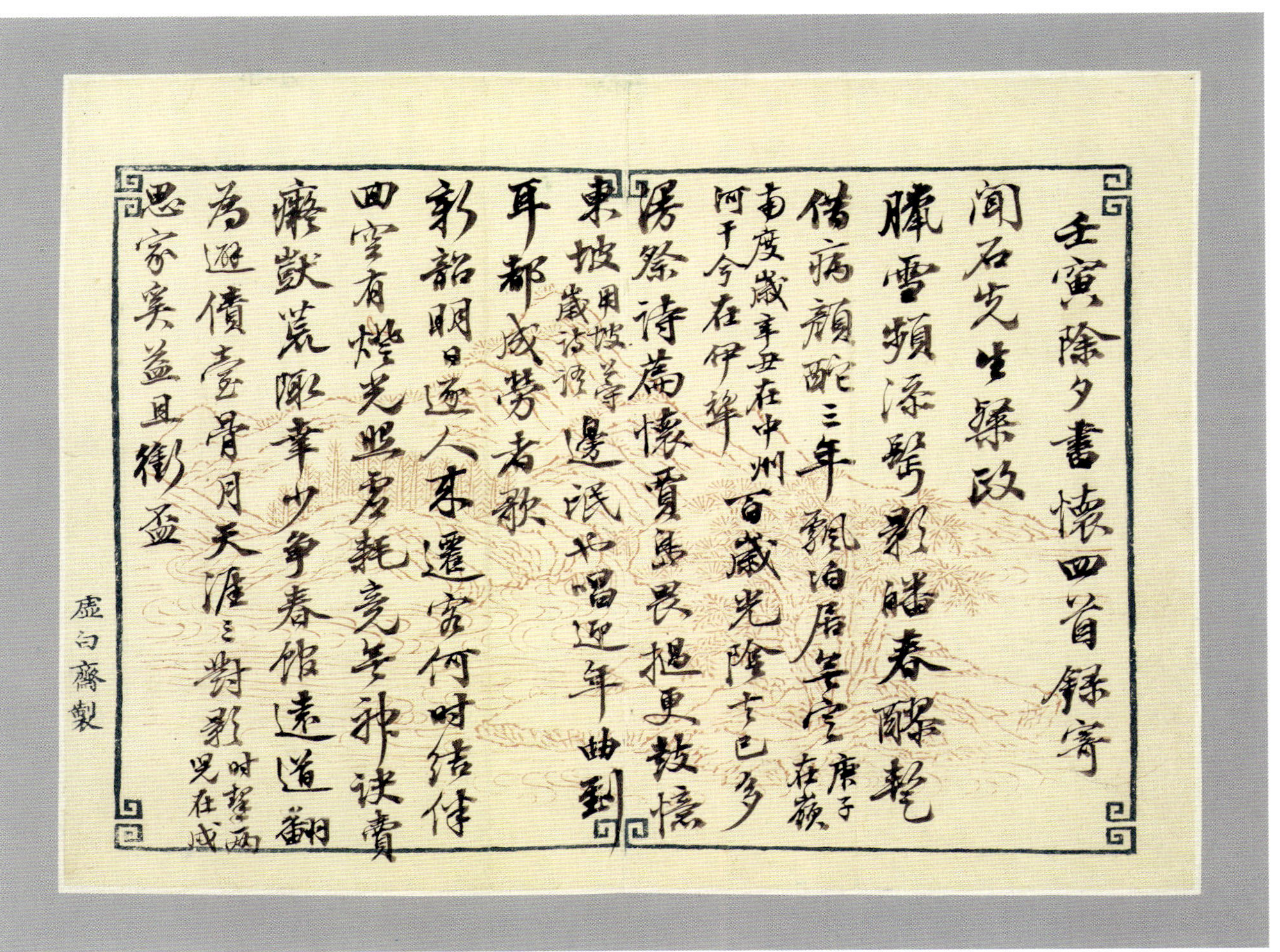
壬寅除夕書懷四首錄寄
聞石先生槑政
臘雪頻添鬓影皤春醪暫
借病顏酡三年飄泊居停慣庚子在嶺
南度歲辛丑在中州河干今在伊犁百歲光陰去已多
漫祭詩篇懷賈島畏提更鼓憶
東坡用坡公守歲詩語邊氓也唱迎年曲到
耳都成勞者歌
新韶明日逐人來還客何時結伴
四空有燈光照客耗竟無神訣賣
癡獃蒐陬幸少爭春館遠道翻
為避債臺骨月天涯二對影時聲兩兒在戍
思家寘益且銜盃
虛白齋製

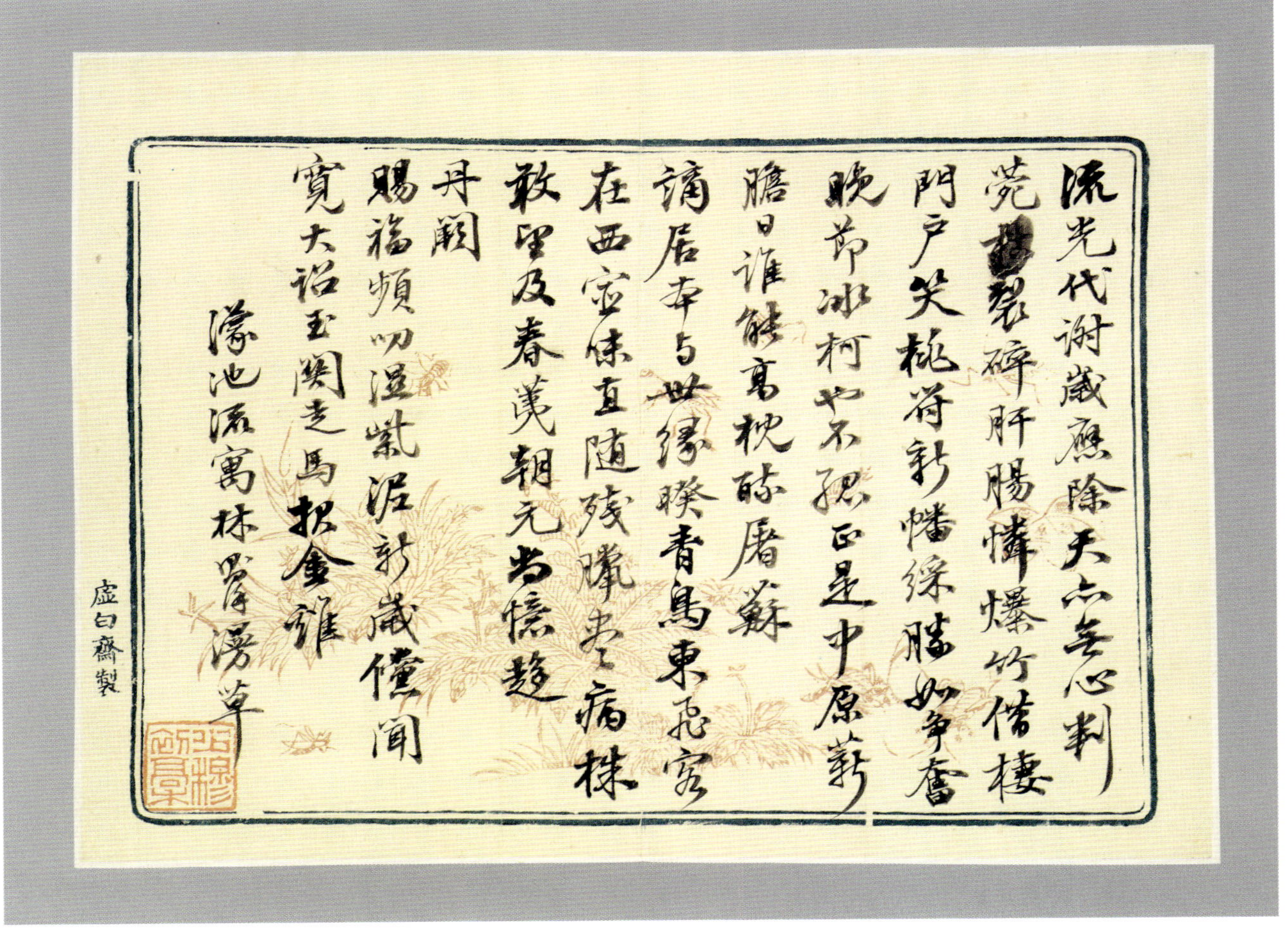
流光代謝歲應除天亦無心判
菀枯裂碎肝腸憐爆竹借棲
門戶笑桃符新燔繰膽如爭奮
晚節冰柯也不孤正是中原薪
膽日誰能高枕臥屠蘇
謫居本與世緣疏青鳥東飛客
在西宦味直隨殘臘去病株
敢望及春蘇朝元尚憶趨
丹闕
賜福頻叨溫紫泥新歲僅聞
寬大詔玉關走馬擬金雞
濠池流寓林則徐草
虛白齋製

3．林则徐谪戍伊犁时作《壬寅除夕书怀》四首

清道光二十二年十二月二十九日（1843年1月29日）

纵16.5、横22.3厘米

纸质，毛笔写

1842年3月林则徐因禁烟遭到投降派诬陷，被道光皇帝下令遣戍新疆伊犁。12月抵达流放地伊犁惠远城。一个月后即为旧历壬寅除夕，年关远戍，林则徐异常感慨，撰七律四首抒怀，并录寄同乡友人、陕西孝义厅同知刘闻石。1959年8月购自书商萧新祺。

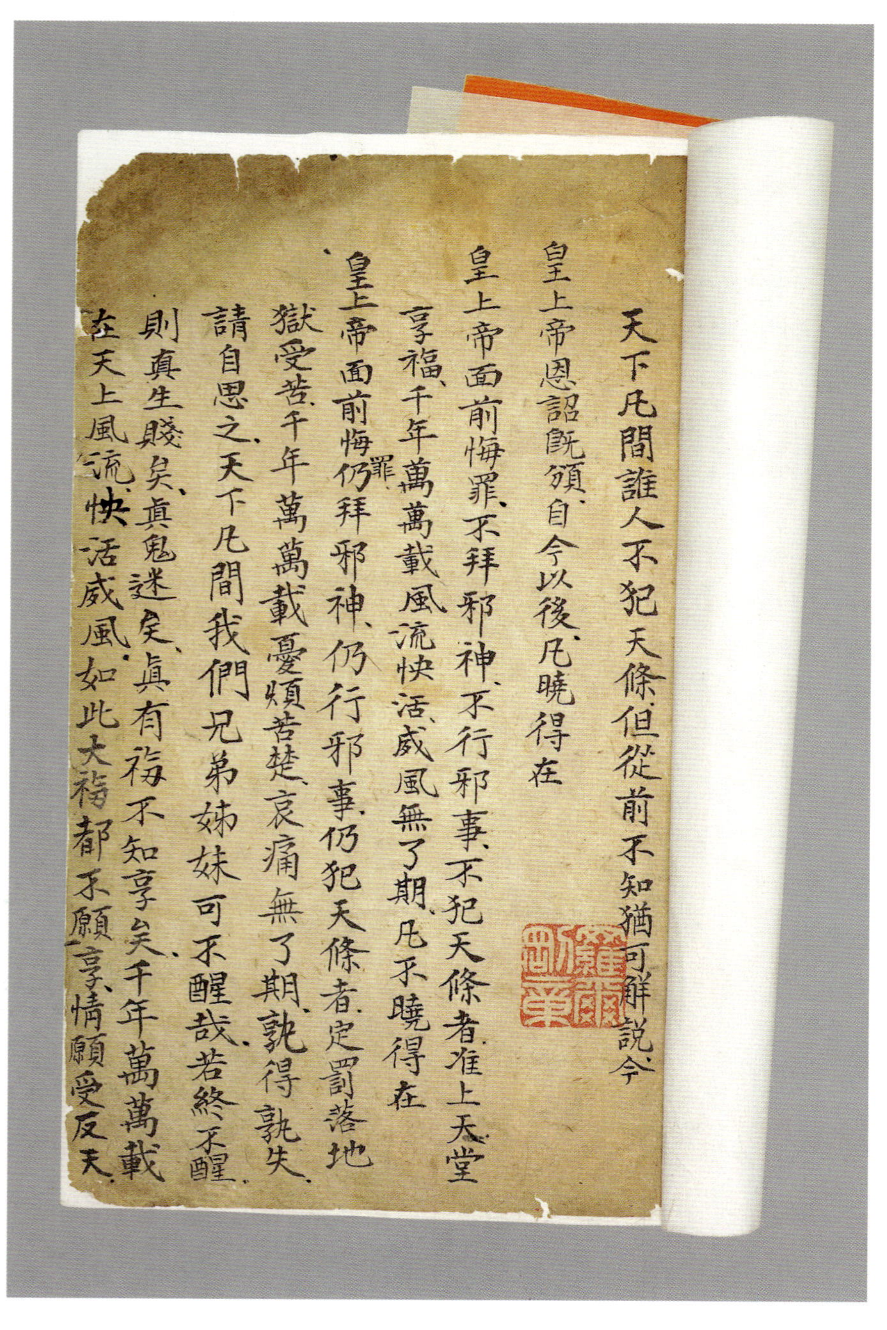

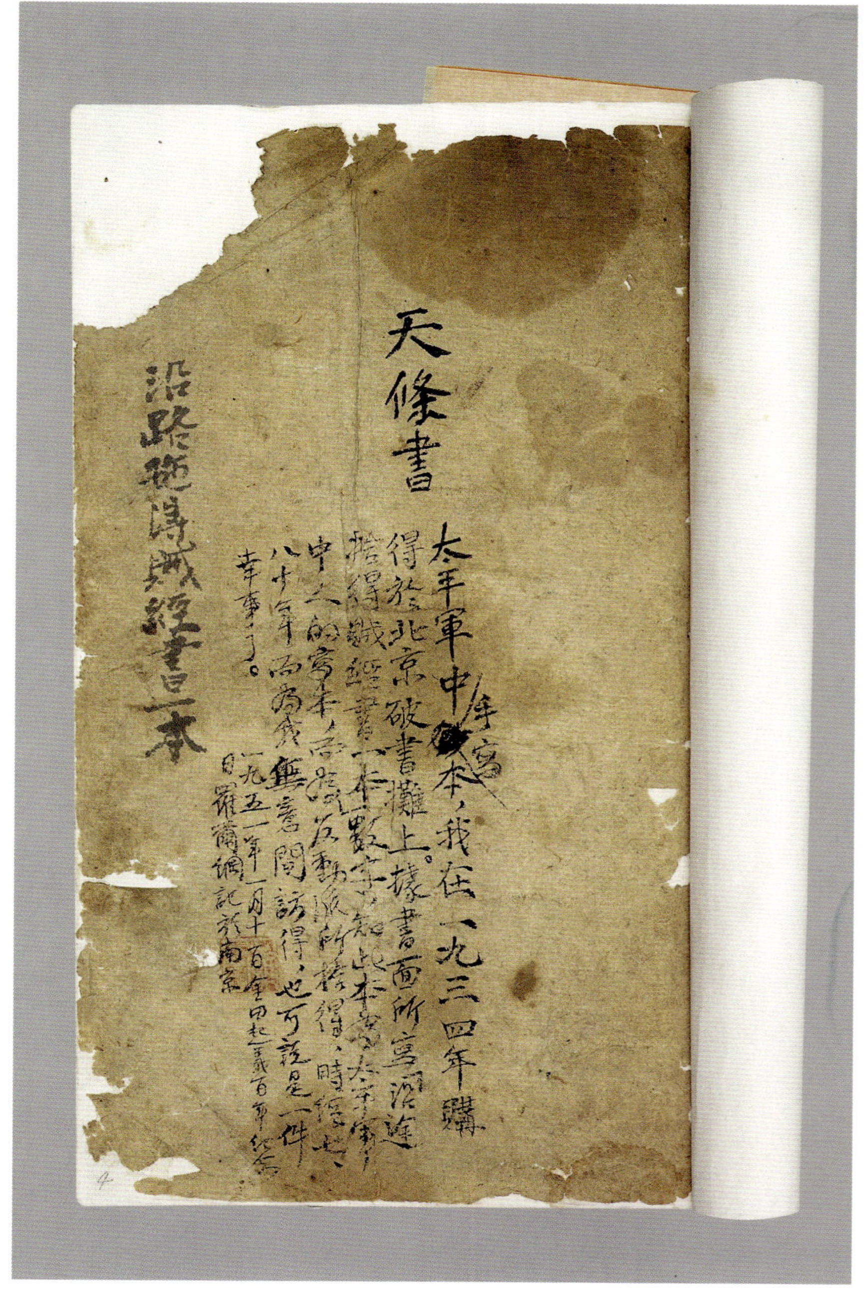

**4. 太平天国《天条书》手抄本**

太平天国初期

纵23.7、横14.7厘米

纸质，毛笔写。全书共11页，原缺第4、5页，由罗尔纲据相同的柏林藏本补抄

《天条书》是拜上帝会的重要经典之一。1847年由洪秀全、冯云山制定，包括祷告仪式与十款天条两部分。1852年后大量刊行，成为太平天国军民必读且必须熟记的课本。此手抄本是罗尔纲于1934年在北京旧书摊上访得。封面上写有“沿路拖得贼经书一本”九个字。经罗先生鉴定：“拖”字当为“拾”字的误写，此书可能是在战斗中被清军下层文化程度较低的官兵拾获。此为国内孤本，1951年罗尔纲捐赠国家，1959年太平天国纪念馆拨交。

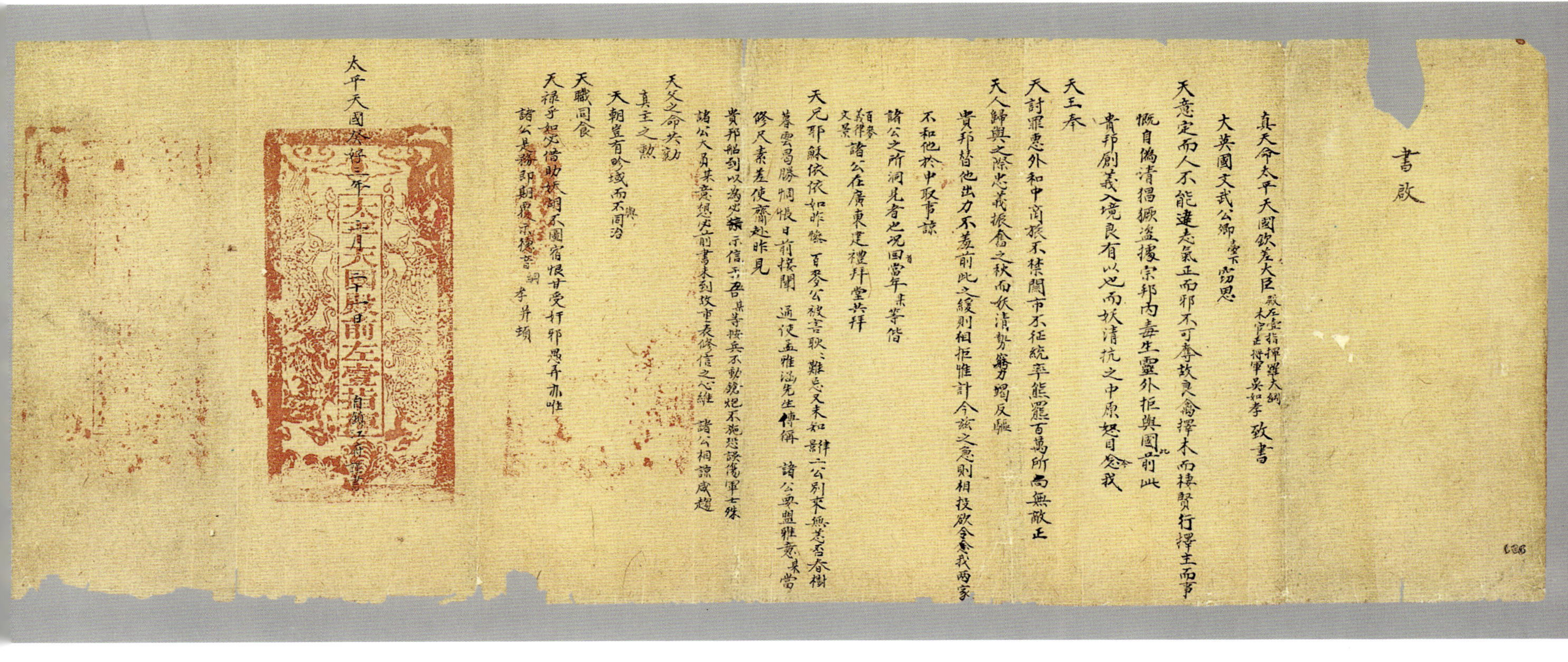

書啟

真天命太平天國欽差大臣殿左壹指揮羅大綱、木官正將軍吳如孝 致書

大英國文武公卿臺下 勛恩

天意定而人不能違，志氣正而邪不可奪，故良禽擇木而棲，賢臣擇主而事。

慨自偽清猖獗，盜據宗邦，內毒生靈，外拒與國。前此

貴邦剧義入境，良有以也，而妖清抗之，中原怒目。今我

天王奉

天討罪，惠外和中，商旅不禁，關市不征，統率熊羆百萬，所向無敵。正

天人歸與之際，忠義振奮之秋，而妖清勢窮力竭，反驅

貴邦替他出力，不羨前此之緩則相拒，惟計今茲之急則相投，欲令愈我兩家

不和，他於中取事，諒

諸公之所洞見者也。况回當年 某等皆

百參 義律 文景 諸公在廣東建禮拜堂共拜

天兄耶穌，依依如昨，條 百參公被害，耿耿難忘，又未知 義律二公別來無恙否，春樹

暮雲，曷勝惆悵。日前接聞 通使孟雅涵先生傳稱 諸公要盟雅意，某當

修尺素，差使齎赴。昨見

貴邦船到，以為必來示信于吾，某等按兵不動，鎗炮不施，恐誤傷軍士，殊

諸公久[illegible]，某竟想必前書未到，故重表修信之心。維 諸公相諒，咸趨

天父之命，共勷

真主之勳，

天朝豈有畛域而不與同治，

天職同食

天祿乎？如必借助妖胡，不圖宿恨，甘受奸邪愚弄，亦惟

諸公是務，卻顧[illegible]深懷。 綱 孝 并頓

太平天國癸好三年 [illegible]

## 5. 太平天国将领罗大纲、吴如孝致英使文翰函

太平天国癸好三年三月二十三日（1853 年 4 月 27 日）

纵 26.1、横 69.6 厘米

纸质、毛笔写

1853 年 3 月，太平军攻占南京后，英国委派的香港总督兼驻中国公使文翰（Samuel George Bonham）由香港抵上海。4 月，赴天京（今南京）访问，了解太平天国的对外政策，并企图让太平天国承认《南京条约》，结果遭到拒绝。文翰所乘舰船经过镇江时，太平军镇江守将罗大纲、吴如孝特致书文翰，表明太平天国独立自主、反对侵略的外交政策，并希望英国不要帮助清军。此函原由英国驻华外交机构保存，1978 年 12 月北京市公安局拨交。

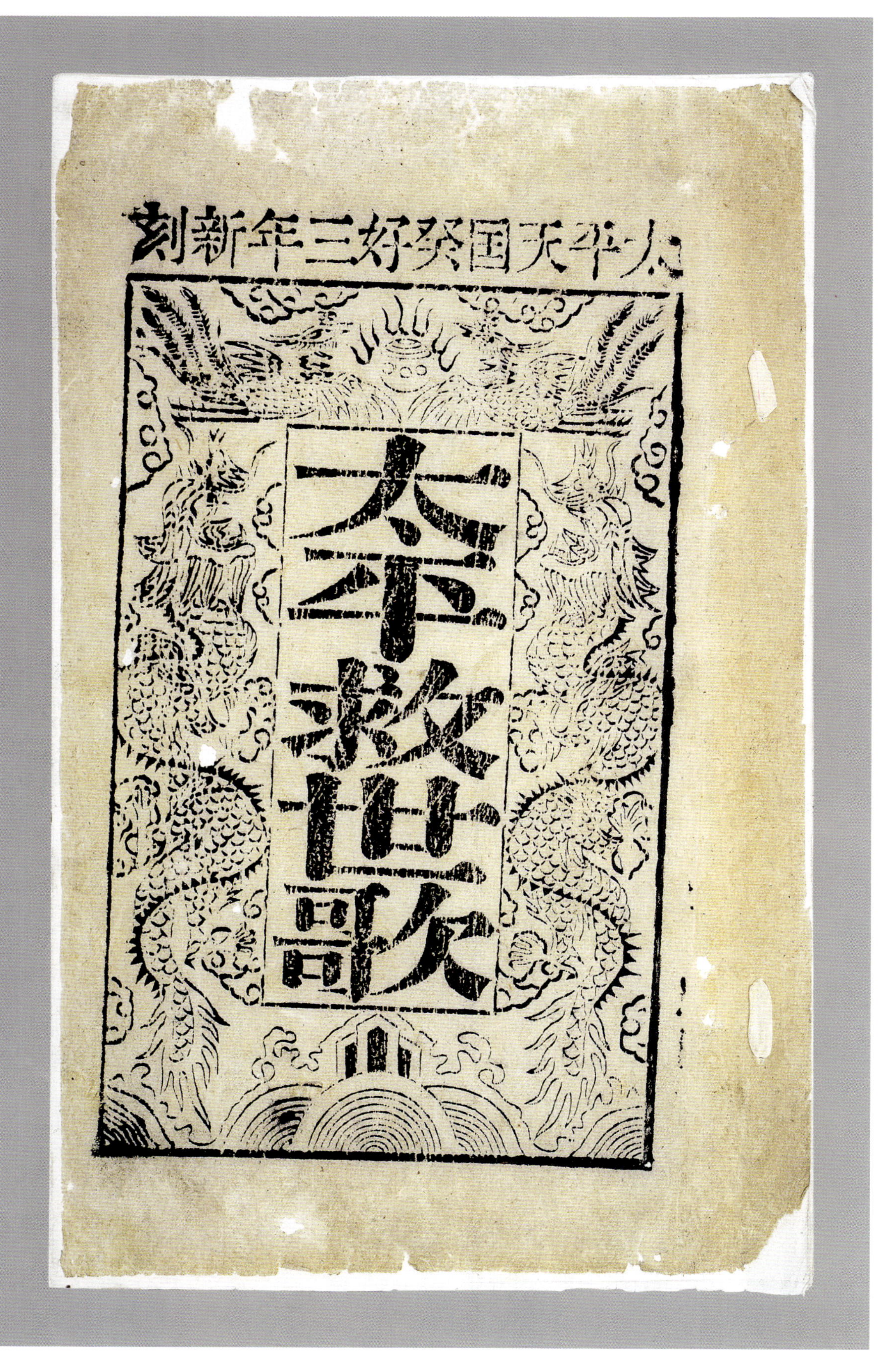


**6. 太平天国编印的《太平救世歌》**

太平天国癸好三年（1853年）
纵24.5、横14.6厘米
纸质、木刻印。共11页

此书为太平天国宣传教育书籍之一，以东王杨秀清名义颁布，卷首有杨秀清撰写的序文一篇，歌三首。自述奉上帝之命，下凡辅助天王起义救世的经过，并讲述劝人“弃邪归正”、“个个修好，人人炼正”的道理。本书是太平天国癸好三年刻本，为国内孤本。原为清苏松太兵备道吴煦家藏。1953年文化部文物局拨交。

**7. 太平天国天王洪秀全玉玺**

太平天国时期（1851～1864 年）

纵 20、横 20、通高 10.1 厘米

青白玉石质。玉玺纽背刻云纹，纽侧刻双凤朝阳纹。玺文四周上作双凤朝阳纹，左右作龙纹，下作立水纹。玺文为宋体正书，镌刻阳文，共 44 字。玺文中“天王洪日”指洪秀全；“天兄基督”指耶稣；“真王贵福”指幼天王；“八位万岁”指“爷、哥、朕、幼、光、明、东、西”，即上帝、耶稣、洪秀全、幼天王、洪秀全第三子光王、第四子明王、东王杨秀清、西王萧朝贵

洪秀全（1814～1864 年），广东花县人，拜上帝会和太平天国的重要领导人。此玉玺是太平天国政权的重要标志。1864 年 7 月 19 日天京失陷，太平军突围，玉玺被湘军掳去，由曾国藩送交清廷军机处，存于方略馆。清亡后，由国立历史博物馆收藏，1959 年中国历史博物馆拨交。

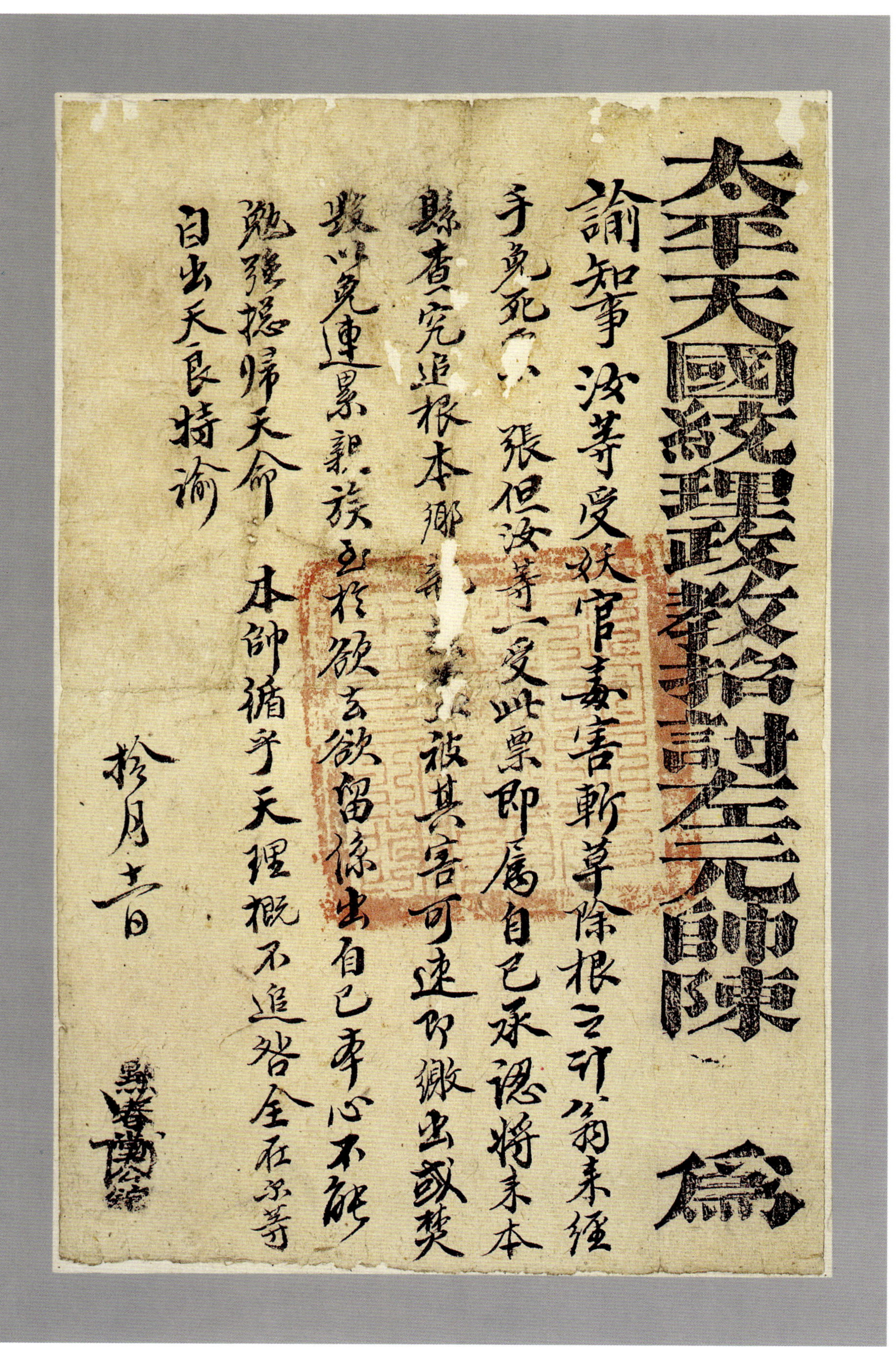

太平天國統理政教招討左元帥陳　爲

諭知事汝等受妖官毒害斬草除根之計爾未經手免死票張但汝等一受此票即屬自己承認將來本縣查究追根本鄉[illegible]被其害可速即繳出或焚毀以免連累親族至於欲去欲留係出自己本心不能勉強總歸天命　本帥循乎天理概不追咎全在爾等自出天良特諭

拾月十一日

8．**上海小刀会左元帅陈阿林揭露清军散发“免死票”阴谋的布告**

清咸丰四年十月十一日（1854年11月30日）

纵23.7、横15厘米

纸质，毛笔写

小刀会是民间反清秘密团体，天地会支派之一。其宗旨、歌诀、口号和组织形式与天地会基本相同。主要成员为农民、手工业工人、水手等。主要活动范围在上海、福建、广东、浙江等地。1853年9月7日上海小刀会起义，占领上海县城。清军为瓦解、分化小刀会，散发“免死票”。小刀会左元帅陈阿林为揭露清军阴谋发布此布告。原为吴煦家藏，后由国家收购，1959年中国历史博物馆拨交。

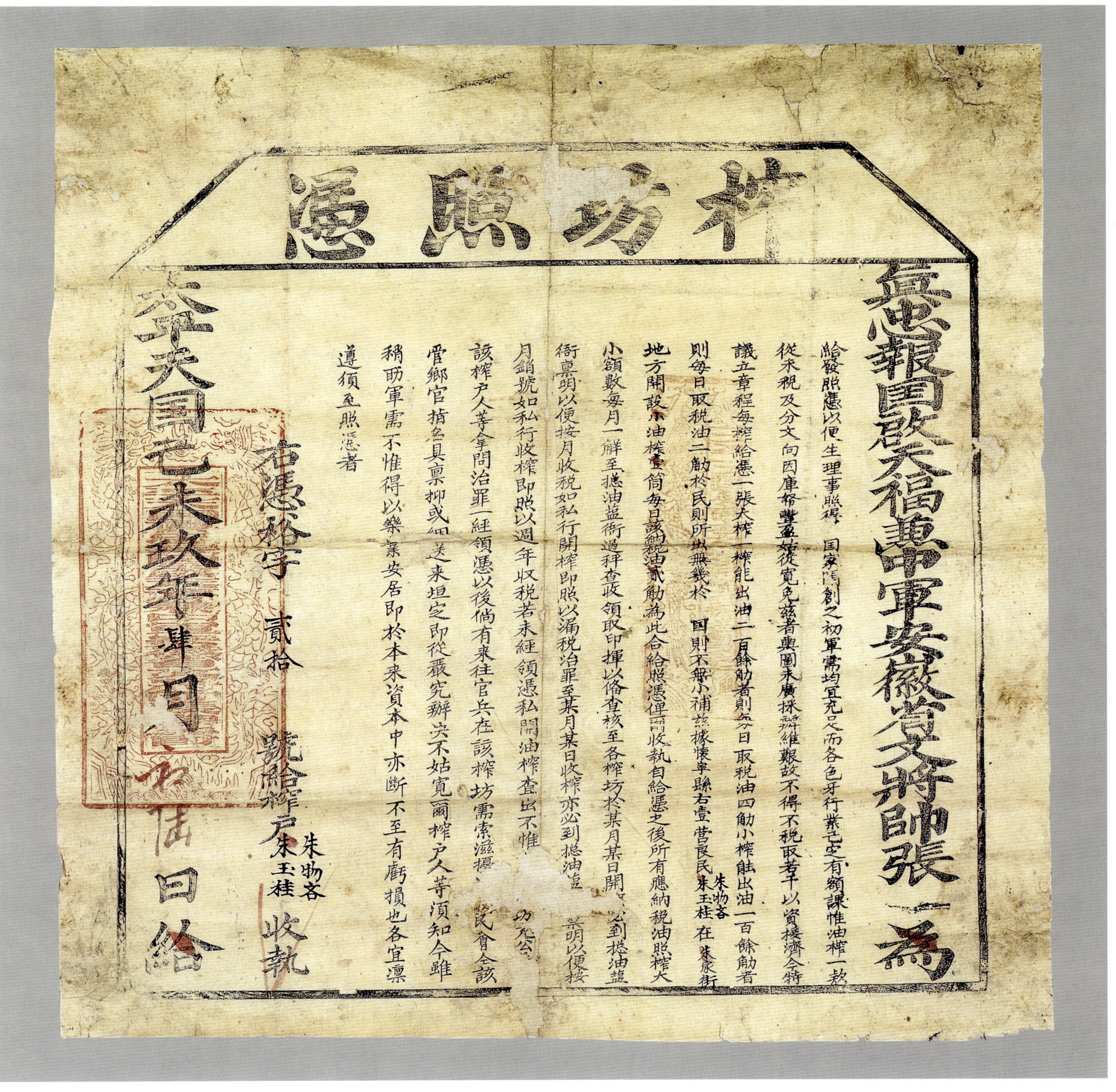

榨坊照憑

真忠報國啟天福兼中軍安徽省文將帥張 為
給發照憑以便生理事照得 國家開創之初軍需均宜充足而各色牙行業已定有額課惟油榨一款
從未稅及分文向因庫帑豐盈姑從寬免茲者輿圖未廣採辦維艱故不得不稅取若干以資接濟今將
議立章程每榨給憑一張大榨一榨能出油二百餘觔者則每日取稅油四觔小榨能出油一百餘觔者
則每日取稅油二觔於民則所出無幾於 國則不無小補茲據懷寧縣右壹營良民朱玉桂朱物各在朱家街
地方開設小油榨壹筒每日該納稅油貳觔為此合給照憑俾爾收執自給憑之後所有應納稅油照榨大
小額數每月一觧至摠油鹽衙過秤查收領取印揮以備查核至各榨坊於某月某日開[illegible]必到摠油鹽
衙稟明以便按月收稅如私行開榨即照以漏稅治罪至某月某日收榨亦必到摠油鹽衙稟明以便按
月銷號如私行收榨即照以過年收稅若未經領憑私開油榨查出不惟[illegible]
該榨户人等拿問治罪一經領憑以後倘有來往官兵在該榨坊需索滋擾[illegible]民會全該
管鄉官指名具稟抑或細[illegible]送來垣定即從嚴究辦決不姑寬爾榨户人等須知今雖
稍助軍需不惟得以樂業安居即於本來資本中亦斷不至有虧損也各宜凜
遵須至照憑者

右憑給字 貳拾 號給榨户朱玉桂朱物各 收執

太平天国己未玖年肆月 伍 日給

9．**太平天国安徽省文将帅张潮爵发给怀宁县榨户的榨坊照凭**

太平天国己未九年四月初六日（1859年5月8日）

纵46.7、横40厘米

纸质，木刻印，毛笔写。钤盖“太平天国真忠报国启天福兼中军安徽省文将帅张潮爵”双龙纹大朱印

太平天国定都天京后，为解决军需和发展生产，制定了适应经济发展的政策，并设置机构管理和监督工商户。明确规定：一切店铺作坊均由地方当局发给执照方准正式营业。此执照分“印照”和“印凭”两种，开业前发“印照”，待正式开业后发“印凭”。“印凭”又有“卡凭”、“店凭”、“商凭”、“照凭”等多种名称。1959年安徽省博物馆拨交。

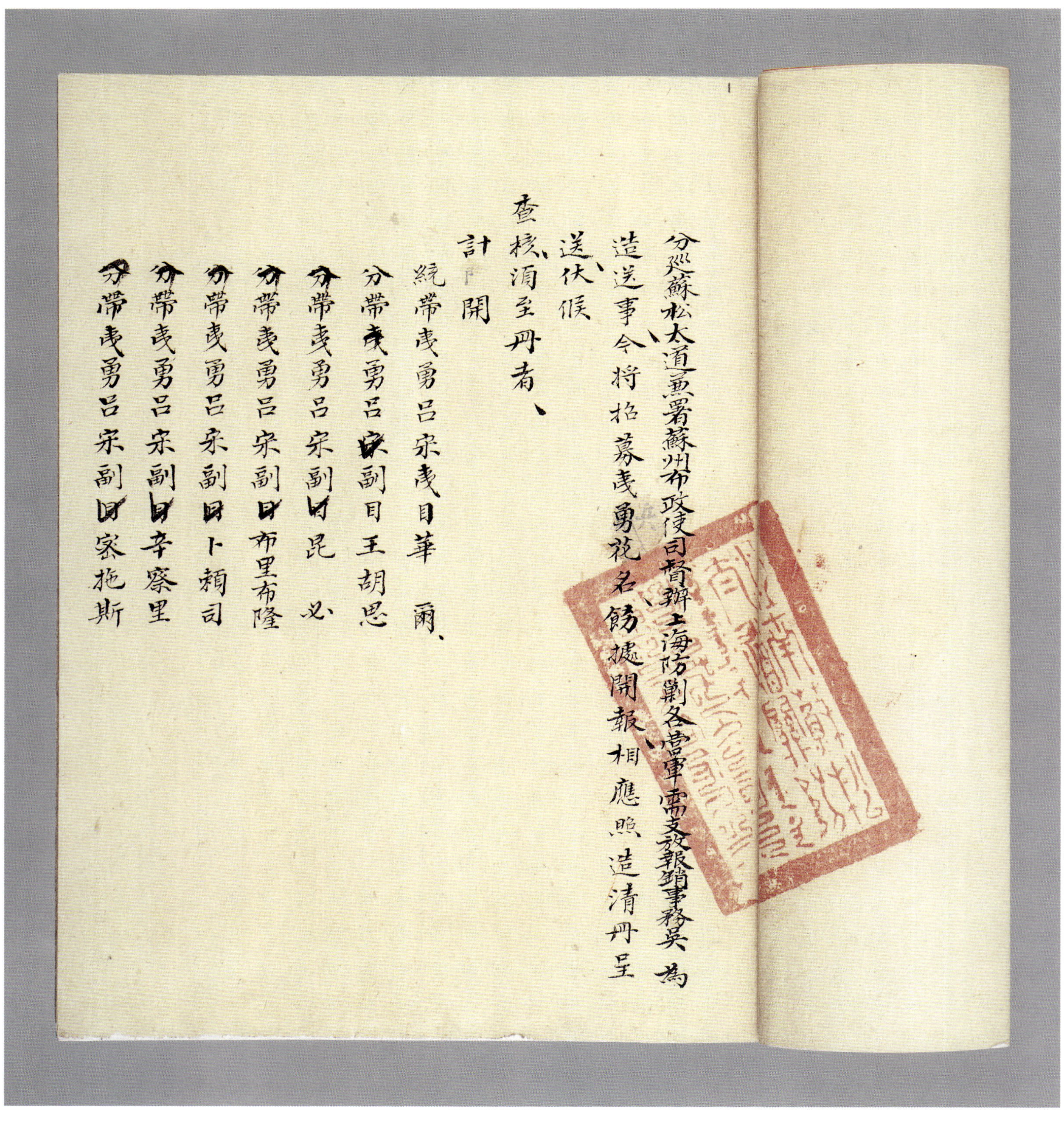

分巡蘇松太道兼署蘇州布政使司督辦上海防剿各營軍需支放報銷事務吳 為
造送事、今將招募夷勇花名餉據開報相應照造清冊呈
送、伏候
查核、須至冊者、
計開
統帶夷勇呂宋夷目華爾、
分帶夷勇呂宋副目王胡思
分帶夷勇呂宋副目昆必
分帶夷勇呂宋副目布里布隆
分帶夷勇呂宋副目卜賴司
分帶夷勇呂宋副目辛察里
分帶夷勇呂宋副目家拖斯

**10．清苏松太道吴煦造呈招募并委美国人华尔统带夷勇花名册**

清咸丰十一年十月初三日（1861年11月5日）
纵26、横24.6厘米
纸质，毛笔写

1860年6月，美国人华尔（Frederick Townsend Ward）在清苏松太道吴煦、候补道杨坊赞助下，招募百余名外国士兵、水手，成立洋枪队，自任领队，与太平军作战。8月，洋枪队在青浦被太平军重创，死伤近半。1861年8月，华尔又在吴煦等支持下，东山再起，改募中国士兵，由外国军官训练，扩充洋枪队，在松江、青浦、高桥一带与太平军作战，成为太平军的劲敌。1862年洋枪队改称“常胜军”。此花名册共列入正副夷目8名，夷勇420名。原为吴煦家藏，后由国家收购，1953年文化部文物局拨交。

11．京师同文馆门额

1862～1902 年
长 250、高 60、厚 3 厘米

木质，雕刻

1862 年 6 月 11 日京师同文馆正式成立，它是中国最早的外国语学堂，附属于总理各国事务衙门，初设英文班，不久增设法文班和俄文班。后又陆续增加了天文、算学、德文、日文等班。原馆址在北京北河沿南口。1902 年京师同文馆并入京师大学堂（今北京大学），成为京师大学堂最早的组成部分之一。1960 年第一机械工业部拨交。

12．《江南制造总局、分局全图》

清末
纵 24．2、横 32、厚 7 厘米
本册照片 104 幅

江南制造总局即江南机器制造总局，创办于 1865 年，由两江总督李鸿章责成江海关道丁日昌办理，是中国第一个具有先进技术设备的综合性近代企业。1867 年由上海虹口迁至高昌庙，企业规模不断扩大，先后建成机器厂、轮船厂、枪厂、炮弹厂、炼钢厂、水雷厂等 13 个分厂和一个工程处，1868 年聘请洋人组建翻译馆，翻译西方科技著作百余种。总局设总办、会办、帮办等职，由清廷委派，分局为枪子厂和弹药厂，成为当时中国最大的军工企业。本册照片比较全面地反映了江南制造总局、分局当年历史状况。“上海同生照相号印制”。1950 年收购。

**13. 上海租界会审委员钤记**

1869～1926 年
纵 9.2、横 6.2、高 13.1 厘米
木质，包银。篆体阳文刻“上海租界会审委员钤记”

鸦片战争后，英、法、美等国在上海建立租界，实为“国中之国”。上海租界会审公廨是一个由外国侵略者控制的司法机构，正式成立于 1869 年。这枚钤记是会审委员使用的。1926 年 4 月，江苏省政府开始与驻沪各国领事交涉，最终签订收回会审公廨的协定，并于 1927 年 1 月成立临时法院。1959 年中国历史博物馆拨交。

**14. 程璧光的望远镜**

1880～1918年
直径3.6、长42.9厘米
玻璃、铜、革质，主体以铜铸造。单筒

程璧光（1859～1918年），字恒启，广东香山（今中山）人，福州船政局水师学堂毕业。曾任广东舰队广甲舰管带，参加了中日甲午战争中的黄海海战。后任北洋营务处会办、海军部司长等职。1916年6月任海军总长。1917年率舰队随孙中山南下广州护法，1918年遇刺身亡。这支英国制造的单筒望远镜是他曾经使用过的。1988年程璧光之孙程慕尧捐赠。

**15．中法战争中冯子材部镇南关大捷图**

清光绪十一年（1885年）
纵49.2、横68.2厘米
纸质，彩印

镇南关大捷是中法战争中清军大败法军的一次著名战役。1885年2月，法军攻陷中越边境广西重镇镇南关（今友谊关）。老将冯子材赴镇南关御敌，3月24日率所部将士，在越南军民的配合下，在镇南关关前隘重创法军，收复了谅山等地。法军败讯传至巴黎，导致法国茹费理内阁倒台。此图由田子琳绘，上海积山局印制，形象地描绘了大捷的壮观场面。1959年云南省博物馆拨交。

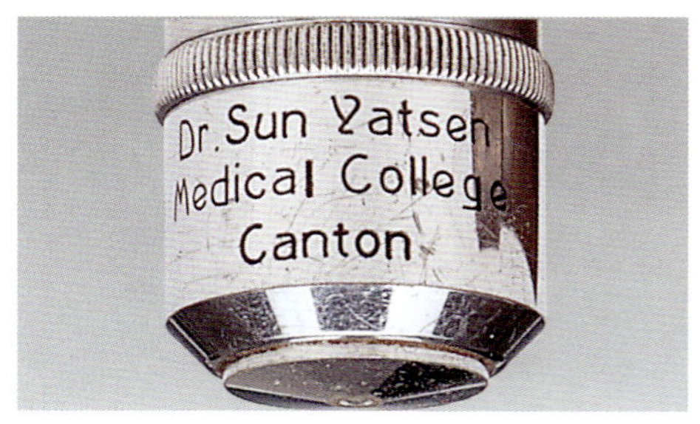


**16．孙中山在广州学医时用过的显微镜镜头**

1886～1887年
镜头高4.2、直径2.3厘米
玻璃、金属质。刻有英文“Dr.Sun Yatsen Medical College Canton”（孙逸仙，广州医科学校）。有木盒

孙中山（1866～1925年），名文，字逸仙，广东香山（今中山）人。1886年入广州博济医院附设的南华医学堂学医。1887年转入香港雅丽氏书院学习。1892年7月毕业，先后在澳门、广州开设药局，行医济世。这个显微镜镜头是孙中山在广州学医时用过的。德国制造，放大比例为1：100。原由日本人鸿江勇保存。1987年送还中国。

**17．孙中山在香港西医书院学习时与友人合影**

1890～1891 年间

纵 15、横 21.8 厘米

1887 年 10 月至 1892 年 7 月，孙中山在香港西医书院学习期间，接触了西方的自然科学和资产阶级的社会政治学说，深受进化论和法国 18 世纪资产阶级历史的影响，救国意识日益增强。他常与好友陈少白（1890～1891 年入书院学习）、尢（尤）列、杨鹤龄一起，议论时政，抨击清廷，阐述革新抱负，被时人视为大逆不道，称为“四大寇”。照片左起：杨鹤龄、孙中山、陈少白、关心焉、尢列。此片原为关心焉所存，后赠陈乙峰，再后由章欣潮保存，1964 年 9 月捐赠。

**18．康有为在广州长兴学舍讲学时穿过的长衫**

1891～1893年
长136厘米
丝绸质，胸前贴纸、残破、有墨笔字迹

康有为（1858～1927年），字广厦，广东南海（今广州）人。近代著名政治家、思想家，戊戌维新运动领袖。这件长衫是康有为在广州长兴学舍（万木草堂前身）讲学时穿的。康有为逝世周年时，梁启超发起纪念活动，康有为夫人梁随觉将此衫赠予康氏弟子张伯桢，以陈列纪念。1939年，张伯桢恐此衣在战乱中被毁，将其寄送北京古物陈列所保存。该衫胸前贴纸字迹为张伯桢所题，含缅怀康有为的诗二首。1959年中国历史博物馆拨交。

**19．上海华盛纺织总局用的动力头道粗纱机**

1894年
纵110.5、横831、高143.5厘米
铁质

1890年，中国第一家棉纺厂上海机器织布局在上海建成投产。1893年9月，不慎失火焚毁。1894年，盛宣怀奉李鸿章之命在原址重建，改名"华盛纺织总局"。后又改名为"又新"、"集成"、"三新"。1931年，因亏损被汇丰银行收购。后几经转手，机器归申新纺织公司。申新开工两年后，又将机器运至沪西建厂，名为"申新九厂"。这台动力头道粗纱机是1894年英国制造的，为华盛纺织总局原有设备之一，是我国现存使用最早的动力纺织机器。1959年上海历史与建设博物馆拨交。

**20. 清末江苏等省炮台、军队、工厂、学堂照片册**

1895～1905 年
纵 28、横 35、厚 7 厘米
本册照片 200 幅

1894年中日甲午战争后，中国出现了兴办近代工业的热潮。本册照片反映了清末中国社会发展的某些侧面。照片涉及的地域广阔，包括江苏、安徽、江西、湖北、湖南等省。内容丰富，有军队、警察、炮台、长江水师、武备学堂、兵工厂和各类学堂，以及官办民用工业，如造币厂、铁厂、矿山、纱厂等，为清末照片中罕见。其中不乏近代照片精品，如江西萍乡煤矿、湖北汉阳铁厂、汉阳兵工厂、苏纶纱厂、苏经丝厂、江苏铜圆局、湖北幼稚园、两湖师范学堂和南琛兵舰、清末警察等照片。1985 年 4 月购藏。

**23．刘永福部张璘峰在保卫台湾战斗中用的剑**

1895年
长62.5厘米
剑为钢铁锻造，木柄，有鞘

1895年4月中日《马关条约》签订，清政府将台湾割让给日本。台湾各阶层人民闻讯，展开了反对割让台湾的英勇斗争。驻守台湾的清军将领刘永福率黑旗军与台湾人民共同抗击日本侵略军。此剑为其部下张璘峰在战斗中使用的。1895年10月，日军攻陷台南，刘永福部被迫撤回内地，张璘峰将剑带回广西。后由其子张鼎文的侄子张祖贵保存，1963年捐赠。

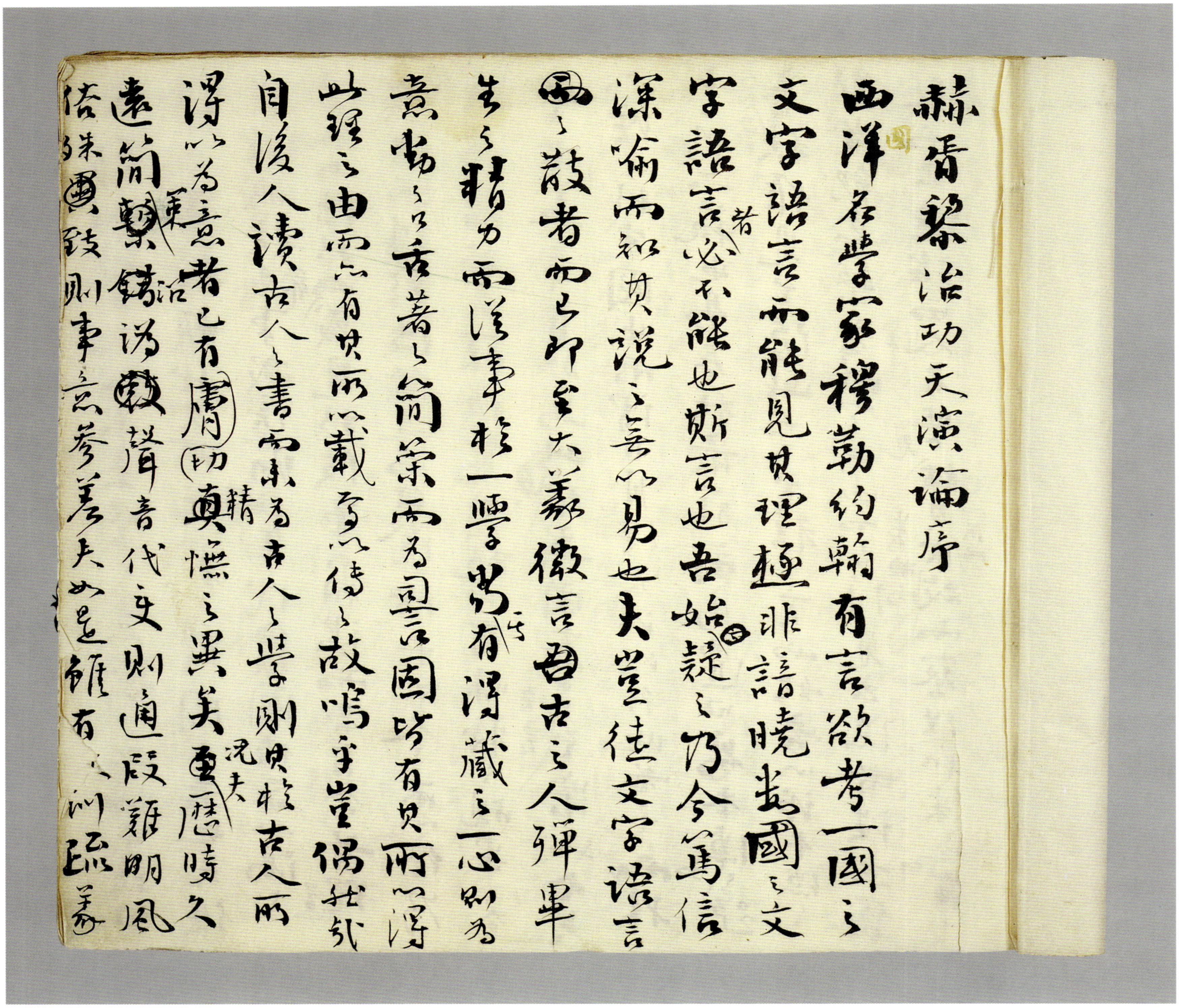

**24．严复译赫胥黎《天演论》手稿**

1896 年
纵 22.7、横 25.5 厘米
纸质，毛笔写

严复(1854～1921 年)，字又陵，福建侯官（今福州）人，福州船政学堂第一届毕业生。1877 年赴英国海军学校留学，曾广泛涉猎达尔文、卢梭、孟德斯鸠、赫胥黎等西方资产阶级社会政治学说。1879 年回国后，任福州船政学堂教习，后任天津北洋水师学堂总教习、总办。甲午战争后，痛感国势日危，主张向西方学习。1895 年后，先后翻译《天演论》、《原富》、《法意》、《名学》等论著，系统地将西方资产阶级政治经济学说和思想文化制度等介绍到中国。其中，严复译述赫胥黎的《天演论》以“物竞天择，适者生存”的进化论观点，唤起国人救亡图存，为维新派的变法图强提供了理论依据，对思想界的影响极大。1959 年收藏。

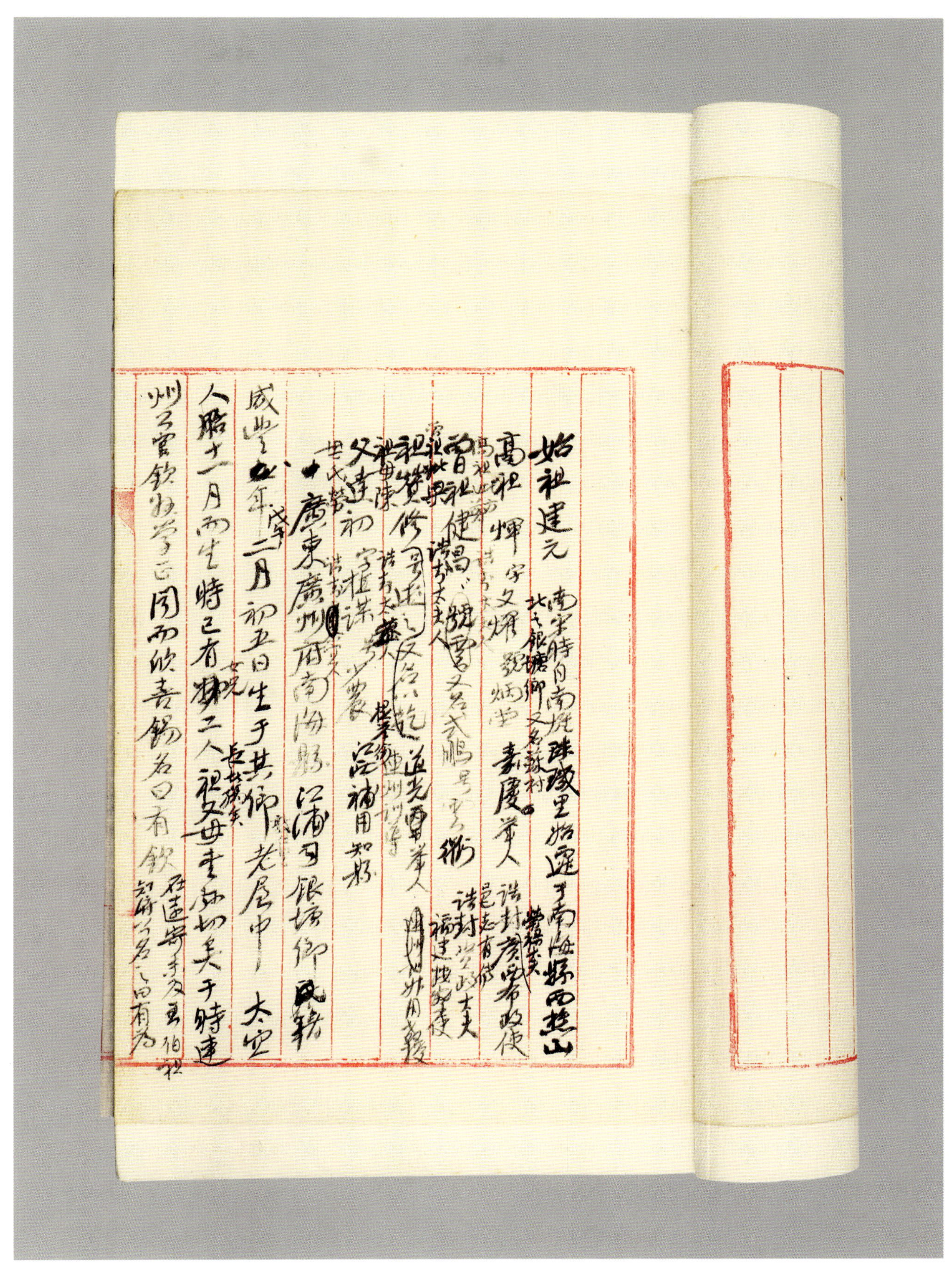

**25．康有为自撰年谱手稿**

1898年

纵24.9、横17厘米

纸质，毛笔写

1898年9月21日，慈禧太后发动政变，尽废新法，“戊戌变法”宣告失败，康有为流亡日本。在日期间，康有为撰写了这本年谱，全称《康南海自编年谱》，也称《我史》。简述康氏家族自始祖建元起至康达初（康有为的父亲）各代的情况。详述康有为自1858年（清咸丰八年）出生，至1898年“戊戌变法”失败近四十年的人生历程。原由康有为挚友罗普保存。1961年罗氏后代捐赠文化部文物局，3月拨交。

大清光緒二十四年二月十五日 禮拜一 西曆一千八百九十八年三月七號 每張取大錢十文 第六百五號

# 蘇報

代印書籍佈單告白

本館自備二號四號五號全副鉛字承印各種書籍佈單校對精詳紙墨佳妙並用電氣藥水精製銅版以及錢票花邊更覺精細賜顧者即請移玉至本館帳房面議價則克己此佈

## 中國通商銀行給發股利告

## 鑒水居士撰書論相只取一角

中國宜振興商務說

26．《苏报》

馆藏 1898～1902 年

纵 27、横 81.5 厘米

纸质，铅印，《苏报》馆发行

《苏报》是中国资产阶级革命民主派的国内第一份报纸，1896 年 6 月 26 日创刊于上海，创办人胡璋，1903 年 6 月底终刊。章太炎、柳亚子等在《苏报》上发表过文章。1900 年后由宣传改良转为倾向于革新，连续发表大量文章，“放言革命”，揭露清王朝的反动本质，遭到当局查封。“苏报案”震动全国，促使革命运动迅速兴起。

**27．上海公共租界界碑碑心**

清光绪二十五年三月二十九日（1899 年 5 月 8 日）

纵 136、横 76.1 厘米

铁质，铸造。碑文中、英文对照：“此界石系由工部局董会同上海县王暨奉南洋大臣刘特派之两委员余、福按照苏松太道李于光绪二十五年三月二十九日所出推广公共租界告示内载之四址眼同定立。”

自 1845 年 11 月清政府批准英国在上海建立第一块租界后，列强纷至沓来。1854 年，英、法、美三国在租界成立“工部局”，自行进行纳税和司法管理，使租界成为“国中之国”。1863 年上海英美租界合并为“公共租界”。1899 年公共租界扩充面积，此界碑作为界至的标示立于最重要之处。1959 年 9 月收藏。

**28．直隶遵化城石门镇西门天仙宫义和神团“坎”字旗**

1900 年
高 145、底边 151.5 厘米
布质，三角形，残破

1900年义和团反帝爱国运动爆发，参加者多为农民、手工业者。他们在民间秘密结社，采取设立神坛的方式发展组织。最初流行于山东、直隶（今河北）一带，后在华北、东北迅速发展。义和团分乾、坎、艮、震、巽、离、坤、兑等八门（八卦）。其中“乾”字号和“坎”字号声势最大。“坎”为八卦之一，代表水。1900 年八国联军入侵时，德国将此“坎”字团旗掠去。1955 年德意志民主共和国总理格罗提渥访华时送还我国。1959 年 6 月中国历史博物馆拨交。

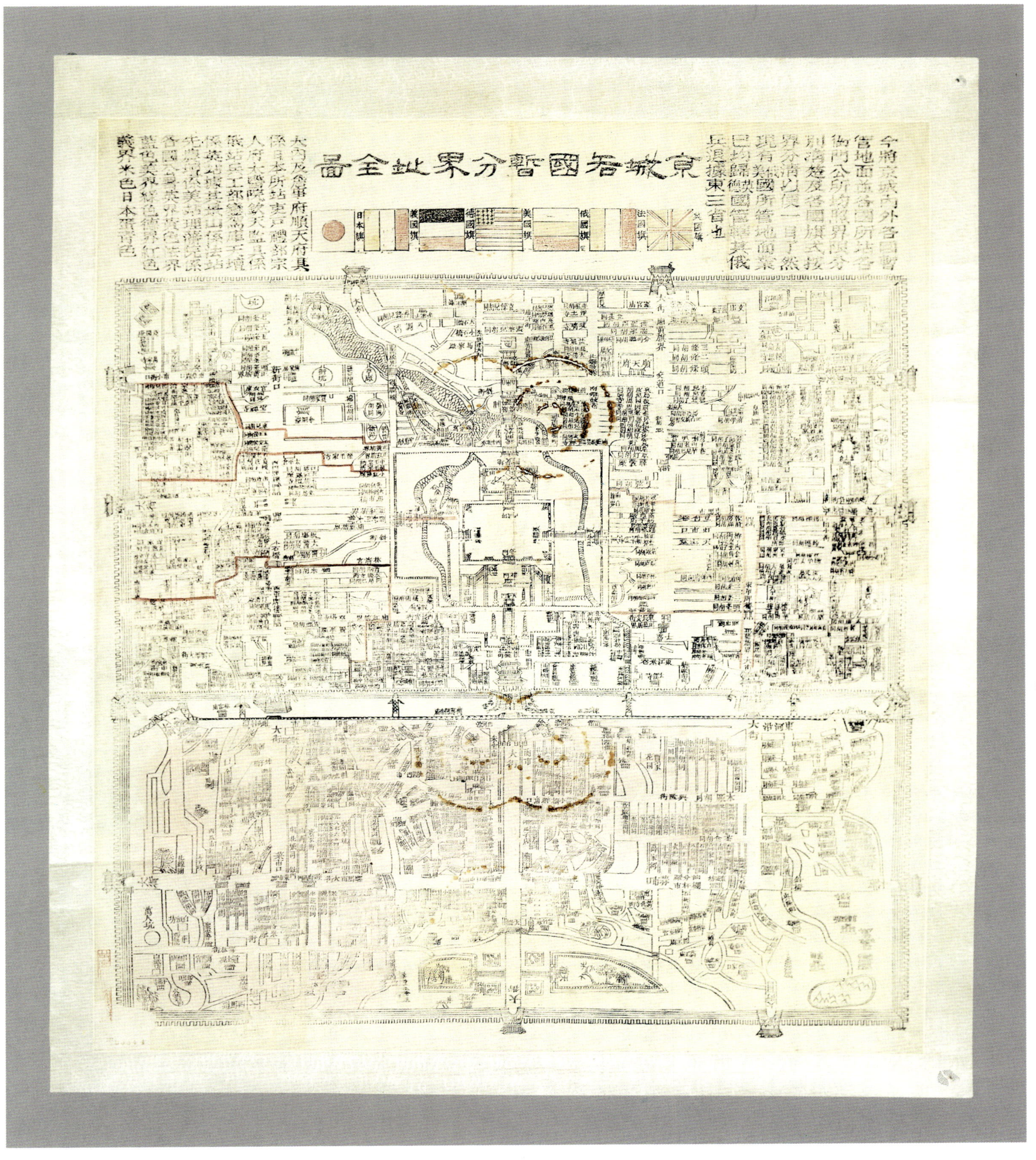


**29.《京城各国暂分界址全图》**

1900～1901 年
纵 62.7、横 54 厘米
纸质

为镇压义和团运动，1900 年 6 月，英、美、法、俄、德、日、意、奥等国组成八国联军发动侵华战争。8 月，攻陷北京。他们划分各自势力范围，对北京实行分区占领，并对中国人民实行殖民统治。《京城各国暂分界址全图》用黄、蓝、绿、红、米色及蛋青色分别代表英、法、美、德、意和日本等国在京城所占的区域。图中文字注明："今将京城内外各国暂管地面并各国所站（占）各衙门公所均照界限分别清楚"。"大内及詹事府、顺天府具系日本所站（占）；吏户、礼部、宗人府、太医院、钦天监具系俄站（占）；兵工部、銮驾库、天坛系英站（占）据；其景山系法站（占）；先农坛系美站（占）；理藩院系各国公署"。1960 年 4 月收藏。

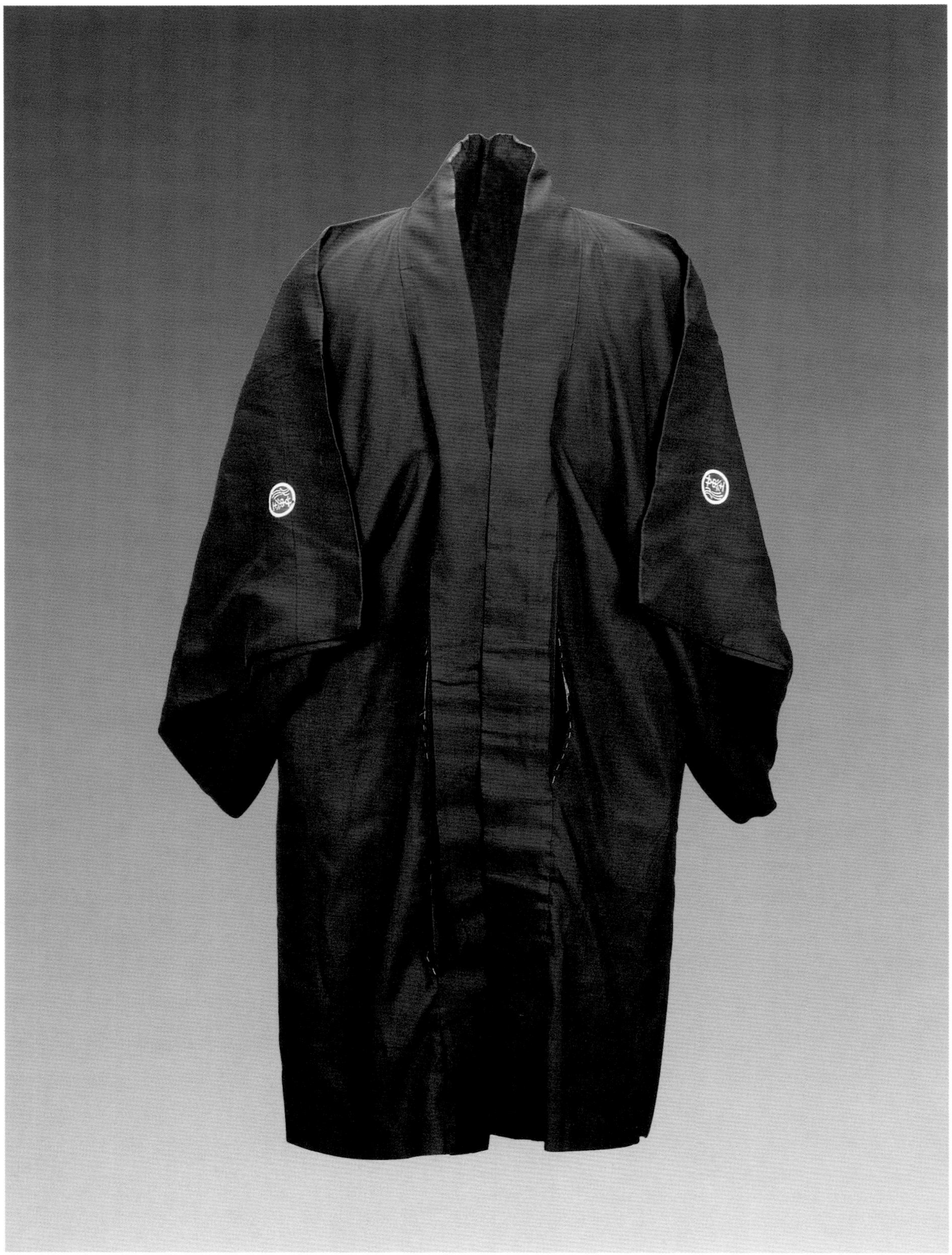

**30．章太炎“汉”字徽和式外褂**

1902年
衣长111厘米
绸、布质，黑色

章太炎（1869～1936年），名炳麟，字枚叔，号太炎，浙江余杭人。1902年因在苏州东吴大学讲学时宣传反清而被通缉，流亡日本。为便于开展革命活动，特制作了这件“羽织”和式外褂。按日本风俗，衣服的肩部或印、或绣上家徽图案，以显示家庭身份。章太炎为表示不忘祖国之心，书写了篆体“汉”字作为装饰。1914年章太炎因反对袁世凯称帝，被软禁于北京。他愤而绝食，并将此衣寄给了夫人汤国黎作为诀别。1981年其长子章导捐赠。

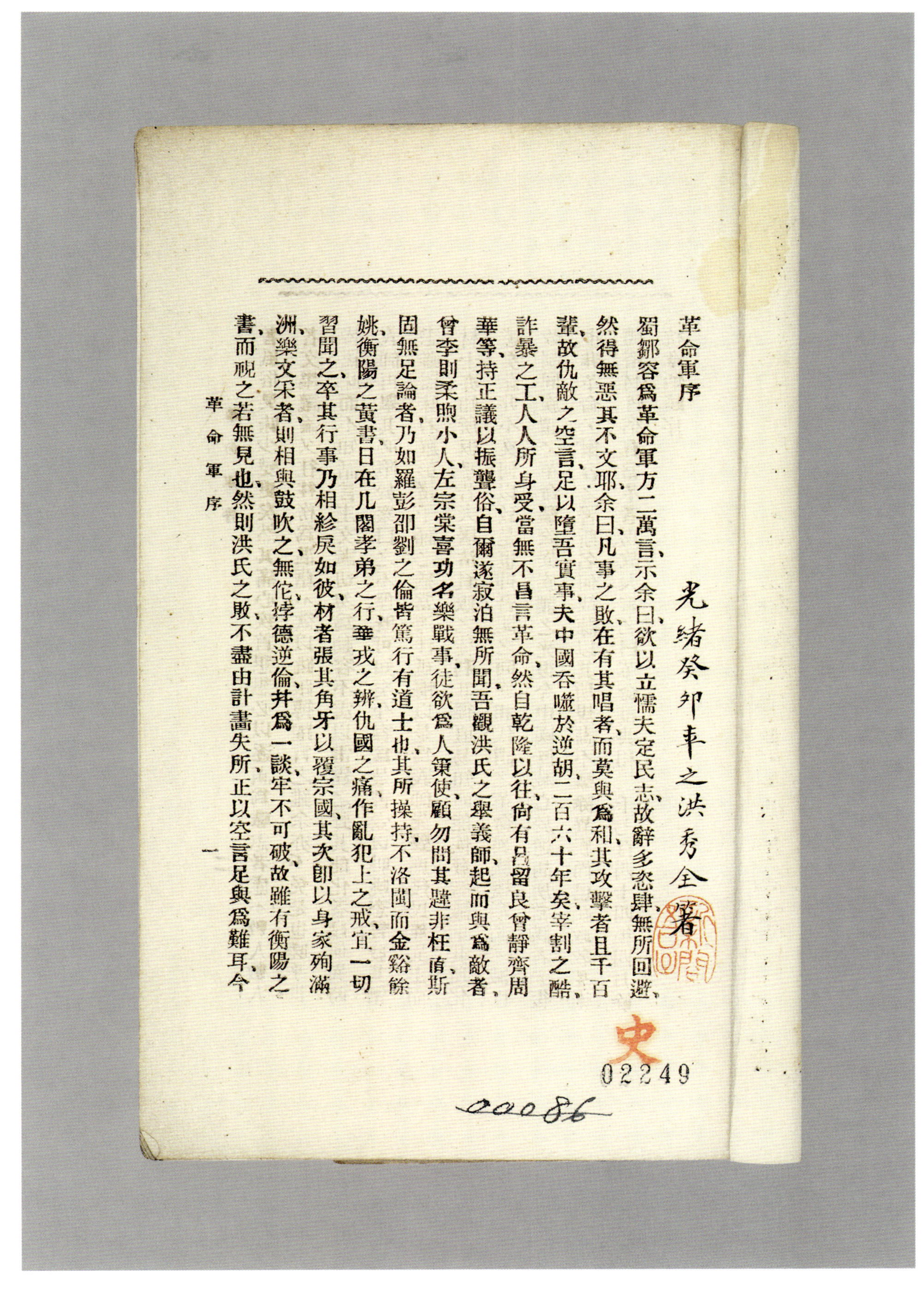
光緒癸卯年之洪秀全著

革命軍序

蜀鄒容爲革命軍方二萬言、示余曰、欲以立懦夫定民志、故辭多恣肆、無所回避、然得無惡其不文耶、余曰、凡事之敗、在有其唱者、而莫與爲和、其攻擊者且千百輩、故仇敵之空言、足以墮吾實事、夫中國吞噬於逆胡、二百六十年矣、宰割之酷、詐暴之工、人人所身受、當無不昌言革命、然自乾隆以往、尚有呂留良曾靜齊周華等、持正議以振聾俗、自爾遂寂泊無所聞、吾觀洪氏之舉義師、起而與爲敵者、曾李則柔煦小人、左宗棠喜功名樂戰事、徒欲爲人策使、顧勿問其韙非枉直、斯固無足論者、乃如羅彭邵劉之倫、皆篤行有道士也、其所操持、不洛閩而金谿餘姚、衡陽之黃書、日在几閣、孝弟之行、華戎之辨、仇國之痛、作亂犯上之戒、宜一切習聞之、卒其行事、乃相紾戾如彼、材者張其角牙、以覆宗國、其次卽以身家殉滿洲、樂文采者、則相與鼓吹之、無他、悖德逆倫、并爲一談、牢不可破、故雖有衡陽之書、而視之若無見也、然則洪氏之敗、不盡由計畫失所、正以空言足與爲難耳、今

革命軍序　一



**31．邹容著《革命军》**

1903年5月

纵23、横14、高0.3厘米

纸质，铅印，有残，52页，上海大同书局出版

邹容（1885～1905年），四川巴县人。中国近代民主革命家。1902年留学日本，并参加留日学生爱国运动。后因“苏报案”被捕死于狱中。《革命军》以通俗的文字，宣传推翻清朝统治，反对外国侵略者，主张建立独立自主的“中华共和国”，对中国思想界震动极大，被誉为中国近代的《人权宣言》。书上毛笔字为收藏者所写。

**32．西藏人民抗英钢剑**

1904年
剑长82.9厘米
主体用钢锻造，木柄，镶金、银、铜，有鞘

《辛丑条约》签订后，列强掀起瓜分中国的狂潮。1903年12月英国侵略军大举进犯西藏，被西藏军民击退。1904年5月西藏军民在江孜英勇抗击英军，因清政府采取妥协政策导致抗英失败。同年，中英签订严重损害中国主权的《拉萨条约》。此剑是西藏人民抗英用的武器之一。原由白马结古（藏族）保存，后捐献国家。1959年文化部文物管理局拨交。

**33．詹天佑测绘京张铁路线时用的仪器**

1905～1909 年

纵 38、横 33.5、高 21 厘米

玻璃、铜质，有詹天佑的英文名字缩写“T.Y.JEME”

詹天佑（1861～1919 年），字眷诚，广东南海（今广州）人，中国近代杰出的铁路工程师。1881 年毕业于美国耶鲁大学。1905 年 4 月任京张铁路总工程师兼会办，主持修建京（北京）张（张家口）铁路。这是我国自行设计修筑的第一条铁路。他采用新的工程技术，经过四年苦战提前通车。这件仪器是詹天佑勘测京张铁路线时使用的。原由其家属保存，后捐赠中国历史博物馆，1959 年拨交。

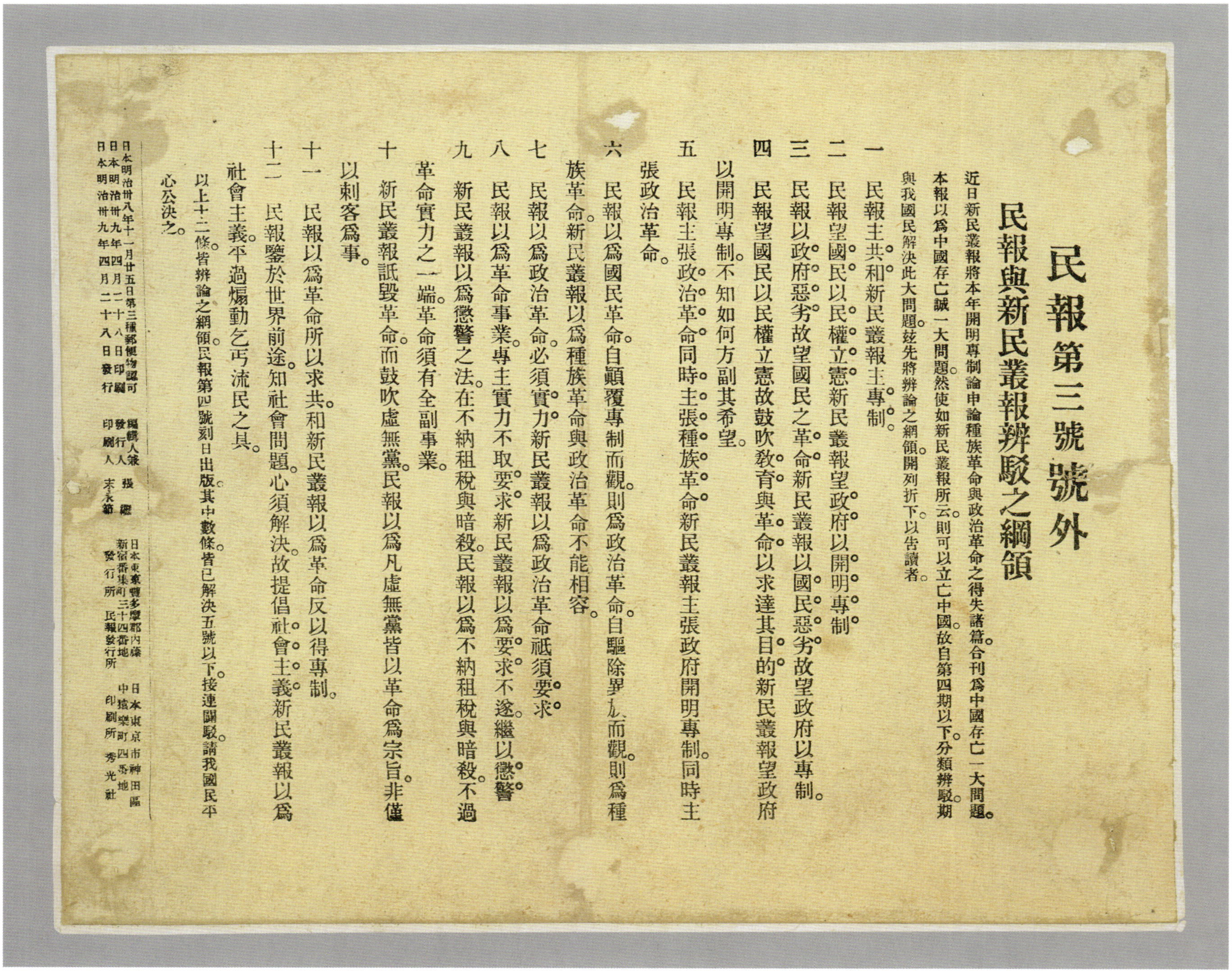

# 民報第三號號外

## 民報與新民叢報辨駁之綱領

近日新民叢報將本年開明專制論申論種族革命與政治革命之得失諸篇合刊爲中國存亡一大問題。本報以爲中國存亡誠一大問題。然使如新民叢報所云。則可以立亡中國。故自第四期以下。分類辨駁。期與我國民解決此大問題。茲先將辨論之綱領。開列於下。以告讀者。

一 民報主共和。新民叢報主專制。

二 民報望國民以民權立憲。新民叢報望政府以開明專制。

三 民報以政府惡劣。故望國民之革命。新民叢報以國民惡劣。故望政府以專制。

四 民報望國民以民權立憲。故鼓吹教育與革命。以求達其目的。新民叢報望政府以開明專制。不知如何方副其希望。

五 民報主張政治革命。同時主張種族革命。新民叢報主張政府開明專制。同時主張政治革命。

六 民報以爲國民革命。自顛覆專制而觀。則爲政治革命。自驅除異族而觀。則爲種族革命。新民叢報以爲種族革命與政治革命不能相容。

七 民報以爲政治革命。必須實力。新民叢報以爲政治革命。祇須要求。

八 民報以爲革命事業。專主實力。不取要求。新民叢報以爲要求不遂。繼以懲警。

九 新民叢報以爲懲警之法。在不納租稅與暗殺。民報以爲不納租稅與暗殺。不過革命實力之一端。革命須有全副事業。

十 新民叢報詆毀革命。而鼓吹虛無黨。民報以爲凡虛無黨皆以革命爲宗旨。非僅以刺客爲事。

十一 民報以爲革命所以求共和。新民叢報以爲革命反以得專制。

十二 民報鑒於世界前途。知社會問題。必須解決。故提倡社會主義。新民叢報以爲社會主義。不過煽動乞丐流民之具。

以上十二條。皆辨論之綱領。民報第四號刻日出版。其中數條。皆已解決。五號以下。接連闢駁。請我國民平心公決之。

日本明治卅八年十一月廿五日第三種郵便物認可
日本明治卅九年四月二十八日印刷
日本明治卅九年四月二十八日發行
編輯人兼發行人 張繼
印刷人 末永節
日本東京豐多摩郡內藤新宿番衆町三十四番地 發行所 民報發行所
日本東京市神田區中猿樂町四番地 印刷所 秀光社

**34.《民报》号外《民报与新民丛报辨驳之纲领》**

1906年4月28日
纵20.3、横25厘米
纸质，铅印

同盟会成立后，于1905年11月在日本东京创办机关刊物《民报》。1905～1907年，革命派以其为阵地，同以《新民丛报》为喉舌的改良派进行论战。《民报》第三号号外列述了两刊辩驳之纲领，共计12条，焦点是要不要用武力推翻清朝的统治，建立民主共和政体；要不要改变封建土地制度。并声明自第四号以后，将分类辩驳。1959年中国历史博物馆拨交。

**35．孙中山在镇南关起义时戴的帽子**

1907 年 12 月 3 日
帽口周长 54.8 厘米
呢、布质，帽里有毛笔书“镇南关占领纪念　高野”等字，高野为孙中山的化名

1907年12月2日，孙中山委派同盟会会员黄明堂等，在广西镇南关（今友谊关）发动起义，占领了三个炮台。次日晚，孙中山等人由河内赴镇南关，亲自登上炮台指挥发炮射击，因见弹药缺乏，决定暂回河内筹办枪弹以接济。后起义因粮弹不继失败。孙中山回河内后，应英文秘书、日本人池亨吉的请求，将所戴帽子相赠。后池亨吉将此帽赠还中国。1959 年收藏。

**36．秋瑾男装像**

清末
纵 22．5、横 14．5 厘米

秋瑾(1875～1907 年)，浙江山阴(今绍兴)人，女，字璿卿，号竞雄，又称鉴湖女侠。1904 年留学日本，发起组织中国第一个妇女反清团体“共爱会”，参与创办《白话报》，宣传反清革命，倡导男女平权。1905 年加入光复会和中国同盟会，被推举为同盟会评议员和浙江主盟人。1906 年回国后，先后在上海创办中国公学、《中国女报》。1907 年回绍兴主持大通学堂，联络金华、兰溪等地会党，组织光复军，与徐锡麟策划浙皖两省同时起义。7 月初，徐锡麟在安庆起义失败遇害。清军获告密后包围大通学堂，秋瑾抵抗失败不幸被捕，于 7 月 15 日在绍兴轩亭口就义。此照是秋瑾唯一的女扮男装像，长沙“二我轩”摄影。1961 年 5 月谢宗周捐赠。

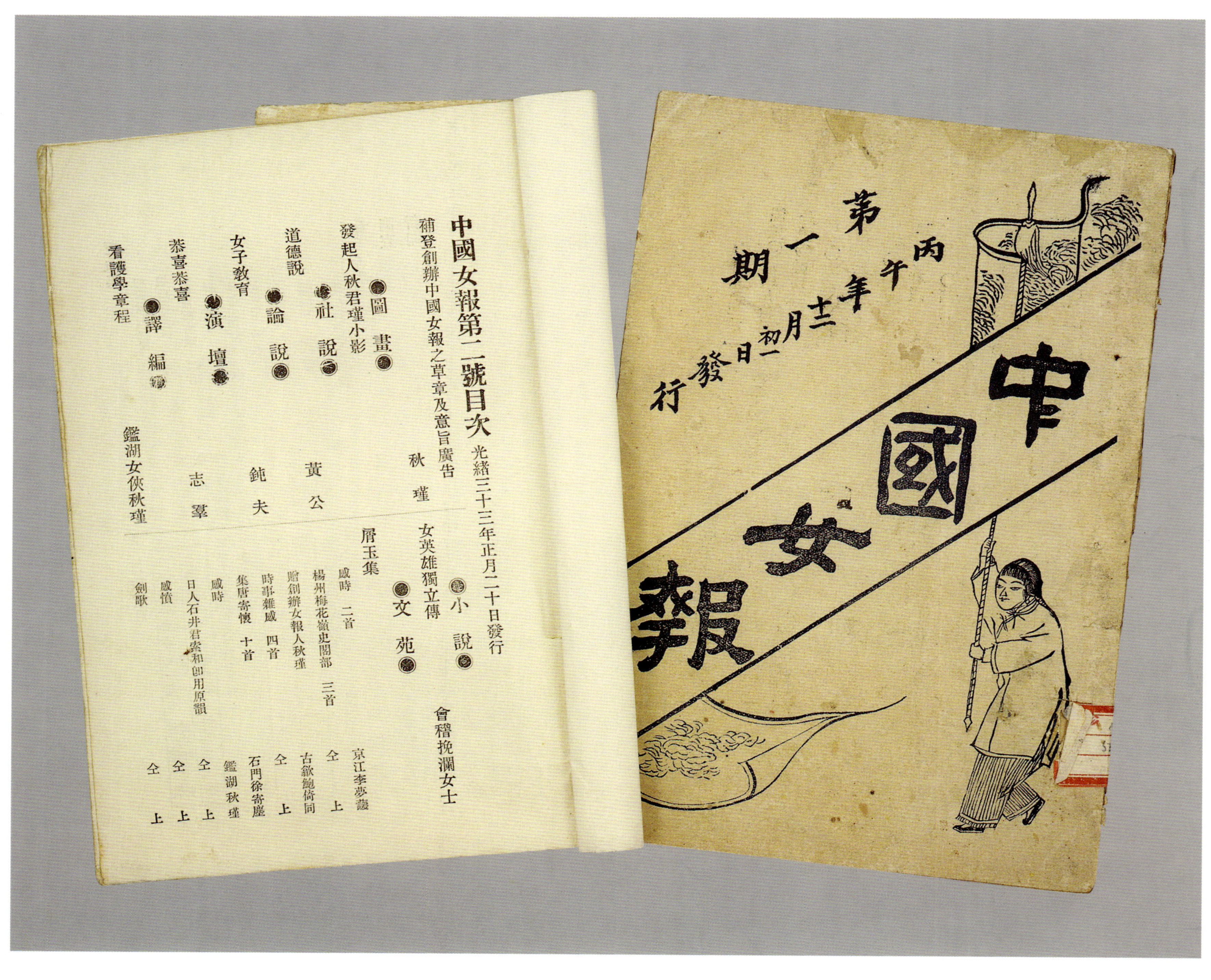
中國女報第二號目次　光緒三十三年正月二十日發行

補登創辦中國女報之草章及意旨廣告　秋瑾

圖畫　發起人秋君瑾小影

社說　道德說　黃公

論說　女子教育　鈍夫

演壇　恭喜恭喜　志羣

譯編　看護學章程　鑑湖女俠秋瑾

小說　女英雄獨立傳　會稽挽瀾女士

文苑

屑玉集

感時　二首　京江李夢蘐

楊州梅花嶺史閣部　三首　仝上

贈創辦女報人秋瑾　古歙鮑倚同

時事雜感　四首　仝上

集唐寄懷　十首　石門徐寄塵

感時　鑑湖秋瑾

日人石井君索和即用原韻　仝上

感憤　仝上

劍歌　仝上

第一期

丙午年十二月初一日發行

中國女報

37.《中国女报》

1907年1月~1908年2月

纵22.5、横15.5、高0.5厘米

纸质，铅印。《中国女报》馆编辑部发行

我国资产阶级民主革命时期最早的妇女报刊之一。创办人、主编兼发行人是女革命家秋瑾。《中国女报》1907年1月创刊于上海，发表的很多诗文作品都宣传革命、鼓吹妇女解放。1908年2月续出一期后停刊。

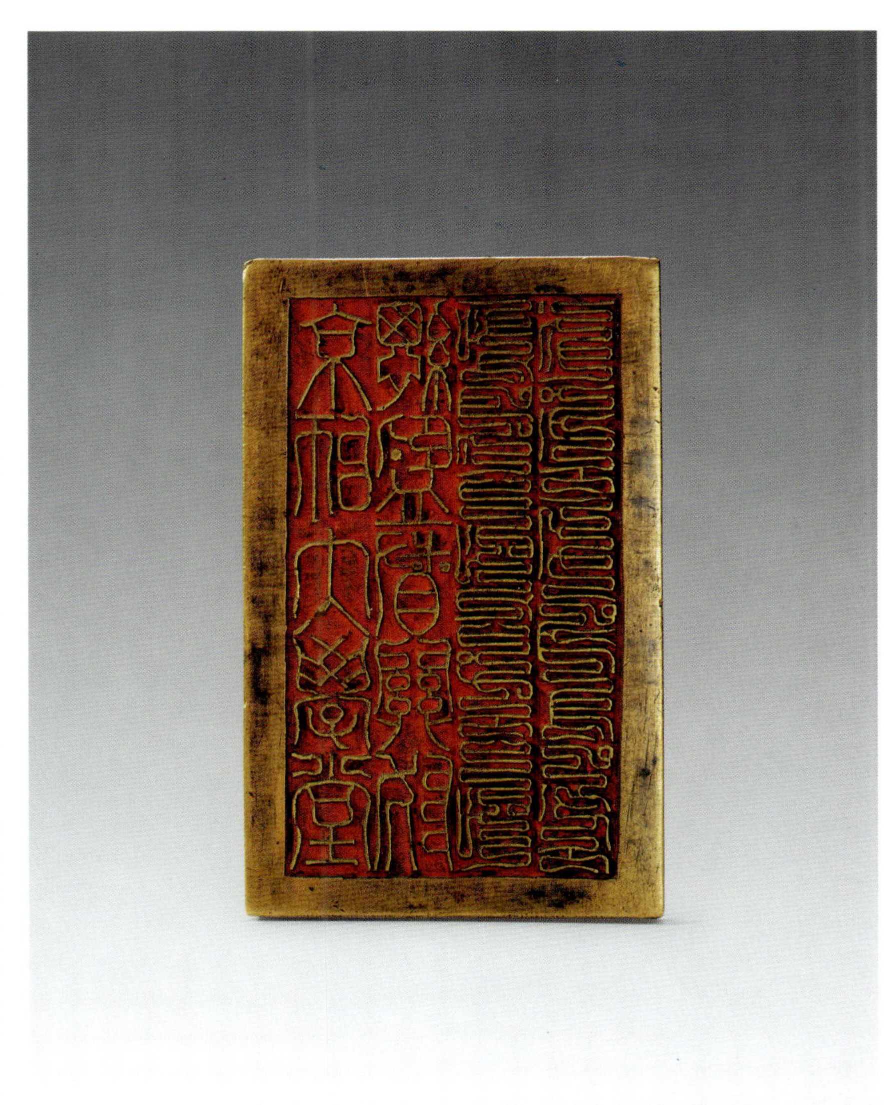

**38. 京师大学堂总监督关防**

清光绪三十四年（1908年）

纵9.5、横5.7、高1.5、柄长10.2厘米

铜质，铸造。背面镌刻汉、满文对照字样："京师大学堂总监督关防礼部造"。一侧刻"光字两千三百八十二号"；一侧刻"光绪三十四年　三月"

京师大学堂是中国近代最早的大学，设立于1898年7月。它是"百日维新"的成果之一，也是变法失败后唯一保留的新政措施。在顽固派统治下，只开办了诗、书、易、礼四堂。1900年八国联军入侵北京后停办，1902年复校。1910年改设课程为经、法、文、格致、农、工、商七科。1912年改名为北京大学。1904年至1912年5月，学堂负责人称总监督，其所用印鉴称"关防"。这枚关防是1908年上任的学堂总监督刘廷琛使用的。1959年中国历史博物馆拨交。

**39．徐特立断指血书“请开国会断指送行”**

1908年
纵36.3、横62厘米
纸质

徐特立(1877～1968年)，湖南长沙人，著名教育家。宁乡速成师范学校毕业后，长期在中学任教。他深受资产阶级民主革命思想的影响，拥护孙中山的革命学说。1906年，清政府宣布“预备立宪”，但无任何准备立宪的措施，立宪派和部分群众多次联名上书，请求速开国会。1908年8月前后，各省立宪团体的代表先后到京向都察院呈递速开国会请愿书。这时徐特立正在湖南长沙修业学校教书。他愤而断指，写成血书，怒斥清廷误国，以此为请愿代表送行。原由张清华保存，1950年2月27日捐赠。

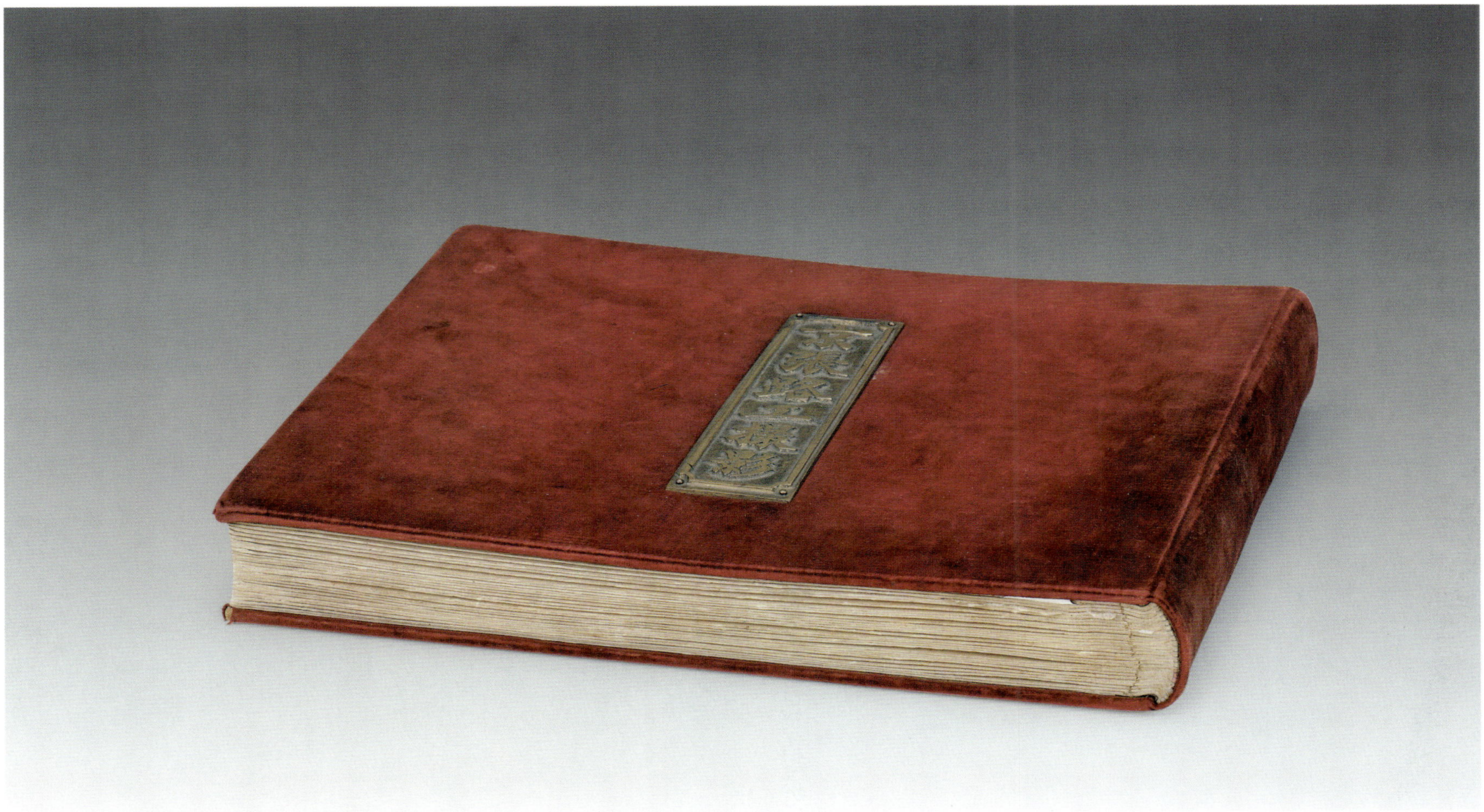

**40.《京张路工摄影》集**

1909年

纵24、横31、厚3.5厘米

本册照片56幅

京张铁路1905年动工，1909年建成通车，由京张铁路总工程师詹天佑设计，中国铁路公司施工，是中国自己设计和修建的第一条铁路。影集装帧精美典雅，内容有铁路、列车、桥梁、涵洞、沿途风光、通车庆典、南口茶社等，画面清晰，构图匀称，其中不乏摄影佳作。影集由上海同生照相馆拍摄，上海公兴印字馆制造。全本为上下册（176幅），此为缩编本。

**41．清末海军巡洋舰队各舰照片册**

1909年
纵24．5、横33．5、厚5厘米
本册照片45幅

中国北洋海军在中日甲午战争中全军覆灭后，南洋一些舰船曾调防北洋。当时南洋海军有舰船26艘，其中巡洋舰5艘。1909年夏，清廷将海军南北洋舰队改编为巡洋舰队和长江舰队，由海军提督萨镇冰统制。巡洋舰队统领程璧光，署理巡洋舰队统领关应科。舰队拥有当年自国外订购和在国内制造的巡洋舰“海容”、“海琛”、“海筹”、“海圻”号，驱逐舰“飞鹰”号，运兵船“联鲸”号，运输船“保民”号，鱼雷艇“湖鹰”、“湖隼”、“湖鹗”、“湖鹏”、“张字”、“列字”、“宿字”、“辰字”号等。本册为各舰照片及官兵合影。1911年武昌起义时被派往镇压，在大革命形势下各舰纷纷起义，投向革命军。1953年4月文化部社会文化事业管理局拨交。

**42．南社成立合影照**

1909年11月13曰
纵39、横32．5厘米

南社是辛亥革命时期进步文学团体。1909年11月13日于苏州虎丘张东阳祠首次雅集，参加者17人，宣布南社成立。社名取“操南音不忘其归”之意。此照为雅集时合影。左起，前排：俞剑华、蔡哲夫、柳亚子、赵厚生；中排：张志让(来宾)、陈巢南、朱学任、张宗甄(来宾)、林秋叶、朱少屏、诸贞壮、胡栗长；后排：陈陶遗、冯心侠、景秋陆、庞檗子、黄宾虹(沈道非、林立山后至故未摄入)。南社早期参加者多为同盟会成员，其后社员达千余人，成分见杂，1923年因内部分化停止活动。社员所作诗文辑为《南社丛刊》二十一集。1959年8月柳亚子之子柳无垢捐赠。

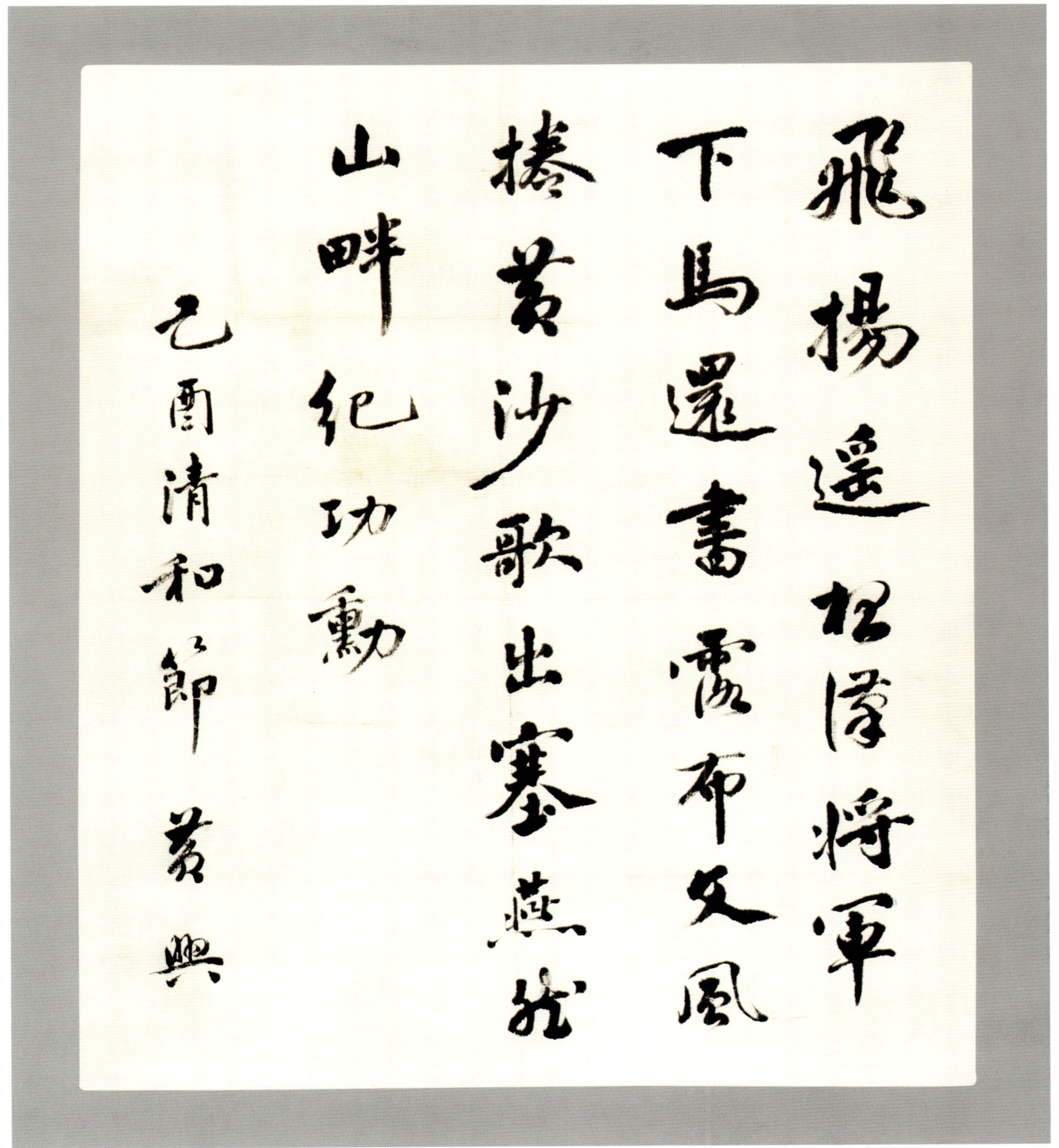

43．黄兴书赠方声洞的七绝诗幅

己酉清和节（1909年5月）
纵59.5、横50厘米
丝绸质，毛笔行书

方声洞（1886～1911年），字子明，福建侯官（今福州）人，黄花岗七十二烈士之一。1909年方声洞在日本千叶医学校学习，与黄兴等来往甚密。清和节赴东京拜访时，黄兴以汉代李广抗击匈奴事迹为内容，作七绝诗一首，抒发推翻帝制，创建民国，建功立业的志向，题写在一块白色丝绸上相赠。原由方声洞妻王颖保存，后赠侄外孙汪清收藏。1981年10月捐赠。

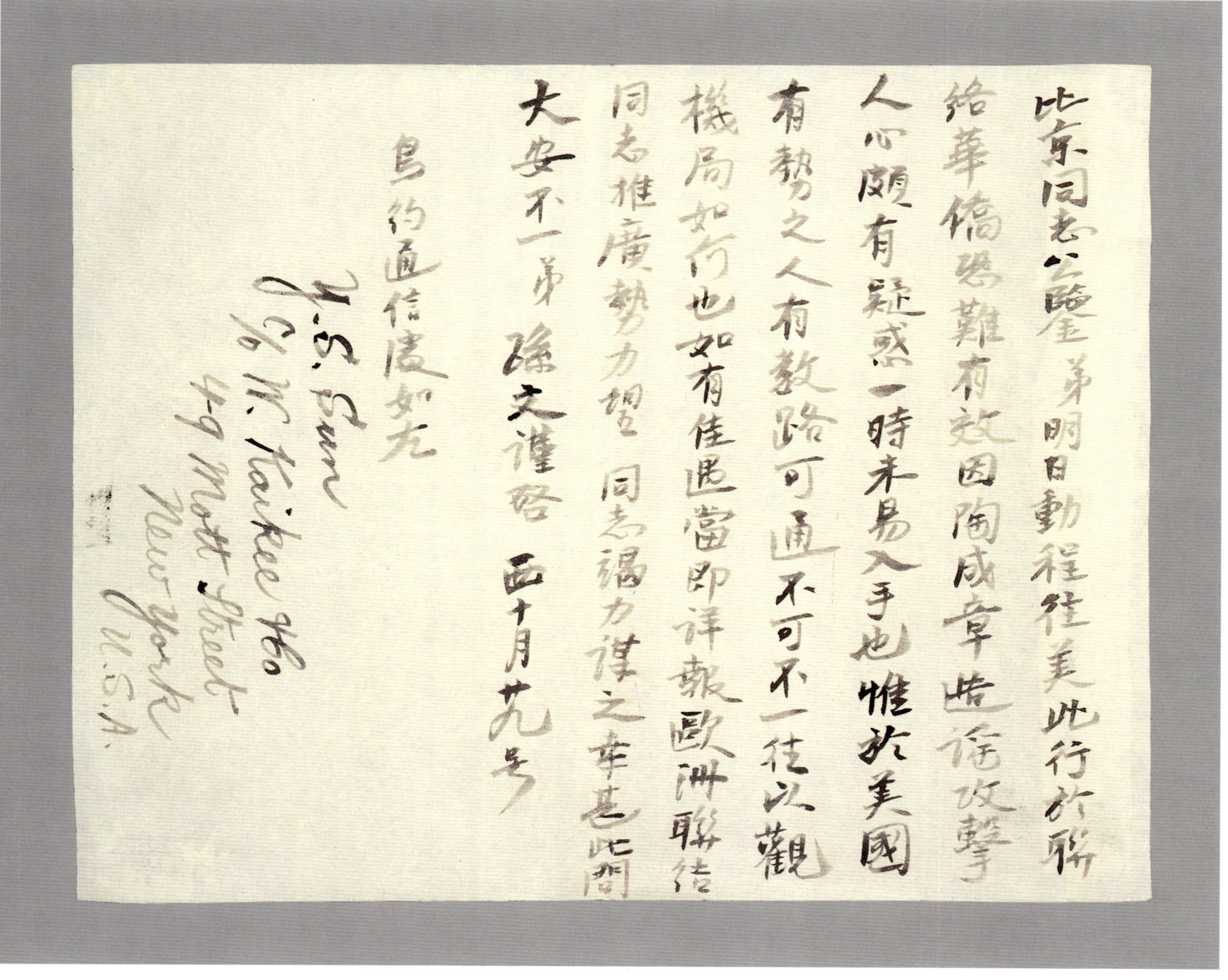

比京同志公鑒 弟明日動程往美此行於聯
絡華僑恐難有效因陶成章造謠攻擊
人心頗有疑惑一時未易入手也惟於美國
有勢之人有數路可通不可不一往以觀
機局如何也如有佳遇當即詳報歐洲聯絡
同志推廣勢力望 同志竭力謀之幸甚此問
大安不一 弟 孫文謹啓 西十月廿九号
紐約通信處如左
Y. S. Sun
C/o W. Kaikee Ho
49 Mott Street
New York
U.S.A.

**44．孙中山致比利时中国同盟会会员信**

1909年10月29日
纵20.5、横25.6厘米
纸质，毛笔写

1907至1908年间，同盟会会员在孙中山领导下多次发动武装起义，均告失败。由于在日本、越南、香港等地受到驱逐，难以开展革命活动，遂于1909年赴法、比、英等国，进行筹款及宣传活动。此为孙中山离开伦敦赴美前夕，写给比利时中国同盟会会员的信。由于受到陶成章的造谣攻击，他认为此次赴美联络华侨“恐难有效”，但却“不可不一往以观机局如何”。信末有孙逸仙（孙中山之号）英文签名及美国纽约的通信地址。1957年山东省烟台市公安局拨交。

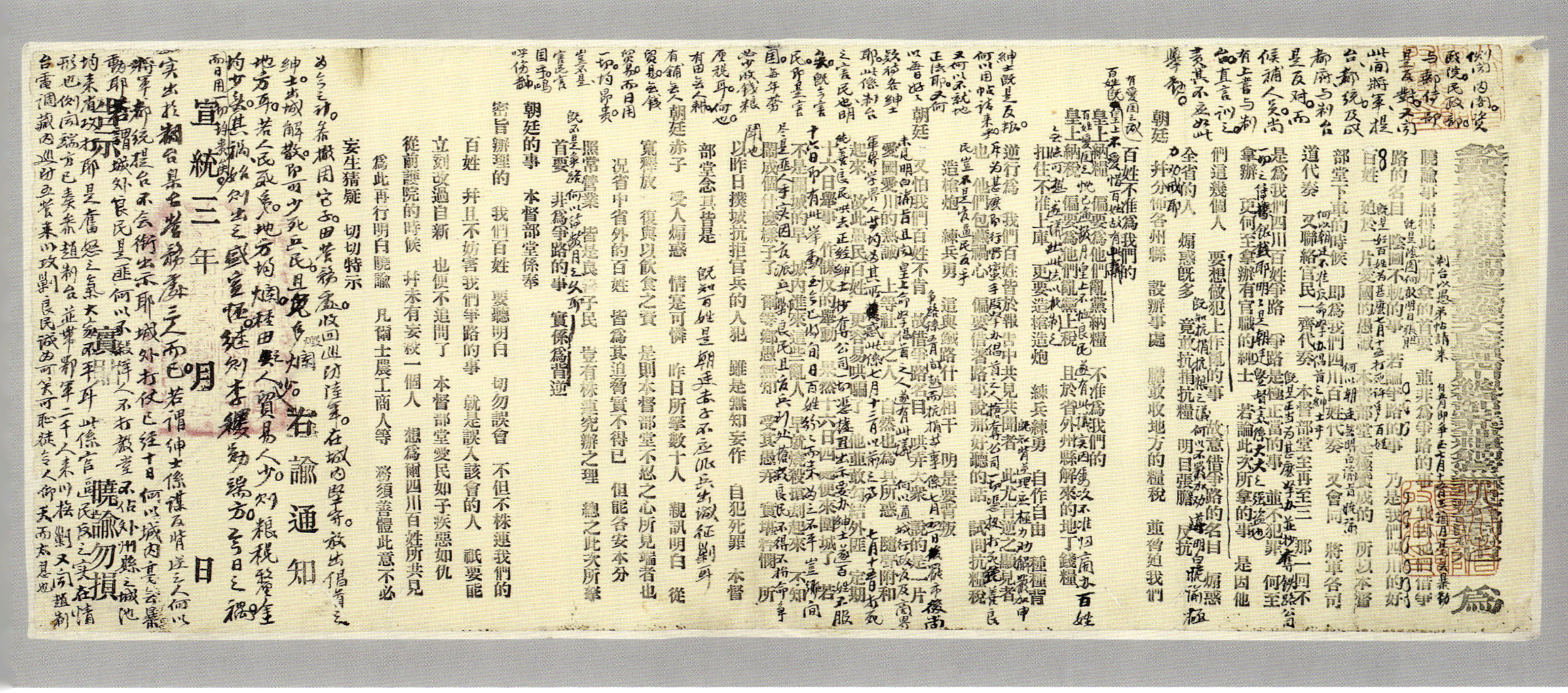

45．四川人民逐条批驳的赵尔丰镇压保路运动布告

清宣统三年七月（1911 年 9 月）

纵 25.7、横 64.3 厘米

纸质，木刻印，毛笔写

1911 年 5 月，清政府将已归商办的川汉、粤汉铁路收归国有后，又将铁路修筑权出卖给英、法、德、美四国银行团，激起了湘、鄂、川、粤四省人民的强烈反对，由罢工、罢课、罢市、组织保路团体发展成一场轰轰烈烈的保路运动。其中，四川尤为激烈，保路同志会遍及全省，入会者达数十万人。清政府严令四川总督赵尔丰镇压。9 月 7 日，赵尔丰诱捕了省咨议局、保路同志会和川路股东会 9 名代表，并枪杀请愿群众。次日，发布了诬蔑保路运动、推卸罪责的布告。四川人民怒而在此布告上逐条批驳，指出保路斗争的原因是“官逼民反”。1959 年四川省图书馆拨交。

## 46. 方声洞致父绝笔书

1911年4月

纵21.5、横106.2厘米

纸质，毛笔写

1911年初，同盟会积极准备发动广州起义。4月中旬，会员、留日学生方声洞自日本秘密运送武器到广州，并自愿留下参加起义。起义前一日，方声洞写了致父亲和妻子的绝笔书，表达反清决死必胜之志，为不能向父亲尽孝而告罪。27日起义发动后，方声洞为敢死队员，随黄兴冲锋陷阵，不幸中弹牺牲。两封遗书一直由其妻王颖保存，1959年7月捐赠。

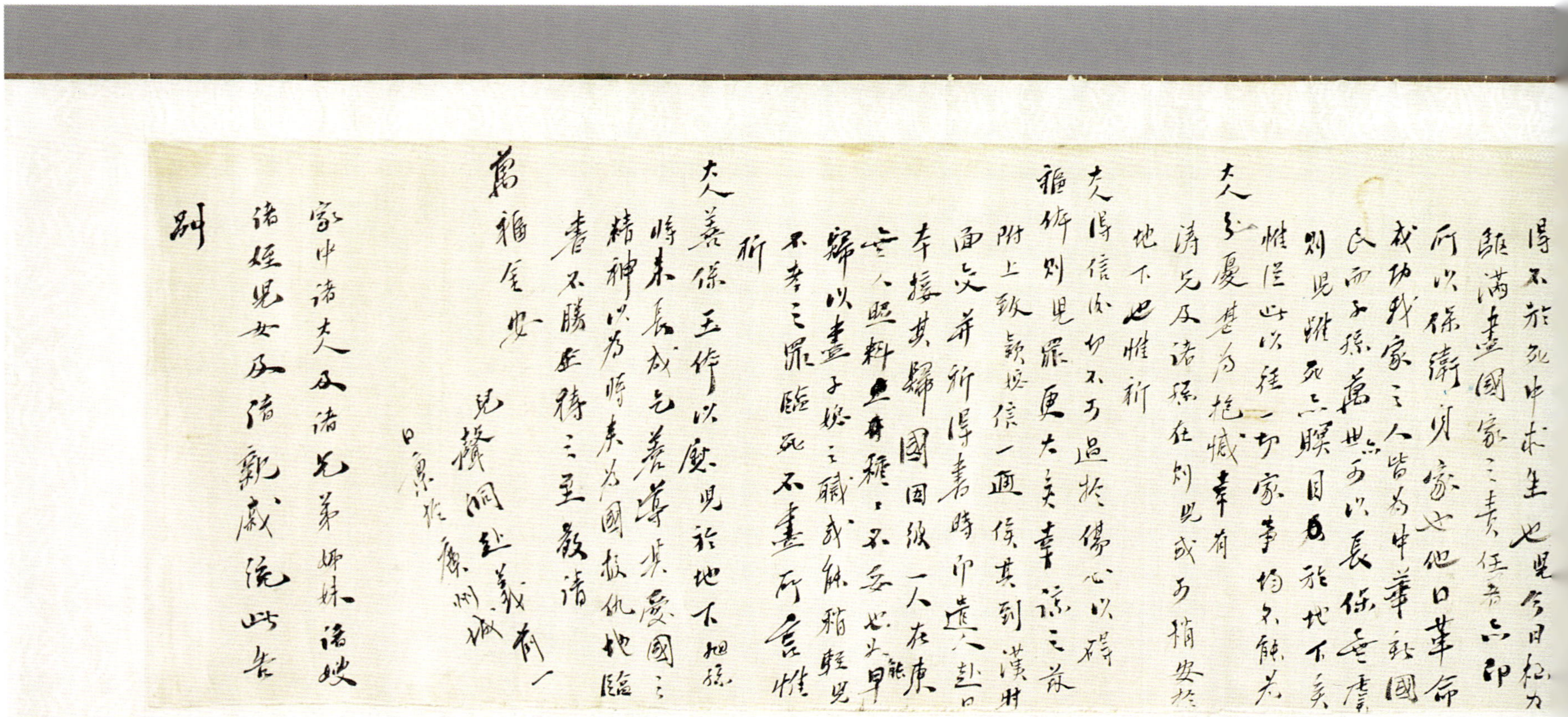

得不於死中求生也。兒今日極力
能盡滿國家之責任，亦即
所以保衛身家也。他日革命
成功，我家之人皆為中華新國
民，而子孫萬世亦可以長保無虞，
則兒雖死亦瞑目於地下矣。
惟從此以後，一切家事均不能為
大人分憂，甚為抱憾。幸有
濤兄及諸孫在，則兒或可稍安於
地下也。惟祈
大人得信後，切不可過於傷心，以礙
福體，則兒罪更大矣。幸諒之。茲
附上致穎媖信一函，俟其到漢時
面交，并祈得書時即遣人赴日
本接其歸國，因彼一人在東，
無人照料，且彼甚稚，一不妥也；又早
歸以盡子媳之職，或能稍輕兒
不孝之罪。臨死不盡所言，惟
祈
大人善保玉體，以慰兒於地下。旭孫
將來長成，乞善導其愛國之
精神，以為將來為國報仇也。臨
書不勝依依之至。敬請
萬福金安
兒聲洞赴義前一
日稟於廣州城
家中諸大人及諸兄弟姊妹諸嫂
諸侄兒女及諸親戚統此告
別

**47．武昌起义军守城司令官颁发的出入城门证**

1911～1912年

纵12.2、横7、厚0.6厘米

木质，椭圆形。正面毛笔写“出入城门证”，背面刻有“武昌起义守城司令官”字样

当四川保路运动愈演愈烈，清政府急调大批军队入川时，湖北革命党人利用这一时机发动起义。10月10日晚，湖北新军工程第八营的革命党人打响了武昌起义的第一枪。起义军占领武昌城后，成立了军政府并将武昌城分为三区，各城门都派兵严格把守。此出入城门证即为当时所发。新中国成立后，在武昌旧督署楼上发现。1959年湖北省博物馆拨交。

**48．武昌起义军周文才劈开臬台牢门用的刀**

1911年10月10日
长74.3厘米
铁质，锻造

1911年10月10日晚，武昌起义爆发。新军21混成协工程11营士兵周文才随队参加起义。在攻入藩衙后，发现门侧墙上挂着刀，即取下作为武器。起义军占领臬台衙门后，周文才等即去劫狱，他用此刀砍断牢门木栅栏，救出了被囚的革命志士。此后他又持此刀参加武昌保卫战。辛亥革命后周文才退伍回乡，并将此刀带回保存，新中国成立后捐赠国家。1959年7月湖北省博物馆拨交。

**49．浙江革命军攻打南京用的炮弹弹壳**

1911 年 11 月

高 11.9、底径 8.8 厘米

铜质，铸造。弹壳上刻“黄帝纪元四千六百零九年中国革命浙军克复南京之弹壳　陈东声志”。壳底有“上海机器局　七生五弹壳　庚戌年制造”字样

武昌起义后，江西、浙江及江苏的苏州等地相继宣布独立，只有南京还在清政府两江总督和张勋所部控制之下。11 月 8 日，新军第九镇徐绍桢进攻南京失败，后与上海、江苏、浙江军政府联系，决定组织江浙联军，会攻南京。23 日，以徐绍桢为联军总司令，分四路进攻南京，于 12 月 2 日占领南京。这标志着革命重心由湖北转移到长江下游。这枚炮弹弹壳为会攻南京时浙军所用，后由陈东声刻字收藏。1953 年中共中央宣传部党史资料室拨交。

## 告海陸軍士文

中華民國臨時大總統孫文敬告我全國海陸軍將士：蓋聞捍族衛民者軍人之天職，朝乾夕惕者君子之用心。自逆胡猾夏，盜據神州，奴使吾民，驅天下俊傑勇健之士而入卒伍，以固其專制自恣之謀。我軍人之俯首戢耳以聽其鞭策者，亦既二百六十有餘年，豈誠甘心為異族效命哉？勢劫於積威，則本心之良能無由發見也。乃者義師起於武漢，旬月之間天下響應，雖北虜崛強，困獸有猶鬥之念，遺孽負固，痍犬存反噬之心，賴諸將士之靈，力征經營，卒復舊都，保據天塹，民國新基於是始奠。此不獨歷風霜冒彈雨致命疆場之士其毅魄為可矜，即凡以一成一旅脫離滿清之羈絏以翹光復之旗下者，其有造於漢族，皆吾四萬萬人所不能忘也。曠觀世界歷史，其能成改革大業者，皆必有甲冑之士反戈內向，若土若葡，其前例矣。吾國軍人伏處異族專制之下最久，慷慨激烈之氣蓄之也深，則其發之也速。同一軍也，為漢戰則奮，為滿戰則潰；同一艦也，為漢用則勇，為滿用則怯。凡此攻城克敵之豐功，皆吾將士有勇知方之表證，內外覘國者徒致嘆於吾國成功之迅速為從來所未有，文獨有以知吾海陸軍將士皆深明乎民族民種之大義，故能一致進行，知死不避，以成此烈也。文奔走海外垂二十年，心懷萬端，百未償一，賴國人之力，得返故土，重睹漢儀。諸君子以北虜未滅，志切同仇，不以文為無似，責以臨時大總統之任。文內顧菲材，懼無以當，顧覩於吾陸海軍將士之同心戮力，功成不居，而有以知共和民國之必將有成也，用敢勉策駑鈍，以從國人之後。願吾海陸將士上下軍人共勵初心，守之勿失，弗嬰心小忿而釀鬩墻之譏，弗藉口共和而昧服從之義，弗怠弛以遺遠寇，弗驕矜以誤事機，擁樹民國，立於泰山磐石之安，則不獨克盡軍人之天職，而吾皇漢民族之精神且叢揚流衍於無極，文之望也。敢布腹心，唯共鑒之。

大中華民國元年元旦

**50．中华民国临时大总统孙文告海陆军士文**

民国元年元旦（1912 年 1 月 1 日）

纵 63.8、横 93.5 厘米

纸质，石印

武昌起义后，各省纷纷响应。1911 年 12 月 29 日，在南京召开了宣布独立的 17 省代表会议，选举孙中山为临时大总统。1912 年 1 月 1 日，孙中山在南京总统府宣誓就职，并下令定国号为中华民国，改用公历，发布《临时大总统宣言书》、《告全国同胞书》及《告海陆军士文》等，宣布对内对外的施政方针。此文本由临时总统府秘书处起草。1959 年上海革命历史纪念馆拨交。

奉
旨朕欽奉
隆裕皇太后懿旨前因民軍起事各省響應九夏沸騰
生靈塗炭特命袁世凱遣員與民軍代表討論大局
議開國會公決政體兩月以來尚無確當辦法南北
睽隔彼此相持商輟於途士露於野徒以國體一日
不決故民生一日不安今全國人民心理多傾向共
和南中各省既倡議於前北方諸將亦主張於後人
心所嚮天命可知予亦何忍因一姓之尊榮拂兆民
之好惡是用外觀大勢內審輿情特率皇帝將統治
權公諸全國定為共和立憲國體近慰海內厭亂望
治之心遠協古聖天下為公之義袁世凱前經資政
院選舉為總理大臣當茲新舊代謝之際宜有南北
統一之方即由袁世凱以全權組織臨時共和政府
與民軍協商統一辦法總期人民安堵海宇乂安仍
合滿漢蒙回藏五族完全領土為一大中華民國予
與皇帝得以退處寬閑優游歲月長受國民之優禮
親見郅治之告成豈不懿歟欽此
宣統三年十二月二十五日
內閣總理大臣臣袁世凱
署外務大臣臣胡惟德
民政大臣臣趙秉鈞
署度支大臣臣紹英假
學務大臣臣唐景崇假
陸軍大臣臣王士珍假
署海軍大臣臣譚學衡
司法大臣臣沈家本假
署農工商大臣臣熙彥
署郵傳大臣臣梁士詒
理藩大臣臣達壽

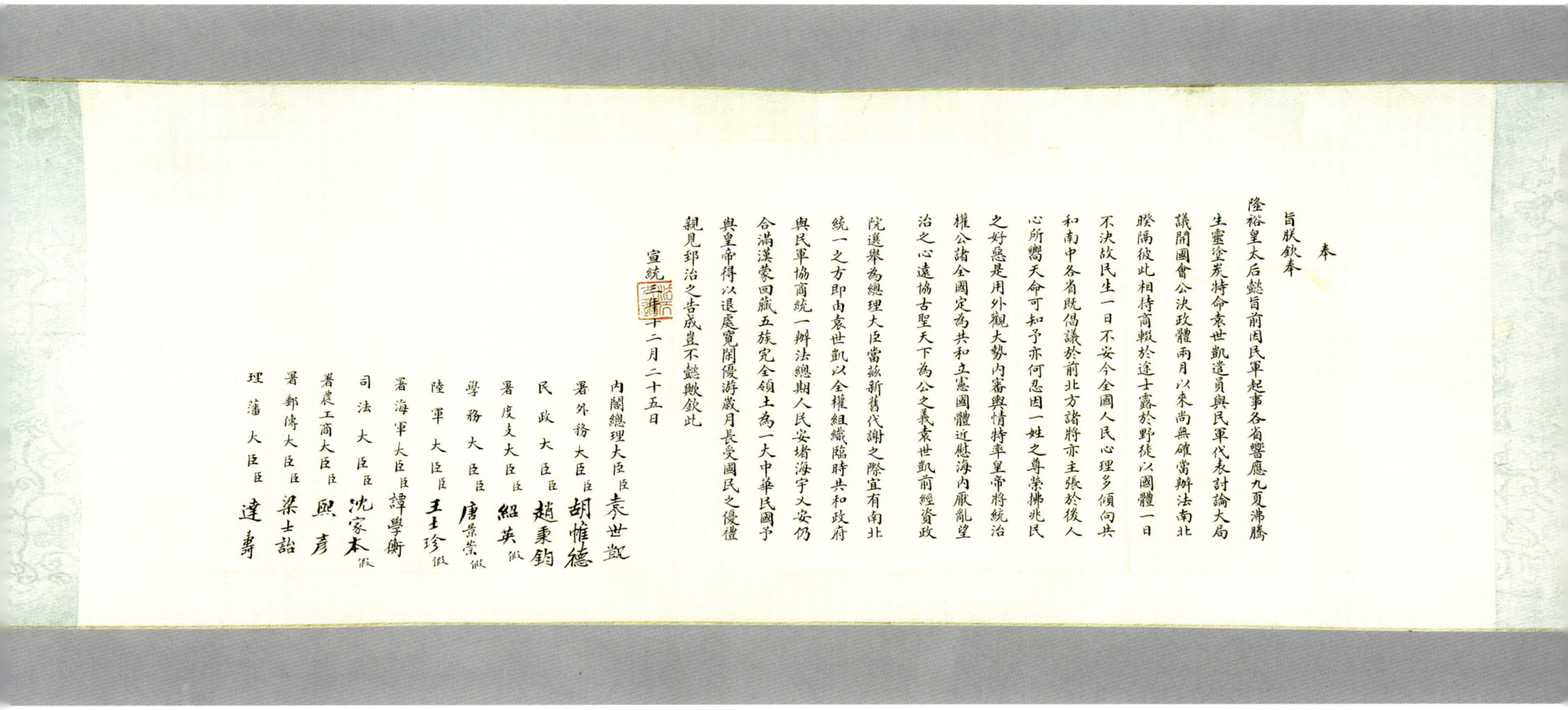

**51．清宣统皇帝溥仪退位诏书**

清宣统三年十二月二十五日（1912年2月12日）
纵21.5、横53厘米
纸质，毛笔写

武昌起义后，清政府起用袁世凯镇压革命。在帝国主义的支持下，他以逼清帝退位诱迫革命党妥协议和。最终南北双方达成协议：袁世凯宣布赞成“共和”，革命党人同意让出大总统职位，并达成8款优待清室条件。1912年2月12日清帝颁布了退位诏书，宣布接受优待条件，中国两千多年的封建帝制宣告结束。退位诏书由张謇拟稿，经南京临时参议院讨论后，由袁世凯转交清廷公布。2月13日，孙中山辞去大总统职务。15日临时参议院选举袁世凯为临时大总统。退位诏书为北京师范大学原校长陈垣购得，1975年该校拨交。

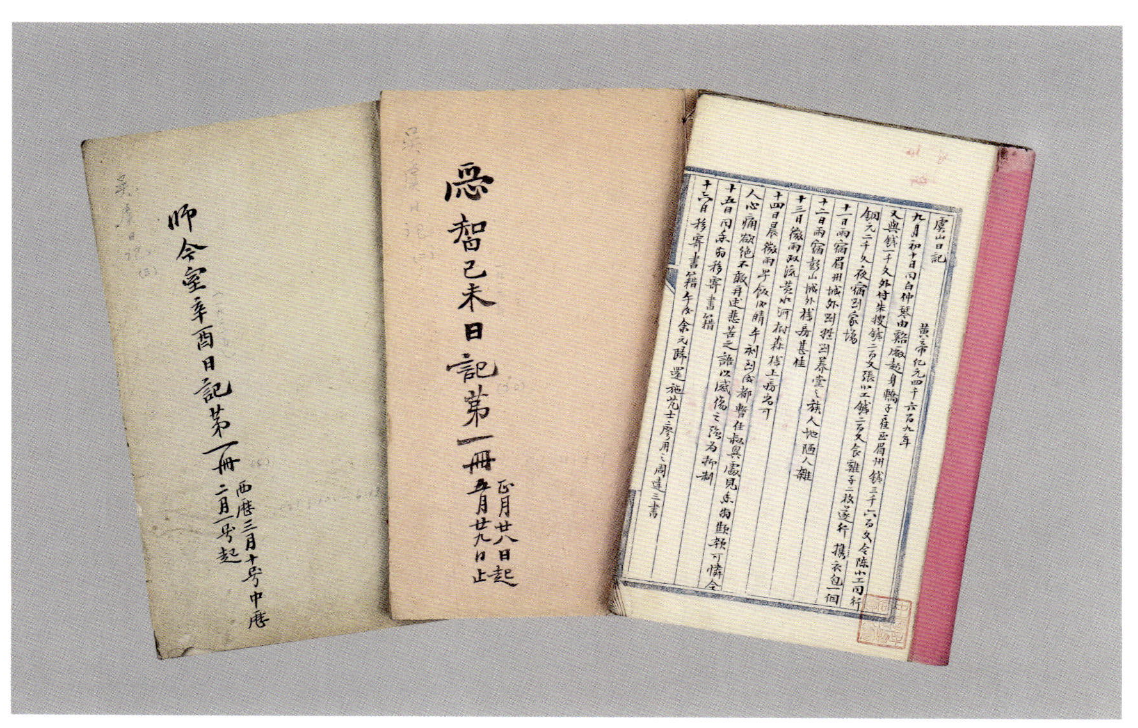



**52.《吴虞日记》**

1911年10月10日～1947年10月18日
纵28.5、横17.2、高2.2厘米
纸质，墨书，线装，手稿本

吴虞（1872～1949年），四川新繁人。1905年留学日本法政大学。“五四”运动前后，在《新青年》杂志发表《吃人与礼教》等文章。1921年起任教于北京大学、北京师范大学、四川大学。《吴虞日记》共60册，分为《爱智日记》、《师今室日记》、《虞山日记》、《宜隐堂日记》四个部分。《吴虞日记》是研究吴虞思想的资料，也是研究辛亥革命至解放战争初期30多年中国近代史的重要资料。

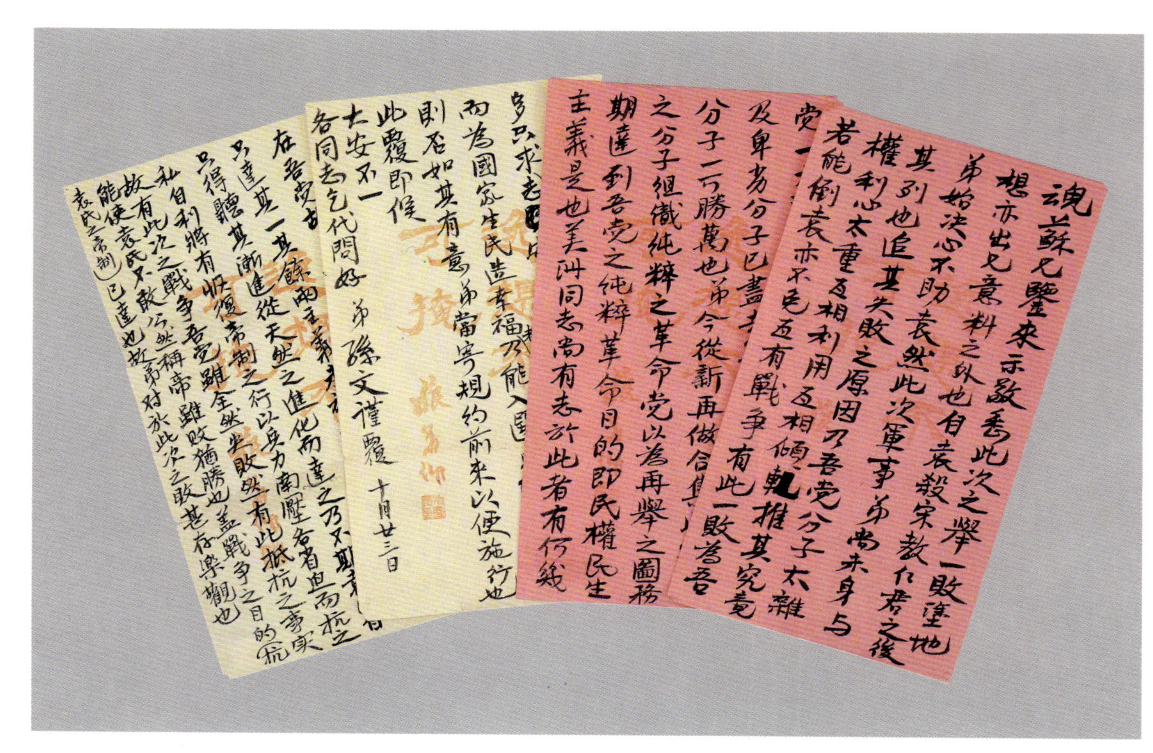

**53. 孙中山为重组革命党等事致黄芸苏信**

1913年10月23日
纵23、横12.5厘米
纸质，毛笔写。4页

1913年“二次革命”失败后，孙中山等被迫东渡日本，曾多次致书在美国续学的原同盟会美洲支部长黄芸苏。在此信中，他初步总结了“二次革命”失败的原因，论及重新集合“纯净之分子，组织纯粹之革命党，以为再举之图”，并委托黄芸苏在美洲物色革命同志。此信原由黄芸苏之女黄佩玞保存，1983年5月11日捐赠。

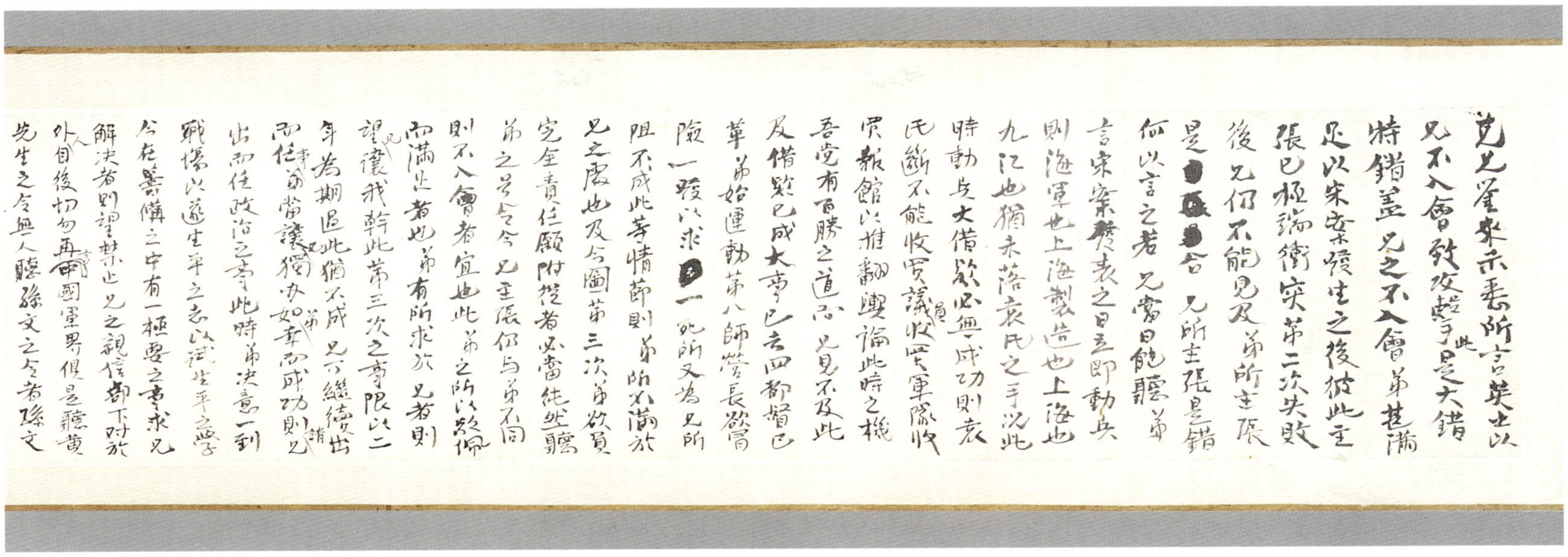

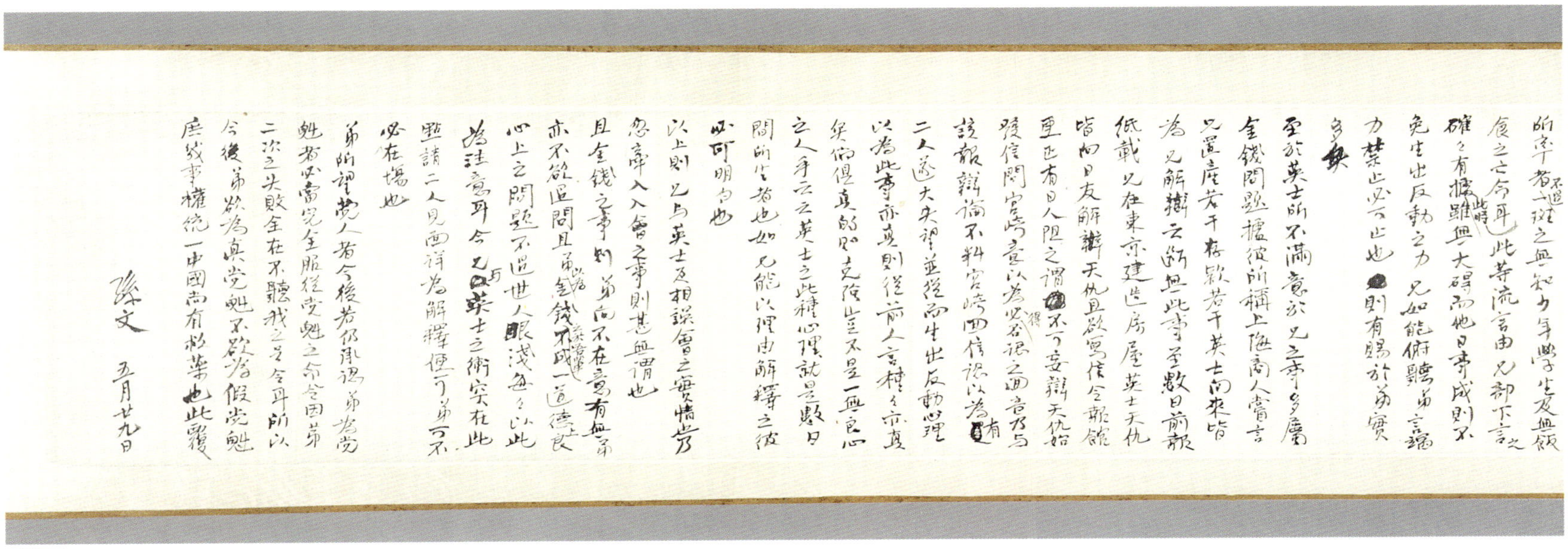

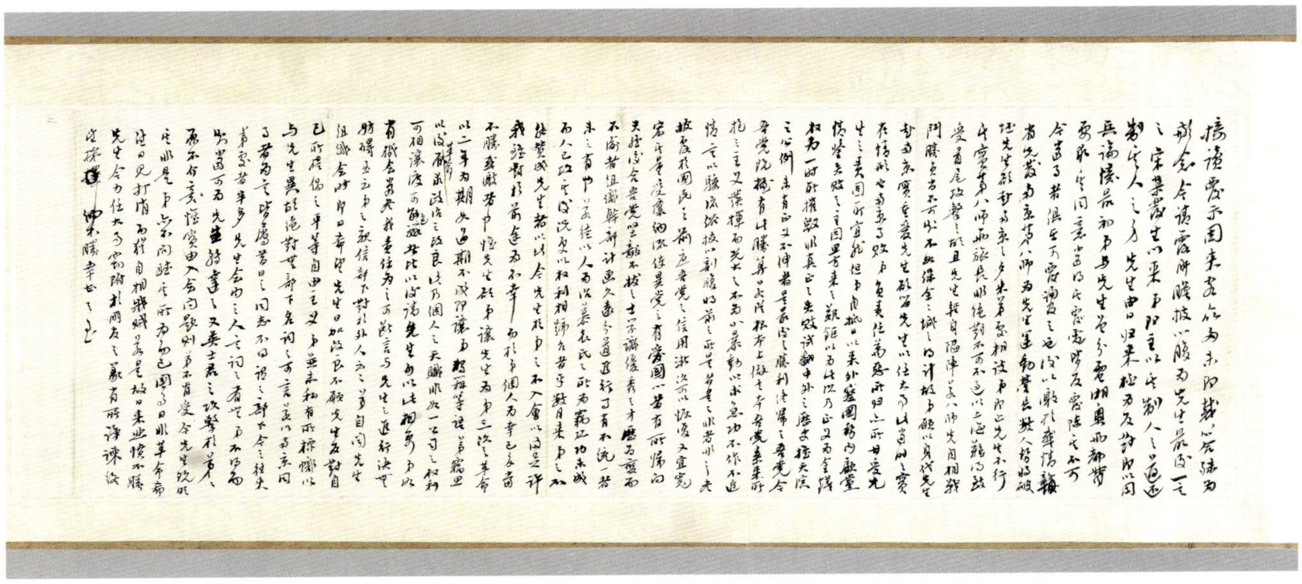

54．孙中山为重建革命党事致黄兴信及黄兴复信稿

1914年5月29日

纵18.3、横152.5厘米；纵18.8、横56厘米

纸质，已托裱，毛笔写

“二次革命”失败后，孙中山、黄兴等流亡日本。孙中山总结失败教训，决定将国民党改组为中华革命党，并加以严格整肃。孙、黄二人在改组等问题上出现了意见分歧。孙中山于1914年5月29日致信在美治病的黄兴，阐明革命党必须“事权统一，中国尚有救药也” 的观点，希望消除误解。黄兴随即复信，对宋教仁被刺案等事进行说明。此信及复信稿后由黄兴长子黄一欧保存，1962年交本馆收藏。

**55．中华革命党暹罗支部印章**

1914年7月～1919年10月
印面边长3.8、通高4.8厘米
石质，镌刻，印面上留有红色印泥

1914年7月，孙中山在日本东京组建中华革命党，继续开展反袁斗争。此后，流亡海外的国民党人陆续加入中华革命党。暹罗（今泰国）支部为原国民党暹罗支部改称而来。这枚印章原由杨振春保存，1956年纪念孙中山诞辰90周年时捐献国家，1959年北京图书馆拨交。

**56．周恩来与南开学校同学常策欧、王朴山的两次合影**

1914年7月10日　1917年

纵9.5、横13.8厘米；纵9.2、横13.5厘米

1913年8月～1917年6月，周恩来在天津南开学校学习时，喜交朋友并以志同道合为基础，“每得一友，辄寤寐不忘”。1914年3月他与同班同学张蓬仙、常策欧发起组织“敬业乐群会”，先后任智育部长、副会长、会长。王朴山亦为会员。上图为1914年7月10日周恩来（左三）与同学常策欧（左一）、王朴山（左二）的第一次合影。下图为1917年周恩来在毕业前夕与常策欧、王朴山的第二次合影。下图与上图是在同一照相馆，按照相同的位置、姿态、背景拍摄的。1979年1月王朴山之女王晓苏捐赠。

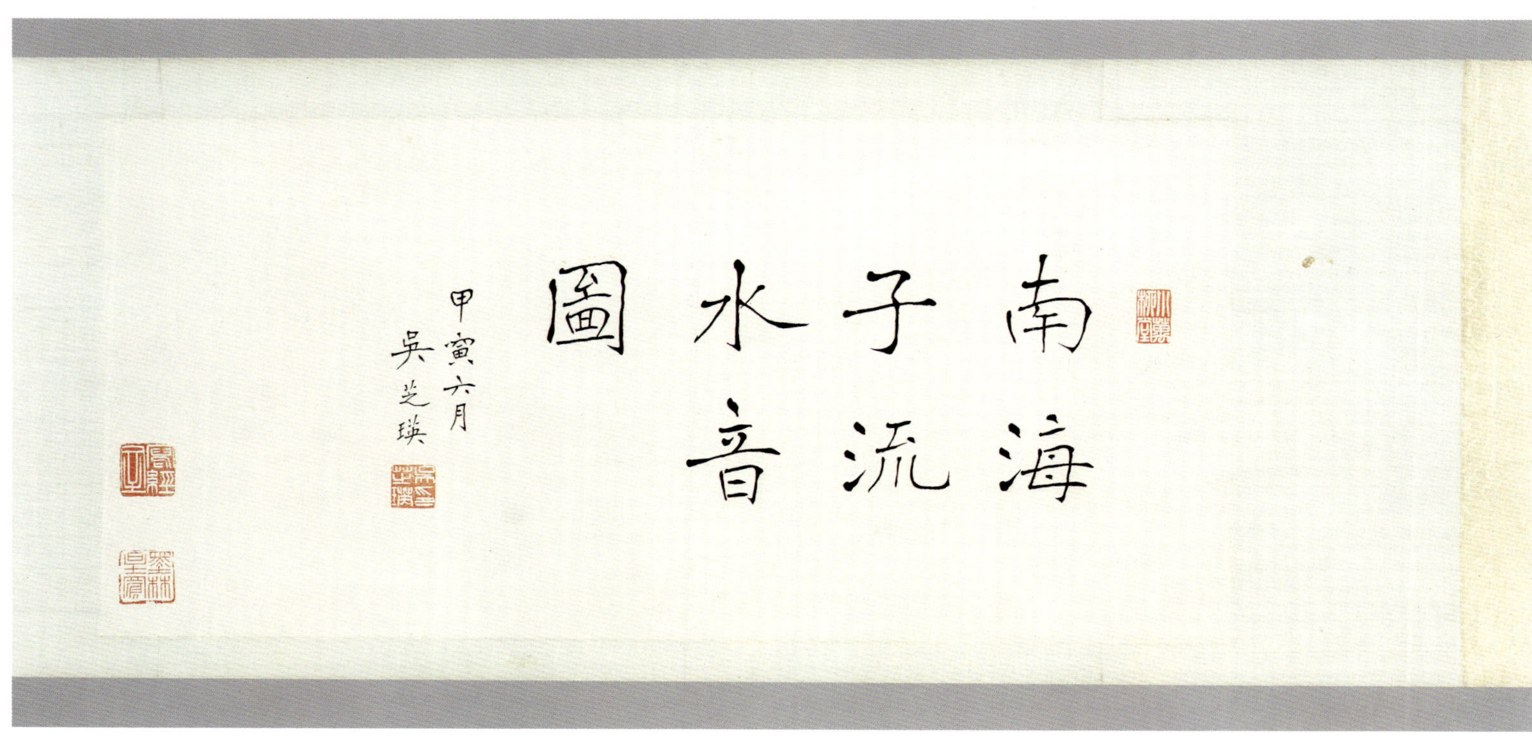
南海子流水圖
甲寅六月
吳芝瑛

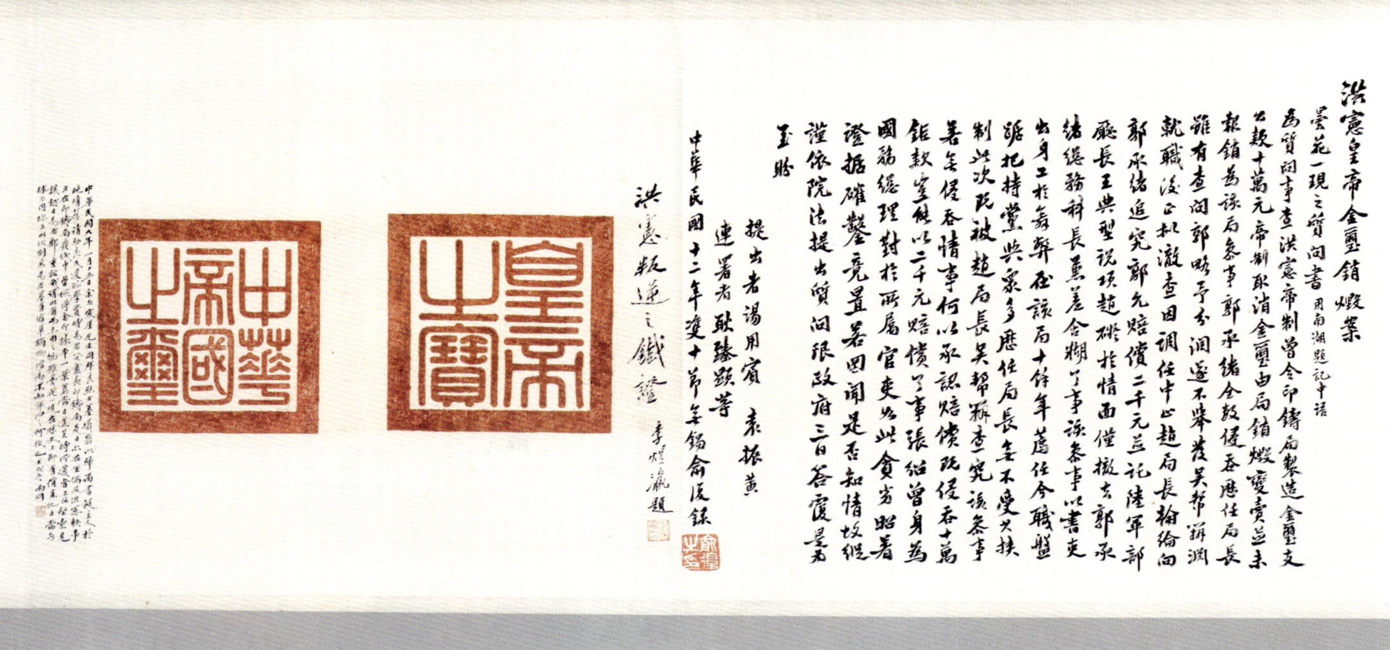
洪憲皇帝金璽銷燬案
提出者 湯用賓 袁振黃
連署者 耿臻顯等
洪憲叛逆之鐵證

## 57．吴观岱绘《南海子流水音图》手卷

1914年7月～1929年9月
纵28.8、横132厘米
纸质，毛笔写

吴观岱（1862～1929年），初名宗泰，别名观道，字观岱、念康，江苏无锡人。近代画家。此图应廉泉（南湖）之请而作，描绘北京南海流水音风景，画中人物为袁世凯家人。廉泉妻吴芝瑛题字："南海子流水音图"。画卷后部有洪宪"皇帝之宝"、"中华帝国之玺"两印销毁时所留印样，以及李石曾（煜瀛）、汪精卫（兆铭）、章炳麟、于右任等批驳袁世凯复辟帝制的题字。1962年5月购自悦雅堂文物商店。

**58．李大钊起草的《敬告全国父老书》传单**

1915年2月

纵24.2、横16.8厘米

纸质，油印。共8页

1915年袁世凯阴谋称帝，准备接受丧权辱国的《中日条约》即“二十一条”，消息传来，激起全国人民的愤怒。2月11日，千余名中国留日学生在东京召开中国留日学生总会大会，公举李大钊为文牍干事起草通电，反对日本政府提出的“二十一条”。不久李大钊写成了《敬告全国父老书》，呼吁全国人民一致抵抗日本帝国主义的侵略，挽救祖国危亡。当时，在日本留学的陆精治结识了李大钊，并获赠此传单。1954年捐赠。

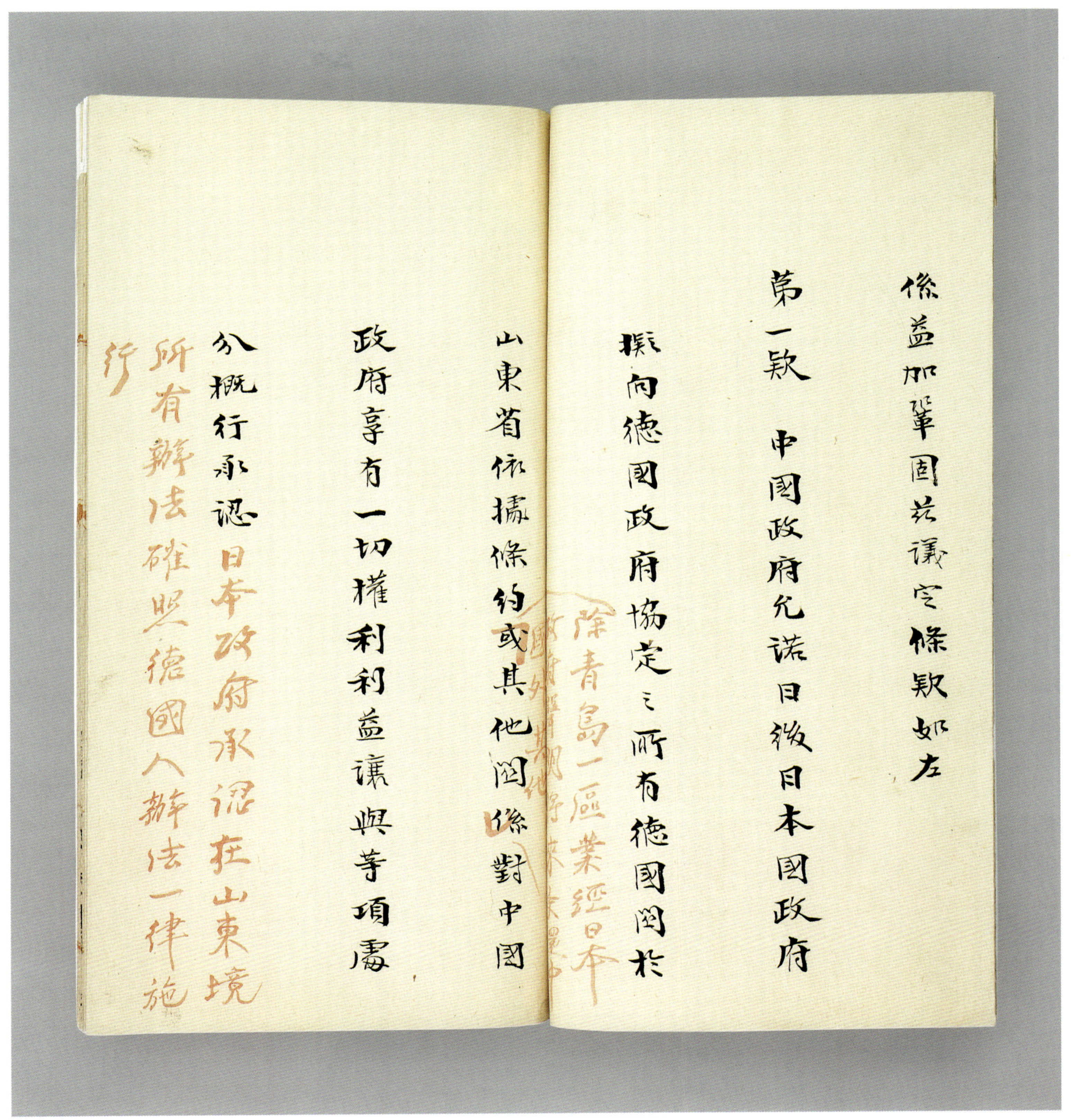

**59．袁世凯手批“二十一条”汉文稿**

1915年4月
纵27.3、横15.4厘米
纸质，毛笔写，朱笔批

日本趁第一次世界大战之机，借口对德宣战，强占胶济铁路和青岛。1915年1月18日，日本以支持袁世凯称帝为诱饵，正式向中国政府提出了《对支那政策文件》，即“二十一条”草案。经过25次交涉，5月7日，日本政府发出最后通牒，要求除第五号准许以后再议外，其余条款限48小时完全应允，并进行武力威胁。9日，袁世凯政府复文，提出除第五号“容日后协商”外，其余全部接受。25日双方在北京签订了《中日条约》及“换文”。这套袁世凯批阅过的日本第二次送交的“二十一条”汉文稿共9册，由袁世凯的亲信夏寿田保存。1959年收藏。

### 60．蔡锷在护国运动中用的指挥刀

1915～1916年
长93.2厘米
钢质，锻造。有鞘

蔡锷（1882～1916年），字松坡，湖南邵阳人。1915年袁世凯称帝后，唐继尧、蔡锷等人于12月25日通电宣告云南独立，并成立护国军，起兵讨袁。蔡锷任护国军第一军总司令，与袁军在四川泸州一带激战数月，屡获胜利。在转战中，蔡锷积劳成疾，后赴日本医治，于1916年11月8日病逝。李根源等为纪念他，在北京北海公园快雪堂建立“松坡图书馆”，馆内设“蔡公祠”，陈列蔡锷生前用品、手迹、照片等，指挥刀为其中之一。1959年北京图书馆拨交。

61．蔡锷致妻潘惠英家书

1916年3月25日
纵25.2、横30.8厘米
纸质，毛笔写

1915年12月，蔡锷等在云南组织护国军反对袁世凯称帝，任护国军第一军总司令，率部进军川南与袁军作战。途中曾寄给夫人潘惠英多封家书，叙述军中情况。家书原由其夫人保存。1932年初，日军进犯上海，蔡氏家属仓促避难，未能带出家书。后经友人多方寻找，仅得9封交还蔡家，此为其一。此件家书是蔡锷于四川永宁大洲驿就护国军入川以来战绩等事写给夫人潘惠英的。1982年蔡锷之子蔡端捐赠。

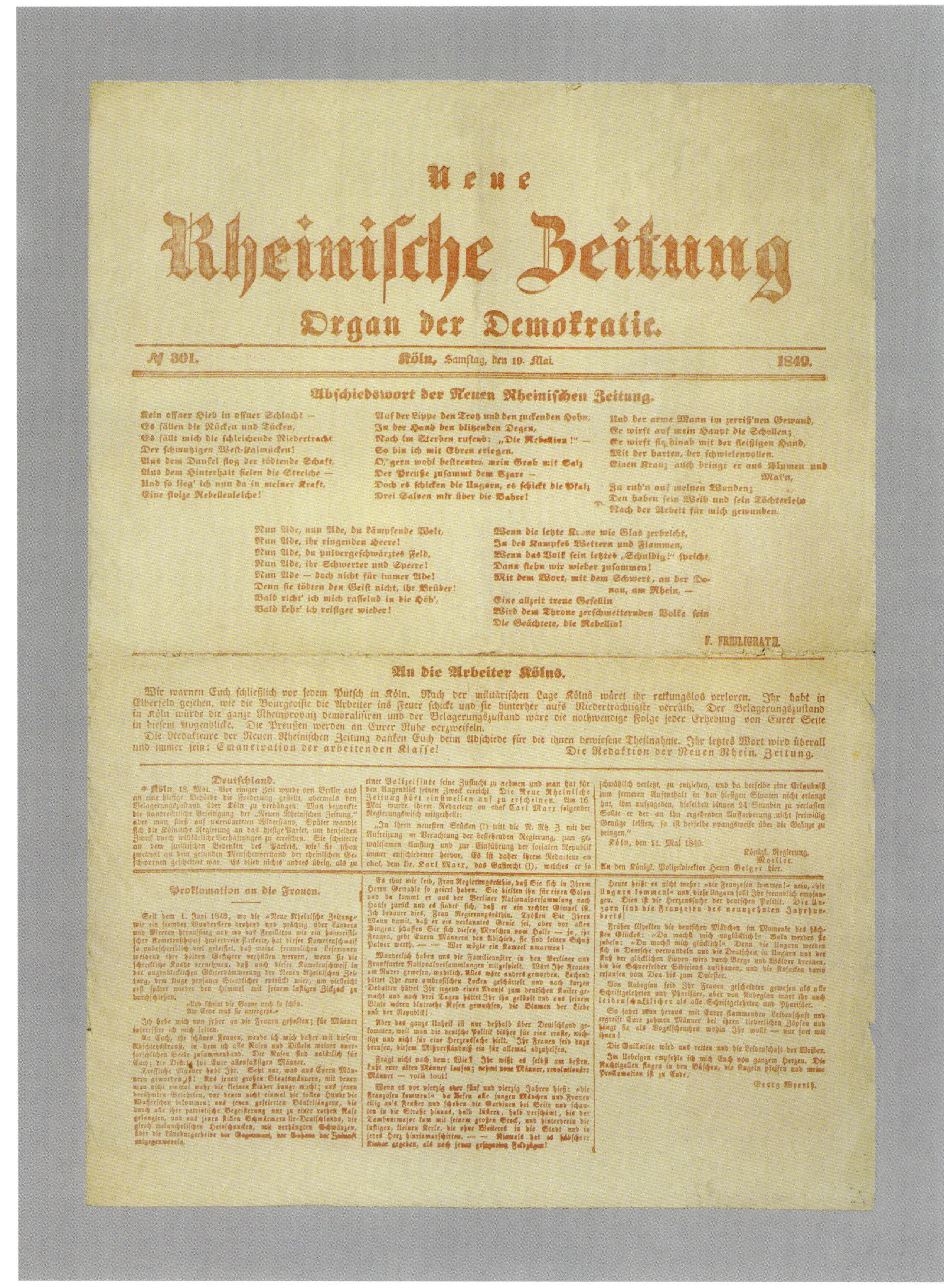

Neue
# Rheinische Zeitung
Organ der Demokratie.

№ 301. Köln, Samstag, den 19. Mai. 1849.

## Abschiedswort der Neuen Rheinischen Zeitung.

Kein offner Hieb in offner Schlacht –
Es fällen die Nücken und Tücken,
Es fällt mich die schleichende Niedertracht
Der schmutzigen West-Kalmücken!
Aus dem Dunkel flog der tödtende Schaft,
Aus dem Hinterhalt fielen die Streiche –
Und so lieg' ich nun da in meiner Kraft,
Eine stolze Rebellenleiche!

Auf der Lippe den Trotz und den zuckenden Hohn,
In der Hand den blitzenden Degen,
Noch im Sterben rufend: „Die Rebellion!" –
So bin ich mit Ehren erlegen.
O, gern wohl bestreuten mein Grab mit Salz
Der Preuße zusammt dem Czare –
Doch es schicken die Ungarn, es schickt die Pfalz
Drei Salven mir über die Bahre!

Und der arme Mann im zerriß'nen Gewand,
Er wirft auf mein Haupt die Schollen;
Er wirft sie hinab mit der fleißigen Hand,
Mit der harten, der schwielenvollen.
Einen Kranz auch bringt er aus Blumen und Mai'n,
Zu ruh'n auf meinen Wunden;
Den haben sein Weib und sein Töchterlein
Nach der Arbeit für mich gewunden.

Nun Ade, nun Ade, du kämpfende Welt,
Nun Ade, ihr ringenden Heere!
Nun Ade, du pulvergeschwärztes Feld,
Nun Ade, ihr Schwerter und Speere!
Nun Ade – doch nicht für immer Ade!
Denn sie tödten den Geist nicht, ihr Brüder!
Bald richt' ich mich rasselnd in die Höh',
Bald kehr' ich reisiger wieder!

Wenn die letzte Krone wie Glas zerbricht,
In des Kampfes Wettern und Flammen,
Wenn das Volk sein letztes „Schuldig!" spricht,
Dann stehn wir wieder zusammen!
Mit dem Wort, mit dem Schwert, an der Donau, am Rhein, –
Eine allzeit treue Gesellin
Wird dem Throne zerschmetternden Volke sein
Die Geächtete, die Rebellin!

F. FREILIGRATH.

## An die Arbeiter Kölns.

Wir warnen Euch schließlich vor jedem Pütsch in Köln. Nach der militärischen Lage Kölns wäret ihr rettungslos verloren. Ihr habt in Elberfeld gesehen, wie die Bourgeoisie die Arbeiter ins Feuer schickt und sie hinterher aufs Niederträchtigste verräth. Der Belagerungszustand in Köln würde die ganze Rheinprovinz demoralisiren und der Belagerungszustand wäre die nothwendige Folge jeder Erhebung von Eurer Seite in diesem Augenblicke. Die Preußen werden an Eurer Ruhe verzweifeln.

Die Redakteure der Neuen Rheinischen Zeitung danken Euch beim Abschiede für die ihnen bewiesene Theilnahme. Ihr letztes Wort wird überall und immer sein: Emancipation der arbeitenden Klasse!

Die Redaktion der Neuen Rhein. Zeitung.

**62.《新莱茵报》终刊号（德文）**

1849年5月19日

共两张，一张纵47、横63厘米；一张纵47、横31厘米

纸质，红色油墨印

《新莱茵报·民主派机关报》是最早的马克思主义报纸。1848年欧洲革命爆发，普鲁士柏林起义后，马克思（Karl Marx）和恩格斯（Friedrich Engels）回到德国参加并指导革命。6月1日，他们在德国科伦市创办《新莱茵报》，抨击普鲁士反动政府，积极宣传共产主义者同盟的革命思想，指导无产阶级革命斗争，因而屡遭查抄。1849年5月，马克思被驱逐。该报被迫停刊前，于19日出版终刊号（第301期）。马克思在致科伦工人的告别词中说："无论在什么时候，无论在什么地方，他们的最后一句话始终是：工人阶级的解放！"此报1959年由德意志联邦共和国共产党代表团访华时赠给中共中央，同年11月27日中共中央对外联络部拨交。

RÉPUBLIQUE FRANÇAISE

N° 44 LIBERTÉ — ÉGALITÉ — FRATERNITÉ N° 44

# COMMUNE DE PARIS

**Citoyens,**

Votre Commune est constituée.

Le vote du 26 mars a sanctionné la Révolution victorieuse.

Un pouvoir lâchement agresseur vous avait pris à la gorge : vous avez, dans votre légitime défense, repoussé de vos murs ce gouvernement qui voulait vous déshonorer en vous imposant un roi.

Aujourd'hui, les criminels que vous n'avez même pas voulu poursuivre abusent de votre magnanimité pour organiser aux portes même de la cité un foyer de conspiration monarchique. Ils invoquent la guerre civile; ils mettent en œuvre toutes les corruptions; ils acceptent toutes les complicités; ils ont osé mendier jusqu'à l'appui de l'étranger.

Nous en appelons de ces menées exécrables au jugement de la France et du monde.

**Citoyens,**

Vous venez de vous donner des institutions qui défient toutes les tentatives.

Vous êtes maîtres de vos destinées. Forte de votre appui, la représentation que vous venez d'établir va réparer les désastres causés par le pouvoir déchu : l'industrie compromise, le travail suspendu, les transactions commerciales paralysées, vont recevoir une impulsion vigoureuse.

Dès aujourd'hui, la décision attendue sur les loyers;

Demain, celle des échéances;

Tous les services publics rétablis et simplifiés;

La garde nationale, désormais seule force armée de la cité, réorganisée sans délai.

Tels seront nos premiers actes.

Les élus du Peuple ne lui demandent, pour assurer le triomphe de la République, que de les soutenir de sa confiance.

Quant à eux, ils feront leur devoir.

Hôtel-de-Ville de Paris, le 29 mars 1871.

LA COMMUNE DE PARIS.

IMPRIMERIE NATIONALE. — Mars 1871.

63．巴黎公社《为公社成立告人民书》(No.44)（法文）

1871年3月29日

纵79.8、横52厘米

纸质、铅印

巴黎公社是世界上无产阶级推翻资产阶级、建立无产阶级专政政权的第一次尝试。1870年法国在普法战争中战败，巴黎人民起义推翻了第二帝国。1871年3月18日，资产阶级政府军企图解除由工人组成的国民自卫军的武装，激起巴黎人民起义，占领巴黎，以梯也尔（Louis Adolphe Thiers）为首的资产阶级政府逃往凡尔赛。经过民主选举，28日公社宣告成立。次日，发布成立文告，宣告人类历史上第一个无产阶级政权建立，制定了革命政策和初步行动计划，呼吁人民积极支持公社的革命行动。5月下旬，在普鲁士军队的帮助下，梯也尔政府卷土重来，血腥镇压了巴黎公社。1974年5月14日国家文物事业管理局拨交。

# ПРАВДА

ЕЖЕДНЕВНАЯ РАБОЧАЯ ГАЗЕТА.

Годъ изданія первый.

№ 1. Воскресенье, 22 апрѣля 1912 г. ЦѢНА 2 коп.

ОТКРЫТА ПОДПИСКА НА ЕЖЕДНЕВНУЮ РАБОЧУЮ ГАЗЕТУ „ПРАВДА".

Продолжается подписка на газету „ЗВѢЗДА" выходящую три раза въ недѣлю.

По независящимъ отъ издателя обстоятельствамъ объявленная продажа № 1 „Правды" по повышенной цѣнѣ въ пользу семей убитыхъ ленскихъ рабочихъ не можетъ состояться.

Отъ редакціи.

Наши цѣли.

На грани.

Е. Придворовъ.

**64.《真理报》创刊号（俄文）**

1912年4月22日（俄历）（1912年5月5日）

纵39.3、横53.6厘米

纸质，铅印

《真理报》是以列宁（V.I.Lenin）为首的俄国布尔什维克创办的群众性政治日报，1912年5月5日在彼得堡创刊。因多次被封，曾改用《工人真理报》、《劳动真理报》、《真理之路报》等名出版。1918年3月迁往莫斯科出版，成为俄共（布）（后为苏共中央）机关报。该创刊号主要内容有：1.编辑部的话，阐明该报宗旨；2.揭露“国家杜马”的实质；3.报道沙皇军队枪杀连纳金矿工人事件及抗议枪杀事件的罢工消息。此创刊号是1969年11月葡萄牙共产党人弗雷拉赠给毛泽东的礼物，1970年2月10日中共中央对外联络部拨交。

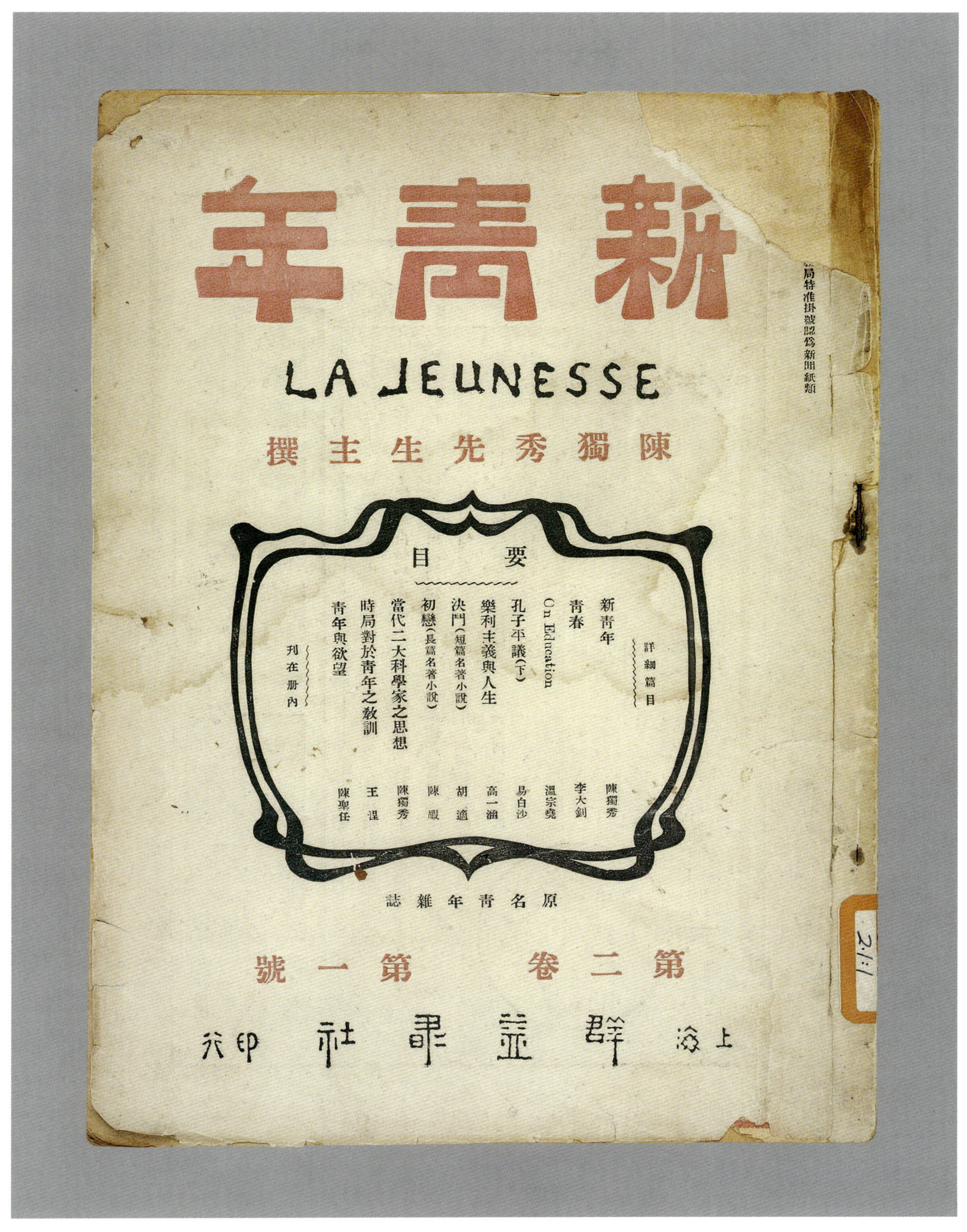


**65.《新青年》杂志**

1915～1922年，1～9卷；1923～1924年，1～4期；1925～1926年，1～5期

纵25.9、横17.8厘米

纸质，铅印。上海群益书社印行

中国革命史上重要期刊之一，是新文化运动的重要阵地，对中国思想文化界产生过巨大影响。陈独秀、李大钊等编辑。《新青年》1915年9月创刊。中间几经变化，1926年停刊。第一卷原名《青年杂志》，第二卷起改为《新青年》。在创刊初始宣传科学和民主，提倡新道德和新文化。俄国十月革命胜利后逐步成为宣传马克思主义的刊物。1923年6月起，成为中国共产党的理论性机关刊物。

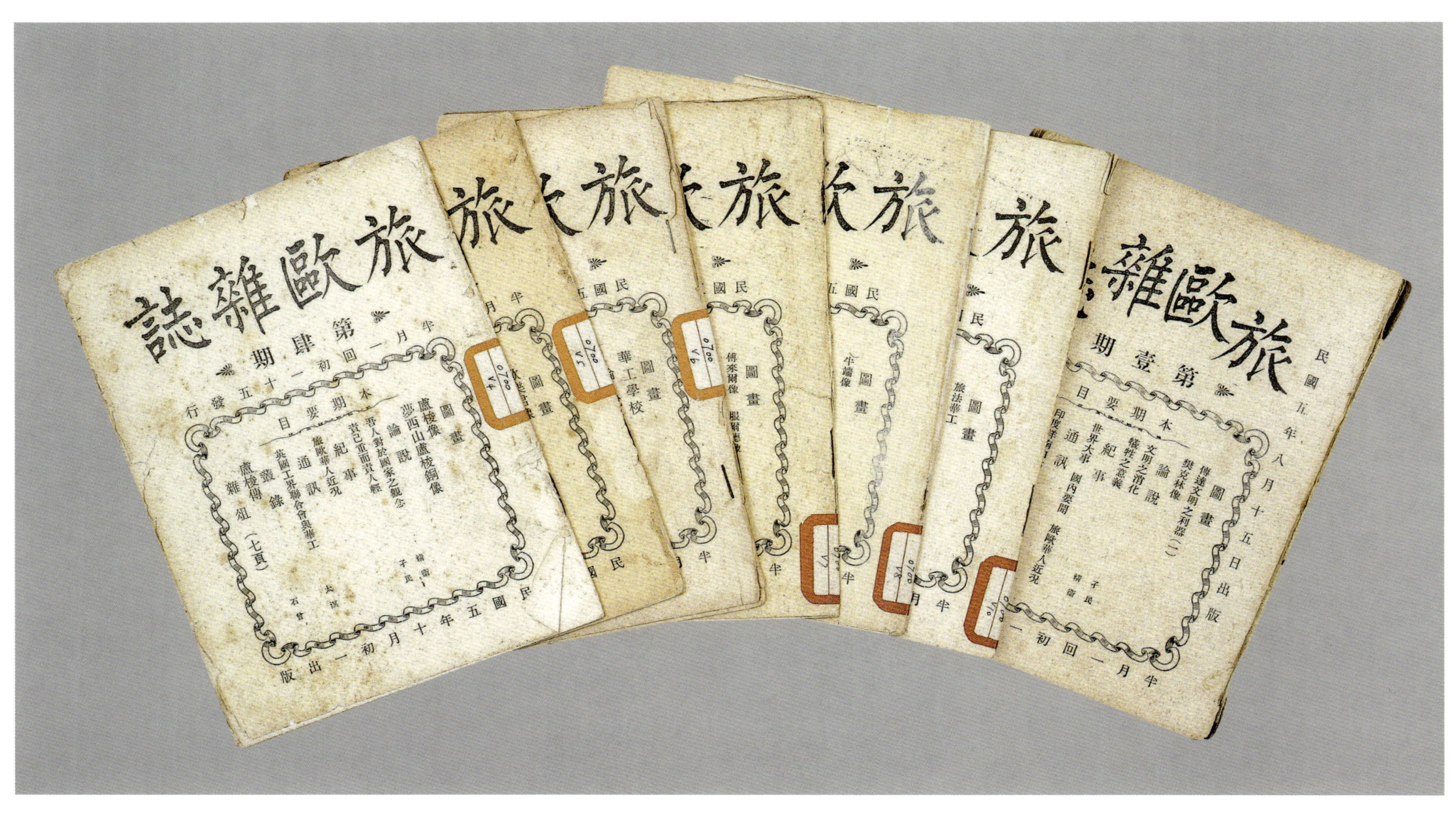


**66.《旅欧杂志》**

馆藏 1916 年 1～8 期，1917 年 10、13～19、22～26 期
纵 18.3、横 13.9 厘米
纸质，铅印。《旅欧杂志》社编辑

1916 年 8 月 15 日创刊，1918 年 3 月 1 日出版第 27 期后停刊。半月刊，法国巴黎出版，是宣传勤工俭学的早期刊物之一。在旅欧中国学生和华工中有较大的影响。蔡元培、李石曾、汪精卫等人是这个刊物的主编及撰稿人。

**67．宋庆龄题赠柳亚子的孙中山、宋庆龄结婚照**

1916年

纵32.7、横22.5厘米

宋庆龄题字："在东京结婚时照　一九一五年十月，To Wulcon（赠 慰高——柳亚子初名），SCL（宋庆龄英文缩写）"

1915年10月25日，孙中山、宋庆龄委托日本著名律师和田瑞到东京市政厅为他们办理了结婚登记手续，并由其主持签订婚姻《誓约书》。下午，孙、宋二人在日本友人梅屋庄吉家中举行婚礼。后由"东京日比谷　大武丈夫違寫"拍下这张结婚照。1916年归国后，宋庆龄将此结婚照题赠好友柳亚子。柳亚子逝世后，1963年12月其子女柳无非、柳无垢捐赠。

**68. 叶剑英等云南陆军讲武学校同学合影照片**

1917 年 8 月 12 日

纵 39.5、横 32.5 厘米

云南陆军讲武堂成立于 1909 年 8 月。分甲、乙、丙三班，设步、骑、炮、工四科。教官多为同盟会成员。学堂为辛亥革命、护国战争培养了大批骨干，1912 年改称讲武学校。1917 年夏至 1919 年 12 月，叶剑英在该校 12 期炮科学习。此照 1917 年 8 月 12 日摄于云南药师院，并由教官宁墨公题七律一首以作纪念。此后，叶剑英(前排左二)、陈静菴、邓琪渊、何文耀、许让贤、张坤理、赖顺成、陈均成、孟文9位合影中的广东籍学生送同乡南洋兄弟烟草公司云南分公司经理黄禅侠先生等回南洋前话别时，赠此照并题词留念。1987 年 4 月黄禅侠之子女黄腾誉、黄腾汉、黄叶绿、黄腾鹏捐赠。

**69. 廖仲恺、朱执信用的英文打字机**

1918～1919年
纵29、横31.5、高18.5厘米
金属、塑料质

1918年护法运动失败后，廖仲恺、朱执信等随孙中山来到上海，协助他进行革命活动和理论著述。他们整理翻译了孙中山用英文写作的《实业计划》等著述，还翻译了美国学者威尔科克斯著的《全民政治》等，并用英文记录、打印了大量文件。这台英文打字机是他们在上海协助孙中山工作时用的。后由廖梦醒保存，1950年捐赠。

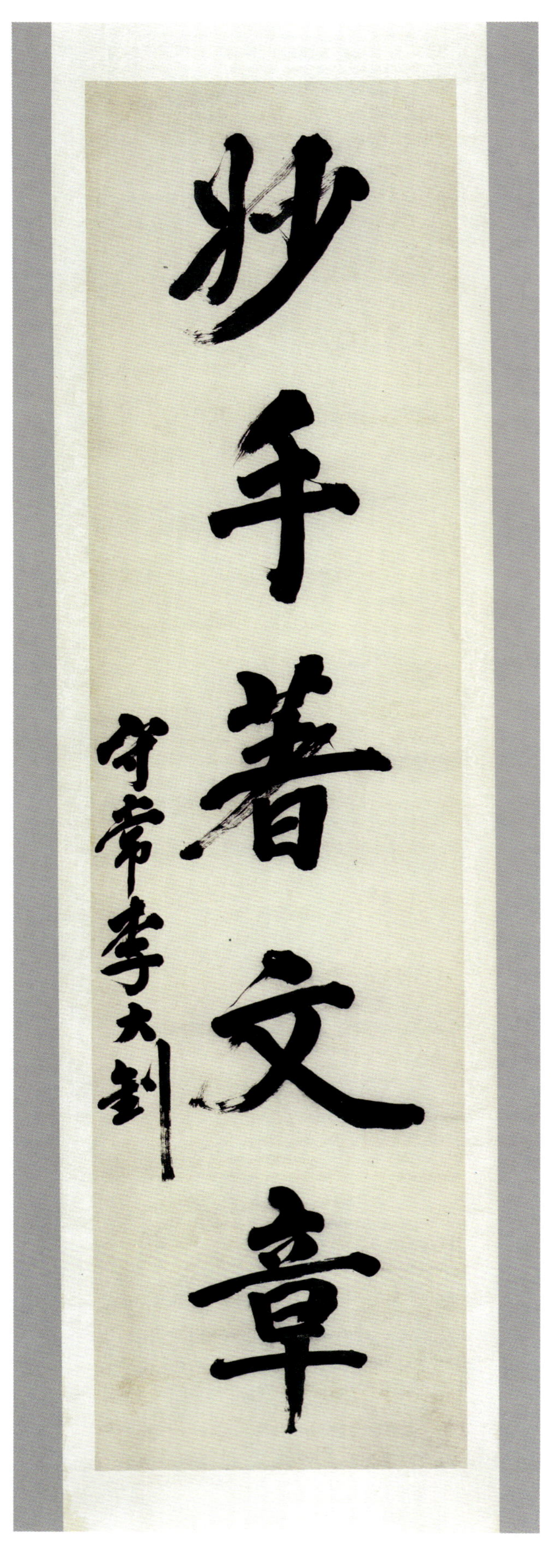


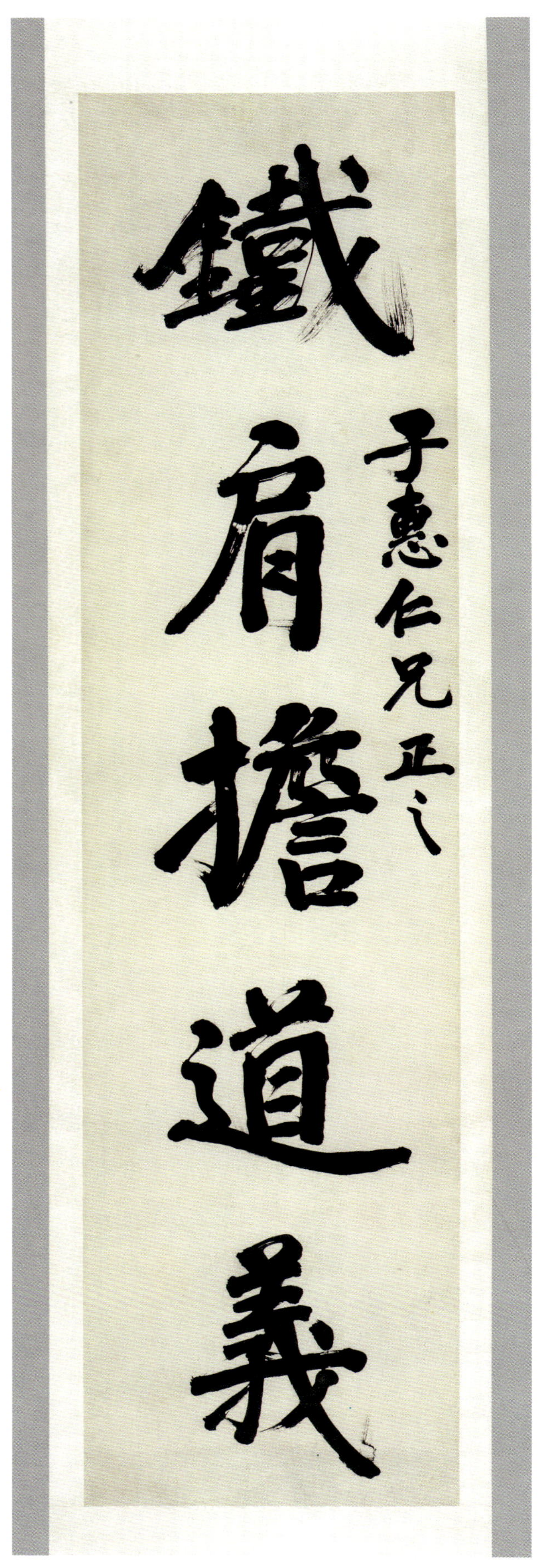


**70．李大钊书赠杨子惠对联**

1918～1927年间
纵122.3、横31.5厘米
纸质，毛笔写

李大钊（1889～1927年），字守常，河北乐亭人。他在北京大学任教期间，曾于空暇时书写了一些条幅、对联赠予亲友。明代杨继盛曾撰“铁肩担道义，辣手著文章”对联，深得李大钊的喜爱，以为座右铭，并改“辣”字为“妙”字，写成“铁肩担道义，妙手著文章”对联，赠予夫人赵纫兰的二姐夫杨子惠。后由李大钊长女李星华保存，1957年捐赠。

71.《每周评论》

馆藏1918年12月22日～1919年8月24日，1～36期。
纵39、横27.8厘米
纸质，铅印

《每周评论》是反帝反封建、宣传科学社会主义的进步文化刊物，在社会上，尤其在青年学生中影响很大。陈独秀、李大钊等编辑，1918年12月22日创刊。1919年8月30日被北洋军阀封禁。共出版37期，其中最后一期是在被查封之后出版的。

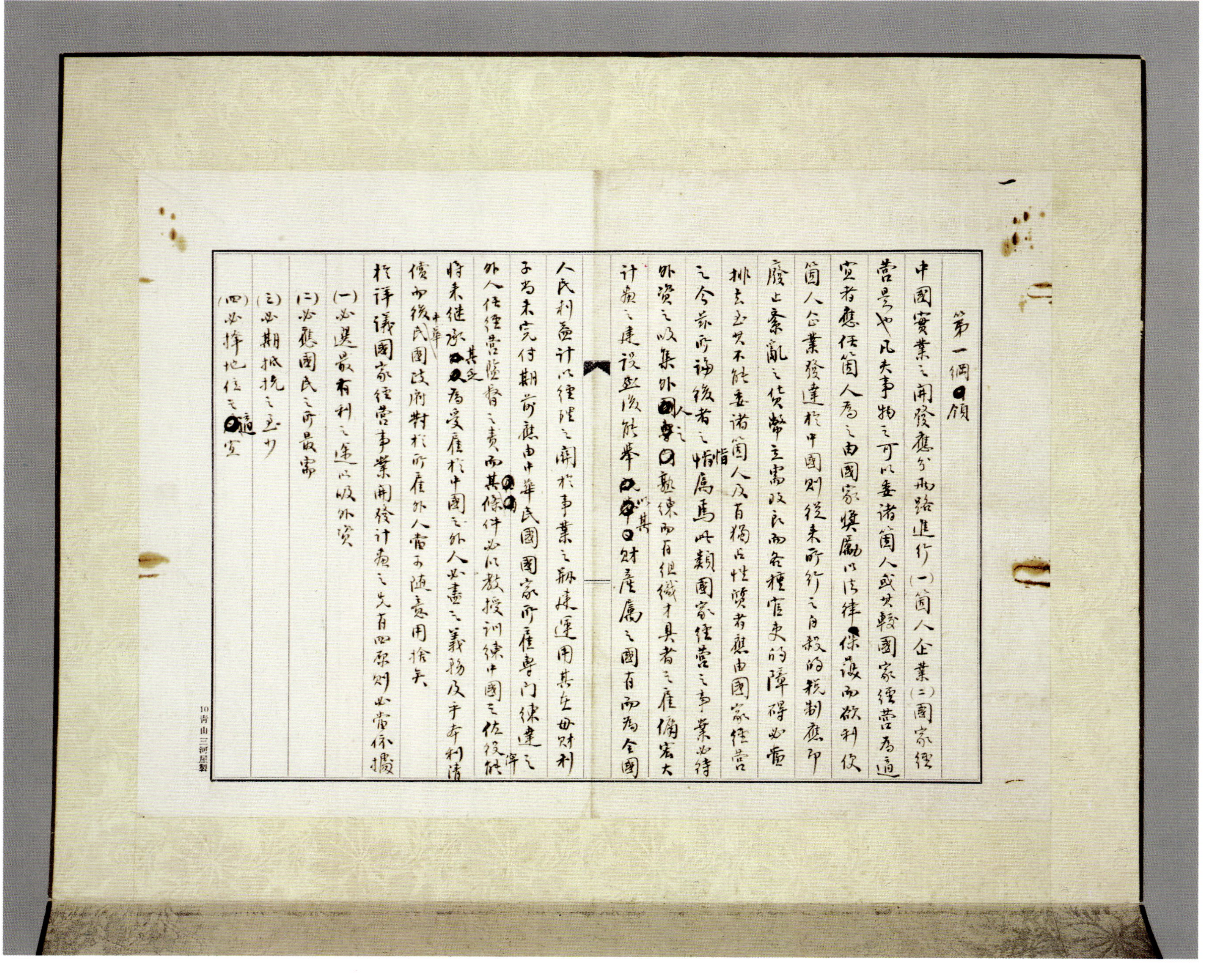

**72．廖仲恺译孙中山草拟的《第一纲领》手稿**

1919 年

纵 36、横 44.7 厘米

纸质、毛笔写

1918 年护法运动失败后，孙中山回到上海。面对革命的不断失败，孙中山认为革命党人应首先解决思想认识问题。为此，他撰写了《建国方略》一书。全书共分三部分，其一为“心理建设”即“孙文学说”；其二为“物质建设”即“实业计划”；其三为“社会建设”即“民权初步”。《第一纲领》为《实业计划》中的一部分。孙中山用英文写成，由廖仲恺译成中文发表。此译稿由廖承志保存，1977 年捐赠。

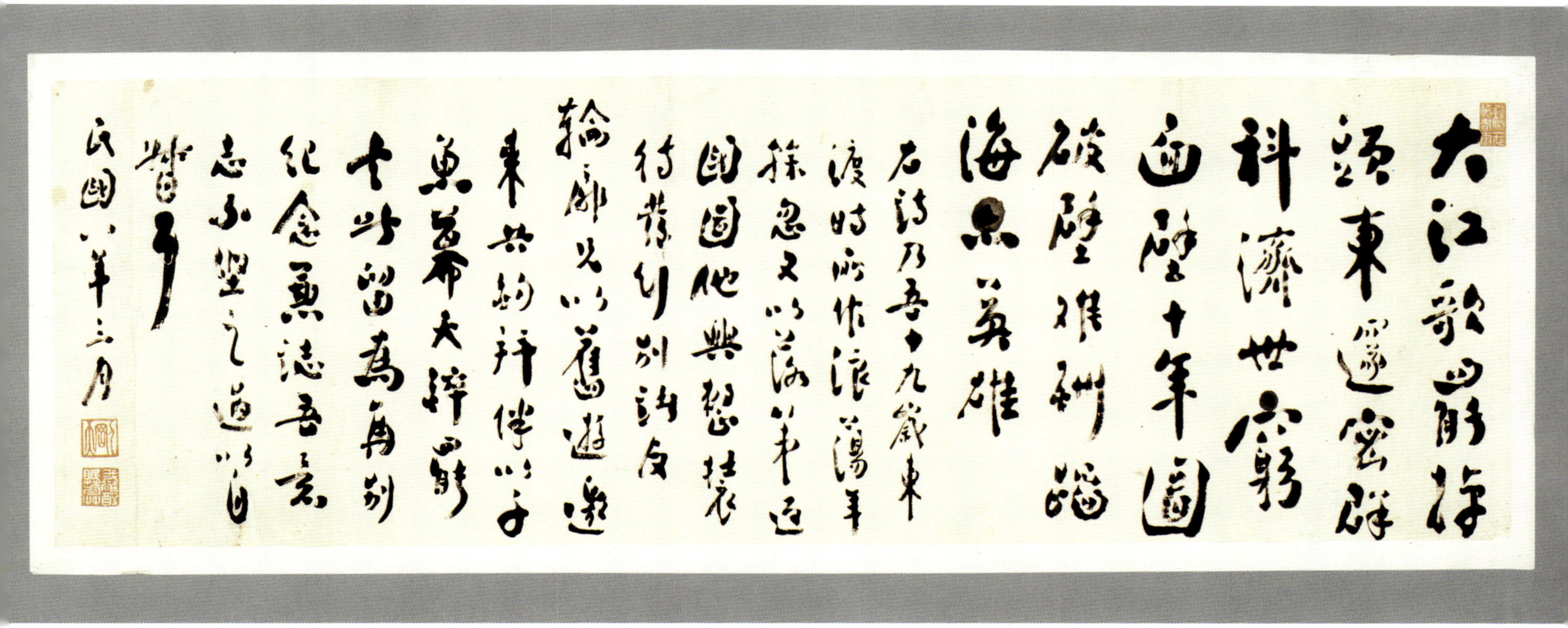

**73. 周恩来书赠张鸿诰的“大江歌罢掉头东”横幅**

1919年3月
纵30、横91.5厘米
纸质，毛笔行书

1917年9月，周恩来于南开中学毕业后，赴日本拟考官费留学。备考期间，因精力多放在考察、学习政治社会学，未能考中官费学校。1919年3月，他决定弃学“返国图他兴”。临行前，学友张鸿诰在东京邀友人为其饯行，并请留字为念，周恩来遂将东渡前夕所作叙志诗书写相赠。抗日战争时，张鸿诰为防不测，将落款“弟恩来”三字裁去，并加盖闲章遮人耳目。1977年捐赠。

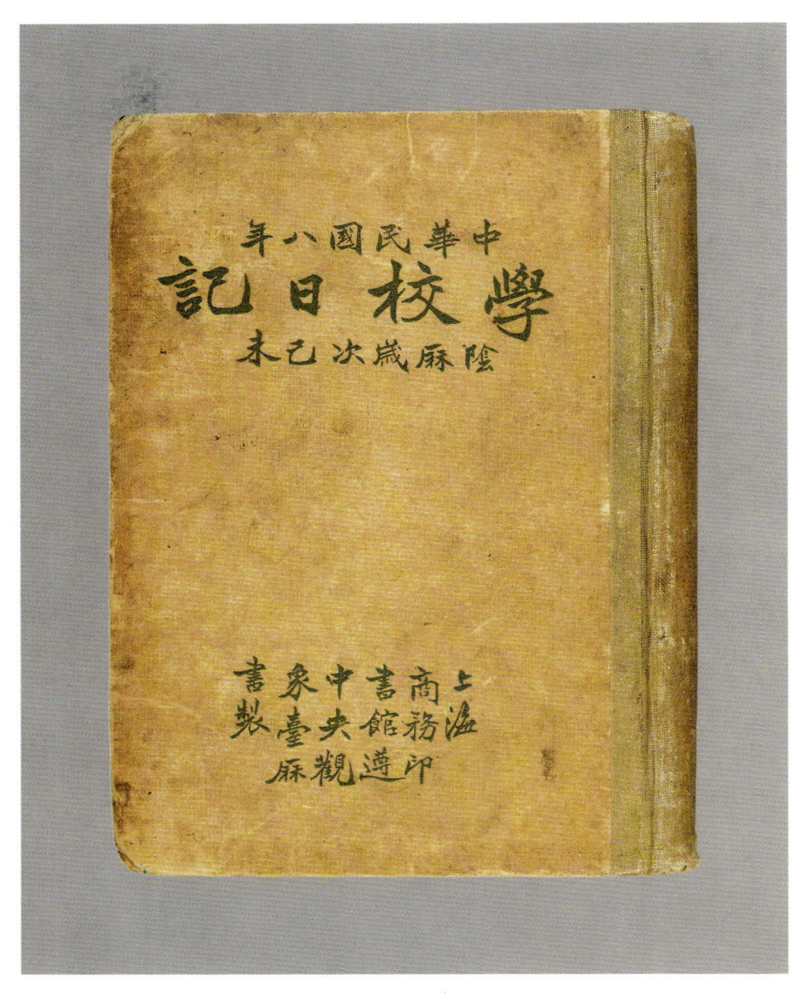


**74．徐志摩在美国留学时的日记**

1919年

纵18.6、横13.5厘米

纸质，钢笔写。日记本为上海商务印书馆遵中央观象台历书制

徐志摩（1897～1931年），谱名章垿，浙江海宁人，现代作家、诗人。1918年出国留学前更名志摩。1918年9月，进入美国克拉克大学历史系学习，1919年6月毕业。9月，进入纽约哥伦比亚大学经济系攻读硕士学位。日记记述了他对祖国的热爱之情及在美留学期间思想的发展变化。抗日战争时期，日本记者冈崎国光从浙江富阳徐志摩家中寻得，带回日本，后被斋藤秋男收藏，1975年送还中国。1985年国家文物局外事处拨交。

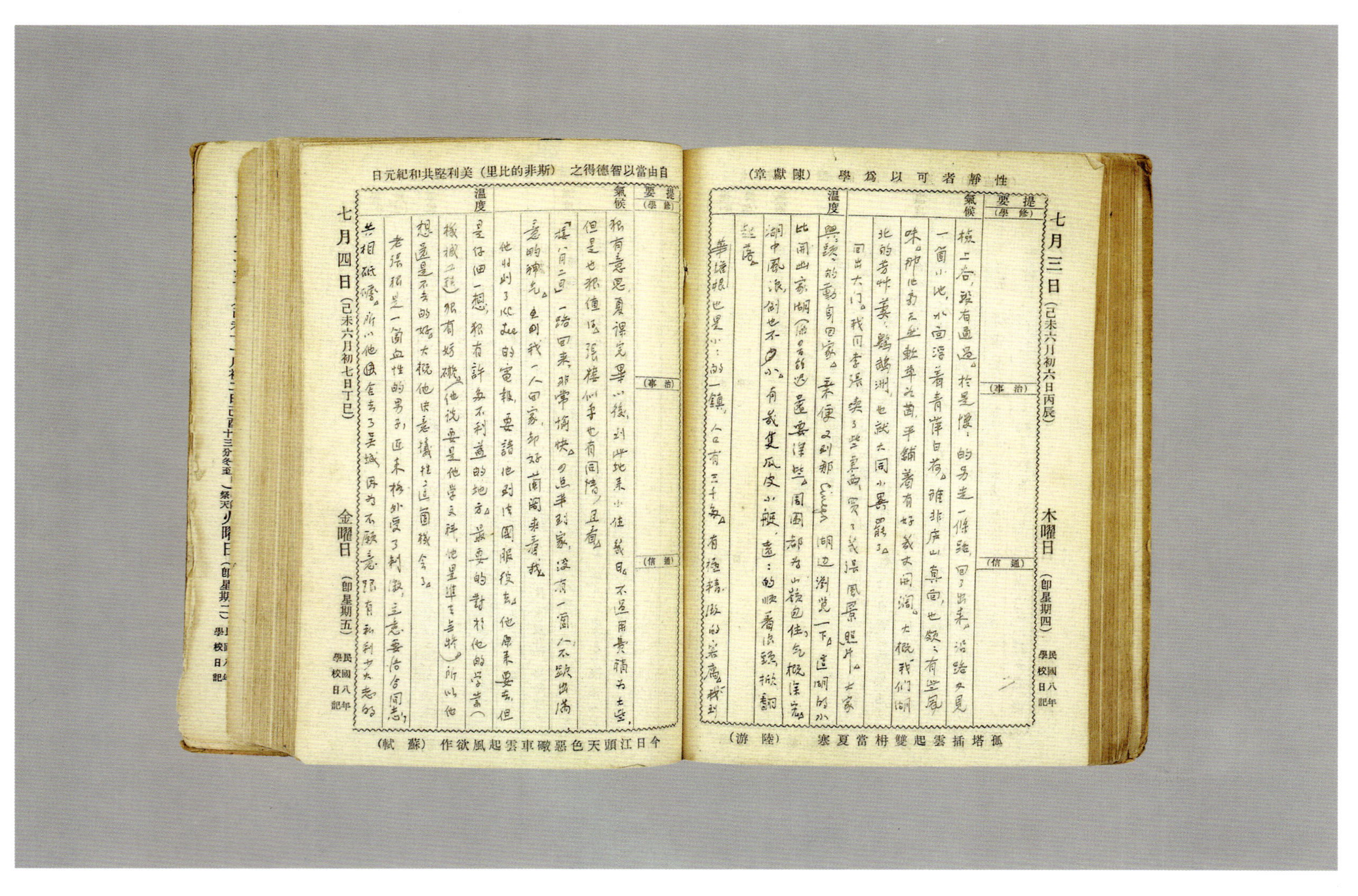

75. “誓死力争　还我青岛”标语

1919 年
纵 23.6、横 9 厘米
纸质，石印

1919 年 1 月，第一次世界大战各战胜国在法国巴黎召开“和平会议”，决定将战败国德国在中国山东的权益转让给日本。消息传来，全国各阶层人民群情激愤。5 月 4 日，北京大学等校 3000 多名学生在天安门前集会，手执“誓死力争，还我青岛”、“拒绝在‘巴黎和约’上签字”等标语和旗帜，高呼口号，要求拒签和约、惩办卖国贼，掀起轰轰烈烈的五四爱国运动。1959 年 1 月旅大市图书馆拨交。

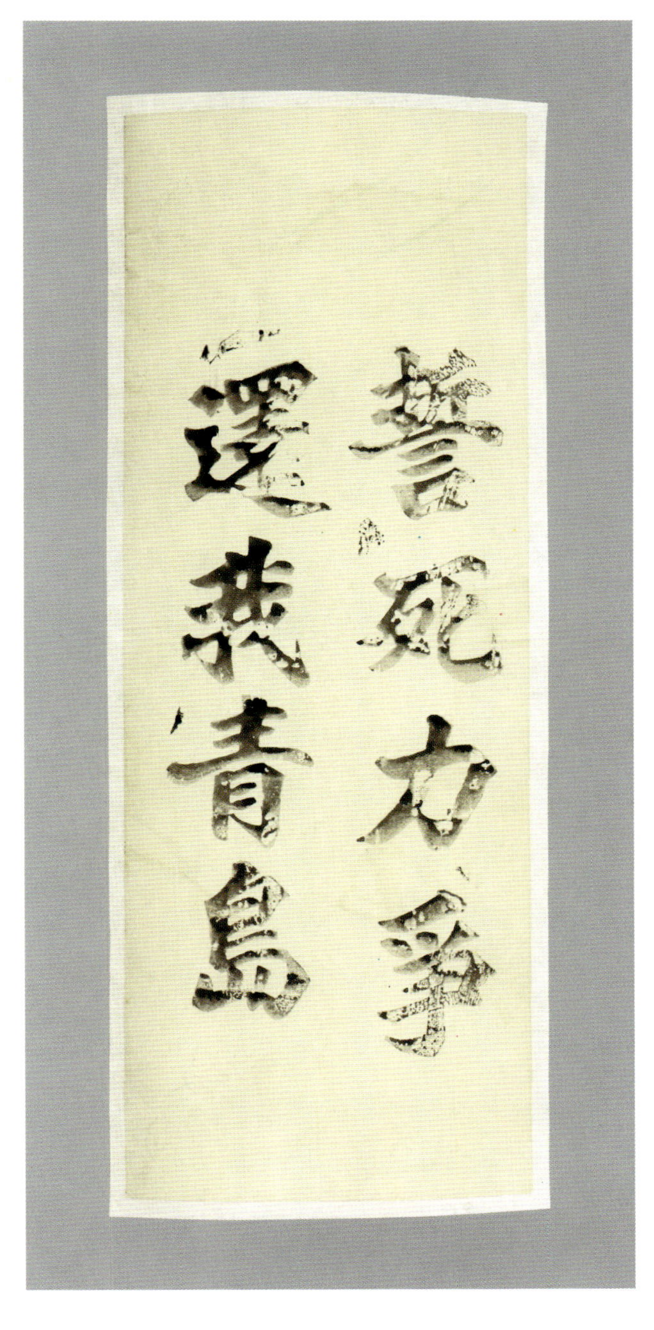


76. 五四运动中北京大学讲演队第九组布旗

1919 年
纵 45.5、横 64.3 厘米
布质，毛笔写

1919 年 5 月 19 日，由于北京政府对学生提出的爱国要求置之不理，北京大学等校再次宣布总罢课，并组织讲演团上街演讲。6 月 1 日，北京政府下令表彰卖国贼曹汝霖等三人和取缔学生的一切爱国行动，激起学生和群众更大的愤怒。3 日，北大等 20 多所学校的数百名学生上街演讲，北京政府出动军警镇压，逮捕 178 人。4 日，街头出现了更多的学生，他们在人多的地方，从怀中掏出旗帜进行演讲，当日，有 700 多名学生被捕。5 日，上街演讲的学生达 5000 多人。1959 年 5 月北京市公安局档案科拨交。

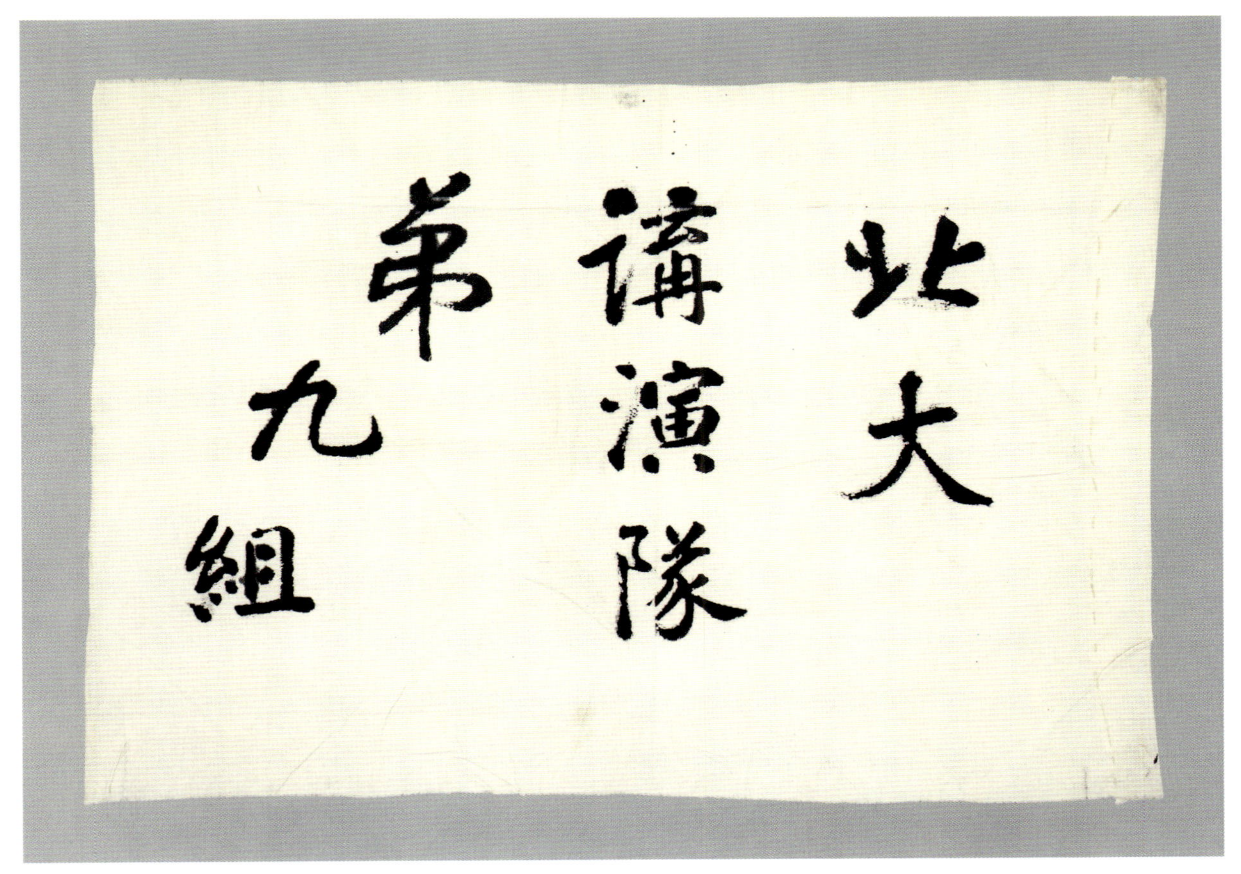

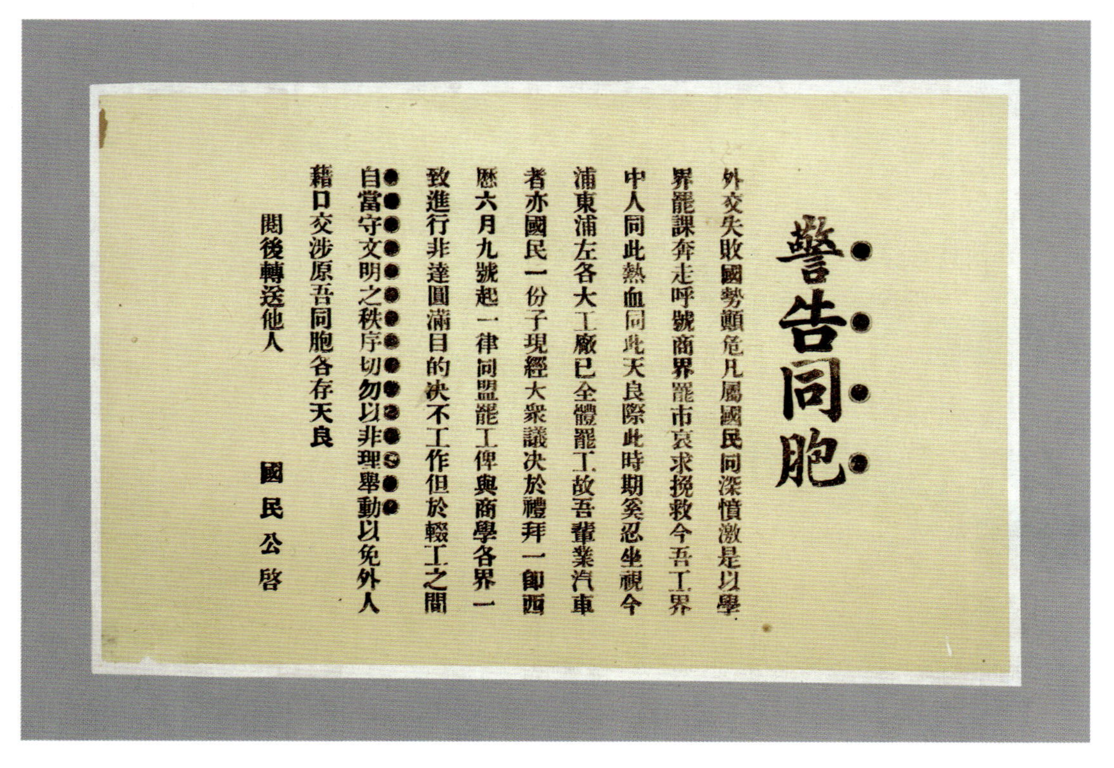

警告同胞

外交失敗國勢顛危凡屬國民同深憤激是以學界罷課奔走呼號商界罷市哀求挽救今吾工界中人同此熱血同此天良際此時期奚忍坐視今浦東浦左各大工廠已全體罷工故吾輩業汽車者亦國民一份子現經大衆議決於禮拜一即西歷六月九號起一律同盟罷工俾與商學各界一致進行非達圓滿目的决不工作但於輟工之間自當守文明之秩序切勿以非理舉動以免外人藉口交涉原吾同胞各存天良

閱後轉送他人　　國民公啓

**77．上海汽车业《警告同胞》传单**

1919 年 6 月
纵 18、横 27.6 厘米
纸质，铅印

五四运动发展至 6 月 3 日，北京政府逮捕的爱国学生已近千人，激起全国人民更大的愤怒。5 日，上海日资纱厂工人首先举行大罢工声援学生，其他行业工人纷纷响应。接着，北京、唐山、汉口、南京等地的工人和上海等城市的商人相继举行罢工、罢市。五四运动发展成为以工人阶级为主力军的全国范围的群众性反帝爱国运动。这是上海汽车业工人为参加 9 日同盟总罢工印发的传单，号召“与商学各界一致进行，非达圆满目的决不工作”。1959 年 1 月旅大市图书馆拨交。

**78．克书关于“五四”运动情况的家信**

1919 年 6 月 21 日
纵 17.5、横 27.5 厘米
纸质，毛笔写。3 页

北京高等师范学校学生克书在信中以亲身经历，详细、生动地叙述了 1919 年 5 月 4 日当天的事发经过。其中包括北京 13 所大中专学校学生在天安门广场前的集会和游行，以及愤怒的学生们痛打卖国贼章宗祥，火烧曹汝霖住宅赵家楼的情形。在北京政府出动军警逮捕学生时，他因“见机而作，尚未被捕”。1957 年 2 月 9 日中共中央宣传部党史资料室拨交。

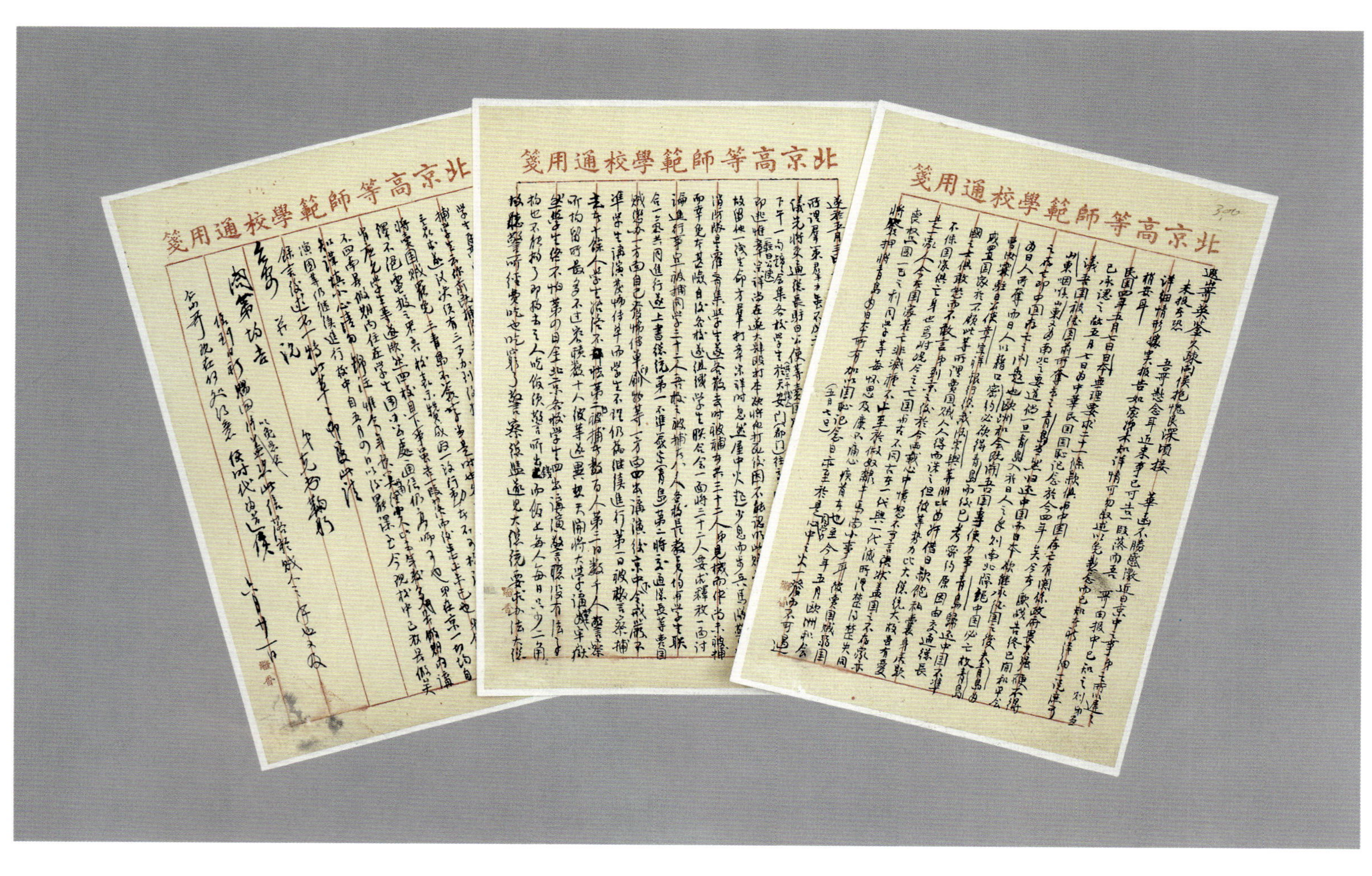

**79．毛泽东等新民学会会员合影**

1920年5月8日
纵23.9、横30.8厘米

新民学会是毛泽东、蔡和森等于1918年4月在湖南长沙发起组织的革命团体。1920年5月毛泽东从北京到上海。8日，为欢送赴法勤工俭学的新民学会会员，毛泽东等部分会员在上海半淞园聚会，并讨论学会的会务问题。图为与会者合影。左起：萧子暲(萧三)、熊光楚、李思安、欧阳玉生、陈绍休、陈纯粹、毛泽东、彭璜、刘望成、魏璧、劳君展、周敦祥。照片由上海半淞园照相馆摄制。1962年7月中共中央办公厅秘书室拨交。

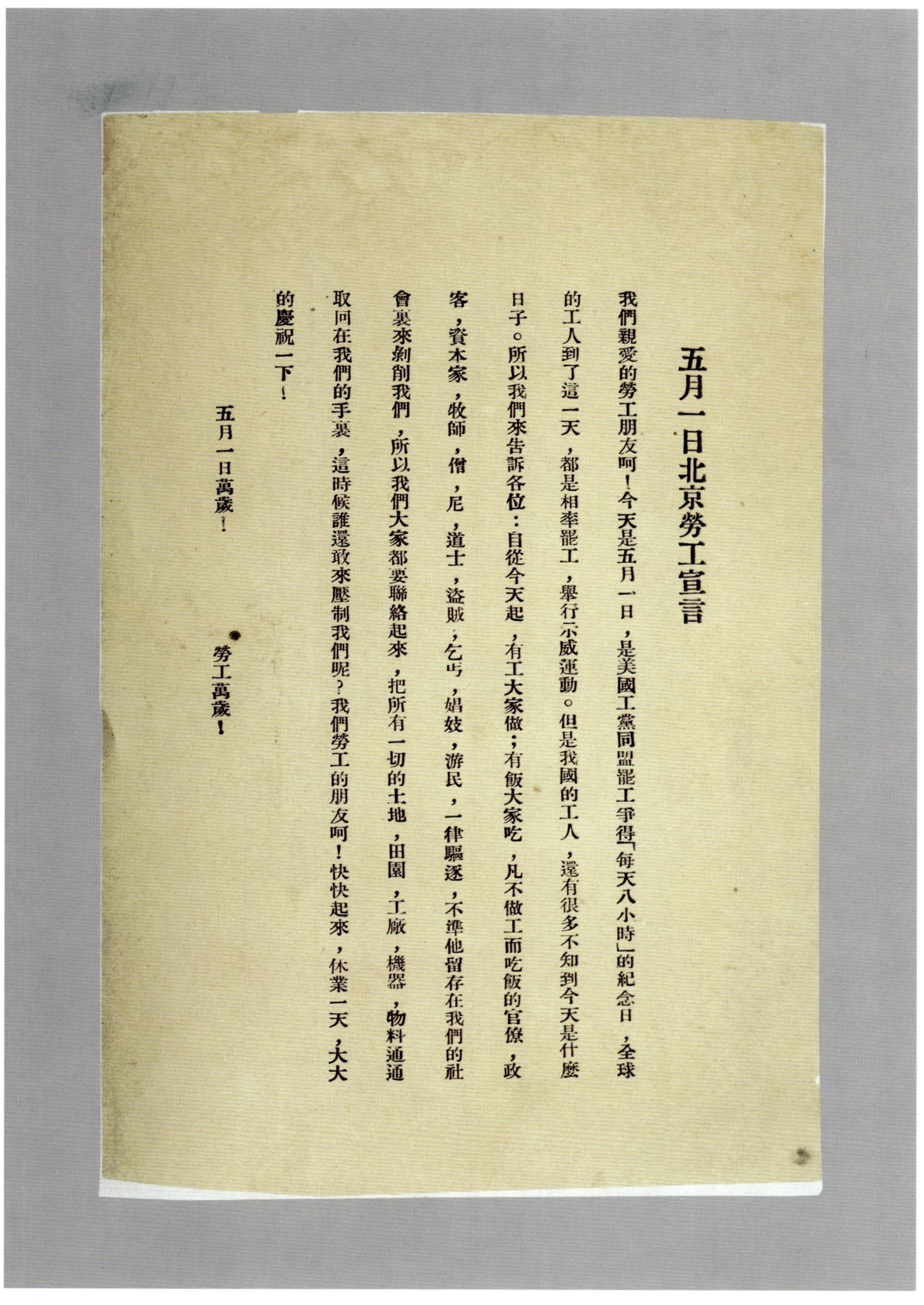

五月一日北京勞工宣言

我們親愛的勞工朋友呵！今天是五月一日，是美國工黨同盟罷工爭得「每天八小時」的紀念日，全球的工人到了這一天，都是相率罷工，舉行示威運動。但是我國的工人，還有很多不知到今天是什麼日子。所以我們來告訴各位：自從今天起，有工大家做；有飯大家吃，凡不做工而吃飯的官僚，政客，資本家，牧師，僧，尼，道士，盜賊，乞丐，娼妓，游民，一律驅逐，不準他留存在我們的社會裏來剝削我們，所以我們大家都要聯絡起來，把所有一切的土地，田園，工廠，機器，物料通通取回在我們的手裏，這時候誰還敢來壓制我們呢？我們勞工的朋友呵！快快起來，休業一天，大大的慶祝一下！

五月一日萬歲！　　勞工萬歲！

80.《五月一日北京劳工宣言》传单

1920年

纵38.7、横26.8厘米

纸质，石印

1920年5月1日，北京、上海等大城市也举行较大规模的纪念活动。李大钊在北京大学主持纪念大会。大会印发了《五月一日北京劳工宣言》，提出将生产资料收归劳动者所有，建立一个没有阶级剥削的社会。会后，何孟雄等8名学生手执写有“祝劳工永久的胜利”、“劳工神圣”等旗帜，乘汽车游行并散发此传单。1959年北京市公安局档案科拨交。

警廳拘留記

81．周恩来编写的《警厅拘留记》手稿

1920年

纵20、横32.8厘米

纸质，毛笔写

1920年1月29日，因反对军阀当局查封天津学生联合会和逮捕查禁日货的学生，周恩来等20余名学生代表到直隶省署请愿，被非法拘押在天津警察厅内，7月10日获释。获释前，周恩来于6月编写了《警厅拘留记》，详述了天津抵制日货爱国运动发生的原因、经过和1月23日至4月7日间，天津警察厅内被拘学生代表的斗争和各界爱国人士声援爱国运动等情况。1951年，王冶秋在琉璃厂效贤阁访得并送周恩来鉴定，1976年捐赠。

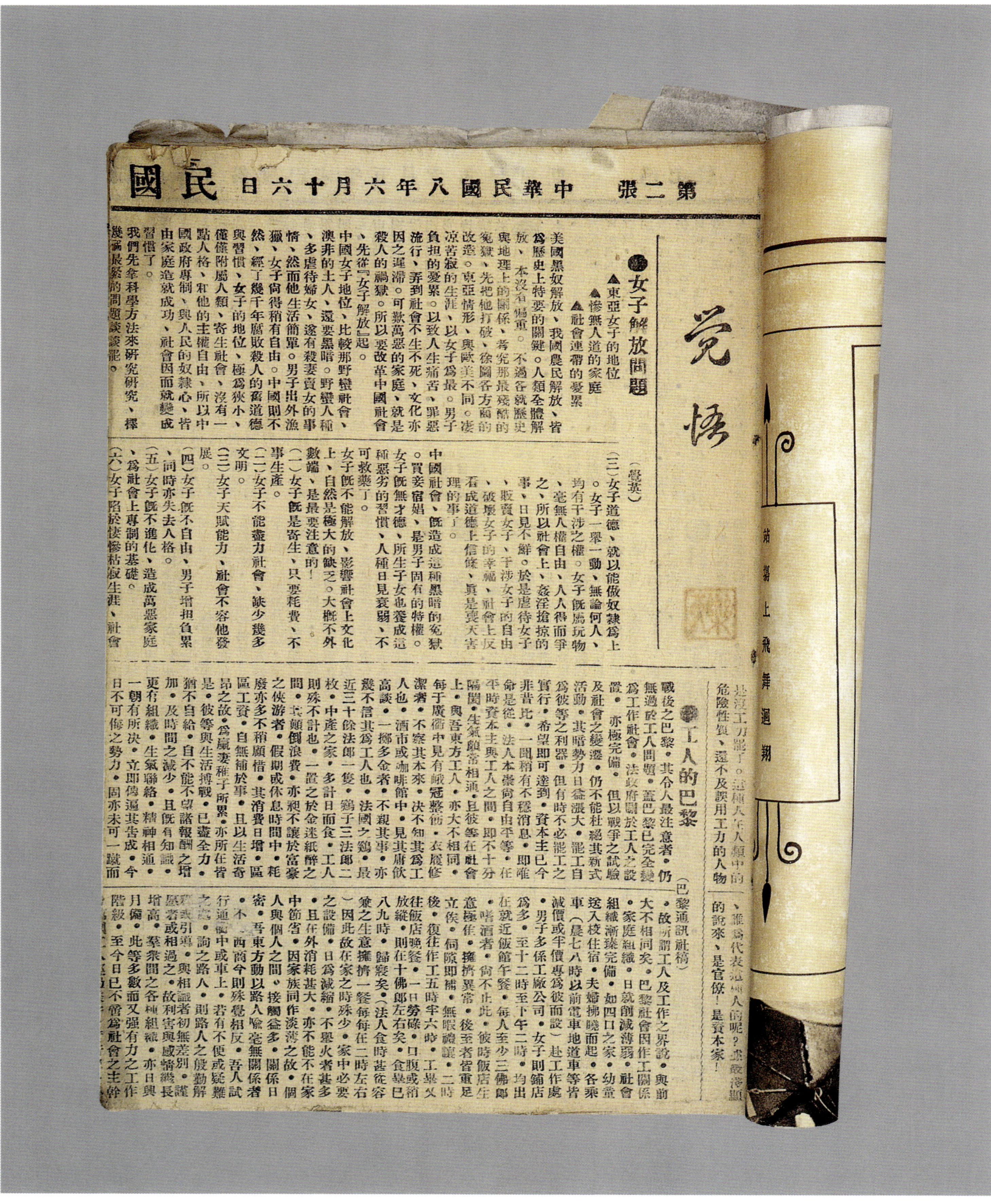

第二張　中華民國八年六月十六日　民國

觉悟

● 女子解放問題

▲東亞女子的地位　▲慘無人道的家庭　▲社會連帶的憂累

（覺英）

美國黑奴解放、我國農民解放、皆爲歷史上特要的關鍵。人類全體解放、本沒有偏重。不過各就歷史與地理上的關係、考究那最殘酷的寃獄、先把他打破、徐圖各方面的改造。東亞情形、與歐美不同。凄凉苦寂的生涯、以女子爲最。男子負担的憂累。以致人生痛苦、罪惡流行、弄到社會不生不死、文化亦因之遲滯。可歎萬惡的家庭、就是殺人的禍獄。所以要改革中國社會、先從『女子解放』起。

中國女子地位、比較那野蠻社會、澳非的土人、還要黑暗。野蠻人種、多虐待婦女、遂有殺妻賣女的事情、然而他生活簡單。男子出外漁獵、女子尚得稍有自由。中國則不然、經了幾千年腐敗殺人的舊道德與習慣、女子的地位、極爲狹小、僅僅附屬人類、寄生社會、沒有一點人格、和他的主權自由、所以中國政府專制、與人民的奴隸心、皆由家庭造就成功、社會因而就變成習慣了。

我們先拿科學方法來研究研究、擇幾個最緊的問題談談罷。

……

（三）女子道德、就以能做奴隸爲上。女子一舉一動、無論何人、均有干涉之權。女子既爲玩物、毫無人權自由、人人得而爭之、所以社會上、姦淫搶掠的事、日見不鮮。於是虐待女子、販賣女子、干涉女子的自由、破壞女子的幸福、社會上反看成道德上信條、眞是喪天害理的事了。

中國社會、既造成這種黑暗的寃獄。買妾宿娼、是男子固有的特權。女子既無才德、所生子女也養成這種惡劣的習慣、人種日見衰弱、不可救藥了。

女子既不能解放、影響社會上文化上、自然是極大的缺乏。大概不外數端、是最要注意的！

（一）女子既是寄生、只要耗費、不事生產。

（二）女子不能盡力社會、缺少幾多文明。

（三）女子天賦能力、社會不容他發展。

（四）女子既不自由、男子增担負累、同時亦失去人格。

（五）女子既不進化、造成萬惡家庭、爲社會上專制的基礎。

（六）女子陷於悽慘枯寂生涯、社會

● 工人的巴黎

（巴黎通訊社稿）

戰後之巴黎·其令人最注意者·仍無過於工人問題·蓋巴黎已完全變爲工作社會·法政府關於工人之設置·亦極完備·但以戰爭之試驗及社會之變遷·仍不能杜絕其新式活動·其暗勢力日益漲大·罷工自爲彼等之利器·但有時不必罷工之實行·希望即可達到·資本主已今非昔比·一聞稍有不穩消息·即唯命是從·法人本崇尚自由平等·在平時資本主與工人之間·即不十分隔閡·生氣頗常相通·且彼等在社會上·與吾東方工人·亦大不相同·每于廣衢中見有鹹冠整飭·衣履修潔者·不察其本來·決不知其爲工人也·酒市或咖啡館中·見其啣飲高談·一擲多金者·不親其事·亦幾不信其爲工人也·法國之鷄·最近三十餘法郎一隻·鷄子三法郎二枚·中產之家·多計日而食·工人則殊不計也·一置之於金迷紙醉之間·甚頗倜浪費·亦視不讓於富豪之俠游者·假期或休息時間中·耗廢亦多不稍顧惜·其消費日增·區區工資·自無補於事·且以生活奇昂之故·爲贏妻稚子所累·亦所在皆是·彼等與生活搏戰·已盡全力·猶不自給·自不能不望諸報酬之增加·及時間之減少·且既有知識·更有組織·生氣聯絡·精神相通·一朝有所決·立即傳遍其告成·今日不可侮之勢力·固亦未可一蹴而

……故所謂工人及工作之界說·與前大不相同矣·巴黎社會因作工關係·家庭組織·日就削減薄弱·社會組織漸臻完備·如四口之家·幼童送入校住宿·夫婦拂曉而起·各乘車（晨七八時以前電車地道車等皆減價或半價專爲彼而設）赴工作處·男子多係工廠公司·女子則鋪店爲多·至十二時至下午二時·均出在就近飯館午餐·每人至少三佛郎·嗜酒者·尚不止此·彼時飯店生意極佳·擁擠異常·後至者皆重足立俟·伺隙即補·無暇禮讓·二時後·復往作工·五時半六時·工畢往飯店晚餐·一日勞碌·口腹或稍放縱·則在十佛郎左右矣·八九時·歸寢矣·（法人食時甚從容兼之生意擁擠一餐每每在二時左右）因此故在家之時殊少·家中必要之設備·日爲減縮·不舉火者甚多·且在外消耗甚大·亦不能不在家中節省·因家族同作淡薄之故·個人與個人之間·接觸益多·關係日密·吾東方動以路人喻毫無關係者·[illegible]今則殊覺相反·吾人試行通衢中或車上·若有不便或疑難之處·詢之路人·則路人之殷勤解釋或引導·與相識者初無差別·謹……者或相過之·故利害與感情繼長增高·羣衆間之各種組織·亦日興月備·此等多數而又強有力之工作階級·至今日已不啻爲社會之主幹

……是沒工力罷了。這種人在人類中的危險性質、還不及誤用工力的人物、誰爲代表這種人的呢？我敢淺顯的說來、是官僚！是資本家！

82.《民国日报》副刊——《觉悟》

1919年6～10月（部分）；1920年1～8月（部分）；1921年7月；1922年4～6月（部分），9～11月（部分）；1923年1～12月（部分）；1924年1～2月（部分），3～4月，5月（部分），6～8月（其中7月11日缺7～8页，8月25日缺7～8页），9～12月（部分）；1925年1～11月（部分）；1926年10月10日；1928年8～11月（部分）

纵53.3、横39厘米

纸质，铅印

上海《民国日报》副刊，为五四时期著名四大副刊之一，是新文化运动的园地。1925年五卅运动后成为大资产阶级的代言人。1919年6月16日创刊，1931年末终刊，邵力子主编。邵力子（1881～1967年），浙江绍兴人，早年留学日本，加入中国同盟会。曾任上海大学代理校长，上海《民国日报》主编。

文化書社敬告買這本書的先生

先生買了這一本書去，於先生的思想進步上一定有好多的影響，這是我們要向先生道賀的。倘若先生看完了這本書之後，因着自己勃不可遏的求知心，再想買幾本書看，——到這時候，就請先生再到我們社裏來買或者通信來買，我們預備着歡迎先生哩！

我們社裏所銷的東西，曾經嚴格的選擇過，盡是較有價值的新出版物（思想陳舊的都不要）。書一百二十四種　報——四種　雜誌——五十種（月刊三十三種，半月刊二種，季刊二種，週刊十三種）。

我們的目的——湖南人個個像先生一樣思想得了進步，因而產生出一種新文化。我們的方法——至誠懇切的做介紹新書報的工，務使新書報普播湖南省。

我們很慚愧自己的能力薄弱，不能擔負這傳播文化的大責，希望各界有心君子予以援助。先生若能幫我們費一點口舌介紹之勞，那我們是特別感激先生的。本社印有很多的書目，先生或先生的朋友要看，函索即寄（不要郵費）。本社經理員易禮容君，營業事項，由他負責，他天天在社，無論那位先生要書，要報，要雜誌，要書目，以及其他事項寫信來問，都由他手覆，絕不延擱。敬祝

先生天天健康，

文化書社同人

（長沙潮宗街五十六號）

長沙文化書社



**83.《文化书社敬告买这本书的先生》传单**

1920年

纵17.5、横10.9厘米

纸质，铅印，湖南长沙文化书社印发

1920年8月，毛泽东在湖南长沙创办图书发行机构——文化书社，出版发行进步书刊，对在湖南扩大新文化运动的影响和传播马克思主义起了重要作用。1927年5月21日被国民党查封。这张作为宣传品贴在该社所售的1920年9月1日出版的《新青年》八卷一号目录页内的传单，介绍了书社的经营宗旨、经销范围和购书方法等。王冶秋购于长沙古旧书店。1957年4月捐赠。

**84．陈望道译马克思、恩格斯著《共产党宣言》**

1920年8月

纵17.8、横12.3、厚1.6厘米

纸质，铅印。56页。社会主义研究社出版，初版

《共产党宣言》是1848年马克思、恩格斯为共产主义者同盟起草的纲领，系统地阐述了科学共产主义理论，提出“全世界无产者，联合起来！”的战斗口号。《共产党宣言》的发表，是马克思主义理论形成的标志。馆藏版本是1920年8月上海出版的陈望道所译国内最早的中文全译本。但本书封面书名文字排版有误。

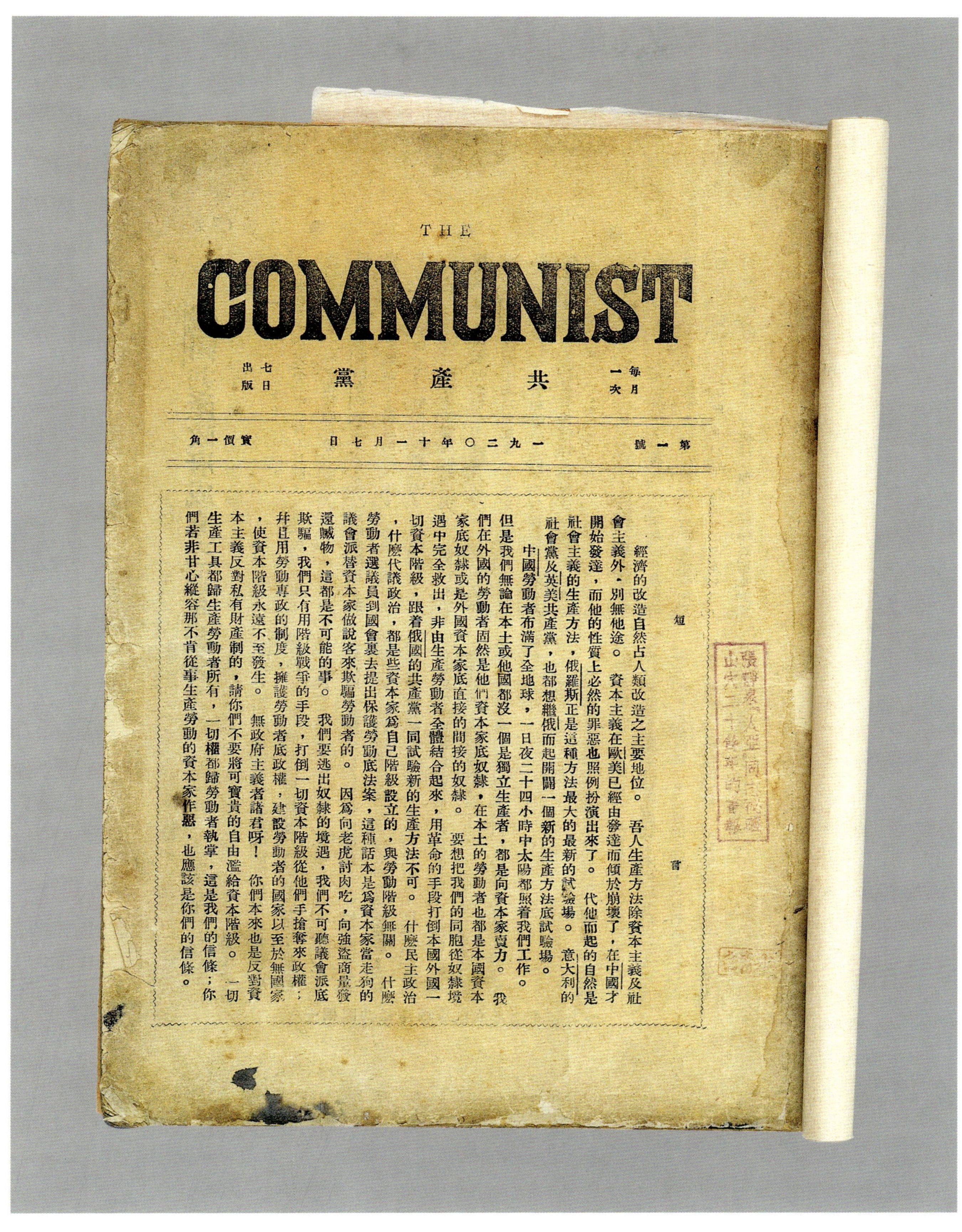
THE

COMMUNIST

每月一次　　共產黨　　七日出版

第一號　　一九二〇年十一月七日　　實價一角

短言

經濟的改造自然占人類改造之主要地位。吾人生產方法除資本主義及社會主義外，別無他途。資本主義在歐美已經由發達而傾於崩壞了，在中國才開始發達，而他的性質上必然的罪惡也照例扮演出來了。代他而起的自然是社會主義的生產方法，俄羅斯正是這種方法最大的最新的試驗場。意大利的社會黨及英美共產黨，也都想繼俄而起開闢一個新的生產方法底試驗場。

中國勞動者布滿了全地球，一日夜二十四小時中太陽都照着我們工作。但是我們無論在本土或他國都沒一個是獨立生產者，都是向資本家賣力。我們在外國的勞動者固然是他們資本家底奴隸，在本土的勞動者也都是本國資本家底奴隸或是外國資本家底直接的間接的奴隸。要想把我們的同胞從奴隸境遇中完全救出，非由生產勞動者全體結合起來，用革命的手段打倒本國外國一切資本階級，跟着俄國的共產黨一同試驗新的生產方法不可。什麼民主政治，什麼代議政治，都是些資本家爲自己階級設立的，與勞動階級無關。什麼勞動者選議員到國會裏去提出保護勞動底法案，這種話本是爲資本家當走狗的議會派替資本家做說客來欺騙勞動者的。因爲向老虎討肉吃，向強盜商量發還贓物，這都是不可能的事。我們要逃出奴隸的境遇，我們不可聽議會派底欺騙，我們只有用階級戰爭的手段，打倒一切資本階級從他們手搶奪來政權；幷且用勞動專政的制度，擁護勞動者底政權，建設勞動者的國家以至於無國家，使資本階級永遠不至發生。無政府主義者諸君呀！你們本來也是反對資本主義反對私有財產制的，請你們不要將可寶貴的自由濫給資本階級。一切生產工具都歸生產勞動者所有，一切權都歸勞動者執掌，這是我們的信條；你們若非甘心縱容那不肯從事生產勞動的資本家作惡，也應該是你們的信條。

**85．上海共产党早期组织出版的《共产党》月刊**

1920年

纵25.5、横18.5厘米

纸质，铅印

1920年11月7日，上海共产党早期组织创办了半公开的《共产党》月刊，李达任主编。该刊首次在中国树起“共产党”大旗，介绍马克思主义理论，阐明中国共产党人的主张，其发行量高达5000份，推动了中国共产党组织的扩大和发展。1921年7月被迫停刊，共出版6期。该刊第一号介绍了列宁和俄、英等国共产党及第三国际等情况。1953年4月中共中央宣传部党史资料室拨交。

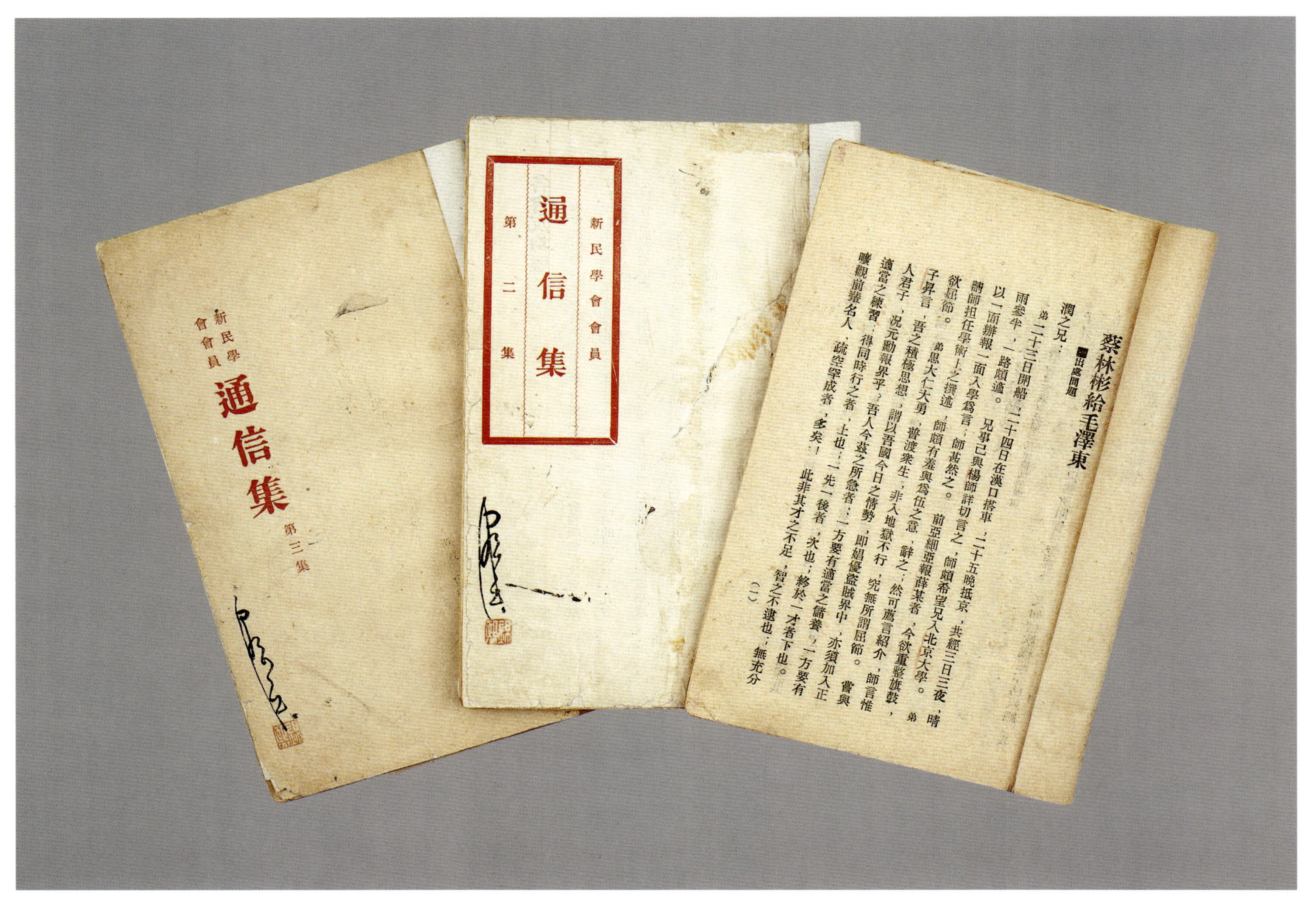


**86．毛泽东汇编的《新民学会会员通信集》**

1920～1921年

纵22、横14厘米

纸质，铅印。长沙文化书社印发。第一集封面上有黎锦熙的签名、印章和题记

1918年，毛泽东、蔡和森发起组织革命团体新民学会。会员以通信等方式探寻改造社会与国家的途径。其中，蔡和森（林彬）从法国写给毛泽东的信中，提出必须建立中国共产党，“革命运动、劳动运动，才有神经中枢”。毛泽东回信“表示深切赞同”。1920年12月至1921年1月，毛泽东将1918年至1921年会员间的重要通信50封汇编成《新民学会会员通信集》（共3集），并为一些信加了标题和按语。此为毛泽东由长沙寄给会员黎锦熙的。1959年收藏。

發起馬克斯學說研究會啓事　一九二一年三月二十二日

馬克斯學說在近代學術思想界底價值用不着這裏多說了，但是我們願意研究他底同志現在大家都覺得有兩層缺憾：(一)關於這類的著作博大精深，便是他們德意志人對此尚且有皓首窮經的感想，何況我們研究的時候，更加上一重或二重文字上的障碍，不消說單獨研究是件比較不甚容易完成的事業了。(二)搜集此項書籍也是我們研究上重要的任務，但是現在圖書館底簡單設備，實不能應我們的要求；個人藏書因經濟底限制也是一樣的貧乏，那麼關於書籍一項，也是個人沒有解決的問題。

我們根據這兩個要求，所以各人都覺得應有一個分工互助的共同學組織，祛除事實上的困難，上年三月間便發起

## 87. 发起马克思学说研究会启事

1921 年
纵 19.1、横 26.5 厘米
纸质，钢笔写。4 页

1920 年 3 月，李大钊在北京大学发起组织马克思学说研究会。1921 年 3 月 22 日，该会拟订、发布此启事，说明其发起目的、规约和研究方法等，并规定组织讨论会和讲演会，同时进行图书搜集、借阅和编译。11 月，在《北京大学日刊》刊登成立消息。校方把位于马神庙西口北二院内西头的两间房子拨作会址。学会翻译和介绍了大量马克思主义书籍，并举行讨论会和讲演等活动。马克思主义学说研究会是中国最早学习和研究马克思主义的团体，为中国共产党的建立作了重要准备。1959 年收藏。

**88．中华海员工业联合总会徽章**

1921～1926年
长、短对角线分别为3.5和2.5厘米
铜质。形状为一面飘扬的旗帜，上有铁锚图案和中文“中华海员工业联合总会”及其英文缩写

1921年3月6日，饱受英帝国主义殖民统治和压迫的香港中国海员成立中华海员工业联合总会。它是中国最早的现代产业工会之一。总会领导人苏兆征、林伟民（后加入中国共产党）。1922年1月，该会领导了著名的香港海员大罢工。罢工在中共和广州革命政府的支持下，坚持56天后取得胜利，成为中国工人运动第一次高潮的起点。1926年1月改组为中华全国海员总工会。1959年4月广州中华全国总工会旧址纪念馆拨交。

**89．江岸京汉铁路工会会员证章**

1921～1923年
直径3.5厘米
银质，圆形。正面有火车轮图案和“劳工神圣”等字样

在中国劳动组合书记部的帮助下，1921年到1922年底，（北）京汉（口）铁路沿线各站相继建立了16个工会分会。1923年2月1日，京汉铁路总工会在郑州召开成立大会，遭到军阀吴佩孚的明令禁止和破坏。4日，全路2万多工人举行总同盟罢工，并将总工会临时办公处移至汉口江岸。7日，吴佩孚在帝国主义支持下，对罢工工人进行了血腥镇压，江岸分会委员长林祥谦等数十人先后惨遭杀害，造成震惊全国的二七惨案。此会员证是江岸工会分会成立后颁发的。1954年1月中国工人画刊社拨交。

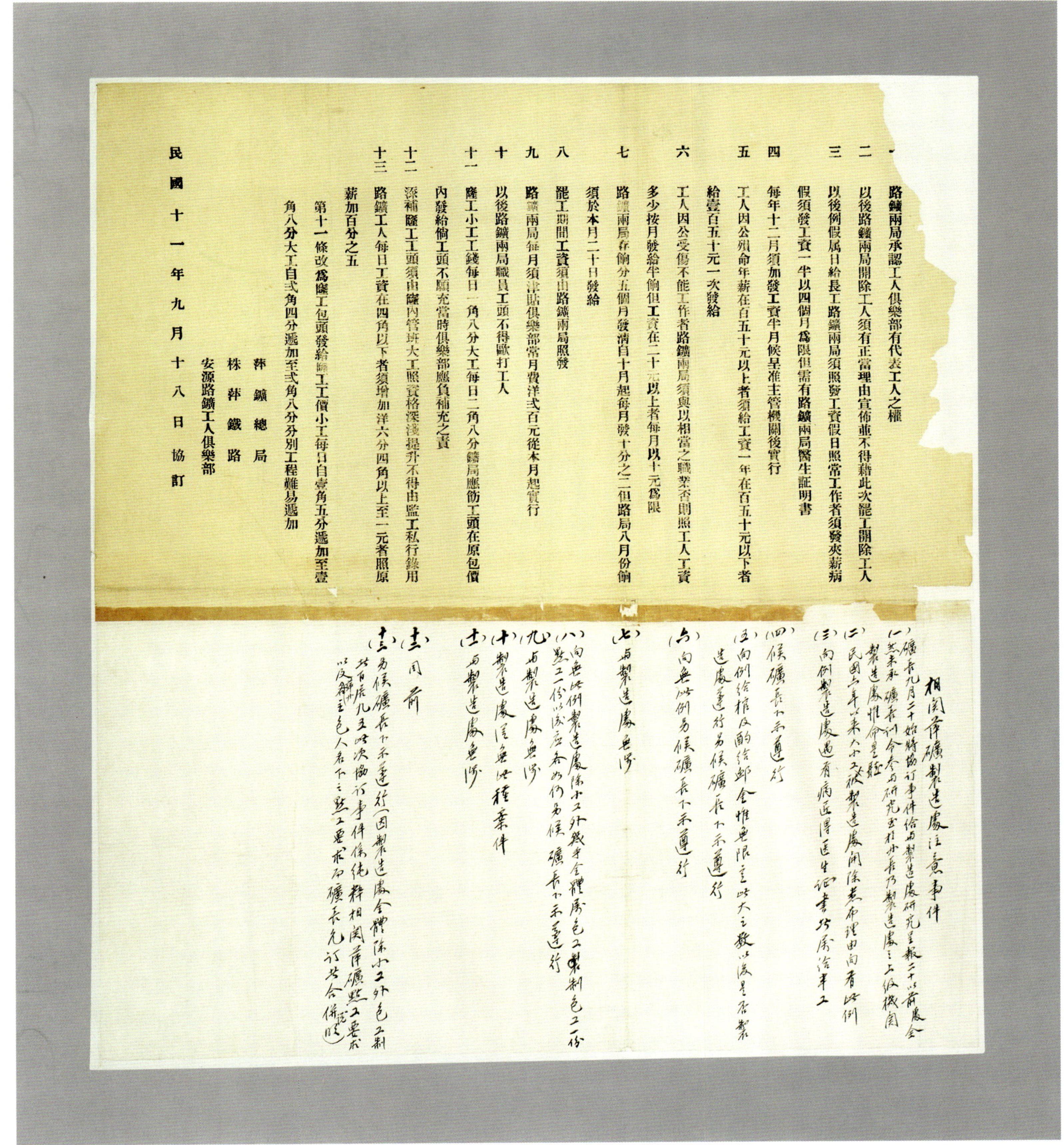

一 路鑛兩局承認工人俱樂部有代表工人之權

二 以後路鑛兩局開除工人須有正當理由宣佈並不得藉此次罷工開除工人

三 以後例假屬日給長工路鑛兩局須照發工資假日照常工作者須發夾薪病假須發工資一半以四個月爲限但需有路鑛兩局醫生証明書

四 每年十二月須加發工資半月候呈准主管機關後實行

五 工人因公殞命年薪在百五十元以上者須給工資一年在百五十元以下者給壹百五十元一次發給

六 工人因公受傷不能工作者路鑛兩局須與以相當之職業否則照工人工資多少按月發給半餉但工資在二十元以上者每月以十元爲限

七 路鑛兩局存餉分五個月發清自十月起每月發十分之二但路局八月份餉須於本月二十日發給

八 罷工期間工資須由路鑛兩局照發

九 路鑛兩局每月須津貼俱樂部常月費洋弍百元從本月起實行

十 以後路鑛兩局職員工頭不得毆打工人

十一 窿工小工工錢每日一角八分大工每日二角八分鑛局應飭工頭在原包價內發給餉工頭不願充當時俱樂部應負補充之責

十二 添補窿工工頭須由窿內管班大工照資格深淺提升不得由監工私行錄用

十三 路鑛工人每日工資在四角以下者須增加洋六分四角以上至一元者照原薪加百分之五

第十一條改爲窿工包頭發給窿工工價小工每日自壹角五分遞加至壹角八分大工自弍角四分遞加至弍角八分分別工程難易遞加

萍鑛總局

株萍鐵路

安源路鑛工人俱樂部

民國十一年九月十八日協訂

90．萍矿总局、株萍铁路与安源路矿工人俱乐部签订的十三条协议

1922年

纵27.8、横47.6厘米

纸质，铅印

1922年9月，毛泽东到安源考察，针对路矿当局拒发拖欠工人工资和企图解散工人俱乐部等情况，决定组织罢工。14日，在李立三、刘少奇的直接领导下，17000多名路矿工人举行大罢工，提出保障工人权利、增加工资等十七项条件。路矿当局被迫与工人总代表刘少奇进行谈判。18日上午，萍矿总局、株萍铁路与工人俱乐部代表、罢工总指挥李立三签订了十三条协议，承认工人提出的大部分要求。这件协议是当时矿长发给矿局制造处，令其研究执行的，有相关注意事件，毛笔写。1963年12月5日中共萍乡矿务局委员会宣传部拨交。

**91．安源路矿工人游行时佩带的符号**

1923 年
纵 17.9、横 11 厘米
布质，红色。上有木刻印文“五一纪念”。边残破

1923年5月1日，安源路矿2万余工人为庆祝国际劳动节和大罢工的胜利及俱乐部成立一周年，在俱乐部门前的广场上举行盛大集会，并连夜举行声势浩大的游行。工人们胸前佩带此符号，冒着雨，举着火把，高呼“打倒帝国主义”、“工人万岁”等口号，一直游行到萍乡城内。1958 年中共安源煤矿总支委员会拨交。

**92．开滦赵各庄矿工罢工时持的布旗**

1922 年
纵 90、横 83.7 厘米
布质

1922 年 10 月，河北开滦煤矿（含唐山、赵各庄、林西、马家沟、唐家庄五矿，中英合办，实为英方控制）四万工人在中国共产党领导下，成立了开滦五矿同盟罢工委员会。23 日，因矿务局拒绝工人提出的增加工资等六项要求并无理扣压 6 名工人代表，五矿工人在罢工委员会的领导下举行总同盟罢工。旗中图案，黑色菱形代表煤块，双环套在一起表示开平和滦州两矿务公司的合作，此图形为开滦煤矿矿徽。赵各庄矿工罢工时在图案中增添了锤和镐，成为罢工的旗帜。1959 年收藏。

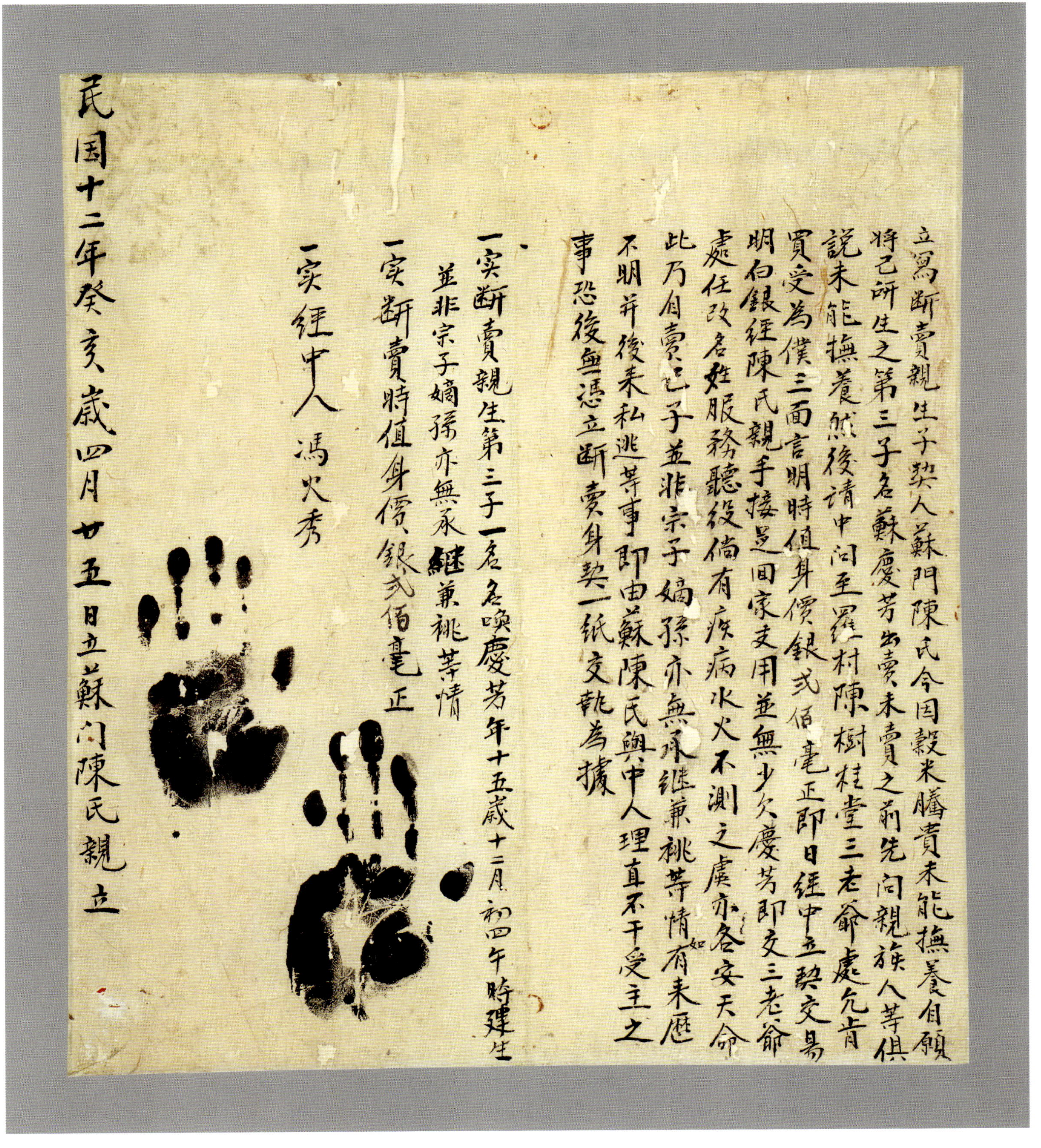
立寫斷賣親生子契人蘇門陳氏今因穀米騰貴未能撫養自願
將己所生之第三子名蘇慶芳出賣未賣之前先問親族人等俱
說未能撫養然後請中問至羅村陳樹桂堂三老爺處允肯
買受為僕三面言明時值身價銀式佰毫正即日經中立契交易
明白銀經陳氏親手接足回家支用並無少欠慶芳即交三老爺
處任改名姓服務聽役倘有疾病水火不測之虞亦各安天命
此乃自賣己子並非宗子嫡孫亦無承繼兼祧等情如有來歷
不明并後來私逃等事即由蘇陳氏與中人理直不干受主之
事恐後無憑立斷賣身契一紙交執為據

一實斷賣親生第三子一名名喚慶芳年十五歲十二月初四午時建生
並非宗子嫡孫亦無承繼兼祧等情
一實斷賣時值身價銀式佰毫正
一實經中人 馮火秀

民国十二年癸亥歲四月廿五日立蘇门陳氏親立

**93．广西苏门陈氏卖子契约**

1923 年

纵 51.7、横 44.8 厘米

纸质，毛笔写

图为1923年4月25日广西农民苏门陈氏因生活所迫，将15岁的亲生儿子苏庆芳以200毫的身价卖给当地陈树桂堂三老爷为仆而立的契约。契约上写道：“因谷米腾贵，未能抚养，自愿将己所生之第三子、名苏庆芳出卖……任改名、服务听役。倘有疾病水火不测之虞，亦各安天命。”200毫在当时只能买谷米二十四五斗。1965年广西壮族自治区博物馆拨交。

**94.《京汉工人流血记》**

1923 年 3 月
纵 18.6、横 13、厚 1 厘米
纸质，铅印。184 页
北京工人周刊社编辑、发行， 初版

本书记叙了 1923 年京汉铁路工人在中国共产党领导下，为成立京汉铁路总工会和争取工人阶级的政治权力而举行的大罢工，后遭到直系军阀吴佩孚残酷镇压的经过。

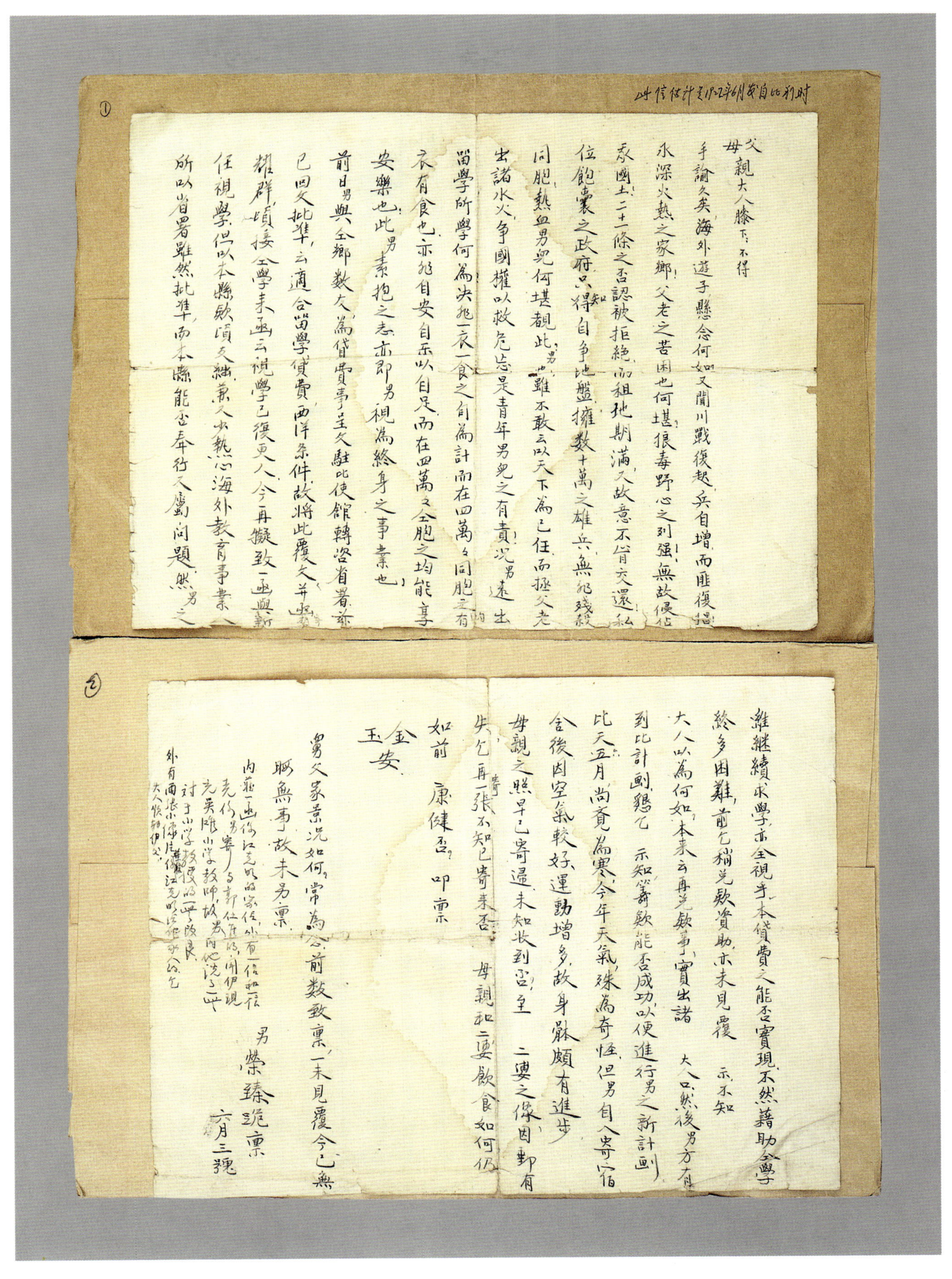

此信估计是1922年6月发自比利时

①

父母親大人膝下：不得
手諭久矣，海外遊子，懸念何如。又聞川戰復起，兵自增而匪復猖！
水深火熱之家鄉！父老之苦困也何堪！狠毒野心之列强！無故侵佔
我國土，二十一條之否認被拒絕，而租地期滿又故意不肯交還！私
位飽囊之政府，只知得自爭地盤，擁數十萬之雄兵，無所殘殺
同胞，熱血男兒何堪覩此！男也雖不敢云以天下為己任，而拯父老
出諸水火，爭國權以救危急，是青年男兒之有責！況男遠出
留學，所學何為？決非一衣一食之自為計，而在四萬萬同胞之均有
衣有食也，亦非自安自樂以自足，而在四萬萬同胞之均能享
安樂也！此男素抱之志，亦即男視為終身之事業也。
前日男與同鄉數友為借貸費事呈文駐比使館轉咨省署，茲
已回文批準，云適合留學貸費西洋條件，故將此覆文並函寄
椎群，頃接同學來函云，視學已復更人，今再擬致一函與新
任視學，但以本縣欲須又繼萬又必熱心海外教育事業，
所以省署雖然批準，而本縣能否奉行又屬問題。然男之

②

繼續求學，亦全視乎本貸費之能否實現，不然藉助於學
終多困難，前乞稍光款資助，亦未見覆，亦不知
大人以為何如？本來云再光款事，實出諸　大人口，然後男方有
到比計劃，懇乞　示知，此款能否成功，以便進行男之新計劃。
比天五月尚覺為寒，今年天氣殊為奇怪，但男自入寄宿
舍後，因空氣較好，運動增多，故身體頗有進步。
母親之照早已寄還，未知收到否？至　二嫂之像因郵有
失，乞再寄一張，不知已寄來否？　母親和二嫂飲食如何？仍
如前康健否？叩禀
金玉安。
舅父家景況如何？常為念。前數致禀，一未見覆，今已無
暇無事，故未另禀。
內並一函係江克明的家信，外有一信和一信[illegible]
先與男寄了與郭仕[illegible]的，請伊現
充吳[illegible]小學教師，故男[illegible]一匹
討于小學教授的一番改良。
外有兩張小像片係江克明[illegible]
大人收[illegible]伊父[illegible]

男　榮臻跪禀
六月三號

95．聂荣臻家书

1922年6月3日

纵21、横27.2厘米

纸质，钢笔写

聂荣臻（1899～1992年），四川江津人。中国无产阶级革命家，党和国家杰出的领导人之一。1919年12月赴法国勤工俭学。1921年10月进入比利时沙洛瓦劳动大学学习。此信是聂荣臻在比利时学习期间写给父母的，信中写道：“男也，虽不敢云以天下为己任，而拯父老出诸水火，争国权以救危急，是青年男儿之有责！况男远出留学，所学何为？决非一衣一食之自为计，而在四万万同胞之均有衣有食也。”反映出其世界观的转变和所具有的远大抱负。1979年，聂荣臻的亲属从家乡托人将此信转交给他。1981年12月21日捐赠。

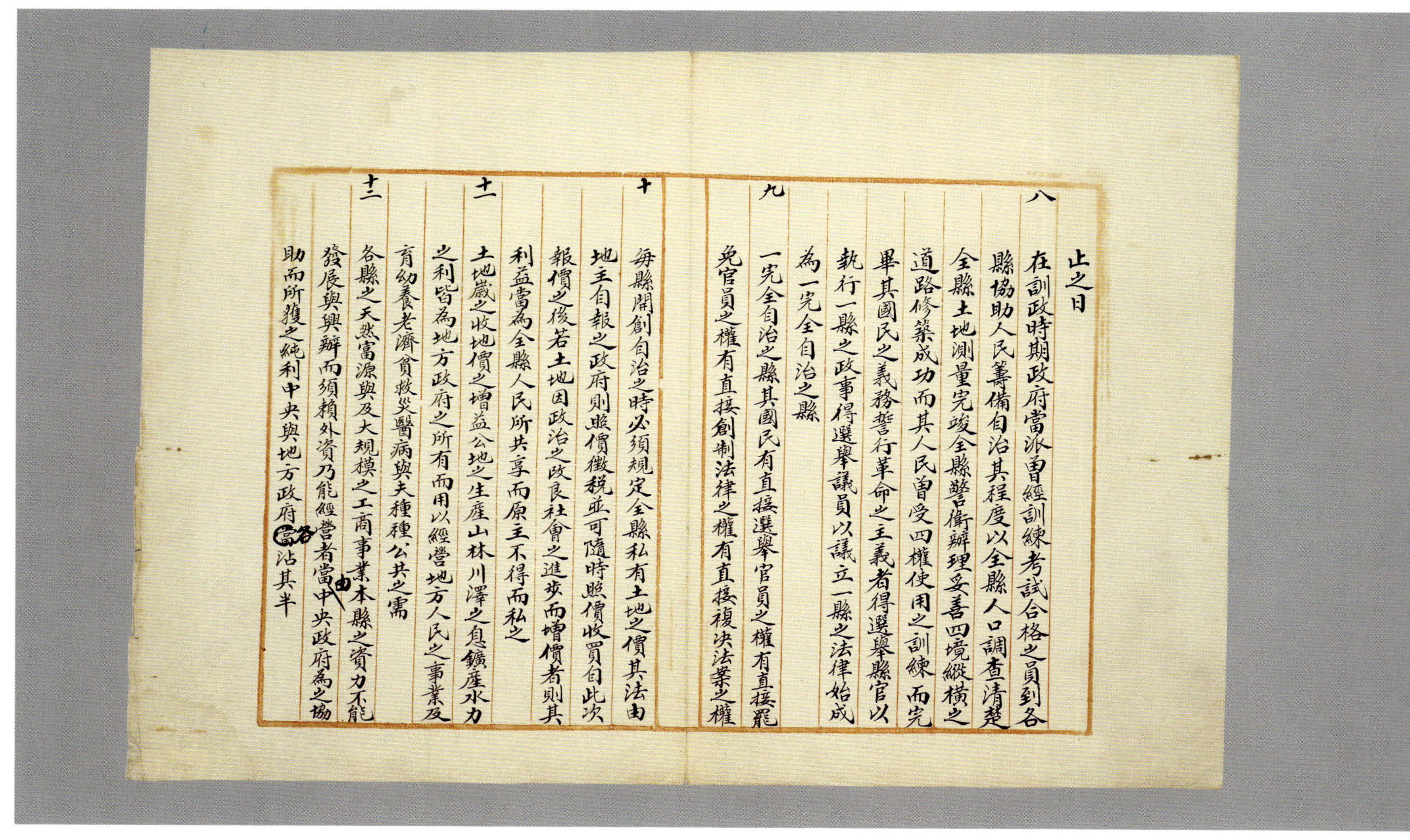

止之日

八　在訓政時期政府當派曾經訓練考試合格之員到各縣協助人民籌備自治其程度以全縣人口調查清楚全縣土地測量完竣全縣警衛辦理妥善四境縱橫之道路修築成功而其人民曾受四權使用之訓練而完畢其國民之義務誓行革命之主義者得選舉縣官以執行一縣之政事得選舉議員以議立一縣之法律始成為一完全自治之縣

九　一完全自治之縣其國民有直接選舉官員之權有直接罷免官員之權有直接創制法律之權有直接複決法案之權

十　每縣開創自治之時必須規定全縣私有土地之價其法由地主自報之政府則照價徵稅並可隨時照價收買自此次報價之後若土地因政治之改良社會之進步而增價者則其利益當為全縣人民所共享而原主不得而私之

十一　土地之歲收地價之增益公地之生產山林川澤之息鑛產水力之利皆為地方政府之所有而用以經營地方人民之事業及育幼養老濟貧救災醫病與夫種種公共之需

十二　各縣之天然富源與及大規模之工商事業本縣之資力不能發展與興辦而須賴外資乃能經營者當由中央政府為之協助而所獲之純利中央與地方政府各佔其半

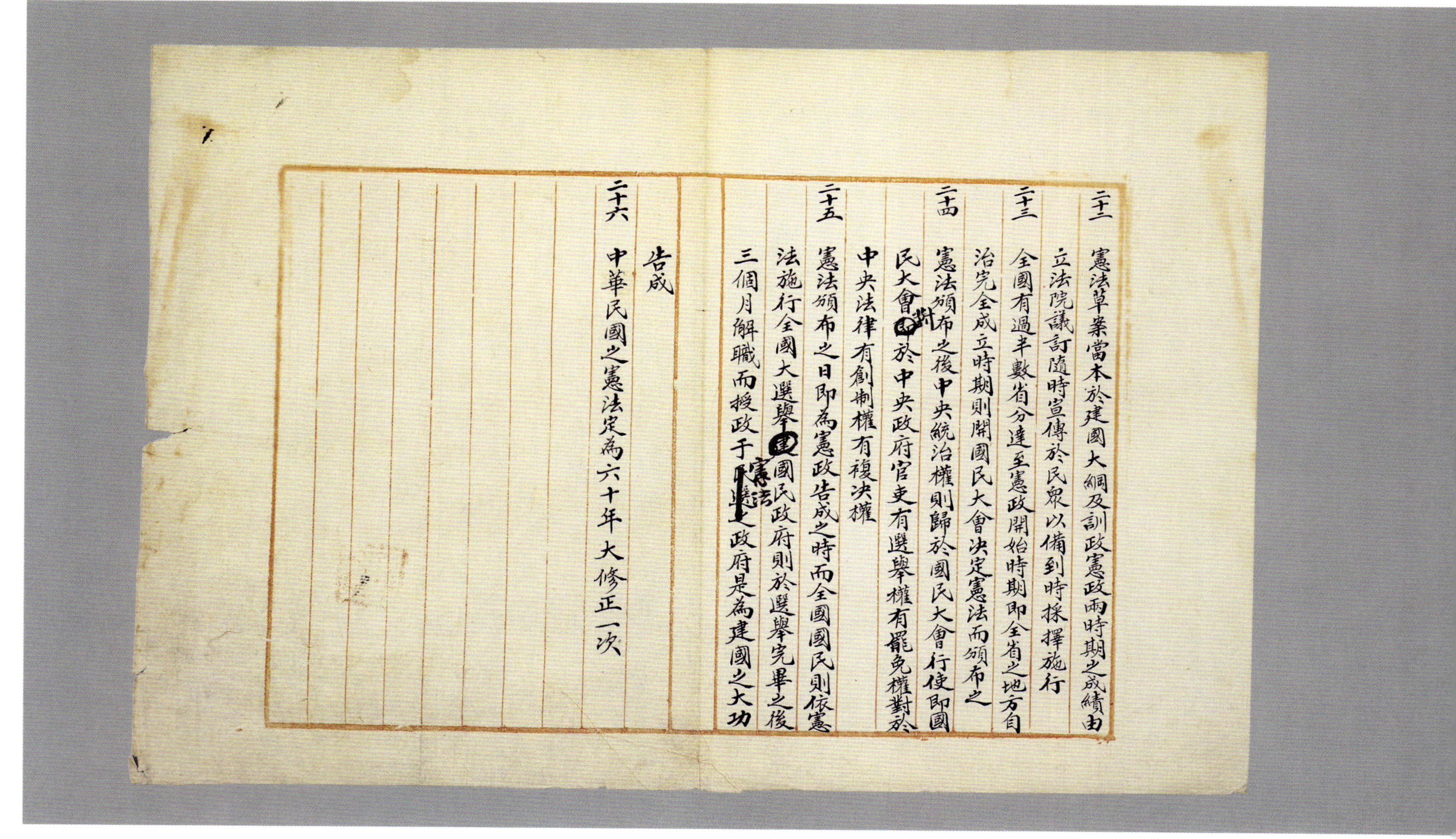

二十二　憲法草案當本於建國大綱及訓政憲政兩時期之成績由立法院議訂隨時宣傳於民衆以備到時採擇施行

二十三　全國有過半數省分達至憲政開始時期即全省之地方自治完全成立時期則開國民大會決定憲法而頒布之

二十四　憲法頒布之後中央統治權則歸於國民大會行使之即國民大會對於中央政府官吏有選舉權有罷免權對於中央法律有創制權有複決權

二十五　憲法頒布之日即為憲政告成之時而全國國民則依憲法行全國大選舉由國民政府則於選舉完畢之後三個月解職而授政于民選之政府是為建國之大功告成

二十六　中華民國之憲法定為六十年大修正一次

96．孙中山手批《国民政府建国大纲》稿本

1924年

纵30、横21.2厘米

纸质，毛笔写。4页。有孙中山手批："已印　改正本"

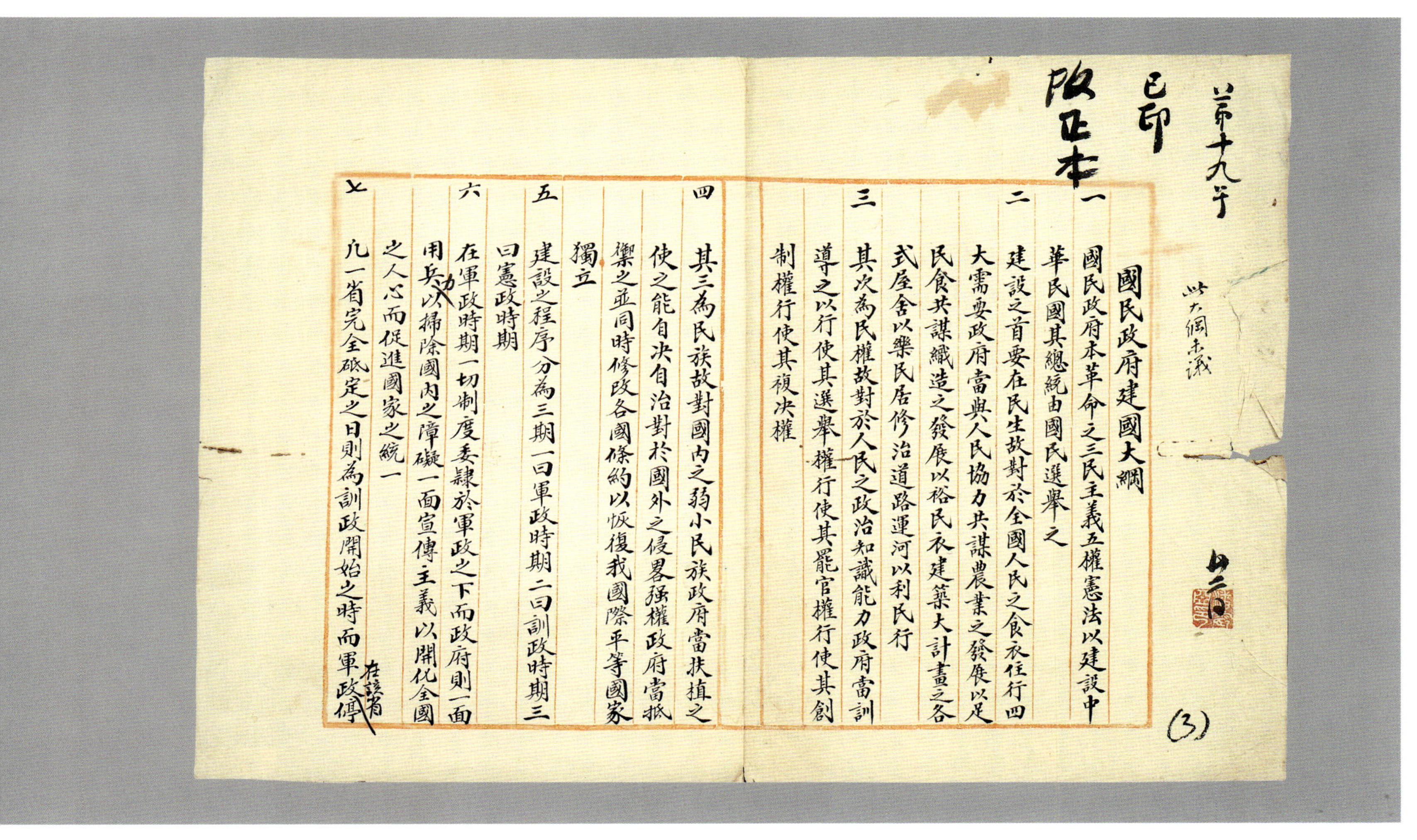

第十九号

已印

改正本

此大綱未議

國民政府建國大綱

一 國民政府本革命之三民主義五權憲法以建設中華民國其總統由國民選舉之

二 建設之首要在民生故對於全國人民之食衣住行四大需要政府當與人民協力共謀農業之發展以足民食共謀織造之發展以裕民衣建築大計畫之各式屋舍以樂民居修治道路運河以利民行

三 其次為民權故對於人民之政治知識能力政府當訓導之以行使其選舉權行使其罷官權行使其創制權行使其複决權

四 其三為民族故對國內之弱小民族政府當扶植之使之能自决自治對於國外之侵畧強權政府當抵禦之並同時修改各國條約以恢復我國際平等國家獨立

五 建設之程序分為三期一曰軍政時期二曰訓政時期三曰憲政時期

六 在軍政時期一切制度悉隸於軍政之下政府一面用兵力以掃除國內之障礙一面宣傳主義以開化全國之人心而促進國家之統一

七 凡一省完全砥定之日則為訓政開始之時而軍政停（在該省）

(3)

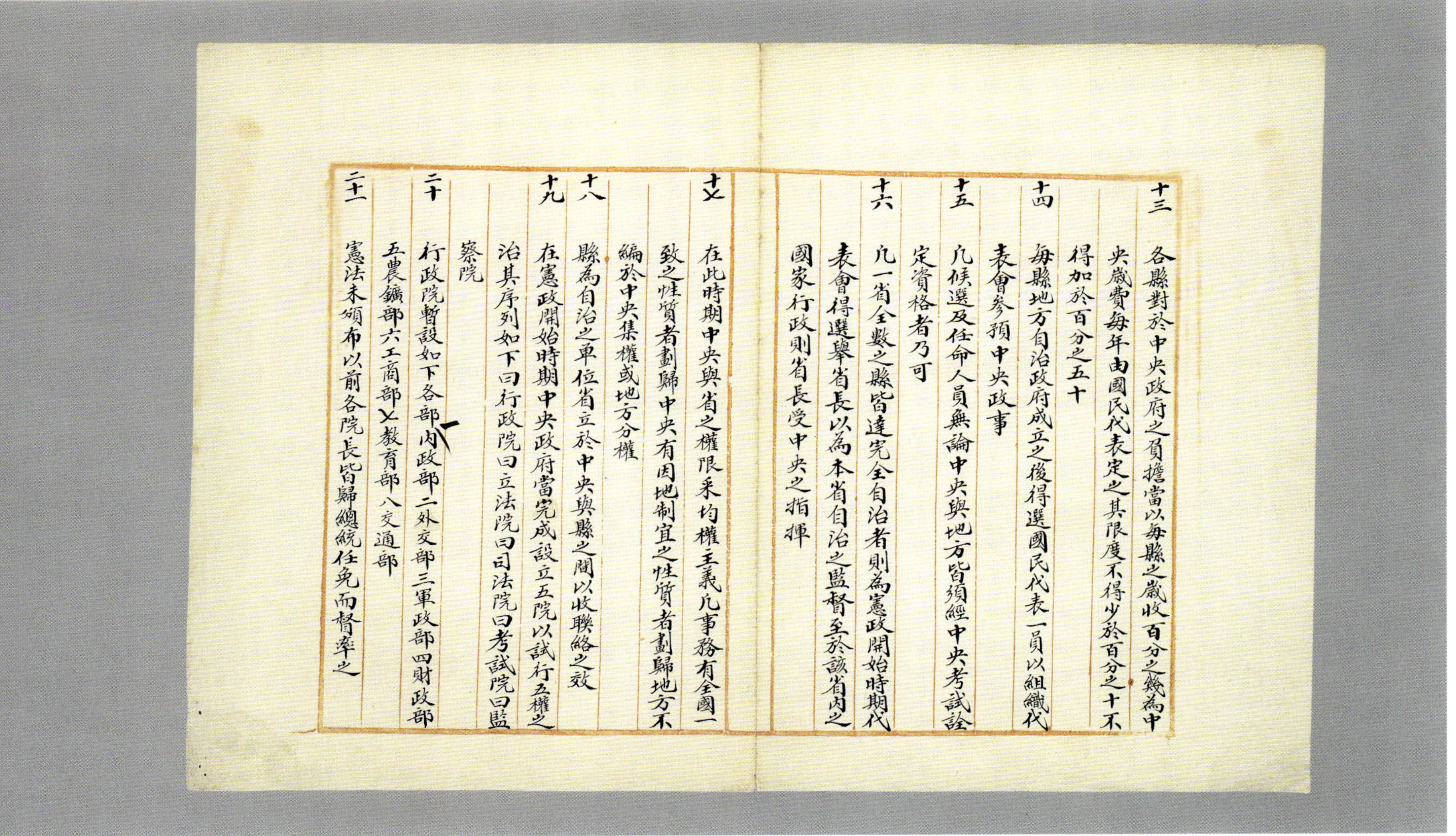

十三 各縣對於中央政府之負擔當以每縣之歲收百分之幾為中央歲費每年由國民代表定之其限度不得少於百分之十不得加於百分之五十

十四 每縣地方自治政府成立之後得選國民代表一員以組織代表會參預中央政事

十五 凡候選及任命人員無論中央與地方皆須經中央考試銓定資格者乃可

十六 凡一省全數之縣皆達完全自治者則為憲政開始時期代表會得選舉省長以為本省自治之監督至於該省內之國家行政則省長受中央之指揮

十七 在此時期中央與省之權限采均權主義凡事務有全國一致之性質者劃歸中央有因地制宜之性質者劃歸地方不偏於中央集權或地方分權

十八 縣為自治之單位省立於中央與縣之間以收聯絡之效

十九 在憲政開始時期中央政府當完成設立五院以試行五權之治其序列如下曰行政院曰立法院曰司法院曰考試院曰監察院

二十 行政院暫設如下各部一內政部二外交部三軍政部四財政部五農鑛部六工商部七教育部八交通部

二十一 憲法未頒布以前各院長皆歸總統任免而督率之

1924年1月20日，中国国民党第一次全国代表大会召开当天，通过了孙中山交由临时中央执行委员会提出的《组织国民政府之必要提案》，提案中，孙中山手拟的《国民政府建国大纲》全文25条，概述了三民主义和五权宪法，将革命建设程序分为军政、训政和宪政三个时期。孙中山在提案说明中指出，大会目的之一就是立即将大元帅府改组为国民政府。此稿本与大会通过的大纲内容基本相同，文字略有出入。1964年8月1日政协上海市委员会拨交。

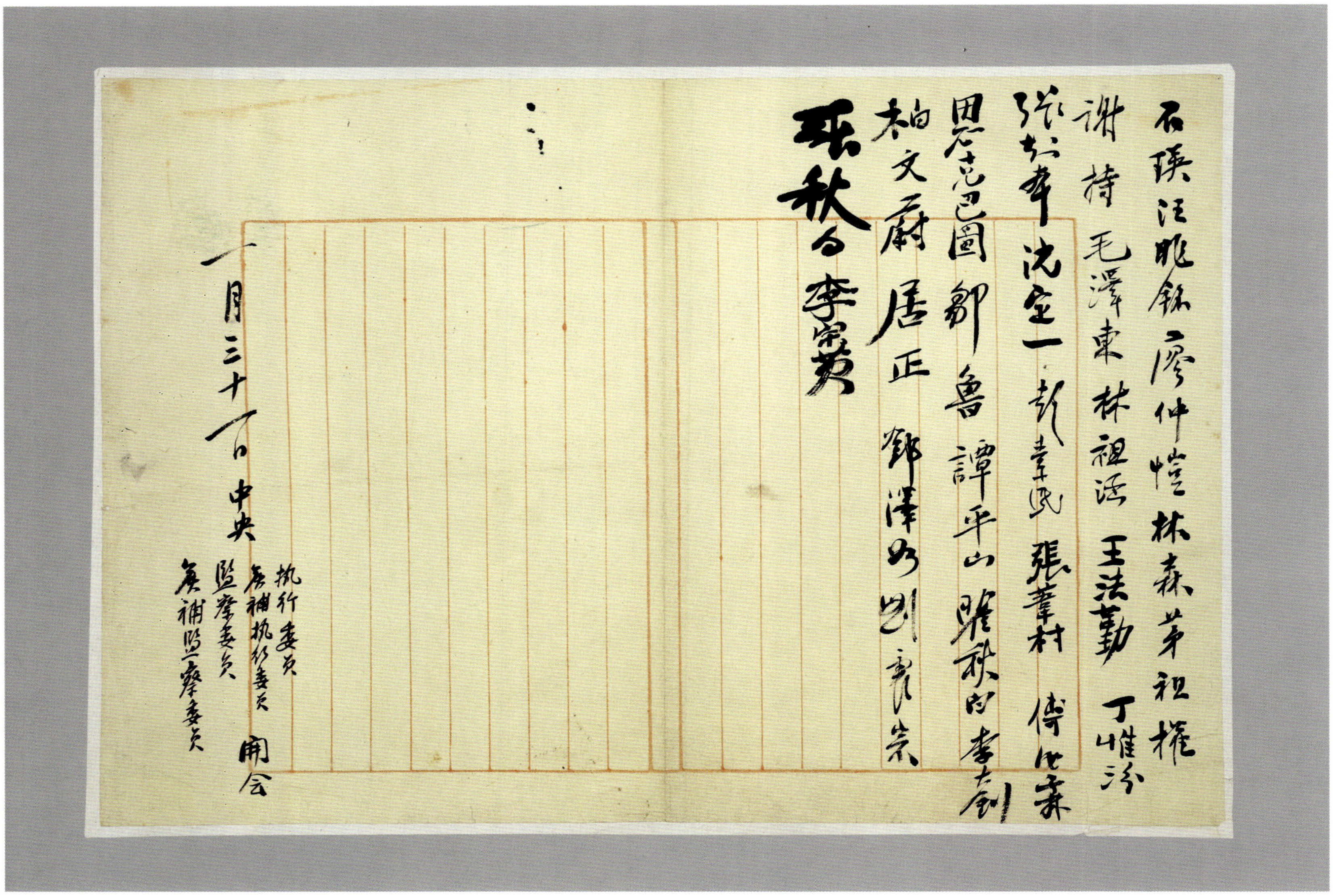

石瑛 汪兆銘 廖仲愷 林森 茅祖權
謝持 毛澤東 林祖涵 王法勤 丁惟汾
張知本 沈定一 彭素民 張葦村 傅汝霖
恩克巴圖 鄒魯 譚平山 瞿秋白 李大釗
柏文蔚 居正 鄧澤如
張秋白 李宗黄

一月三十一日 中央
执行委员
候補执行委员
監察委员
候補監察委员
開会

97．国民党一届中执委和中监委第一次全会签名录

1924年

纵29.5、横42.3厘米

纸质，毛笔写

1924年1月，中国国民党第一次全国代表大会选举了中央执行委员会和中央监察委员会，谭平山、李大钊等10位共产党员当选为中央执行委员或候补执行委员，约占委员总数的四分之一。31日晚，孙中山主持召开了中执委和中监委第一次全体会议，选举了中央常务委员会，决定成立中央党部，并派遣中执委员分赴上海、北京等地组织地方执行部。这是廖仲恺、汪精卫等26名委员出席会议时的签名录。1964年8月1日政协上海市委员会拨交。

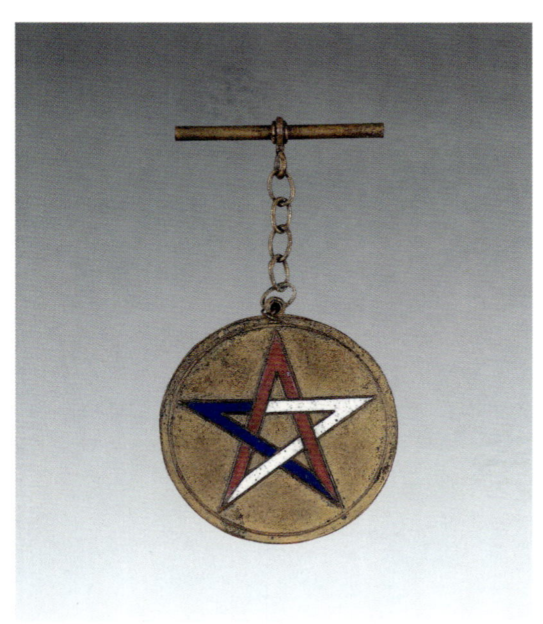

98．国民党广州大本营特别出入证

1924年

直径3.7厘米

铜质，圆形。背面有“大本营特别出入证”和“No67”字样，是发给工作人员使用的

1924年1月，中国国民党召开第一次全国代表大会。孙中山接受中国共产党提出的反帝反封建主张。大会通过的宣言重新解释了三民主义，确立了联俄、联共、扶助农工的三大政策，标志着第一次国共合作的正式形成。改组后的国民党基本上成为工人、农民、小资产阶级、民族资产阶级的革命联盟。设于广州的国民党最高军政机关大本营的出入证图案也由“青天白日”徽改为由红、蓝、白三色组成的“五角星”。 1986年7月郑隆夏捐赠。

## 99. 孙中山演讲《同胞都要奉行三民主义》录音片

1924年
直径25厘米
化学质地。由上海大中华电气股份有限公司制作发行

1924年1月，中国国民党第一次全国代表大会通过了经孙中山同意的宣言，重新解释了三民主义。新三民主义的政纲同中国共产党的民主革命纲领的基本原则相一致，是国共合作的共同纲领。1月至8月间，孙中山在国立高等师范学院（今中山大学）先后进行了16次关于新三民主义的演讲。5月30日，孙中山应上海《中国晚报》之邀作演讲录音，用粤语和北京语录制了四张《同胞都要奉行三民主义》唱片。这两张唱片中孙中山用北京语演讲了三民主义要义，殷切希望国民信仰三民主义，共同救国。1963年3月13日民革中央资料室拨交。

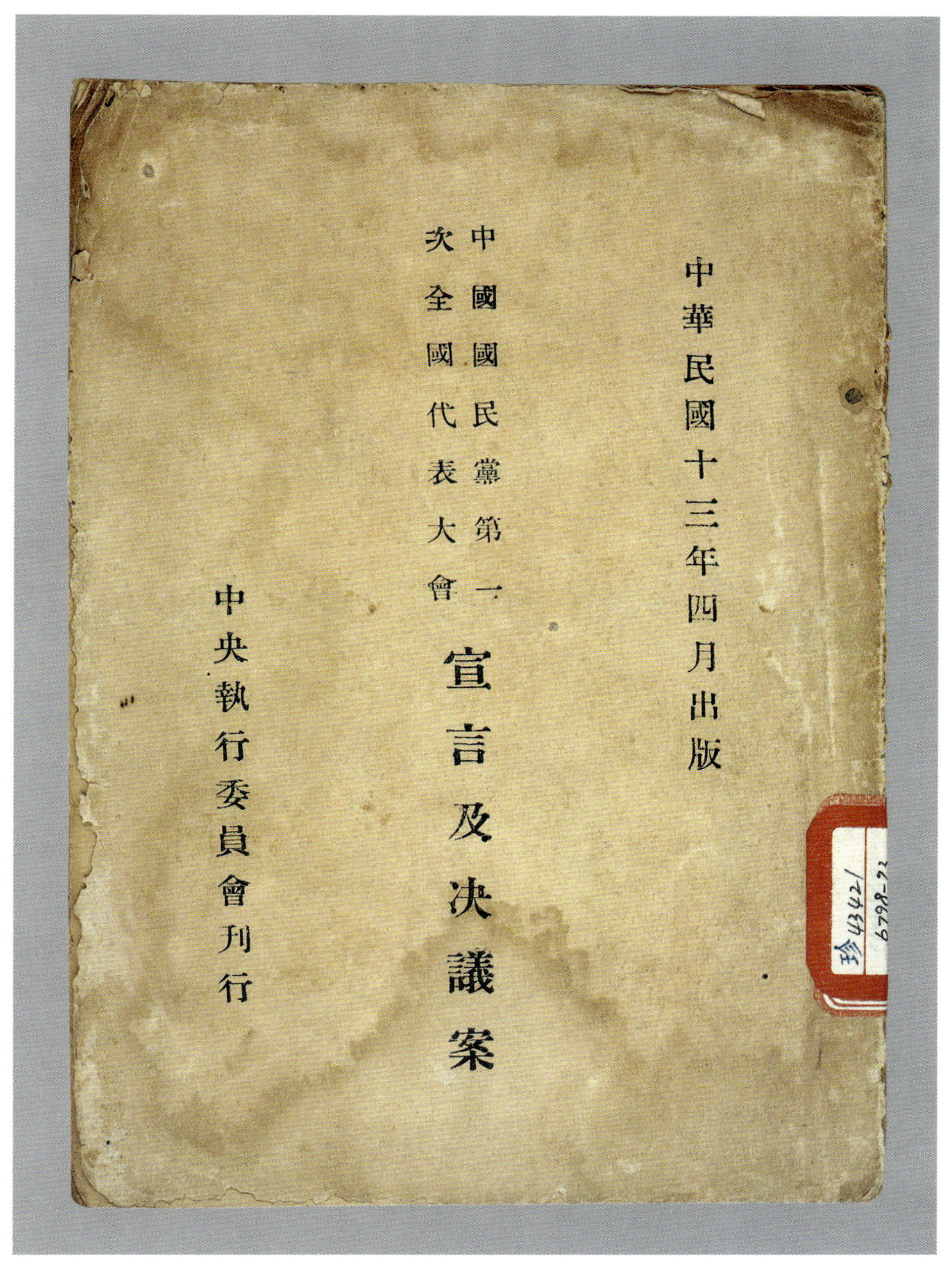

中華民國十三年四月出版

中國國民黨第一次全國代表大會宣言及決議案

中央執行委員會刊行

## 100.《中国国民党第一次全国代表大会宣言及决议案》

1924年4月
纵18.7、横13、厚0.3厘米
纸质，铅印，40页，中国国民党中央执行委员会刊行，初版

1924年1月召开的中国国民党第一次全国代表大会，事实上确立了联俄、联共、扶助农工的三大政策。大会审议并通过的宣言，对三民主义做出适应时代潮流的新解释，即新三民主义。其政纲同中国共产党在民主革命阶段的纲领基本一致，成为第一次国共合作的政治基础。

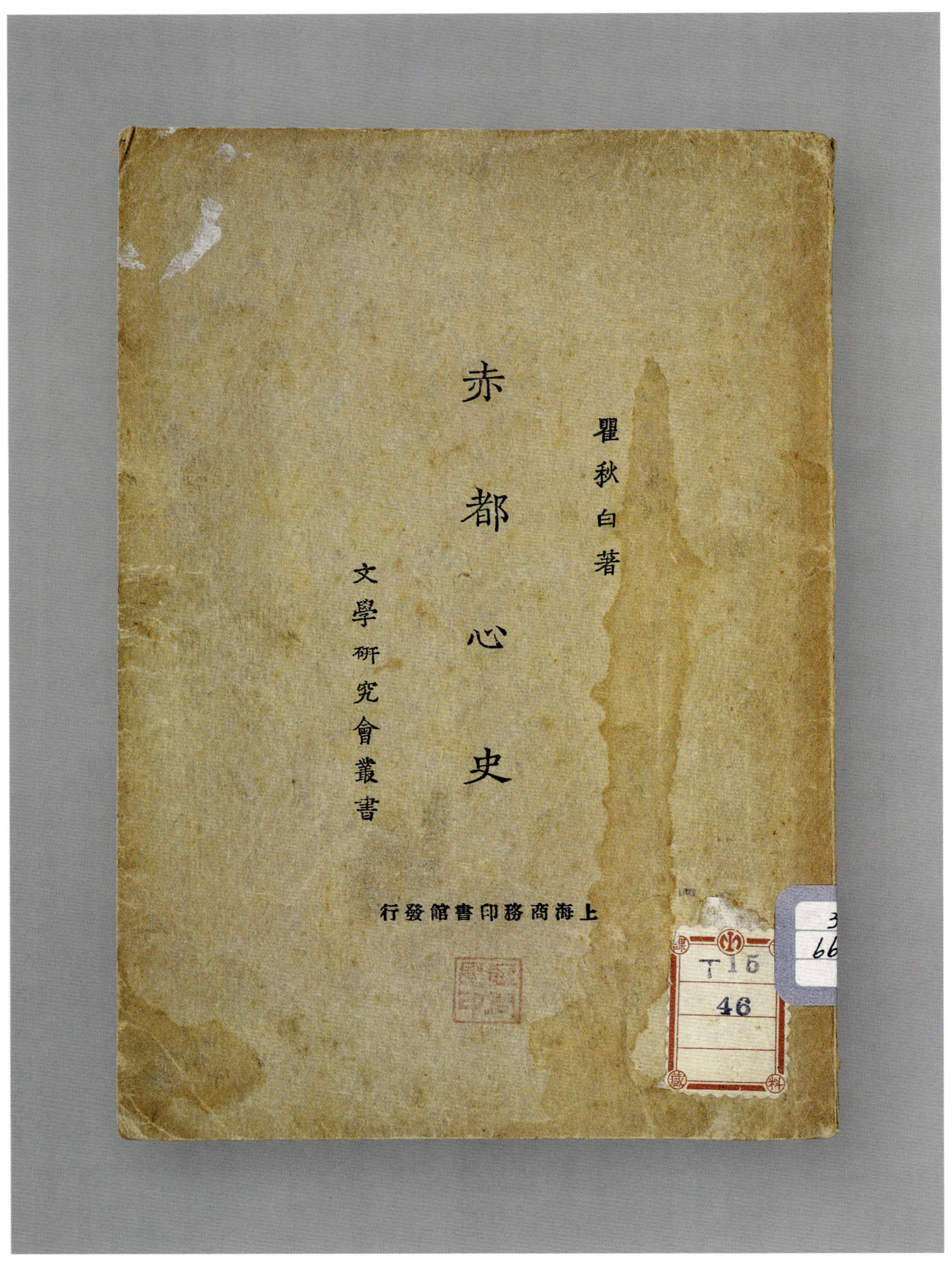


101．瞿秋白著《赤都心史》

1924年6月
纵19.1、横13.2、厚0.9厘米
纸质，铅印，159页，上海商务印书馆出版，初版

瞿秋白（1899～1935年），江苏常州人。中国无产阶级革命家，中国共产党早期领导人之一。《赤都心史》是文学研究会丛书之一。收集了作者1921～1922年所写的散文、杂记、短诗、轶事、读书随感和参观游记等46篇，向中国人民介绍了十月革命后的苏俄。

## 102．黄埔军校颁发给蔡昇熙的卒业证书

1925年3月1日
纵40.1、横55.2厘米
纸质，石印、毛笔填写

1924年5月，为适应国民革命形势的发展，在苏联和中国共产党帮助下，国民党创办的陆军军官学校（黄埔军校）正式开学。孙中山兼任军校总理，蒋介石任校长，廖仲恺任党代表。蔡申熙（1906～1932年），湖南醴陵人，原名蔡昇熙，为军校第一期步兵科学员，1924年年底毕业。在校时加入中国共产党。1927年参加八一南昌起义和广州起义。后历任中国工农红军第十五军军长等职。1932年10月10日在鄂豫皖革命根据地第四次反“围剿”战斗中牺牲。1953年4月22日中南军区政治部组织部拨交。

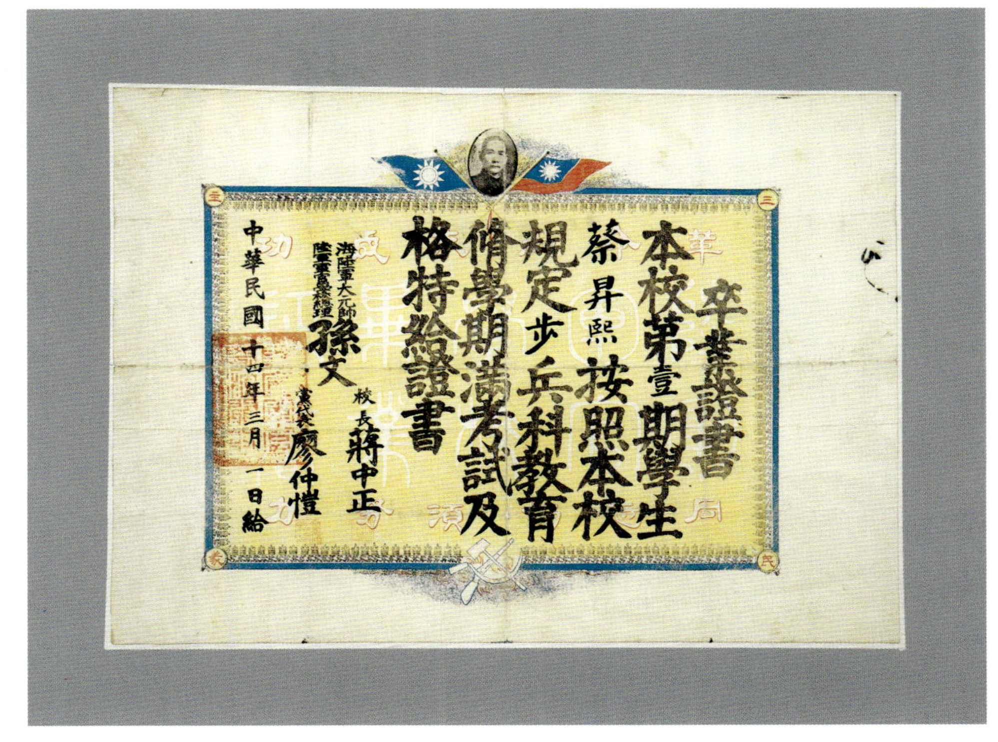

卒業證書
本校第壹期學生
蔡昇熙按照本校
規定步兵科教育
修學期滿考試及
格特給證書
海陸軍大元帥 陸軍軍官學校總理 孫文 校長 蔣中正
黨代表 廖仲愷
中華民國十四年三月一日給

## 103．上海学生为五卅运动罢工工人募捐用的竹筒

1925年
底径8.51、高57.5厘米
竹质，圆柱形

1925年2月，上海日资纱厂工人为了抗议资本家无理开除中国工人，在中国共产党的领导下举行罢工。5月15日，罢工遭到该厂日本资本家镇压，工人顾正红被打死，10余名工人被打伤。30日，声援工人运动的游行示威群众又遭英国巡捕的开枪镇压，10余人被打死，造成震惊全国的五卅惨案，成为全国规模的反帝爱国运动的导火索。五卅惨案发生前后，为了援助罢工工人，上海学生纷纷募捐。图为当时上海学生在募捐中使用的竹筒。1959年上海革命历史纪念馆拨交。

**104．陈云等上海商务印书馆发行所职工会执行委员合影**

1925 年 9 月

纵 29、横 35 厘米

1897 年，创办于上海的商务印书馆是近代中国最大的文化教育出版公司之一。1919 年冬，陈云到商务印书馆工作。1925 年，他和商务印书馆职工积极参加五卅运动，并成立五卅事件后援会。8 月下旬，商务印书馆发行所职工会筹备会成立，陈云任委员长，参加领导全馆职工的大罢工，同年正式成立职工会，被选为执行委员会委员长。图为职工会正式成立时执行委员合影。照片左起，前排：马卫群、陈华祥、陈云、徐新之、章郁菴、孙昆瑜；后排：谢德生、赵耀全、王宝元、李兰阶、唐文光、吴志青、张慕良、姚松柏。该片由上海容新照相馆摄制。1959 年陈翰伯捐赠。

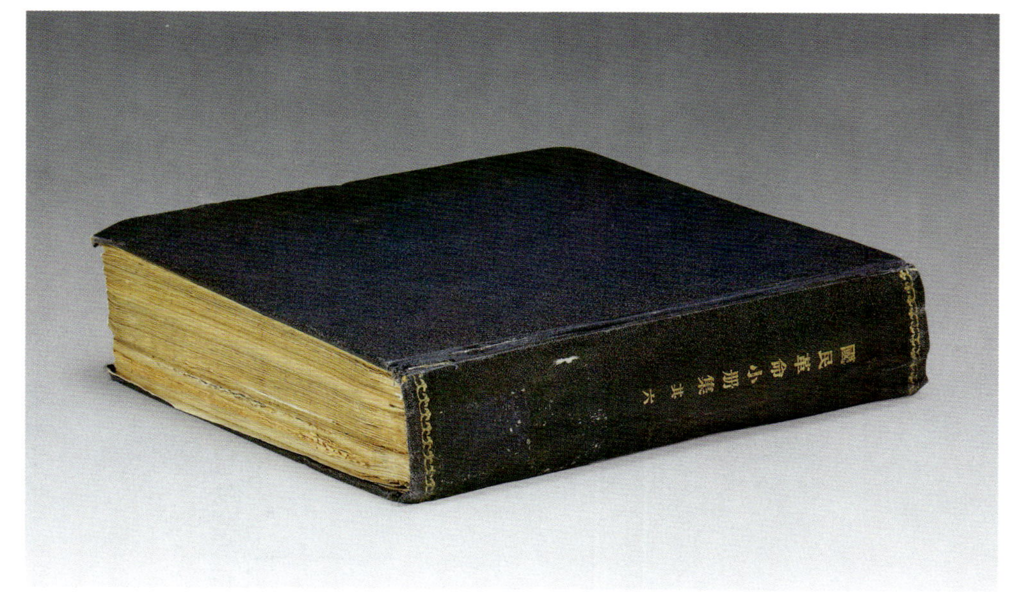

**105．五卅运动中上海总工会会议记录及文件底稿集**

1925 年

纵 22.7、横 22.5 厘米

纸质，铅印。后被装订成《国民革命小册集》其六

1925 年 5 月 30 日五卅惨案发生当夜，中共中央召开紧急会议，决定组成行动委员会领导上海人民的斗争。6 月 1 日，上海人民开始总罢工、总罢课、总罢市。同日，上海总工会成立，李立三任委员长，刘少奇任总务主任，统一领导全市工人运动，并联合各界成立了上海工商学联合委员会作为运动的指挥机关。11 日，上海 20 多万人参加了反帝群众大会。之后，革命风暴迅速席卷全国。此会议记录及文件底稿真实地记录了上海总工会领导这次革命运动和五卅运动期间反帝斗争等情况。1951 年中共中央宣传部拨交。

## 106. 省港罢工委员会发的罢工工人凭证

1925年9月14日
纵12.3、横7.7厘米
纸质，铅印、毛笔写。岁字第11～11号

1925年6月，香港、广州工人为声援五卅运动发动声势浩大的省港大罢工。19日，香港工人首先举行大罢工。21日，广州工人举行总罢工。至6月底，共有25万人参加。为加强统一领导，在中国共产党和中华全国总工会领导下，成立了由苏兆征、邓中夏等为领导的省港罢工委员会，并在广东革命政府资助下组织纠察队，封锁香港。罢工坚持16个月，从政治、经济上沉重地打击了英帝国主义势力。这是罢工委员会发给广州意诚工商工会工友黄湖的罢工工人凭证，凭此证可享受规定的领取饭券等权利。1959年4月广州中华全国总工会旧址纪念馆拨交。

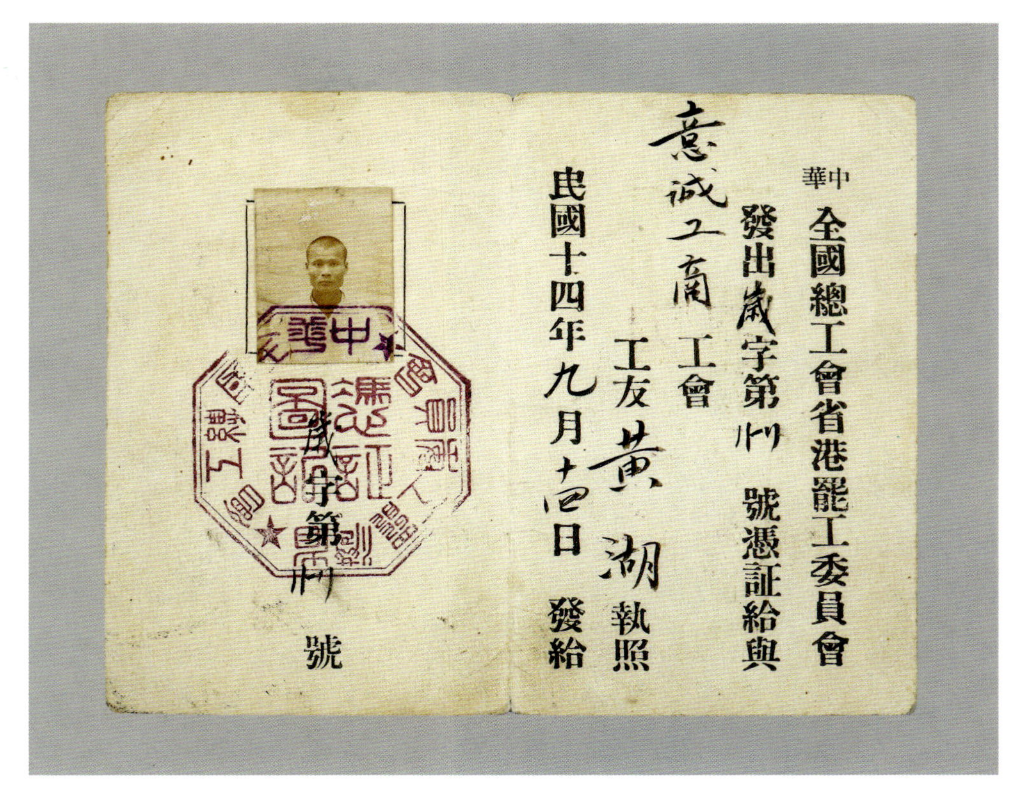

中華全國總工會省港罷工委員會
發出歲字第卅 號憑証給與
意誠工商 工會
工友黃湖執照
民國十四年九月十四日發給

歲字第卅號

## 107. 海丰县农民自卫军站岗放哨用的号角

1925～1927年
长26厘米
贝壳质。残缺

1923年1月，广东海丰总农会在彭湃领导下成立，这是中国第一个县级农会。国共两党合作后，1925年2月，广州革命政府举行第一次东征，击溃了军阀陈炯明主力，推进了农民运动的发展。5月，广东省农民协会成立后，在中国共产党领导下海丰县建立了农民自卫军，李劳工为大队长，吴振民为农军训练所所长，招收400名农民以培训农军军事干部。10月，举行第二次东征后，海丰、陆丰地区的反动势力被彻底扫清，成为广东农运高潮的中心。1957年2月广东海丰县文化馆拨交。

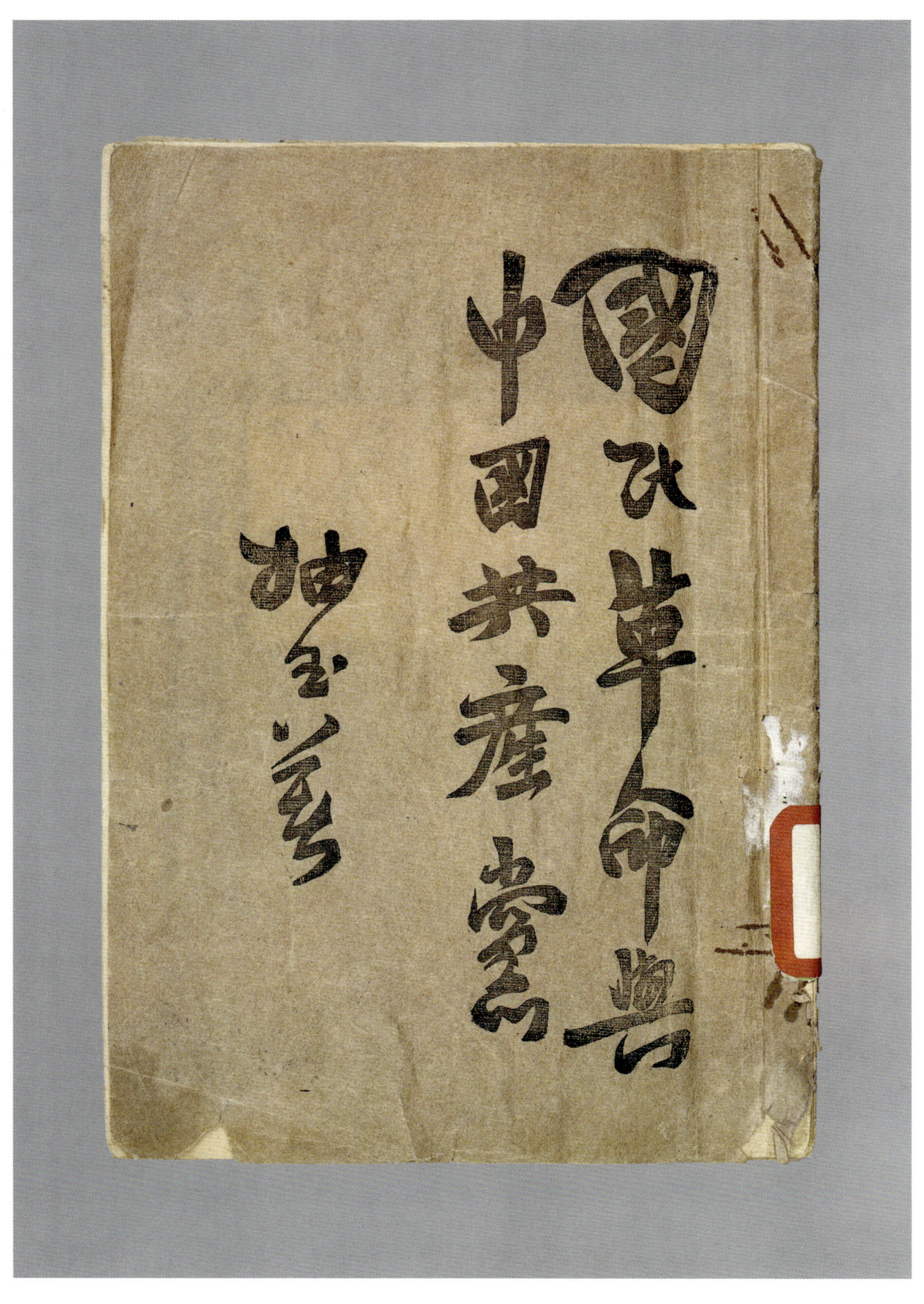


**108. 抽玉（萧楚女）著《国民革命与中国共产党》**

1925年10月20日
纵18.6、横12.6、厚0.2厘米
纸质，铅印。34页。响导周报社出版，初版

萧楚女（1896～1927年），湖北汉阳人。1922年加入中国共产党。1925年在上海参与团中央的领导工作和编辑《中国青年》。1926年在广州协助毛泽东编辑《政治周报》，并任第六届农讲所教员。同年任黄埔军校政治教官。1927年广州“四一五”反革命政变中被杀害。《国民革命与中国共产党》对国民党右派戴季陶诬蔑共产党的言论进行有力反击，高度评价中国共产党对国民革命的伟大贡献。

**109．中央军事政治学校学员王铁猛的笔记簿**

1926 年
纵 25.5、横 15 厘米
纸质，毛笔写

1926年1月，为适应革命形势的发展，黄埔军校与国民革命军各军开办的军事学校合并，改称为“中央军事政治学校”。国共两党都派出重要干部到校任职和讲学。这是该校第三期学员王铁猛（名师劲）的听课笔记，记录有周恩来讲授的《国民革命军及军事政治工作》、郭沫若的《国民革命军与各阶级合作》、邓演达的《世界大势与中国》、恽代英的《青年运动》和蒋介石的《北伐之意义》等。1951 年 8 月王铁猛之弟王仲德捐赠，1959 年 5 月江西省博物馆拨交。

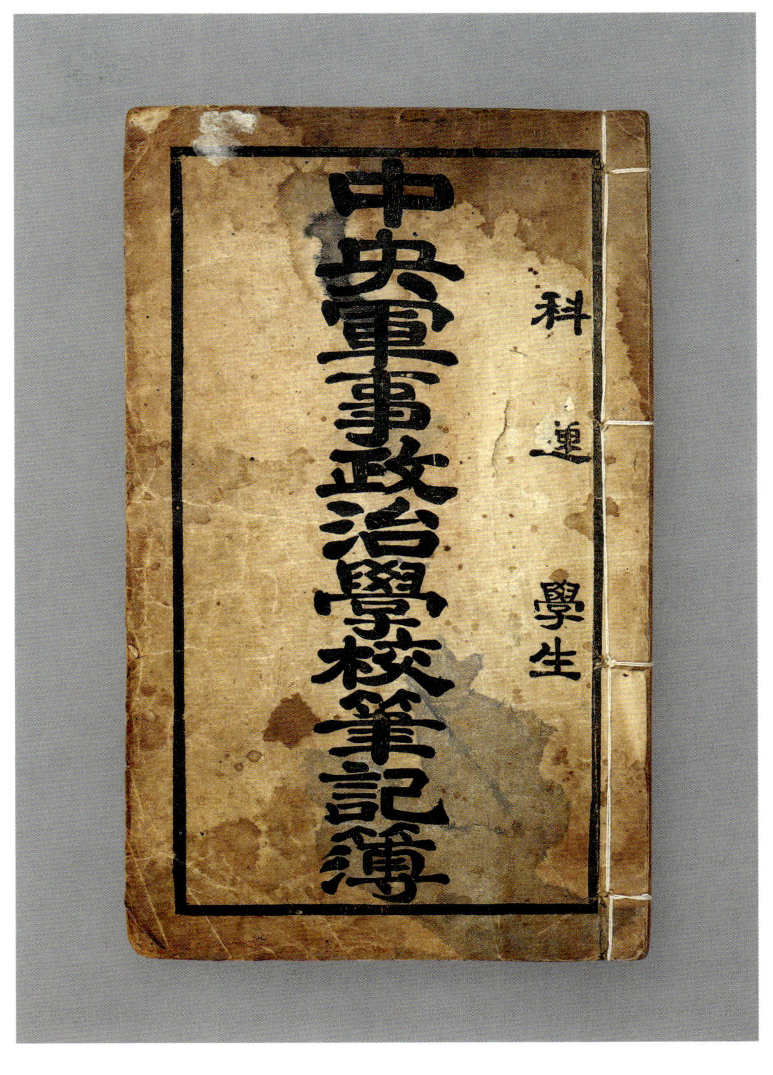


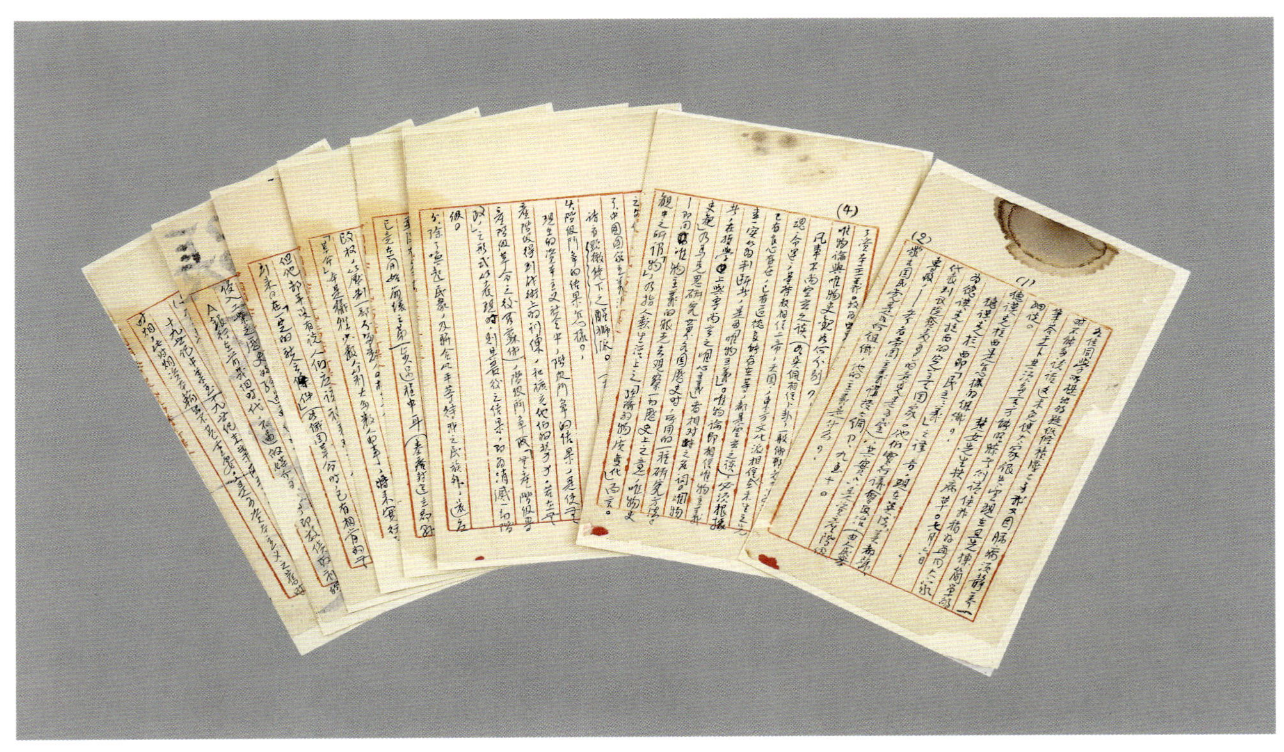

**110．国民党中央农讲所学员抄录的萧楚女病中答疑的笔记**

1926 年
纵 25、横 15.1 厘米
纸质，毛笔写。8 页

1926 年 5 月至 9 月，萧楚女在毛泽东主办的中国国民党第六届中央农民运动讲习所中担任教员，被学员称为“一个品德高尚，修养好，努力负责，热心教育的良好教师。”任教期间，因肺病加重，住进医院。但每当学员来看望，他总让大家把学习中不懂的问题搜集起来送给他。不能多说话，他就逐条给予笔答。学员们把答案张贴在所内的墙壁上供大家学习参考。这本笔记是一位学员抄录的萧楚女 7 月 6 日对“德谟克拉西是怎样的组织”等问题的笔答。1965 年 6 月冯文汇捐赠。

**111.《农民问题丛刊》**

1926年9月～1927年6月

纵18.5、横13、厚0.5厘米

纸质，铅印。中国国民党中央农民运动讲习所编印

毛泽东编辑，以丛书形式发行。原计划出版52种，实际出版26种。丛刊选编了农民运动重要文献、农讲所教员的专题报告和学员的农村调查材料。毛泽东为该刊写了序言《国民革命与农民运动》，明确提出“农民问题乃国民革命的中心问题，农民不起来参加并拥护国民革命，国民革命不会成功。”

**112．尼罗夫赠李济深的东征摄影纪念册**

1926年
纵17.7、横26、厚2厘米
本册照片144幅

1925年7月，广州大元帅府改组为国民政府。8月，国民政府所辖各军统一改编为国民革命军，部分粤军编入第一军，在江西的粤军编为第四军，李济深任军长。1925年10月，国民革命军举行第二次东征，彻底消灭了陈炯明的残余势力。李济深任东征军第二纵队纵队长，尼罗夫等苏联军事顾问一同前往。该册记录了李济深率部征战和苏联军事顾问随军东征的历史镜头。1926年尼罗夫将此册赠李济深以为纪念，1959年8月李济深捐赠。

**113．蒋介石送给林伯渠的纪念瓷盘**

1926 年
口径 14.5 厘米
瓷质

林伯渠（1886～1960 年），湖南临澧人。1921 年加入中国共产党。第一次国共合作时，任国民党中央候补执行委员、中央农民部长等职。北伐战争期间，任国民革命军第六军副党代表兼政治部主任，转战江西、江苏等地，与总司令蒋介石接触较多。10 月，北伐军攻克武昌后，蒋介石送给林伯渠一套瓷器，共 12 件。其中有为纪念北伐军攻克武汉烧制的蒋介石题字“先烈之血，主义之花”和“建设大中华”纪念瓷盘。这套瓷器一直保存在林伯渠家乡，后由其亲属转交其子林秉益。1962 年 2 月捐赠。

### 114．谭延闿赠李富春的怀表

1926 年
直径 4 厘米
18K 金、玻璃等质。瑞士浪琴（LONGINES）牌

国民革命军北伐出师前，在周恩来主持下，建立了北伐军总政治部和各级政治部，共产党骨干大多被分派到各军负责政治工作。李富春（1900～1975 年），湖南长沙人。1919 年赴法国勤工俭学。1922 年加入中国共产党。1925 年回国后，任中共广东区委以国民党中央名义主办的政治讲习班理事兼班主任。1926年1月，担任国民革命军第二军副党代表兼政治部主任，军长谭延闿。同年 11 月，北伐军第二军等攻占江西九江、南昌后，谭延闿将这块表赠送给李富春。李富春一直将它带在身边。1975 年 6 月 20 日李富春夫人蔡畅捐赠。

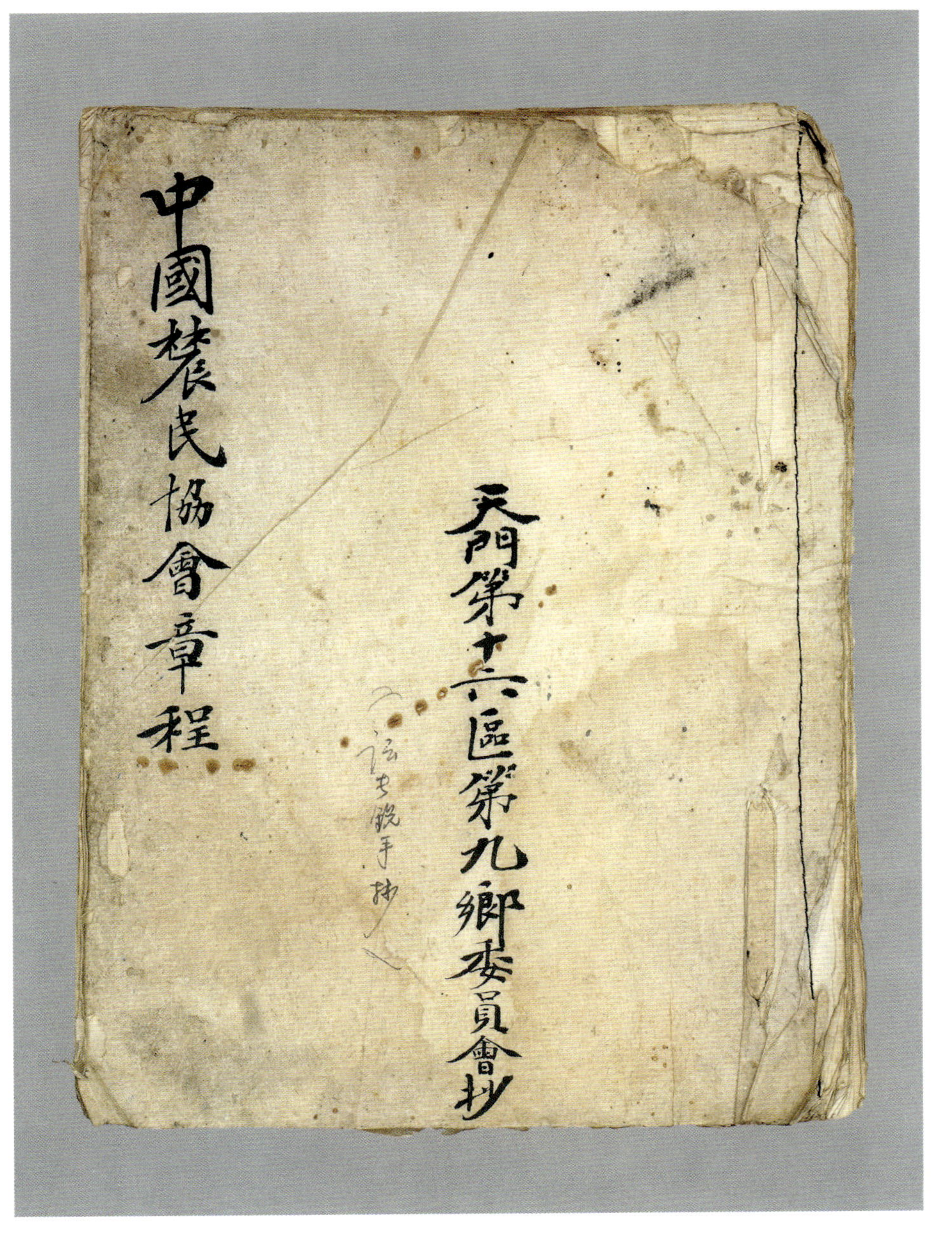


### 115．农民协会会员手抄《中国农民协会章程》

1926 年
纵 19.8、横 14.5 厘米
纸质，毛笔写

第一次国共合作时期，湖北省农民运动发展迅速。1926 年冬，湖北天门县第十六区第九乡农民协会成立。农协会员谭长锐抄写了《中国农民协会章程》，以之作为农协工作的准则。1927 年大革命失败后，谭长锐把该章程用纸封好夹在旧书里，珍藏在旧木箱内。1932 年，他被土豪劣绅毒打致疾，1945 年去世。此章程由其子谭笑若保存，1970 年 2 月 15 日捐赠。

徐顾离京时，钊即与徐顾二君商同，将寄居於此旧校市党部中人亦有偶然寄居於此者，并将名册等件寄存其中，钊均还曾允许，并未与任何俄人商议，盖彼等似已默认此一隅之地为中国人住居之所，一切归钊自行管理。至於钊与李石曾、谢人在委员会谈时，俄人向未参加，我等如有事须与俄使接洽时，即派代表往晤俄使，至如零星小事，则随时与俄使馆庶务接洽。中山先生之外交政策，向主联俄、联德，因其对於中国已取消不平等条约也。北上时路过日本，曾对其朝野人士为极沉痛之演说，劝其毅然改变对华政策，赞助中国之民族解放运动。其联俄政策之实行，则始於在上海与俄代表越飞氏之会见，当时曾与共同签名，发表一简短之宣言，谓中国今日尚不适宜於施行社会主义。以后中山先生返粤，即约聘俄顾问，赞助中山先生建立党军，改组党政。最近蒋介石先生刊行一种中山先生墨迹，关于其联俄计画之进行颇有记述，可参考之。至於国民政府与苏俄之外交关系，皆归外交部与驻粤苏俄代表在广州办理，故钊不知其详，惟据我所知，则确无何等密约。中山先生曾於其遗嘱中明白言之，与以平等待我之民族共同奋斗，如其联俄政策之继续而有待於密约者，则俄已不是以平等待我之民族，尚何友谊之可言？而且国民党之对内对外诸大政策，向系公开与国人以共见，与世界民众以共见，因亦不许与任何国家缔立密约。政治委员会北京分会之用款，向系由广州汇寄，近则由武汉汇寄，当系谭顾孟余曾以万余元交付我手，此款本为该分会开销而备，存者后因党员纷纷出京，多需旅费及安置家属费，并维持党务、委员会一切办费及补给市党部之经费，数月以来即行用尽。此次又汇来数万元，系令钊转交柏文蔚、王法勤等者，已随时转交过去。去岁军兴以来，国民政府之经费亦不甚充裕，故数月以来，未曾有款寄到，必需之费，全赖托由李石曾借债维持，阳历及阴历年关几乎无法过去。今欵委员会夫役人等之月薪以及应缴之电灯、自来水等费亦多积欠未付，委员会夫役阎振已经拘押在案，可以质证。最近后由广州寄来两仟元，由武汉寄来三千元，除偿还付前托李石曾经借之债，已所余无几，大约不过千元存在远东银行。此次汇款，无论由何银行汇来，钊皆用李新名义汇存于远东银行，以为提取之便。党中之左右派向即存在，不过遇有政治问题主张不一致时始更明显，其实在主义上两派则上原无不同，不过政策上有缓进急进之差耳。在北京之党员皆入市党部，凡入市党部者当然皆为国民党员。市区党员之任务，乃在训练党员以政治的常识。区隶属於市，犹若干区而成市，此为党员之初级组织，并无他项作用。北京为学术中心，非工业中心，故少有党之组织，而无工会之组织。在国民军时代，工人虽略有组织，而今则早已无复存在，党籍中之工人党员亦甚罕见。近来传言党人在北京将有如何之计画，如何之举动，皆属杯弓市虎之谈，望当局勿致轻信。社会之纷扰，恭由於谣传与误会，当局能将此番之逮捕判明谣诼之无根，则对于吾党之政治主张，亦可有相当之谅解。当局能因此谅解而知吾党之所求，乃在谋国计民生之安康与进步，彼此间之误会因以避免，渐消除，钊更幸矣。钊自来发愿即矢志努力于民族解放之事业，实践其所信，励行其所知，为功为罪，所不暇计。今既被逮，惟有直言。倘因此而重获罪戾，则钊实当负其全责，惟望当局对于此辈爱国青年，宽大处理，不予株连，则钊感且不尽矣。又有陈者，钊夙研史学，平生搜集东西书籍颇不少，如其没收，尚希保存，以利文化。谨呈

李大钊

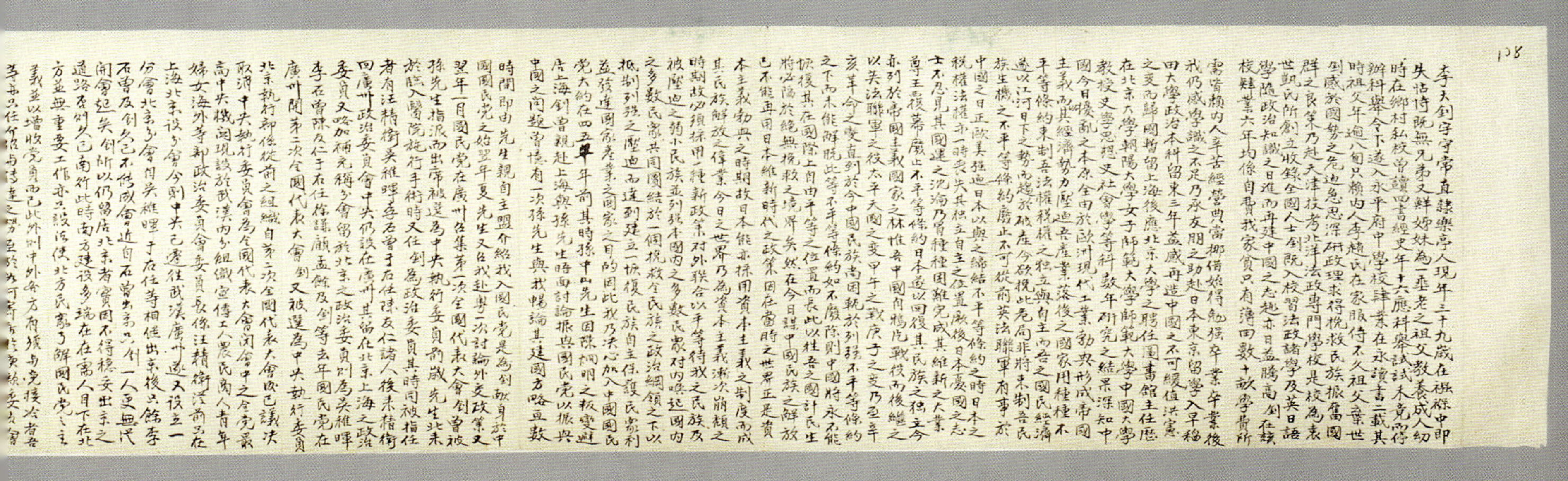

**116. 李大钊亲笔自述（定稿）**

1927年

纵23.1、横156.2厘米

纸质，毛笔写。全文约2700字

李大钊，中国共产党主要创始人和领导人之一。大革命时期任中共北方区执行委员会书记。1927年4月6日在北京被奉系军阀张作霖逮捕，28日英勇就义。狱中，他三易其稿写自述，回顾自己的一生，表达了坚定的信仰和伟大的抱负。同时，他主动承担了全部责任，尽力开脱一同被捕的爱国青年。在自述书最后，他自豪地说："钊自束发受书，即矢志努力于民族解放之事业，实践其所信，厉行其所知，为功为罪，所不暇计。"1957年李大钊之女李星华捐赠。

**117. 张作霖杀害李大钊等革命志士用的绞刑架**

1927年

底座长239、宽174，通高234厘米

钢铁质。清末从欧洲进口

1927年4月28日，奉系军阀张作霖不顾社会舆论的反对，下令将李大钊等20名革命者秘密押到北京西交民巷京师看守所刑场，施以绞刑。李大钊面对绞刑架正气凛然，第一个从容就义。时年38岁。抗战时期，此绞刑架由京师看守所刑场移到德胜门外第二监狱刑场，北平解放后，王冶秋觅得并交中国历史博物馆代存，后拨交。

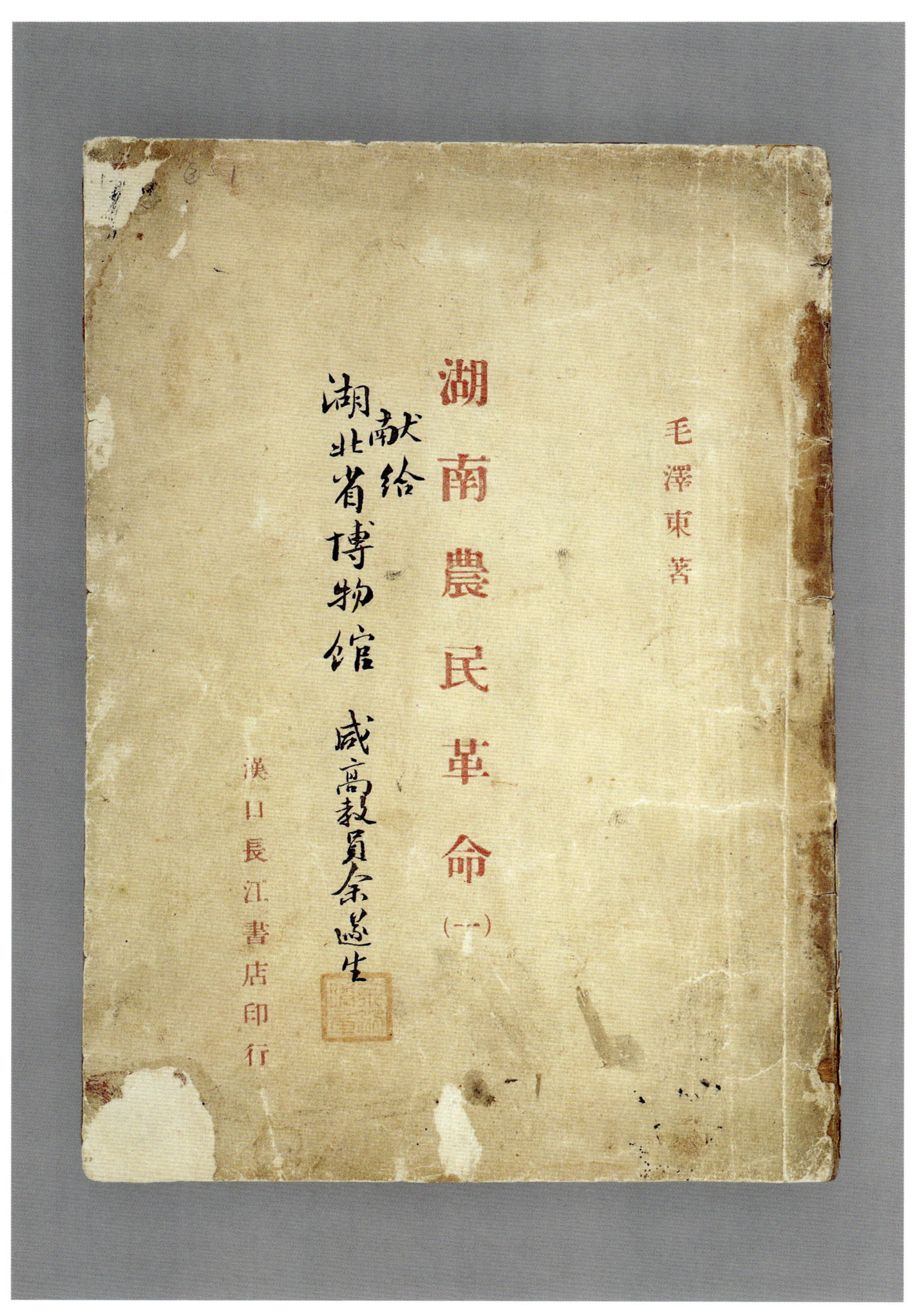


**118．长江书店版《湖南农民革命（一）》**

1927年
纵18.5、横13厘米
纸质，铅印

1927年1月4日至2月5日，毛泽东到湖南湘潭、湘乡等县考察农民运动，用掌握的大量第一手材料撰写了《湖南农民运动考察报告》。报告热烈赞颂农民运动“好得很”，驳斥了党内外责难农民运动“糟得很”的各种谬论，提出“推翻地主武装，建立农民武装”。对大革命时期党领导的农民革命进行了科学总结，是党指导农民运动的重要文献。3月5日起，报告在中共湖南区委机关报《战士》周刊上连载。4月，以《湖南农民革命（一）》为书名由汉口长江书店出版单行本，瞿秋白作序，给予了高度赞扬。1959年5月湖北省博物馆拨交。

**119．王一飞为上海工人武装起义运送军火用的箱子**

1927年3月中旬
长75、宽44、高34厘米
皮革、木、布、铜质。破损

王一飞（1898～1928年），1925年9月任中共上海（江浙）区委书记，后调中共中央军委工作。1927年3月1日起，参与上海第三次工人武装起义的准备工作。5日，在上海区委召开的特别会议上，被任为上海区委主席团成员之一。他不顾敌人的严密搜捕，和妻子陆缀雯一起用这只箱子为起义工人筹集装运枪支弹药并保藏在家中。1985年10月16日王一飞之子王继飞捐赠。

**120．国民革命军总司令部赠给国际工人代表团的锦旗**

1927年
底边长127、高70厘米
绸质，红色，三角形

1927年4月上旬，中国国民革命军总司令部政治部向访问广州的国际工人代表团赠送了这面锦旗。由共产国际驻中国首席代表罗易（M · N · Roy）珍藏，后转交给共产国际原驻中国代表马林（G · Maring）。第二次世界大战期间，马林在故乡荷兰参加抵抗运动，于1942年4月13日被德国法西斯杀害。此旗由马林女婿西玛 · 斯纳夫利特保存。1993年4月捐赠。

孫宋慶齡對時局宣言

121.《孙宋庆龄对时局宣言》传单

1927年7月

纵27.3、横63厘米

纸质，铅印

1927年7月，汪精卫为首的武汉国民党中央加快了公开反共的步伐。14日，国民党左派杰出代表、孙中山夫人宋庆龄用英文拟就《为抗议违反孙中山的革命原则和政策的声明》；17日，出走上海，后到苏联；18日，声明在汉口《人民论坛报》发表。该报被查封后，中文译稿以《孙宋庆龄对时局宣言》为题被印成传单张贴在武汉大街小巷。它表达了宋庆龄维护孙中山新三民主义和三大政策的坚定立场及对中国革命必胜的坚定信念，在国际国内产生了强烈反响。1962年5月全国人大常委会办公厅拨交。

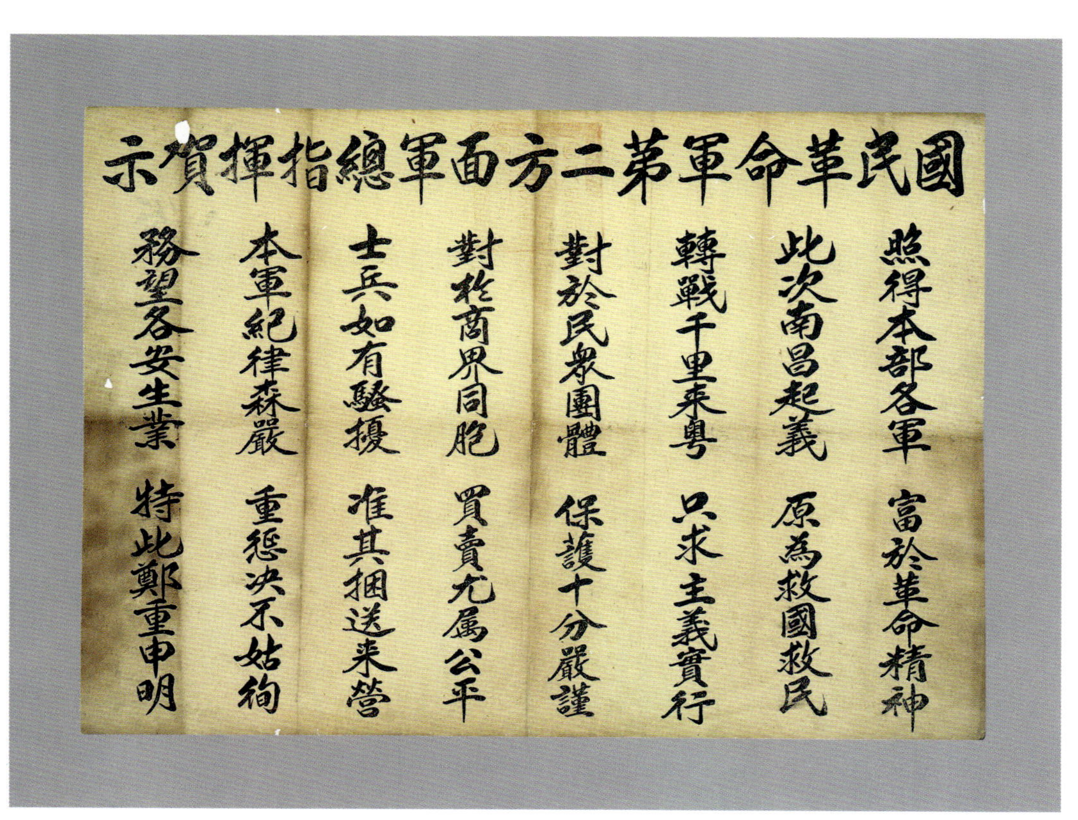

國民革命軍第二方面軍總指揮賀示

照得本部各軍 富於革命精神
此次南昌起義 原為救國救民
轉戰千里來粵 只求主義實行
對於民衆團體 保護十分嚴謹
對於商界同胞 買賣尤屬公平
士兵如有騷擾 准其捆送來營
本軍紀律森嚴 重懲決不姑徇
務望各安生業 特此鄭重申明

122.南昌起义军安民布告

1927年9月

纵38.5、横53.2厘米

纸质，石印

1927年8月1日，中国共产党领导的南昌起义打响了武装反抗国民党反动派的第一枪。8月3日至6日，起义军陆续撤离南昌，南下广东，贺龙率第二十军所部三个师先行，9月24日，部队进入广东潮汕地区，贺龙以国民革命军第二方面军总指挥的名义颁布此布告，阐明起义军宗旨以及保护民众政策，申明军纪。1957年2月广东汕头专署民政科拨交。

**123．安源工人参加秋收起义用的马刀**

1927年9月
长51厘米
铁质，锻造

1927年9月9日，毛泽东领导的湘赣边界秋收起义爆发。起义前，因武器缺乏，安源工人架起几十座火炉，赶制了一批马刀、梭标和大刀，此刀为其中之一。9月10日，由安源路矿工人纠察队、矿警队和萍乡等县部分农民自卫军编成的工农革命军第一师第二团先后攻下萍乡、醴陵、浏阳。后在敌人重围下，损失大部。起义失败后，余部在毛泽东带领下，于10月中旬到达井冈山地区，开始创建中国共产党领导的第一个农村革命根据地。1969年9月安源路矿工人运动纪念馆拨交。

**124．广东海陆丰工农革命军佩戴的红领带**

1927年
纵88、横5厘米
布质

1927年9月，广东海丰、陆丰等地农民在中共东江特委的领导下举行起义。10月中旬，由南昌起义军余部编成的工农革命军第二师1000余人到达海陆丰地区，与当地武装会合，于10月30日再次举行起义。占领了海丰、陆丰两县，并先后成立县苏维埃政府。此为工农革命军第二师在起义时佩戴的红领带。中共中央宣传部从广东岭南文物宫征集，1953年3月拨交。

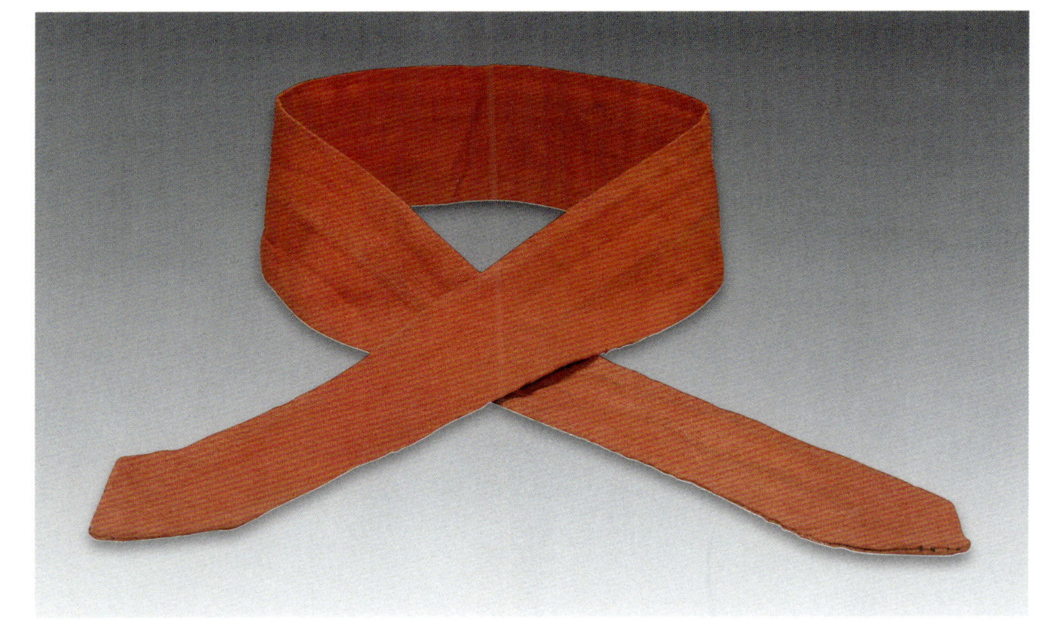

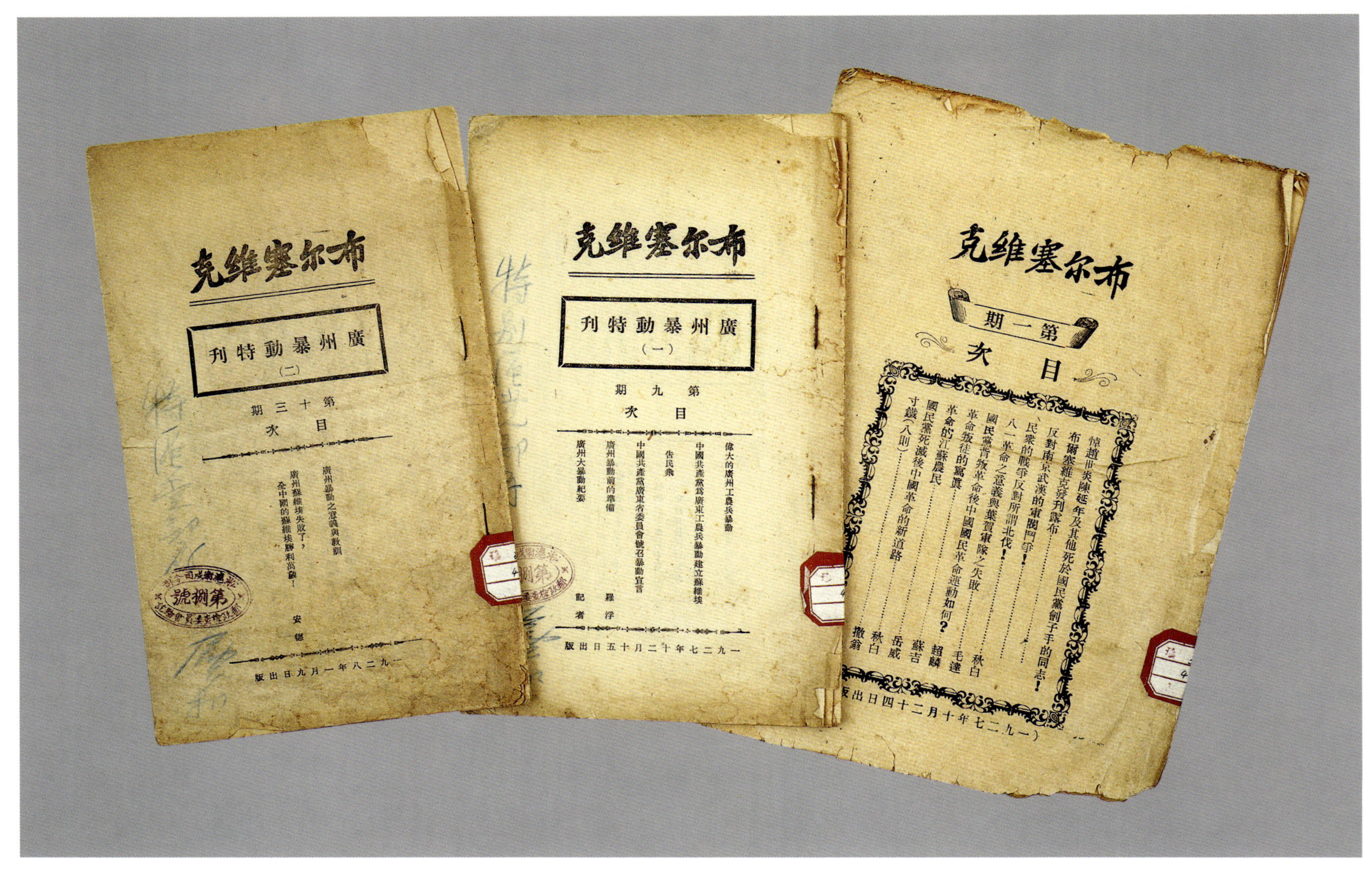

**125.《布尔塞维克》**

1927 年 1 卷 1、9 期；1928 年 1 卷 13 期，2 卷 4、7 期；1930 年 3 卷 2～5 期；1931 年 4 卷 5 期
纵 25.5、横 17.5、厚 0.4 厘米
纸质，铅印

第二次国内革命战争时期秘密出版的中共中央机关刊物。瞿秋白主编。1927 年 10 月在上海创刊，1932 年 7 月停刊，共出 52 期。先为周刊，后改为半月刊、月刊。该刊辟有国内政治、国际状况、中国革命问题、马列主义理论问题、职工运动、农民暴动等栏目。转载过共产国际许多重要决议和指示，刊登过中共中央许多重要文件，在宣传党的政治主张，揭露国民党的反动统治等方面起了很大作用。

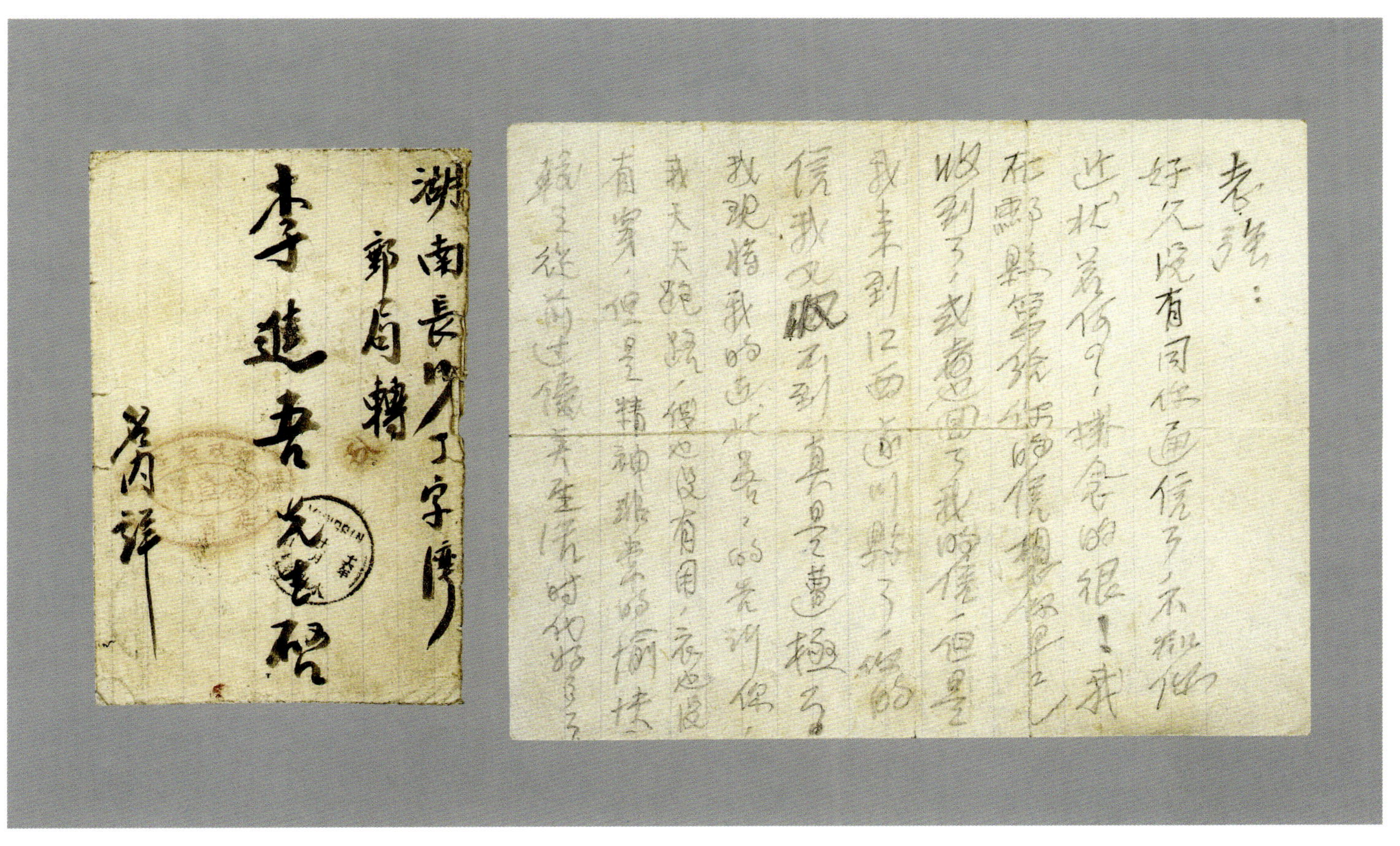

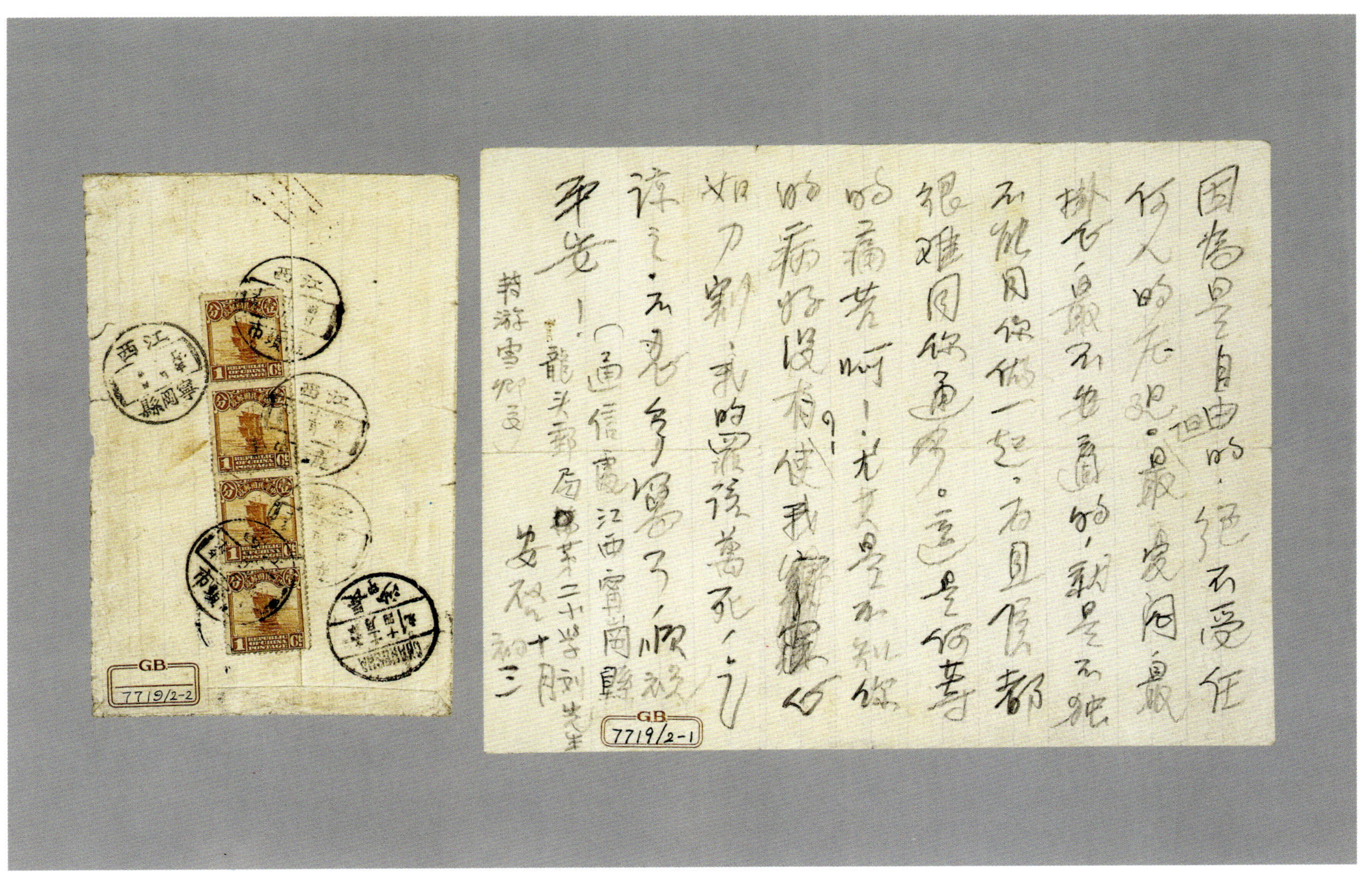

## 126. 陈毅安在进军井冈山途中致未婚妻信

1927年10月3日

纵16.5、横20.8厘米

纸质，铅笔、毛笔写。背面有龙头市、宁冈县、长沙等地的邮戳

陈毅安(1905～1930年)，湖南湘阴人。1924年加入中国共产党。1926年黄埔军校第四期军官班毕业。1927年参加秋收起义，三湾改编后任中国工农革命军第一师第一团第一营副营长、营长等职。1929年后任红五军副参谋长、参谋长、红三军团第八军第一纵队司令。1930年8月7日，在攻打长沙时牺牲。该信是陈毅安随毛泽东进军井冈山途经江西遂川时写给未婚妻李志强的，信中反映了三湾改编后，工农革命军的艰苦生活和革命乐观精神。1963年9月陈毅安夫人李志强捐赠。

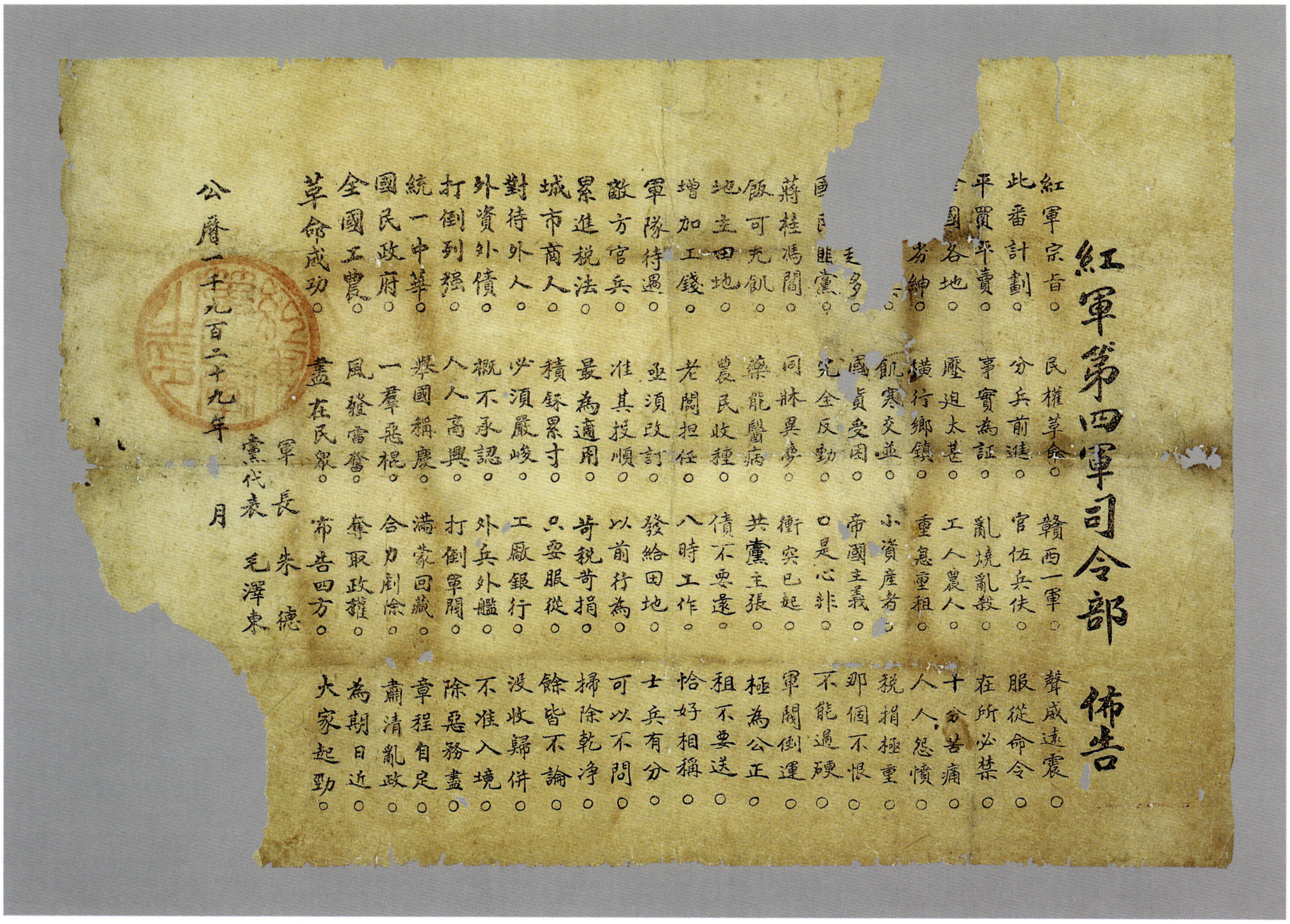

紅軍第四軍司令部 佈告

紅軍宗旨。民權革命。贛西一軍。聲威遠震。
此番計劃。分兵前進。官佐兵伕。服從命令。
平買平賣。事實為証。亂燒亂殺。在所必禁。
[illegible]國各地。壓迫太甚。工人農人。十分苦痛。
[illegible]劣紳。橫行鄉鎮。重息重租。人人怨憤。
[illegible]。飢寒交迫。小資產者。捐稅極重。
[illegible]毛多。國貨受困。帝國主義。那個不恨。
國民匪黨。完全反動。口是心非。不能過硬。
蔣桂馮閻。同床異夢。衝突已起。軍閥倒運。
飯可充飢。藥能醫病。共黨主張。極為公正。
地主田地。農民收種。債不要還。租不要送。
增加工錢。老闆担任。八時工作。恰好相稱。
軍隊待遇。亟須改訂。發給田地。士兵有分。
敵方官兵。准其投順。以前行為。可以不問。
累進稅法。最為適用。苛稅苛捐。掃除乾淨。
城市商人。積銖累寸。只要服從。餘皆不論。
對待外人。必須嚴峻。工廠銀行。沒收歸併。
外資外債。概不承認。外兵外艦。不准入境。
打倒列強。人人高興。打倒軍閥。除惡務盡。
統一中華。舉國稱慶。滿蒙回藏。章程自定。
國民政府。一羣惡棍。合力剷除。肅清亂政。
全國工農。風發雷奮。奪取政權。為期日近。
革命成功。盡在民衆。佈告四方。大家起勁。

軍長 朱德
黨代表 毛澤東

公曆一千九百二十九年 月

**127．红四军司令部布告**

1929 年 1 月

纵 37、横 51.6 厘米

纸质，石印，残缺

1929 年 1 月，为打破湘赣两省国民党对井冈山根据地的第三次“会剿”，红四军前委、湘赣边界特委、红四军和红五军军委等举行联席会议，决定由彭德怀、滕代远等率部分红军留守井冈山，毛泽东、朱德率红四军主力向赣南进军，采取内外配合的方针，粉碎敌人的“会剿”。红军出发前，赶印了大量的传单和布告，其中有毛泽东起草，军长朱德、党代表毛泽东署名的《红军第四军司令部布告》，在向赣南闽西进军途中广为散发，以争取广大群众。1959 年 5 月江西省兴国县文教局拨交。

## 128．俞作豫题“华丰”商号招牌

1928 年
纵 43、横 19 厘米
木质，阳文行楷，涂金粉

俞作豫（1901～1930年），广西北流人。曾参加北伐战争。1927年参加广州起义。1928年春回家乡，任中共北流县委书记。为方便工作，将家舍后一间铺面房辟为商号，作为党的秘密联络站，并利用华丰商号名义开展农运和兵运工作。1929年春，前往武汉从事兵运前，在“华丰”商号召开县委会议，不慎被敌人发现，被迫撤离，商号停业。1930年2月，率广西警备五大队在左江龙州起义，任红八军军长。失败后被捕，同年9月牺牲。1959年4月广西壮族自治区博物馆拨交。

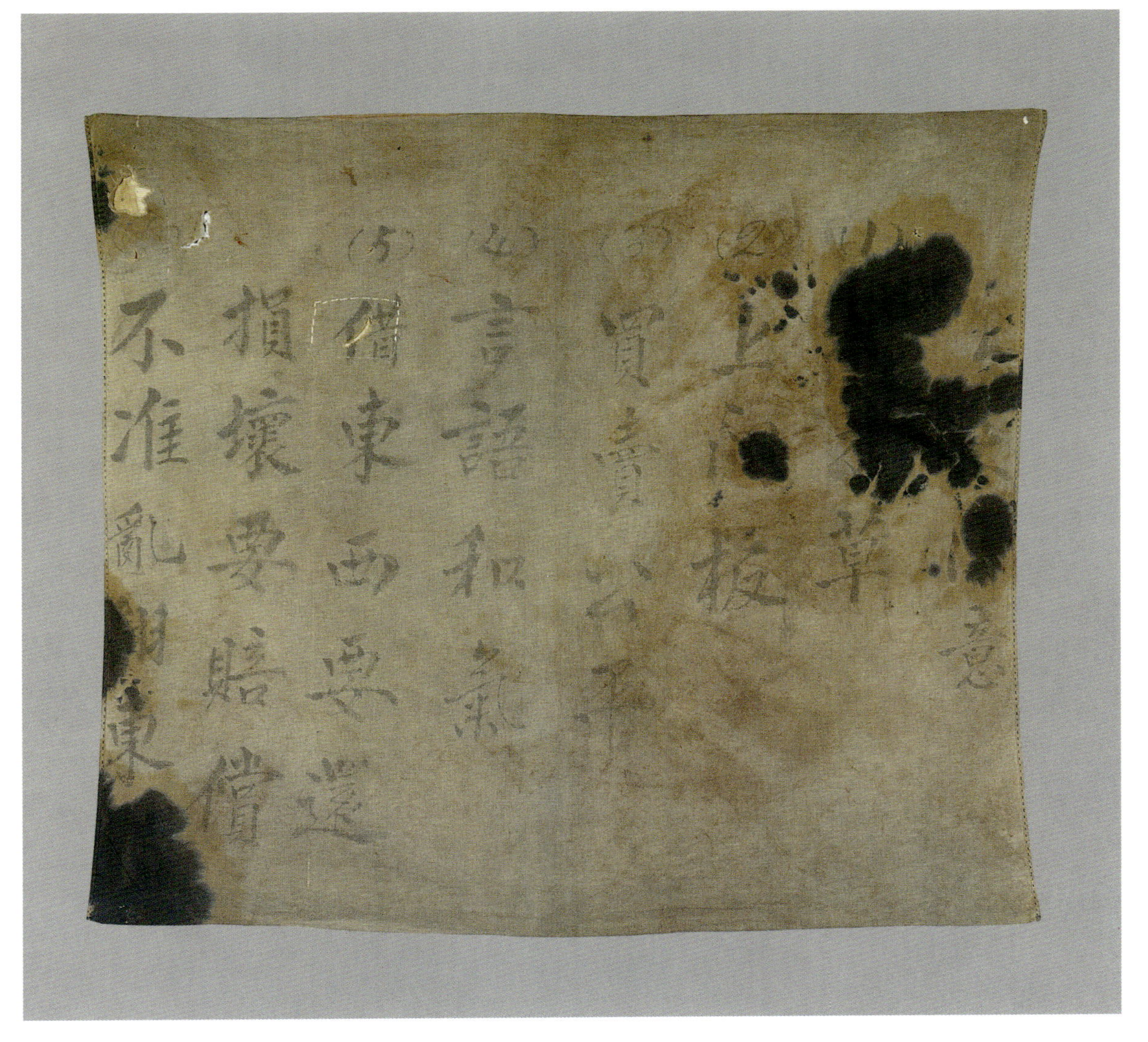

## 129．井冈山斗争时写有“六项注意”的包袱皮

1928 年
纵 85.7、横 94 厘米
布质，白色。变灰，墨污严重，残缺。毛笔写“注意 （1）（捆铺）草，（2）上门板，（3）买卖公平，（4）言语和气，（5）借东西要还，损坏要赔偿，（6）不准乱翻东（西）”

在井冈山根据地开创之初，为加强对部队的纪律教育，毛泽东先后宣布了“三大纪律”和“六项注意”。以后，又增加了“洗澡避女人”和“不搜俘虏腰包”两项注意，形成“三大纪律、八项注意”，成为人民军队的行动准则。这个包袱皮是井冈山斗争时期工农革命军第四军某部战士使用的。行军时战士用它包物品，宿营时挂起来宣传红军纪律。“六项注意”的具体内容在不同时期和不同部队略有不同。1959年5月江西省博物馆拨交。

## 130.“完成土地革命”刻竹标语

1929年

长79.5、直径11.5厘米，

竹质，有裂纹，刻有“完成土地革命、实行工农专政、中国革命成功万岁”标语

1929年，邓恺成担任中共湖南平江县三区区委执行委员长兼武装游击队队长时，为了鼓舞游击队员们的斗志，坚定胜利信心，在驻地香炉山竹林中的一些竹子上刻了许多革命标语。后在当地群众精心保护下得以留存。这件刻竹是从其中一枝竹子上截下来的，1951年由傅秋涛率领的中央访问团在湖南平江征集。1952年6月中央人民政府内务部拨交。

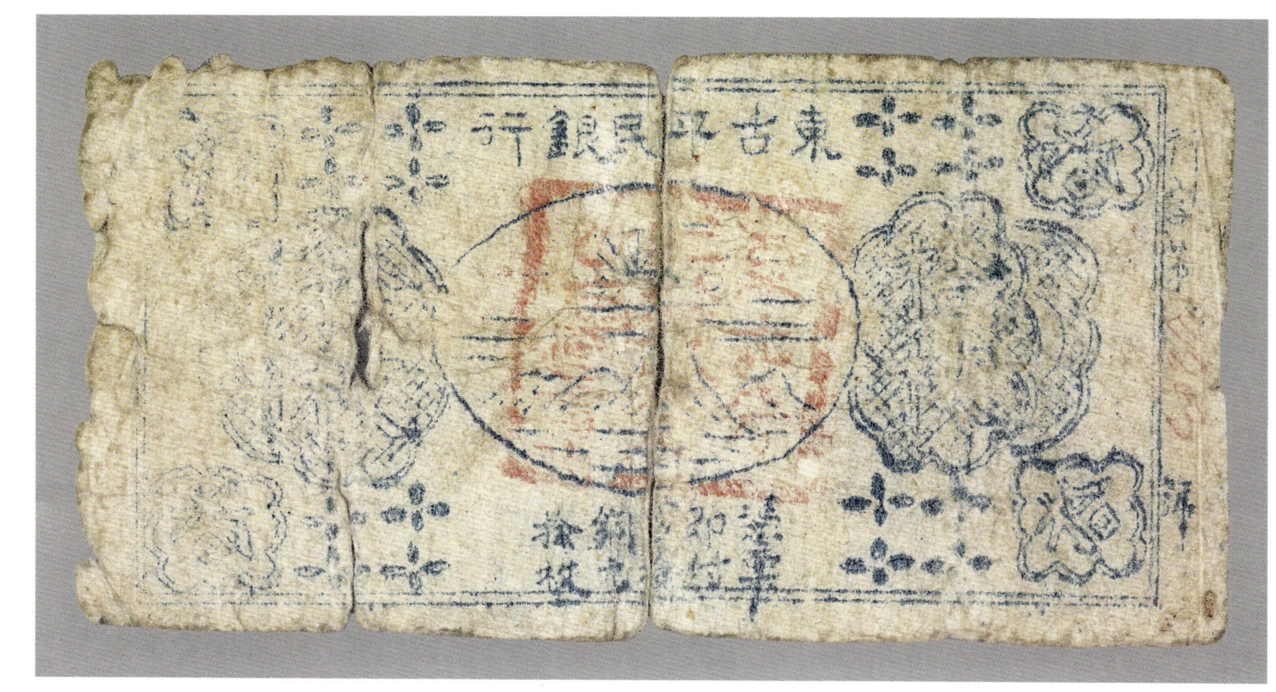


## 131．东古平民银行发行的铜元票

1929年

纵6.8、横12.8厘米

纸质，油印，中间断裂

东古平民银行于1929年8月在江西东固革命根据地的吉安县东固成立，行长黄启绶。银行成立后即发行东古平民银行铜元票，该票是用蜡纸刻版印制发行并流通于东固根据地，是中央革命根据地最早的货币。1930年东古平民银行改组为东古银行后，东古平民银行铜元票即停止发行，现存罕见。这张蓝色花纹图案拾枚铜元票是林伯渠收集的，1961年2月林伯渠夫人朱明捐赠。

## 132．孙中山奉安大典纪念册

1929年5月26日～6月1日
纵25、横34.5、厚7厘米
本册照片160幅

1925年3月12日孙中山在北京逝世。遵照他生前“归葬紫金山”的遗愿，在逝世周年之际，南京举行中山陵开工典礼。陵墓位于紫金山之中茅山南坡，由建筑师吕彦直设计，1929年春竣工。是年国民政府成立“总理奉安委员会”，决定将孙中山灵柩移往南京安葬，5月26日至6月1日全国下半旗。5月22日起，北平各界在香山碧云寺公祭三天，随后灵柩移出碧云寺。灵车沿京浦路抵达南京浦口，渡江后在南京国民党党部举行公祭。6月1日，国民政府在紫金山中山陵举行奉安大典，灵柩由宋庆龄、孙科及党政要人护入墓室安葬。本册照片由北平同生照相馆摄制。封面“总理奉安纪念册”为胡汉民题写。1961年购于上海旧书店。

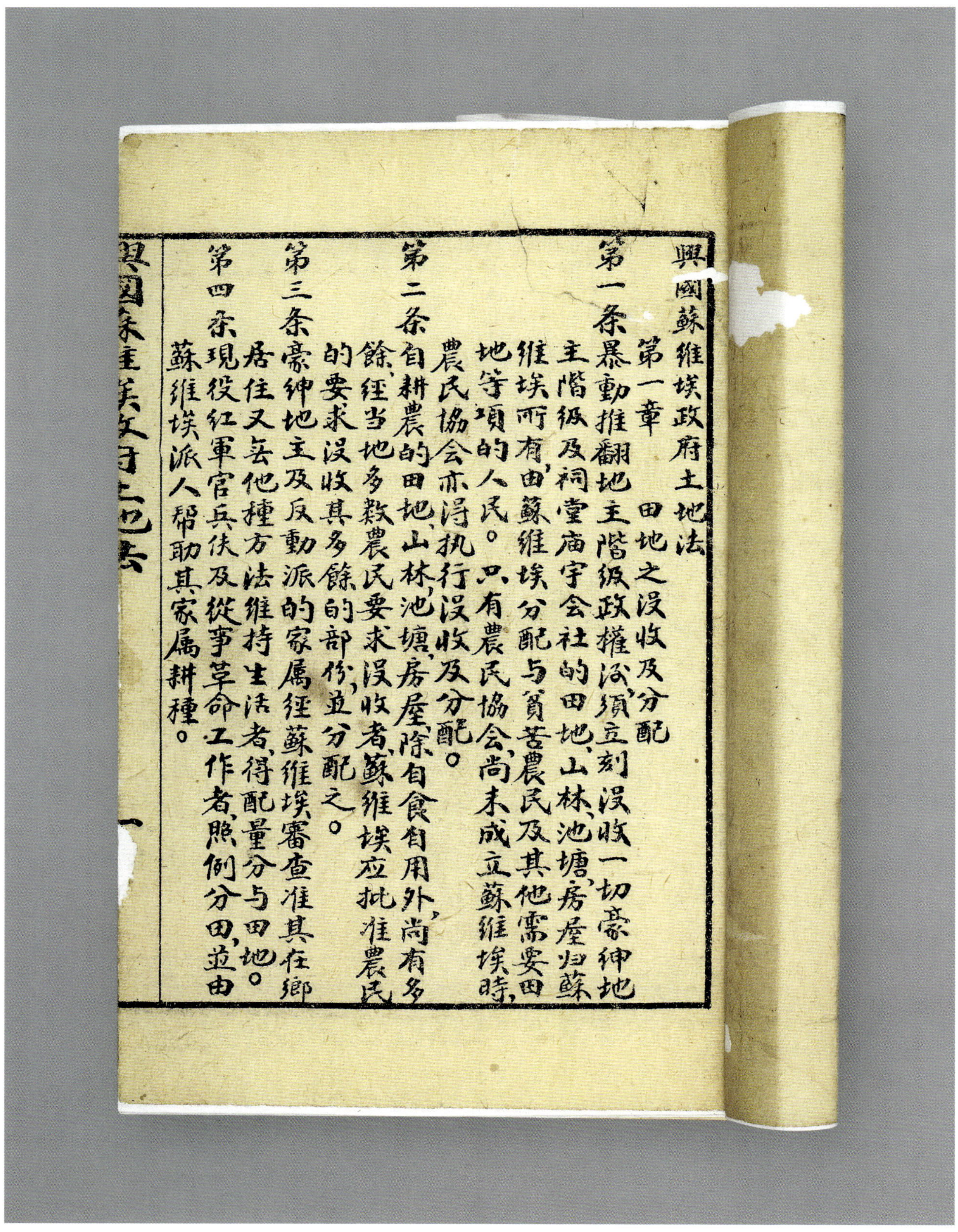

興國蘇維埃政府土地法

第一章　田地之沒收及分配

第一条　暴動推翻地主階級政權後，須立刻沒收一切豪紳地主階級及祠堂廟宇会社的田地、山林、池塘、房屋归蘇維埃所有，由蘇維埃分配与貧苦農民及其他需要田地等項的人民。只有農民協会，尚未成立蘇維埃時，農民協会亦得执行沒收及分配。

第二条　自耕農的田地、山林、池塘、房屋，除自食自用外，尚有多餘，经当地多数農民要求沒收者，蘇維埃应批准農民的要求沒收其多餘的部份，並分配之。

第三条　豪紳地主及反動派的家屬经蘇維埃審查准其在鄉居住又無他種方法維持生活者，得配量分与田地。

第四条　現役紅軍官兵伕及從事革命工作者，照例分田，並由蘇維埃派人帮助其家屬耕種。

**133. 兴国县《土地法》**

1930年3月

纵18.7、横12.6厘米

纸质，石印。江西兴国县革命委员会印发

开展土地革命、消灭封建地主土地所有制是新民主主义革命的一项基本任务。1928年12月，毛泽东制定了党的历史上第一个土地法——井冈山《土地法》；1929年4月，根据党的“六大”精神，在总结赣南土地革命经验的基础上，又主持制定了兴国县《土地法》，将井冈山《土地法》中“没收一切土地”的规定改为“没收一切公共土地及地主阶级的土地”。这一原则性的修改，有利于土地革命的深入开展和调动广大农民的积极性。1959年5月江西兴国县文教局拨交。

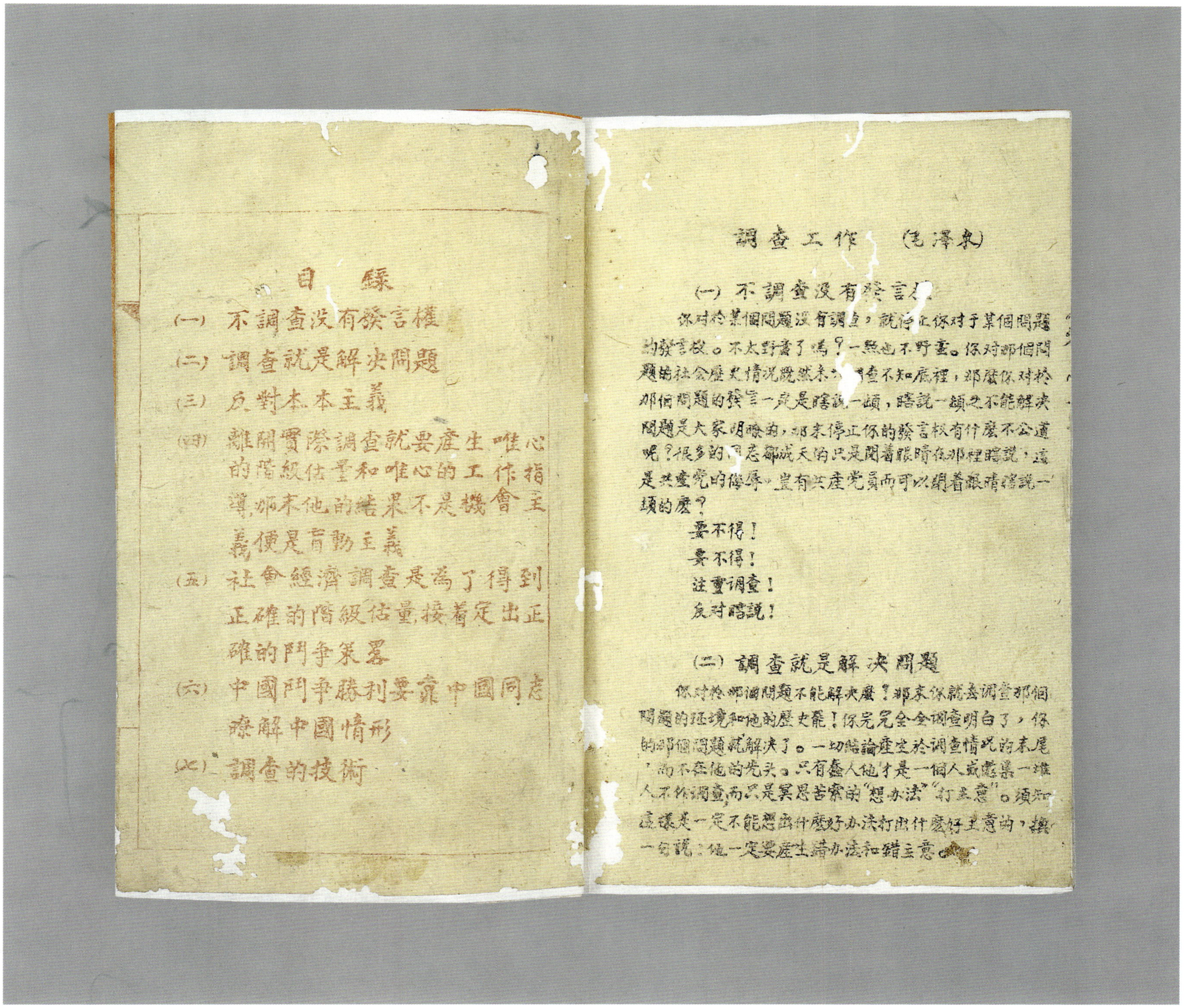

目錄

(一) 不調查沒有發言權
(二) 調查就是解決問題
(三) 反對本本主義
(四) 離開實際調查就要產生唯心的階級估量和唯心的工作指導，那末他的結果不是機會主義便是盲動主義
(五) 社會經濟調查是為了得到正確的階級估量，接着定出正確的鬥爭策略
(六) 中國鬥爭勝利要靠中國同志瞭解中國情形
(七) 調查的技術

調查工作 (毛澤東)

(一) 不調查沒有發言權

你对於某個問題沒有調查，就停止你对于某個問題的發言权。不太野蠻了嗎？一點也不野蠻。你对那個問題的社会歷史情況既然未曾調查不知底裡，那麼你对於那個問題的發言一定是瞎說一頓，瞎說一頓之不能解决問題是大家明瞭的，那末停止你的發言权有什麼不公道呢？很多的同志都成天的只是閉着眼睛在那裡瞎說，這是共產党的侮辱。豈有共產党員而可以閉着眼睛瞎說一頓的麼？

要不得！
要不得！
注重調查！
反对瞎說！

(二) 調查就是解決問題

你对於那個問題不能解决麼？那末你就去調查那個問題的現狀和他的歷史罷！你完完全全調查明白了，你的那個問題就解决了。一切結論產生於調查情況的末尾，而不在他的先头。只有蠢人他才是一個人或邀集一堆人不作調查，而只是冥思苦索的"想办法""打主意"。須知這樣是一定不能想出什麼好办法打出什麼好主意的，換一句說：他一定要產生錯办法和錯主意。

**134．毛泽东著《调查工作》石印本**

1930年8月
纵18.4、横12.6厘米
纸质，石印。中共闽西特委翻印

1930年5月，毛泽东为反对当时党内和红军中的教条主义思想，在江西寻乌进行社会调查的同时，写了这篇《调查工作》。该文首次提出“没有调查就没有发言权”的科学论断，是年8月21日中共闽西特委翻印了此文，发给苏区军民学习。由于战争环境，该文散失，所以新中国成立后《毛泽东选集》第一版未能收入。1959年，中国革命博物馆筹备处在福建龙岩征集到这本小册子。由田家英上报，毛泽东亲自审订，题目改为《反对本本主义》，收入1964年版《毛泽东著作选读》。后收入《毛泽东选集》第二版第一卷。1959年8月福建龙岩专署文教局拨交。

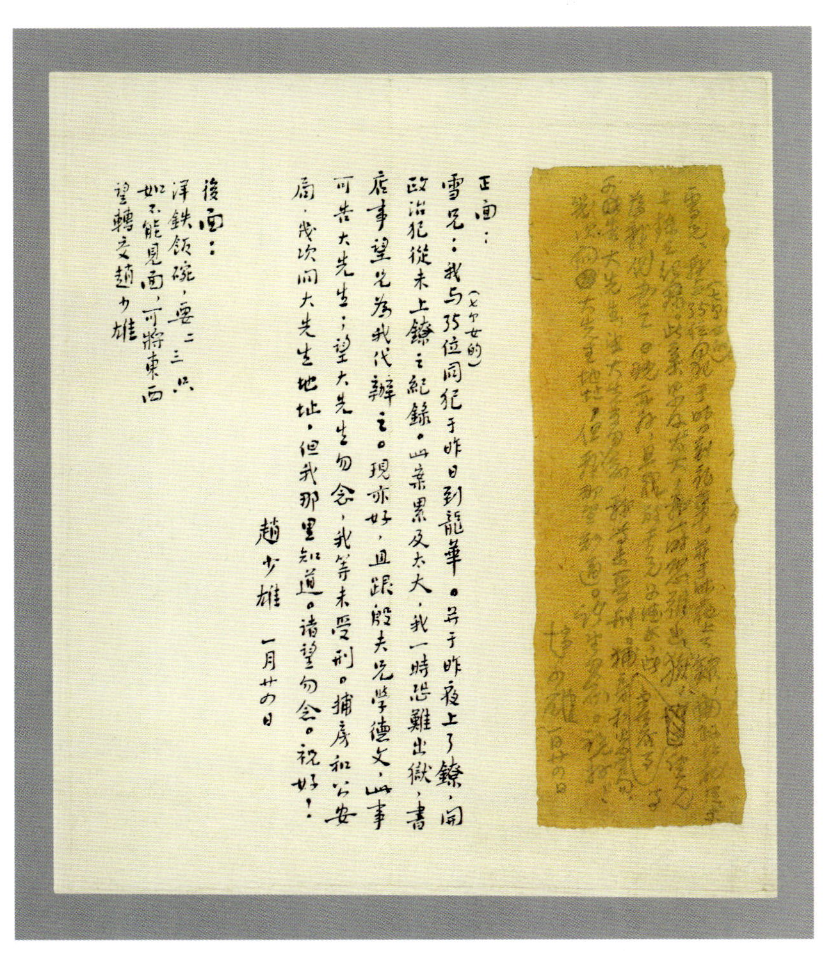

正面：

雪兄：我与35位同犯（七女的）于昨日到龍華。并于昨夜上了鐐，開政治犯從未上鐐之紀錄。此案累及太大，我一時恐難出獄，書店事望兄為我代辦之。現亦好，且跟殷夫兄學德文，此事可告大先生；望大先生勿念，我等未受刑。捕房和公安局，幾次問大先生地址，但我那里知道。諸望勿念。祝好！

趙少雄　一月廿四日

後面：

洋鐵飯碗，要二三只

如不能見面，可將東西

望轉交趙少雄

## 135．柔石致冯雪峰信

1931年1月24日

纵19.5、横5.6厘米

纸质，铅笔写，毛笔抄录

柔石（1902～1931年）原名赵平复，浙江宁海人，左翼青年作家，1928年与鲁迅等创办“朝花社”。1930年2月参与发起“中国自由运动大同盟”。3月中国左翼作家联盟在上海成立后，任常务委员、编辑部主任。同年5月加入中国共产党。1931年1月被捕，同年2月7日被国民党杀害于龙华监狱。图为他于1月24日写给左联党团书记冯雪峰（雪兄）的亲笔信，报告他与殷夫等35人在狱中的情况。“赵少雄”为其被捕后的化名。信中的“大先生”即鲁迅。信由柔石的同乡王育和辗转交给鲁迅。鲁迅将原信粘在一张白纸上，在旁边空白处用毛笔抄录了全文。在《为了忘却的纪念》一文中，引用了此信全文，控诉国民党反动派杀害青年作家。1951年7月王冶秋转交。

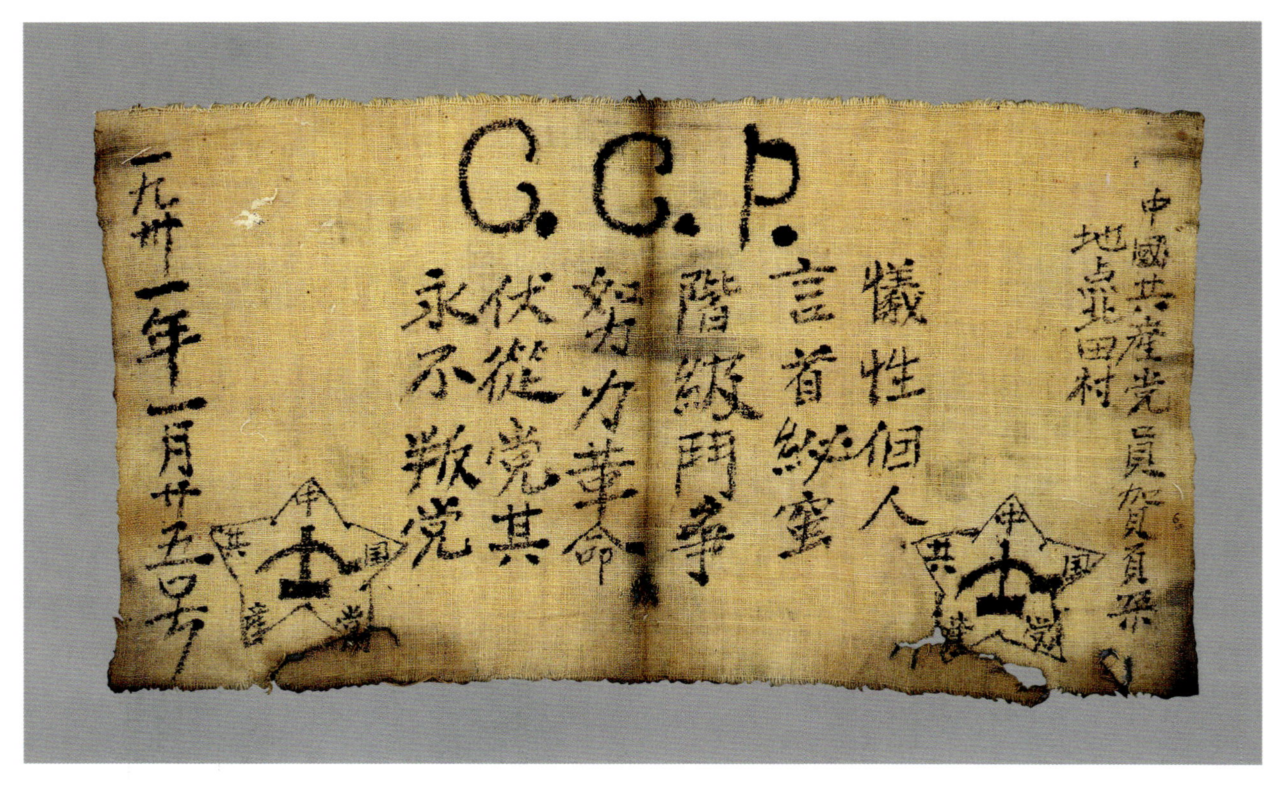

C.C.P

中國共産党員賀貝負朶

地点北田村

犧牲個人

言首紗蜜

階級鬥争

努力革命

伏從党其

永不叛党

一九卅一年一月廿五日

## 136．贺页朵入党誓词

1931年1月25日

纵26.5、横74厘米

布质，毛笔写“牺牲个人，言（严）首（守）秘蜜（密），阶级斗争，努力革命，伏（服）从党其（纪），永不叛党”。誓词上部的C.C.P为中国共产党的英文缩写

贺页朵（1886～1970年），1927年参加革命，曾任江西永新县北田村农民协会副主席和湘赣边区苏维埃六乡政府财粮干事。他以榨油职业为掩护，积极为红军搜集情报，运送食盐、粮食和弹药，多次参加红军攻打永新县城的战斗，并救护伤员。1931年1月，中共永新县四区区委根据贺的要求和表现，同意吸收贺页朵加入中国共产党。25日，在北田村榨油坊油灯下举行的入党仪式上，贺页朵庄严宣誓，并在这块布上写下此誓词。红军长征离开永新后，他冒着生命危险把誓词藏在屋檐下保存下来。新中国成立后捐献给国家。1951年11月中共中央宣传部拨交。

**137. 彭友仁烈士绘《难民行》图**

1931 年春
纵 245、横 121.5 厘米
纸质，墨笔绘，有徐悲鸿题字

彭友仁（1904～1935年），江西余干人。1922 年考入上海美术专科学校学习。大革命失败后，在方志敏、邵式平领导下组织景德镇瓷窑工人武装暴动及在婺源发动农民武装。1931年打入国民党政权内部，任余干县第六区区长。同年发动“九一五”暴动，率领400余人的队伍进入赣东北苏区，历任横峰县县长、县委书记，赣东北省委宣传部长，《红军日报》主编兼画室主任。1935 年 1 月，为营救方志敏在安徽屯溪与国民党军队作战中牺牲。他创作的巨幅水墨人物画《难民行》，描绘了难民流离失所，无家可归的悲惨景象。1979 年 12 月 4 日其女彭千娜捐赠。

**138．韦拔群在右江地区坚持斗争时用的鼎锅**

1930～1932年
高19.9、口径20.5厘米
铁质，残破

韦拔群（1893～1932年），壮族，广西东兰人。广西早期农民运动的领导者。1926年加入中国共产党。1929年12月参加领导百色起义，是右江苏维埃政府、红七军的领导者之一。1930年10月，红七军主力奉命开往江西以后，他领导少数部队留在右江地区坚持斗争，任右江独立师师长。他与战士们一起住山洞，钻山沟，在艰苦的环境中，与敌人进行顽强斗争。1932年10月在东兰牺牲。这个鼎锅是韦拔群在右江坚持斗争时煮饭用的。1959年7月收藏。

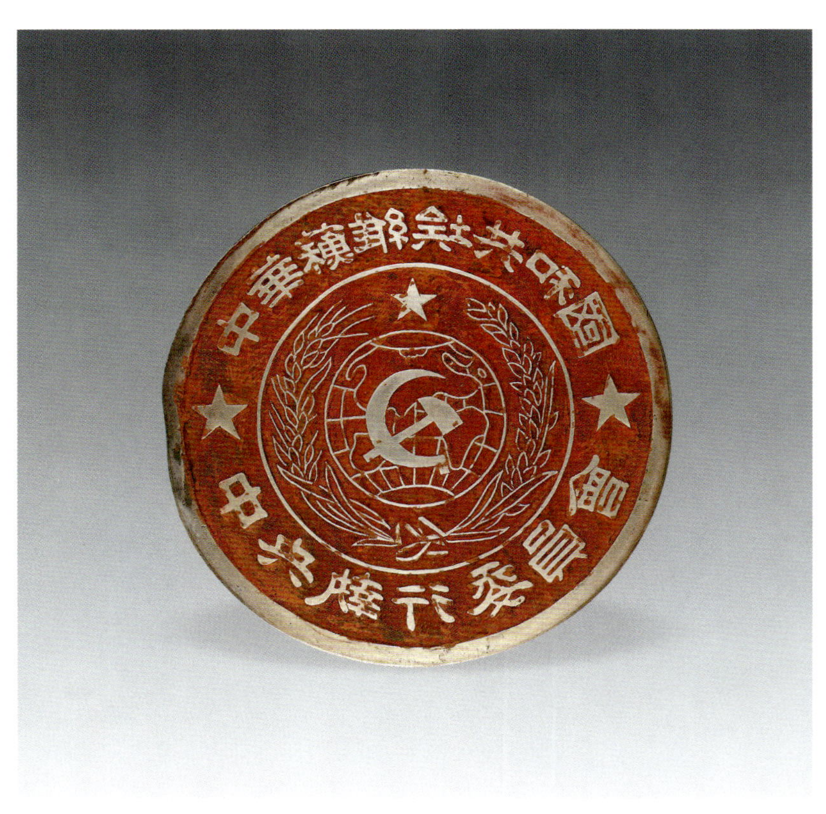

**139．中华苏维埃共和国中央执行委员会印章**

1931年
直径10.8厘米
银质，圆形。印面錾阳文隶书，有地球、镰刀、斧头等图案。边缘稍变形

1931年11月27日，中华苏维埃共和国中央执行委员会第一次会议选举毛泽东任主席，项英、张国焘为副主席，宣告中华苏维埃共和国临时中央政府正式成立。这枚印章由此开始启用。长征时，由于轻装的需要，锯掉了印章的木柄。西安事变后，国共第二次合作实现，1937年7月8日，中共中央郑重声明：取消苏维埃政府，改称特区政府。印章交由林伯渠任主席的陕甘宁边区政府保管。1947年，中共中央撤离延安前，要求轻装，林伯渠烧掉多年的日记，却留下这枚印章。他说“革命的印把子，是永远不能丢掉的”。1959年9月林伯渠捐赠。

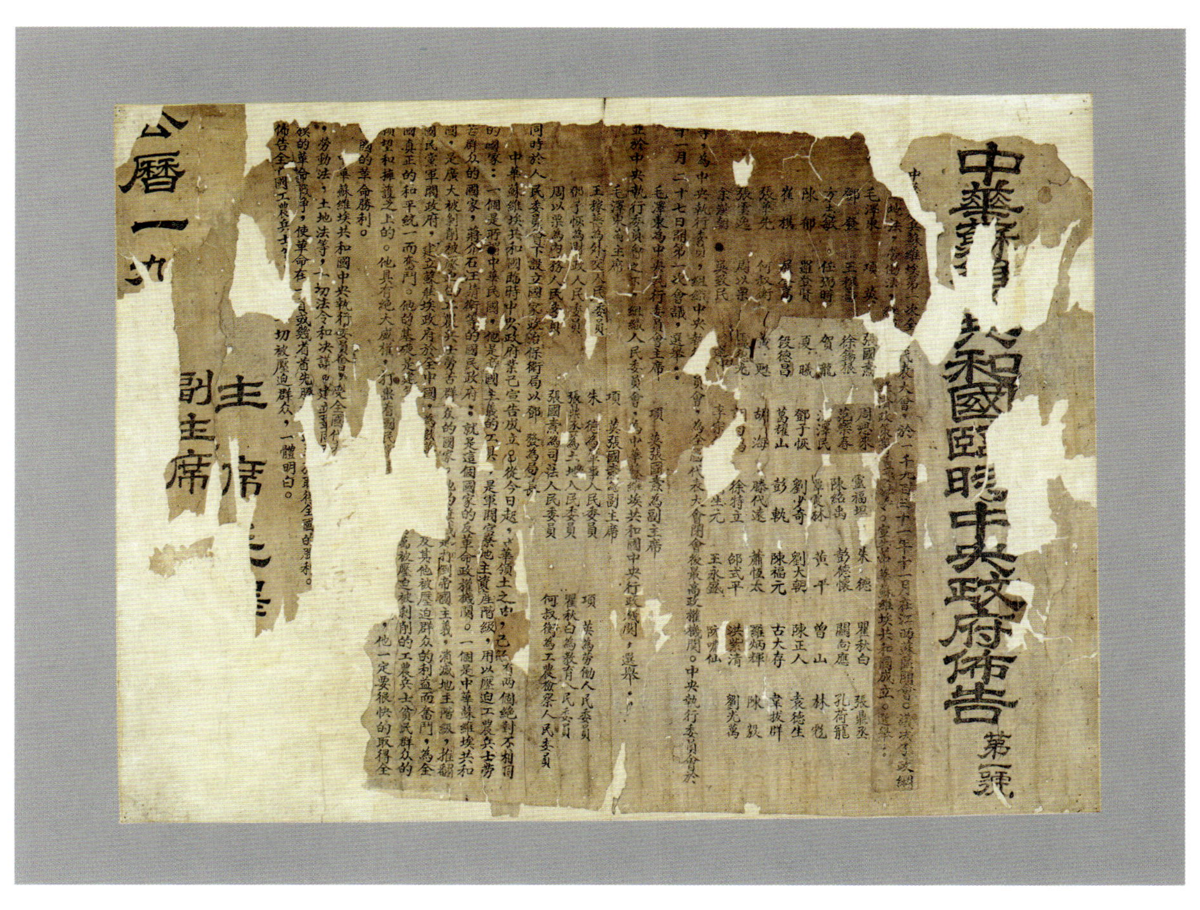

中華…和國臨時中央政府佈告

第…號

140．中华苏维埃共和国临时中央政府布告（第一号）

1931 年 12 月

纵 52.6、横 73.8 厘米

纸质、石印。严重残缺

1931 年 11 月 7 日至 20 日，中华苏维埃共和国第一次全国代表大会在江西瑞金叶坪召开。各苏区和白区的代表共 610 人出席了大会。大会宣告中华苏维埃共和国临时中央政府正式成立，建都瑞金。12 月 1 日，中华苏维埃共和国临时中央政府发布第一号布告，公布了毛泽东等63人为中央执行委员会委员的名单和中央执行委员会第一次会议的内容，阐述了临时中央政府的性质和中央执行委员会的任务。1951 年福建省文化古物保管委员会拨交。

141．赣东北“赤色邮政”花卉图邮票

1931 年

纵 2.6、横 4.5 厘米

毛边纸，石印，红色，无齿孔。主图为嘉禾，俗称“花卉”。上部弧形框内右书“赤色邮政”4 字。上边中间为五角星，星内有镰刀、斧头图案，上边两角圆圈内有面值“贰分”2 字。下边两角圆圈内有“邮票”2 字。该票为二横联，已托裱

随着红色政权的建立和发展，各革命根据地为适应战争环境的需要，建立赤色邮政，发行邮票。苏区邮政是中国人民邮政的开端。 1931 年 11 月 7 日，赣东北省苏维埃政府成立后，赣东北赤色邮政总局改名为赣东北省赤色邮政总局，并发行赣东北“赤色邮政”邮票。图为赣东北苏区发行的第二套邮票，面值贰分（银元）。现存十分稀少。1966 年 2 月收藏。

**142．兴国县高兴区苏维埃政府设置的控告箱**

1931～1934年

长16、宽18、高18.5厘米

木质，箱的正面、上面和两侧都有毛笔书写的控告办法，有“人民向控告局控告，可用控告书投入控告箱内或用邮件都可，不识字的可以到控告局口头控告，有电话的地方也可用电话报告控告局”等字

工农检察人民委员部是中华苏维埃共和国临时中央政府的一个部，并在中央苏区各县、区均设立工农检察部、处。工农检察部下设控告局。此控告箱是兴国县高兴区苏维埃政府工农检察部控告局为方便群众检举揭发和监督政府机关工作而设立的，体现了人民政权对民主与法制工作的高度重视。1959年6月江西兴国县文教局拨交。

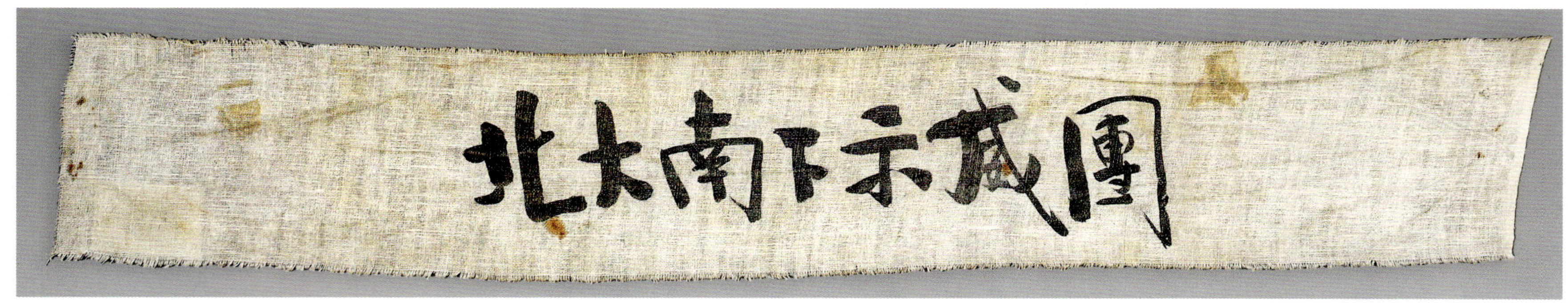


**143．北京大学南下示威团袖章**

1931年

纵7.2、横45厘米

布质，毛笔写。背面左上角有（8）字

1931年九一八事变后，全国各界人士纷纷以游行、集会、请愿、函电等方式，要求国民党政府停止内战，一致对外。青年学生更是一马当先。11月底，国民党政府向国联提议将锦州划为“中立区”交由国际共管，愤怒的学生掀起到南京示威的高潮。12月1日，由230多名学生组成的“北京大学全体同学南下示威团”成立，发表《告民众书》和《南下示威宣言》，号召全国青年和学生“立即组织起来，向南京示威去”。示威团出发前，分发此袖章。袖章原存国民党警察局档案，1959年3月北京市公安局档案科拨交。

**144．金贞吉在狱中钩织的被单**

1931～1932年

纵177、横225.5厘米

棉线钩织，有破洞。钩有27个字，内容为："延吉县第四监狱金贞吉 呻吟苦痛之结品青女子解放世界的高唱"

金贞吉（1910～1933年），朝鲜族。1930年加入中国共产党。同年12月，为抗议日本侵略者在朝鲜侮辱女学生的"光州学生事件"，率妇女群众到吉林延吉日本领事馆前示威游行。次日被捕，关在延吉县第四监狱。面对敌人的毒刑拷打，始终英勇不屈。她托人买来钩针和白线，钩织此被单，以向后人表明，一个被囚禁的女共产党员解放全人类的胸怀。1932年3月获释。1933年冬，在与日军战斗中英勇牺牲。1959年收藏。

**145.《电通》画报**

1935年5月16日～1935年11月16日。
纵37.7、横26.4厘米
纸质，铅印。电通股份有限公司业务处发行

电通画报社编。1935年5月16日在上海创刊，1935年11月16日停刊。半月刊。共出版13期。主要介绍中国电影界的动态。

**146．天津市邮政职工制作的纪念邮品**

1932年9月18日
纵11.9、横17.2厘米
纸质，上部加盖四个"御侮救国、誓复失地"印戳，从左至右每个印戳下，分别贴有廖仲恺、黄兴、宋教仁、朱执信头像邮票各一枚，并销盖天津邮政管理局"32、9、18（17）天津A"邮戳

九一八事变后，由于蒋介石的不抵抗政策，不到半年，东北三省全部沦陷。全国的工人、农民、青年学生等各界爱国人士纷纷游行示威、罢课、罢工，发表通电，强烈要求政府停止内战，一致对外，出兵抗日。1932年9月，中华邮政总局通令所属各局，一律使用"御侮救国、誓复失地"字样的宣传戳。为此天津邮政职工在九一八事变一周年时特地制作了此种纪念邮品。1950年1月张和生捐赠。

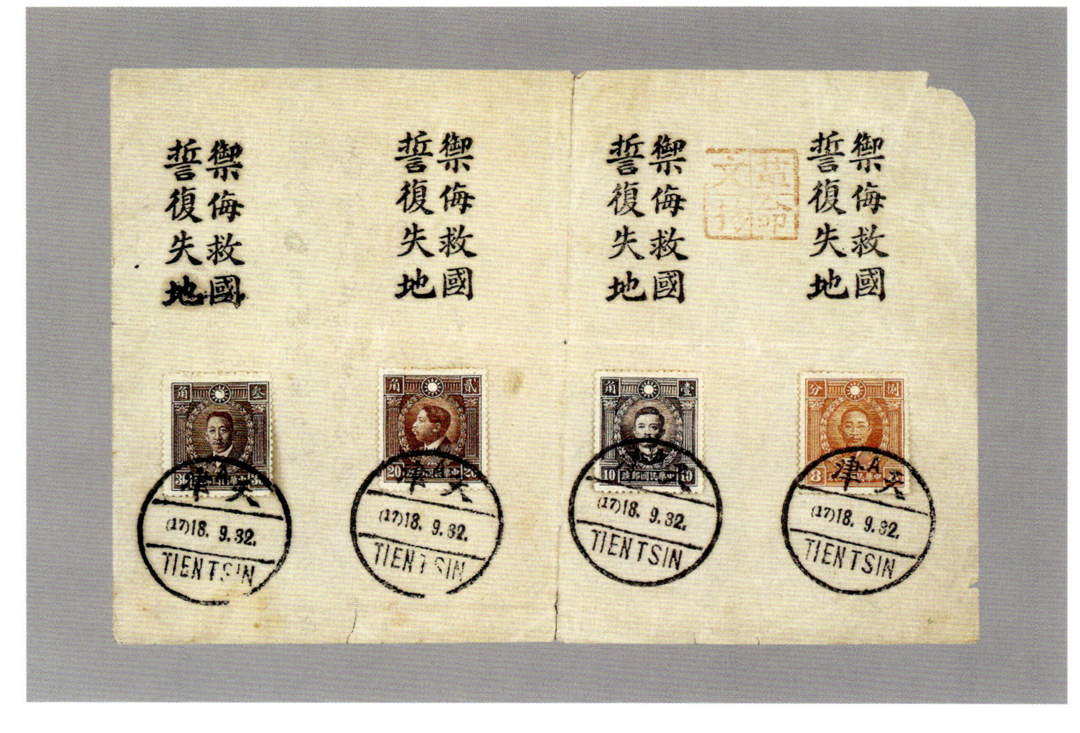

**147．何香凝为救济国难义卖绘的《竹菊图》**

1931年
纵95、横22厘米
纸质

何香凝（1879～1972年），广东南海人。著名国民党革命派、现代画家，廖仲恺夫人。曾任国民党中央执行委员和妇女部部长。大革命失败后，辞职出国。九一八事变时，正在欧洲为创办“仲恺农工学校”筹集经费，为挽救国家危亡，毅然从海外归来，发表声明，反对蒋介石不抵抗政策；并于1931年年底联合友人在上海筹办“救济国难书画展览会”，将收藏的时贤墨宝以及她个人历年所作画件悉数变价出售，以所售得之款为反日救伤工作费用，表达了她强烈的爱国热忱。此画是何香凝为“救济国难书画展览会”义卖所作，为柳亚子所得，1963年其女柳无非、柳无垢捐赠。

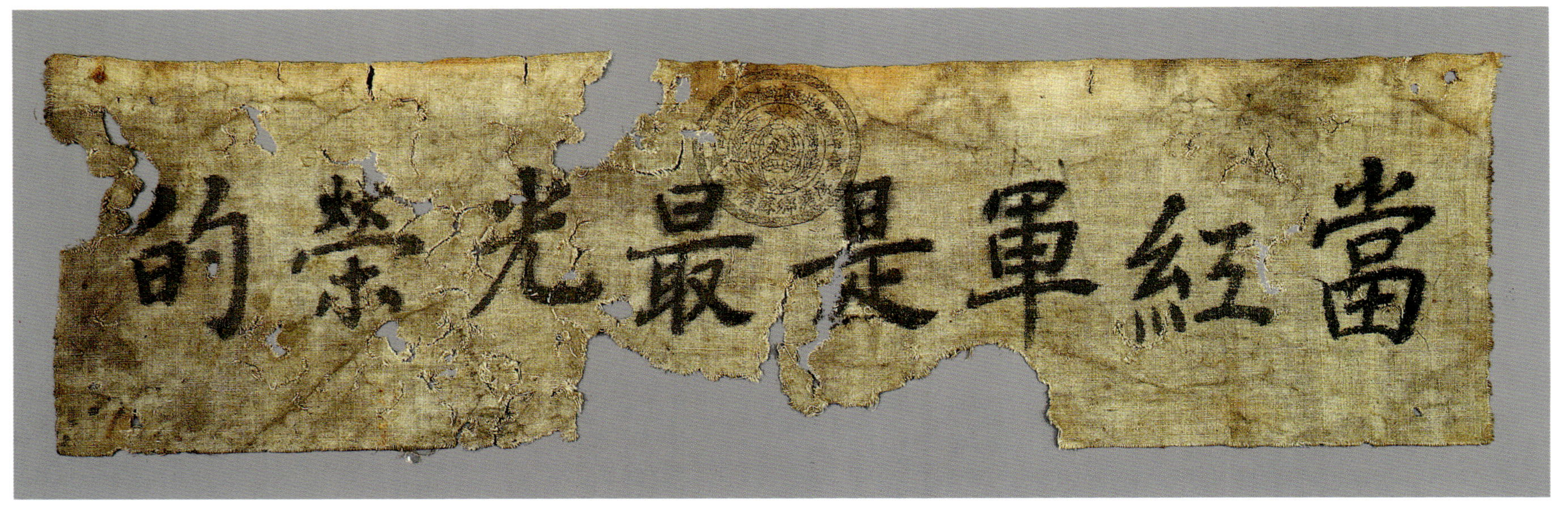


**148．“当红军是最光荣的”横幅**

1933年5月
纵17.5、横62厘米
布质，毛笔写。褪色，残缺。上部中间盖有圆形“厚塘乡苏维埃”印

1933年3月，红军取得第四次反“围剿”胜利后，中华苏维埃共和国临时中央政府提出：“以红五月为扩大红军月，要扩大红军一万人。”江西兴国县在红五月“扩红”运动中，5000多名子弟加入红军，受到党和政府的表彰。兴国县苏维埃政府对红军家属除按条例优待外，还向送夫当红军的妇女赠送光荣奖章，并在每家的大门上悬挂“当红军是最光荣的”红布横幅，这是兴国县高兴区厚塘乡苏维埃政府赠给红军家属的横幅。1961年5月江西兴国县文教局拨交。

**149．史艾生给红军送盐用的竹篓**

1932～1935年
高49、长36、宽36厘米。
竹质，残破

在井冈山斗争的艰苦岁月中，由于国民党军的反复“进剿”和经济封锁，食盐等物资极为缺乏。井冈山地区的群众千方百计地帮助红军解决困难。1932至1935年间，湖南攸县农民史艾生（化名史纪明）冒着生命危险先后13次（每次二三十斤）为红军送盐，受到红军嘉奖。新中国成立后，他将竹篓捐献国家。1959年8月中国人民革命军事博物馆拨交。

**150．中央军委颁发的一等红星奖章（第13号）**

1933年8月1日

对角线5厘米

金质，形状为两枚五角星交错而成的星花，象征革命的星星之火。中间图案为五星和禾穗，象征着工农红军是党领导下的工农子弟兵与全心全意为工农解放而服务的宗旨，并标有“红星章”三字。章背面竖书有“中央革命军事委员会一等红星奖章　一九三三　八　一”，底部横书“第13号”。缺一角和挂链，已变形

红星奖章分为一、二、三等，颁发给在革命战争中有特殊功绩的红军指战员。1933年7月9日，中央革命军事委员会发布命令：第一等应授予“领导全部或一部革命战争之进展而有特殊功绩的”；第二等应授予“在某一战役中曾经转移战局而获得伟大胜利的”；第三等应授予“经常表现英勇坚决的”。红星奖章曾在1933年和1934年的“八一”建军节颁发过两次，数量较少。1964年3月中国人民革命军事博物馆拨交。

**151．中央军委授予王诤的二等红星奖章（第37号）**

1934年1月（1933年8月1日制作）

对角线4厘米

银质、镀金，形状、图案与一等红星奖章相同

王诤（1908～1978年），中国人民解放军无线电通讯事业的创建人之一。历任中国工农红军总司令部电台大队长，无线电总队总队长等职。在中央苏区第二次反“围剿”中，他用仅有的一部电台，对敌台进行监听、破译，获得珍贵情报，他还为红军第三、第四次反“围剿”的胜利，提供了可靠的情报保障。鉴于王诤的突出贡献，1934年1月，周恩来在中华苏维埃第二次代表大会上，代表中央军委将这枚二等红星奖章授予王诤。1971年解放军通讯部拨交。

**152．中央军委颁发的三等红星奖章（第23号）**

1933年8月1日

对角线4厘米

银质，五角形，中间图案与一、二等红星奖章相同

这枚三等红星奖章是红三军团团长吴桂桥烈士的遗物，由该团政委甘渭汉收藏并于1952年11月捐赠。

**153．少共国际师袖章**

1933～1935 年
宽 19.5、周长 43 厘米
布质，褪色，字迹不清

为了准备第五次反“围剿”，红一方面军在党的“一切为了前线”号召下，决定成立“少共国际师”。1933 年下半年，在不到三个月的时间里，有七个少先队模范团加入少共国际师，由一万多 15 岁至 24 岁青少年组成，团员占 70% 以上。是年 8 月 5 日，“少共国际师”在宁都成立，9 月 3 日开赴前线，在反“围剿”战争和长征中表现英勇、顽强。遵义会议后编入红一军团。图为当年“少共国际师”成员佩戴的袖章。1952 年 6 月内务部拨交。

**154．川陕省苏维埃政府发行的马克思像邮票**

1934 年
纵 6.4、横 7.9 厘米
纸质，石印。绿色，无齿孔。六连张。主图为马克思像，上面两角有“邮”、“票”两字，围绕头像上方有“川陕省苏维埃政府”文字，下边中间有时间“1934”，下方两角均为面值“3”，无单位名称，经考证，面值单位应为“分”

1933 年 2 月，川陕省苏维埃政府成立后，非常重视邮电事业。建立赤色邮局，发行苏区邮票并刻制专用邮戳。同时，对党政军和红军战士的邮件实行免费。开办有平信、挂号信、急件、包裹等项业务。现存非常稀少。1966 年 3 月收藏。

**155．红四方面军第三十军政治部石刻标语门框**

1934年

通高219.3、宽173.2、厚37.5厘米

石质，行楷阴刻。庄园大门上方石框上刻有“红卅军政治部”单位名称，两侧石框的正面刻有“斧头劈开新世界，镰刀割断旧乾坤”对联，其内侧刻有“平分土地、阶级斗争”标语

1932年底，红四方面军主力从鄂豫皖革命根据地转战到川陕边，开创了川陕边根据地，组织了以石匠为主的宣传队，凿刻了大量的石刻宣传品。图为1934年红四方面军第三十军政治部驻扎在四川省达县梓桐乡一所地主庄园时，在驻地的石门框上凿刻的标语。红军北上抗日转移后，该户地主想铲除对联，又怕损伤朝门会破了风水，于是在表面涂盖一层石灰。四川解放后，得以恢复原貌。1959年7月四川省达县文教科拨交。

**156．中华苏维埃共和国国家银行银币券石印版**

1934年

横30.7、纵38.5、厚8厘米

石质，正面图案为列宁像，背面图案标有发行时间“1934”

1932年2月1日，中华苏维埃共和国国家银行成立，毛泽民任行长，李六如任副行长、代行长，行址在江西瑞金。为统一中央苏区的货币，该行于1932年7月开始发行银币券，票面额有伍分、壹角、贰角、伍角、壹元五种。1934年10月红军长征后，停止发行，但在1935年1月红军长征到遵义后，又发行了一部分银币券。该石印版为1934年发行的壹元银币券印版。1953年3月中共中央华南分局宣传部拨交。

**157．闽南游击队通讯员用的雨伞**

1934～1937年
长93厘米
布、铁质。黑色，破旧

1934年中国工农红军主力长征后，留下少数部队在南方八省坚持艰苦卓绝的三年游击战争。由于敌人的围追堵截和经济封锁，红军游击队缺粮少药，过着“野营无帐篷，大树遮身待天明”的艰苦生活。这把雨伞是闽粤边游击区中共南靖、平和、漳浦县委书记吴忠坚的通讯员蔡火使用的。为了传送情报，他经常带着这把伞，风餐露宿，往来于三地之间，度过了漫长的三年游击战争岁月。1959年6月福建省博物馆拨交。

**158．林伯渠长征时用的马灯**

1934～1935年
高24厘米
铁、玻璃质。灯座上有“赛马牌”和英文“中国制造”等字及飞马图案

林伯渠（1886～1960年），名祖涵，湖南临澧人。早年参加同盟会，1921年加入中国共产党。曾任中央工农民主政府财政部长等职。1934年10月，林伯渠以近50岁的高龄随红一方面军参加二万五千里长征，并担任征集没收委员会主任、总供给部长等职。这盏马灯是林伯渠长征途中用的。1961年2月林伯渠夫人朱明捐赠。

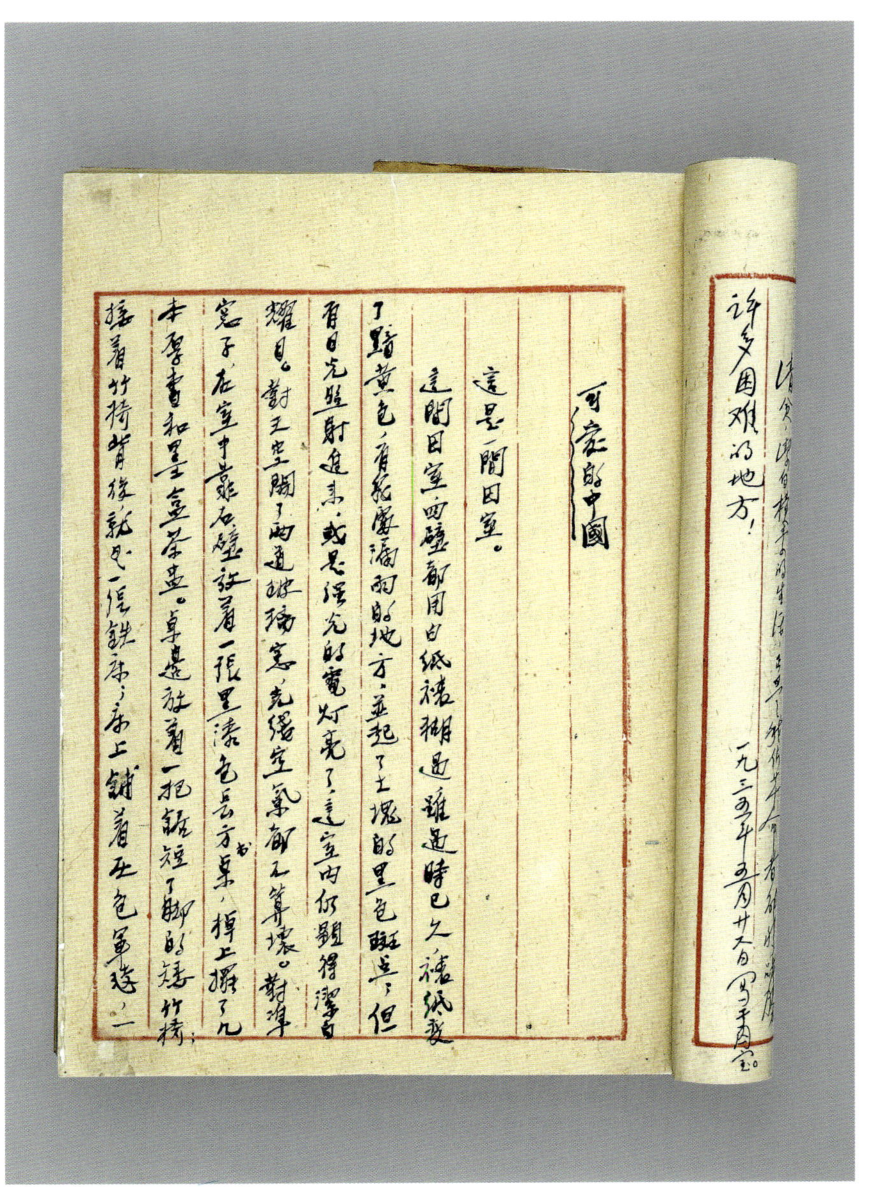

可爱的中国

这是一间囚室。

这间囚室，四壁都用白纸裱糊过，虽过时已久，裱纸变了一些黄色，有几处漏雨的地方，并起了大块的黑色斑点，但有日光照射进来，或是强光的电灯亮了，这室内仍显得洁白耀目。对天空开了两道玻璃窗，光线空气都不算坏。对准窗子，在室中靠右壁放着一张黑漆色长方书桌，桌上摆了几本书和墨盒茶盅。桌边放着一把锯短了脚的矮竹椅；挨着竹椅背后就是一张铁床，床上铺着灰色军毯，一

……

许多困难的地方！

一九三五年五月廿六日写于囚室。

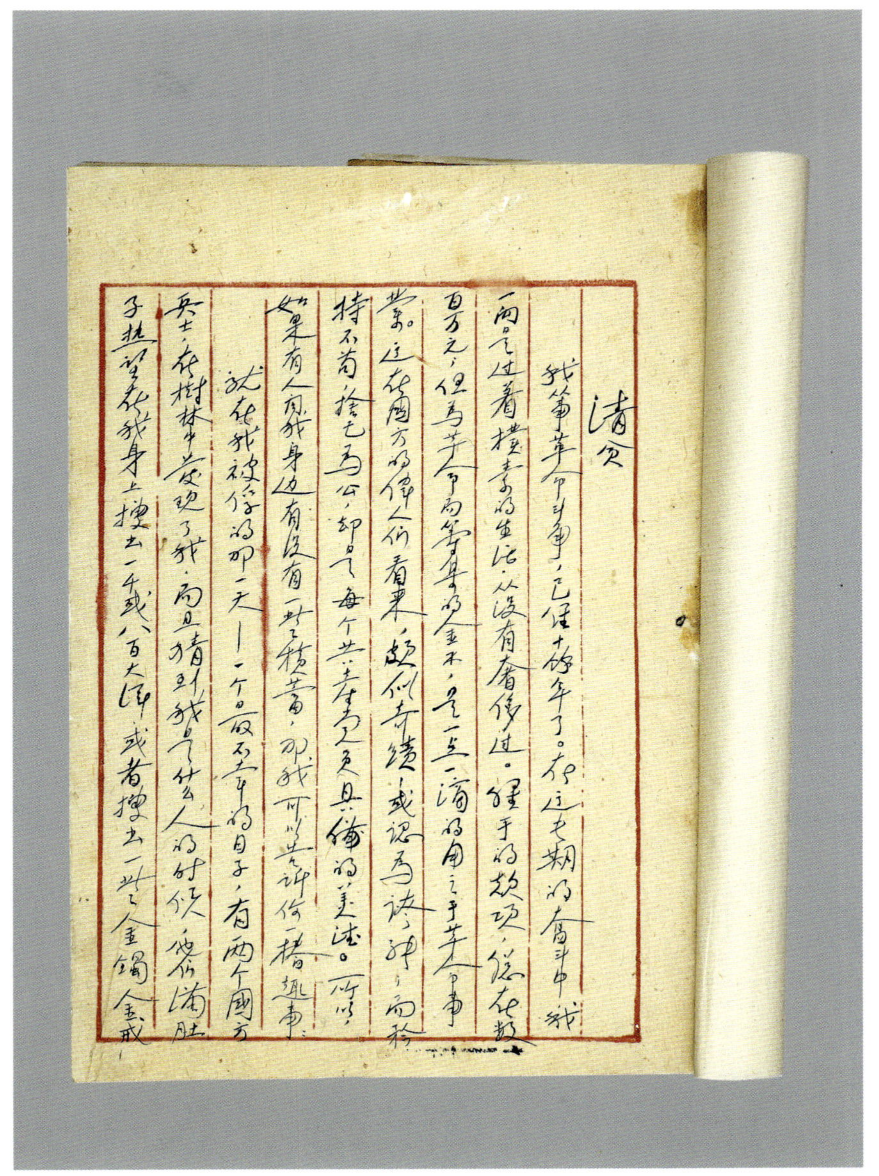

清贫

我从事革命斗争，已经十余年了。在这长期的奋斗中，我一向是过着朴素的生活，从没有奢侈过。经手的款项，总在数百万元；但为革命而筹集的金钱，是一点一滴地用之于革命事业。这在国方的伟人们看来，好像是奇迹，或认为是夸张；而矜持不苟，舍己为公，却是每个共产党员具备的美德。所以，如果有人问我身边有没有一些积蓄，那我可以告诉你们一桩趣事：就在我被俘的那一天——一个最不幸的日子，有两个国方兵士，在树林中发现了我，而且猜到我是什么人的时候，他们满肚子热望在我身上搜出一千或八百大洋，或者搜出一些金镯金戒

**159．方志敏烈士著《清贫》及《可爱的中国》手稿**

1935 年

纵 27、横 21 厘米

纸质、钢笔、毛笔写

方志敏（1900～1935 年），江西弋阳人，赣东北革命根据地和红十军创建人。1934 年 11 月，奉命率红军抗日先遣队北上，次年 1 月，在江西德兴县陇首村作战时被捕。8 月 6 日，在南昌就义。他在狱中坚贞不屈，写下了 10 多万字的文稿和书信。《清贫》和《可爱的中国》就是其中的两篇，表达了他忠于革命、热爱祖国和人民的赤子之心和共产党人廉洁清贫的高尚道德情操。就义前，他托被扣入狱的原国民党江西省高等法院院长胡逸民将手稿转交鲁迅。1936 年 11 月胡逸民在上海将手稿转交救国会负责人章乃器夫人胡子婴，后辗转交谢澹如保存至上海解放，并交给中共中央。1953 年 11 月中共中央办公厅拨交。

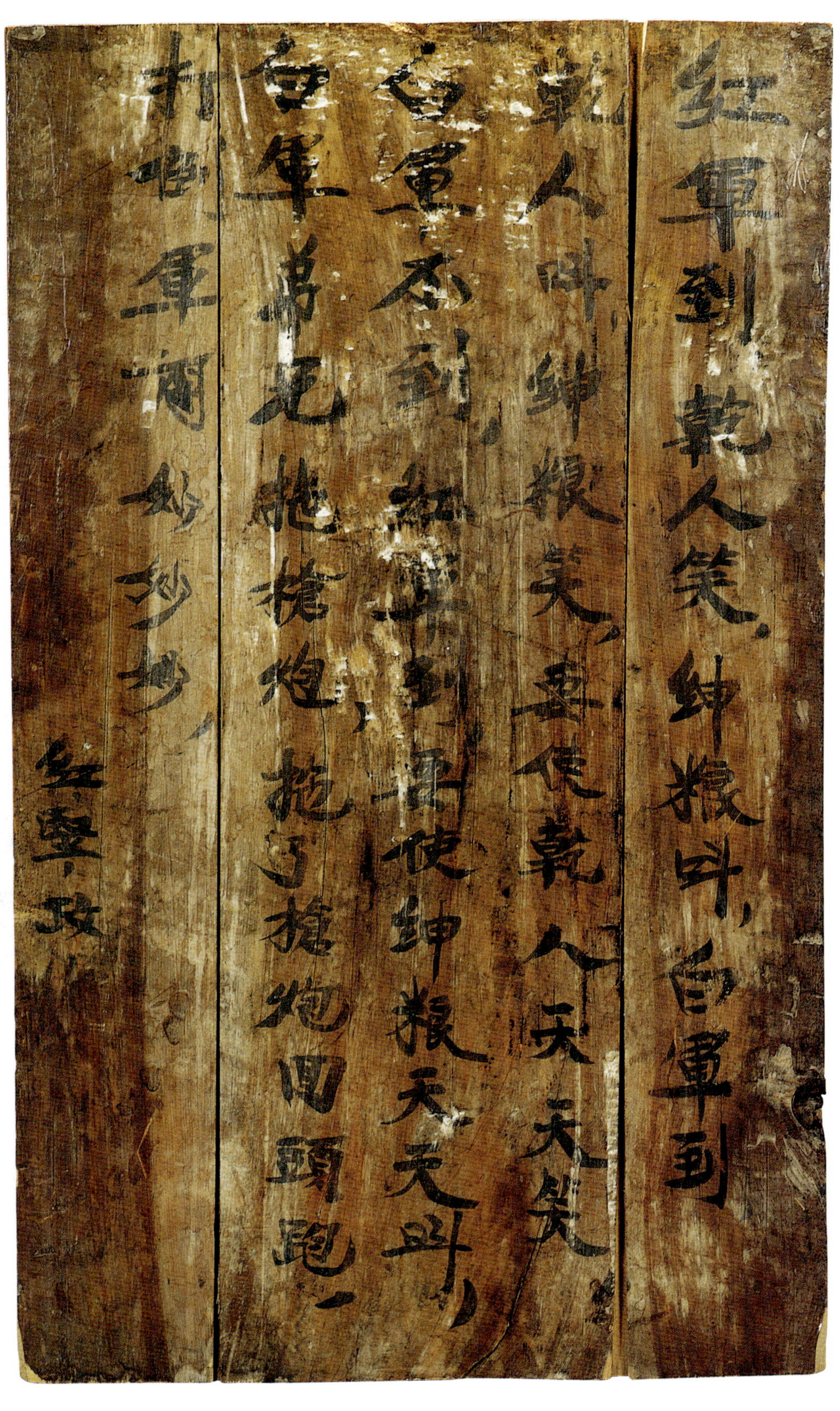


**160．红一方面军在长征中写的木板标语**

1935 年 3 月

纵 78.1、横 45 厘米

木质，毛笔写："红军到，乾人笑，绅粮叫，白军到，乾人叫，绅粮笑，要使乾人天天笑，白军不到，红军到；要使绅粮天天叫，白军弟兄拖枪炮，拖了枪炮回头跑，打倒军阀妙妙妙。"

红军在长征途中，广泛展开了对群众的宣传鼓动工作。这是红一方面军红一军团政治部（代号"坚"）在贵州仁怀县（今茅台县）长岗山乡大园子村一家的木板壁上写的标语。它以通俗易懂、寓意深刻的歌谣，表达出群众对红军、白军的爱憎态度。乾人为四川土话，即穷人，绅粮即富人。1959 年 4 月遵义会议纪念馆拨交。

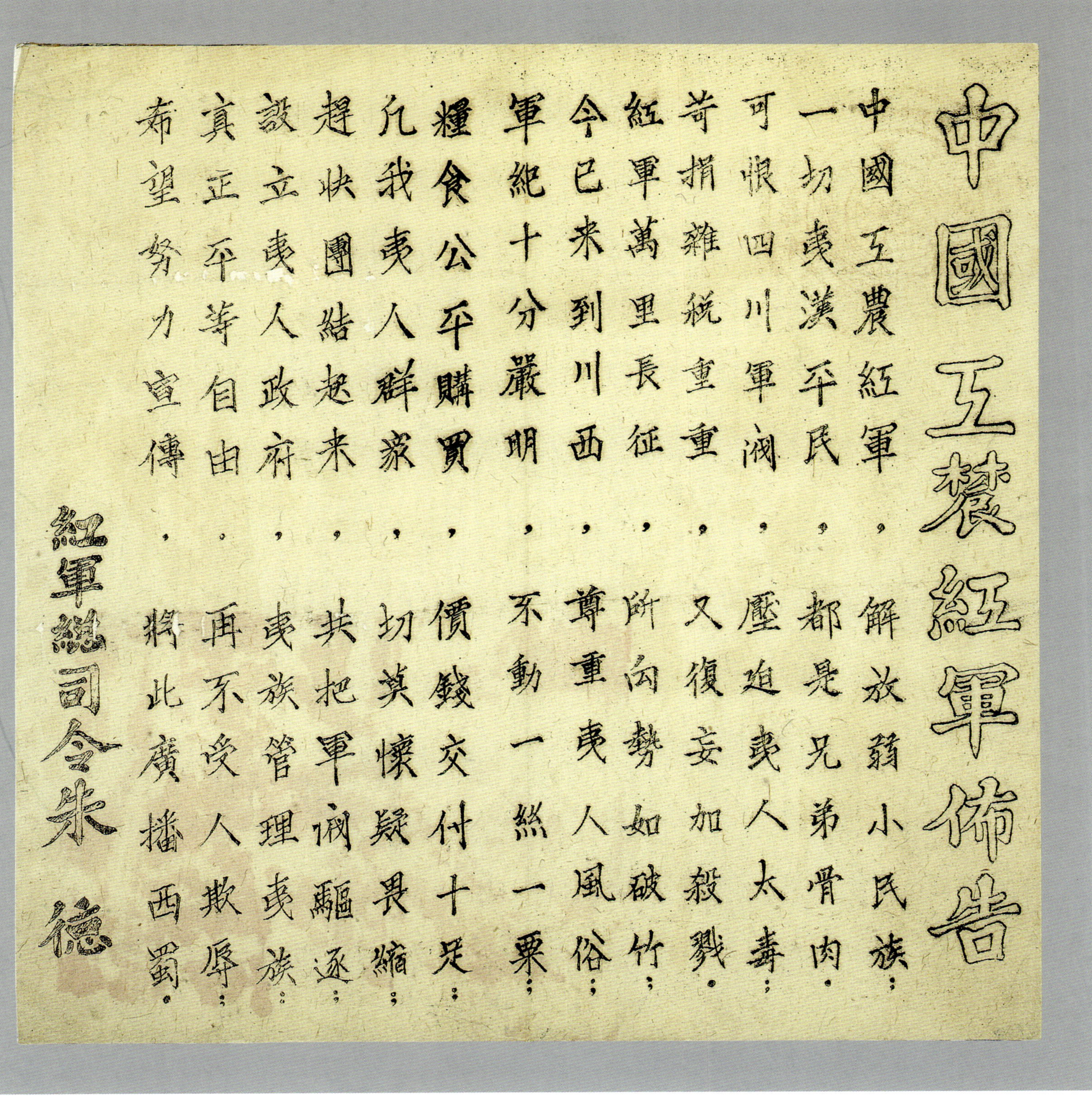

# 中國工農紅軍佈告

中國工農紅軍，解放弱小民族；
一切夷漢平民，都是兄弟骨肉。
可恨四川軍閥，壓迫夷人太毒；
苛捐雜稅重重，又復妄加殺戮。
紅軍萬里長征，所向勢如破竹；
今已来到川西，尊重夷人風俗；
軍紀十分嚴明，不動一絲一粟；
糧食公平購買，價錢交付十足；
凡我夷人群衆，切莫懷疑畏縮；
趕快團結起来，共把軍閥驅逐；
設立夷人政府，夷族管理夷族；
真正平等自由。再不受人欺辱；
希望努力宣傳，將此廣播西蜀。

紅軍總司令朱德

**161．中央红军宣传民族政策的布告**

1935年5月22日
纵36.5、横36厘米
纸质，油印

四川凉山是彝族聚居的地区，由于历史上汉族统治者的长期奴役和压迫，彝、汉两族隔阂和误解很深。长征中以刘伯承为首的中央红军先遣队于1935年5月21日进入凉山彝族区，由于坚决执行党的民族政策，纪律严明，取得了彝族同胞特别是部落首领的信任。彝族沽鸡头人小叶丹与刘伯承饮血誓盟，结为友好，因而使红军顺利通过了彝族聚居区。由红军总司令朱德署名发布的布告，阐明了红军纪律，民族平等、民族自治及尊重少数民族风俗的政策。布告中的夷人、夷族即彝族。1951年西南军政委员会文教部拨交。

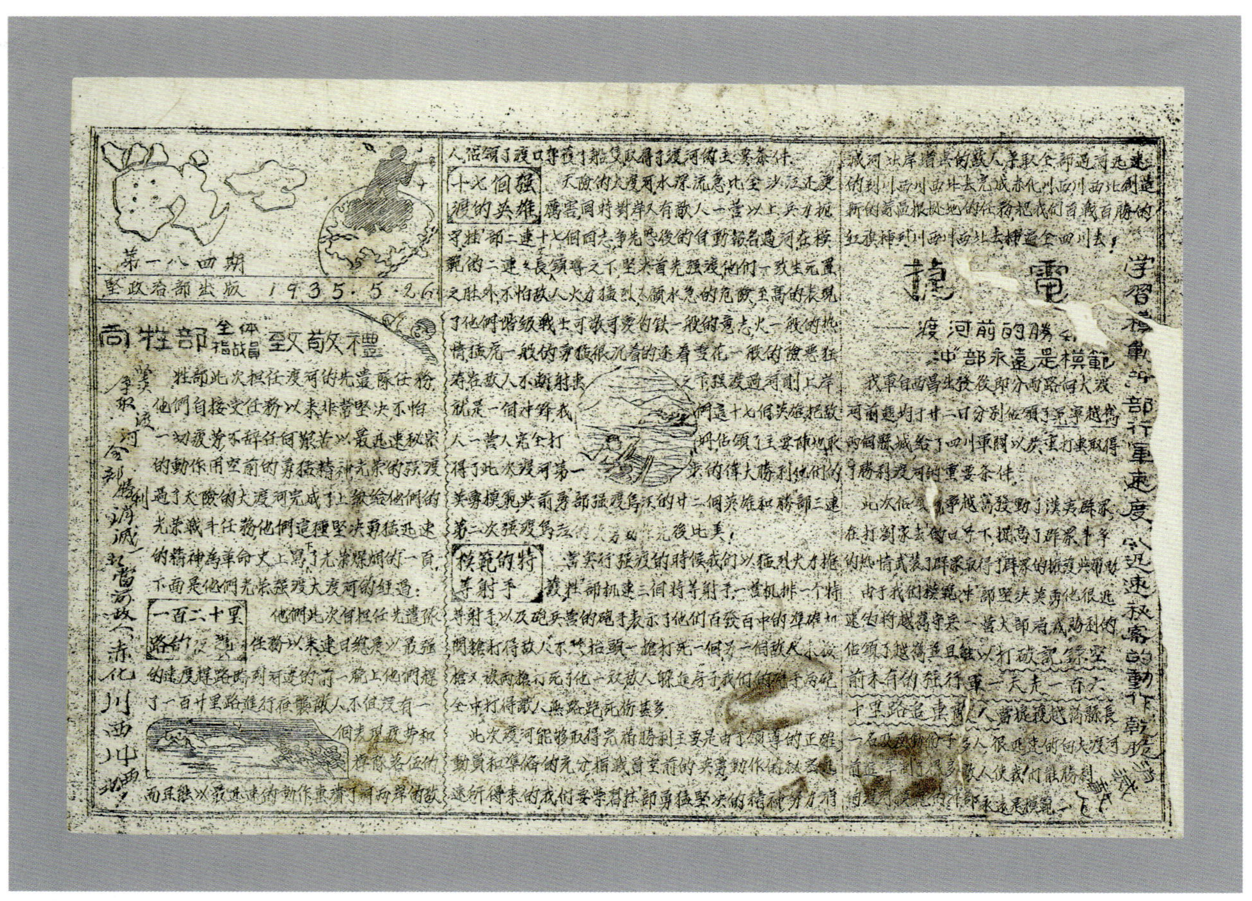

第一八四期

堅政治部出版 1935.5.26

向牲部全体指战员致敬礼

捷電

—渡河前的勝利—

冲部永遠是模範

**162. 红一军团（坚）政治部出版的《战士》报**

1935年5月26日

纵23、横32.5厘米

纸质，油印

大渡河是四川境内的一条峡谷河流，水深流急，地势险要。1935年5月，中央红军长征通过四川凉山彝族地区后，向大渡河挺进。为了粉碎敌人凭借天险消灭红军的企图，24日，红一军团一师一团在先遣队司令员刘伯承、政委聂荣臻率领下，占领了南岸渡口安顺场。25日，先头部队第一团第二连的十七名勇士在连长熊尚林的率领下，每人配带一把大刀、一支冲锋枪、一支手枪和五六枚手榴弹，用缴获的一条小船进行强渡，经顽强战斗，占领北岸渡口，击溃守敌一个营，为大部队渡河打开一条通道。这是战斗第二天红一军团（代号“坚”）政治部出版的《战士》报第184期，对此次战斗的经过作了详细报道。1951年7月军委文化部拨交。

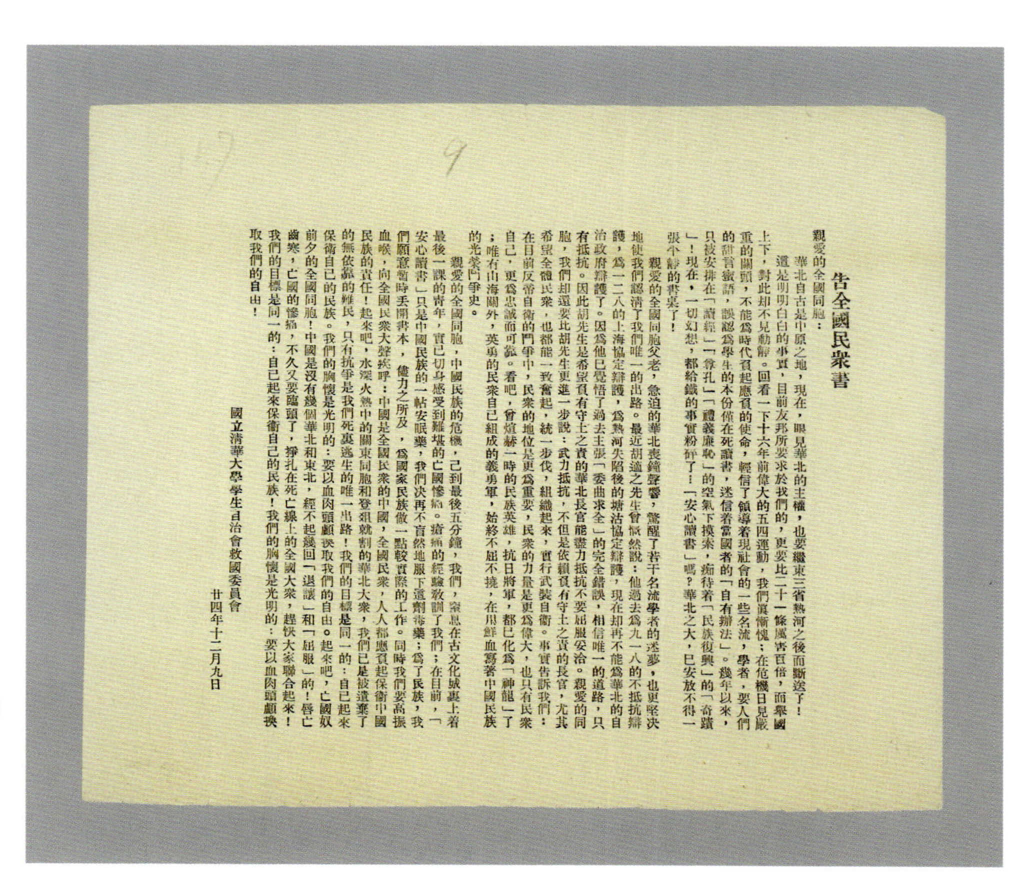

告全國民衆書

親愛的全國同胞：

華北自古是中原之地，現在，眼見華北的主權，也要繼東三省熱河之後而斷送了！這是明明白白的事實，目前友邦所要求於我們的，更要比二十一條厲害百倍，而舉國上下，對此却不見動靜。回看一下十六年前偉大的五四運動，我們眞慚愧：在危機日見嚴重的關頭，不能爲時代負起應負的使命，輕信了領導着現社會的一些名流，學者，要人們的甜言蜜語，誤認爲學生的本份僅在死讀書，迷信着當國者的「自有辦法」。幾年以來，只被安排在「讀經」「尊孔」「禮義廉恥」的空氣下摸索，痴待着「民族復興」的「奇蹟」！現在，一切幻想，都給鐵的事實粉碎了！「安心讀書」嗎？華北之大，已安放不得一張平靜的書桌了！

親愛的全國同胞父老，急迫的華北喪鐘聲響，驚醒了若干名流學者的迷夢，也更堅決地使我們認清了我們唯一的出路。最近胡適之先生曾慨然說：他過去爲九一八的不抵抗辯護，爲一二八的上海協定辯護，爲熱河失陷後的塘沽協定辯護，現在却再不能爲華北的自治政府辯護了。因爲他已覺悟了過去主張「委曲求全」的完全錯誤，相信唯一的道路，只有抵抗。因此胡先生是希望負有守土之責的華北長官能盡力抵抗不要屈服妥洽。親愛的同胞，我們却還要比胡先生更進一步說：武力抵抗，不但是依賴負有守土之責的長官，尤其希望全體民衆，也都能一致奮起，統一步伐，組織起來，實行武裝自衛。事實告訴我們：在目前反帝自衛的鬥爭中，民衆的地位是更爲重要，民衆的力量是更爲偉大，也只有民衆自己，更爲忠誠而可靠。看吧，曾煊赫一時的民族英雄，抗日將軍，都已化爲「神龍」了；唯有山海關外，英勇的民衆自己組成的義勇軍，始終不屈不撓，在用鮮血寫著中國民族的光榮鬥爭史。

親愛的全國同胞，中國民族的危機，已到最後五分鐘，我們，窒息在古文化城裏上着最後一課的青年，實已切身感受到難堪的亡國慘痛。痛楚的經驗教訓了我們；在目前，「安心讀書」只是中國民族的一帖安眠藥，我們決再不盲然地服下這劑毒藥；爲了民族，我們願意暫時丟開書本，儘力之所及，爲國家民族做一點較實際的工作。同時我們要高振血喉，向全國民衆大聲疾呼：中國是全國民衆的中國，全國民衆，人人都應負起保衛中國民族的責任！起來吧，水深火熱中的關東同胞和登俎就割的華北大衆，我們已是被遺棄了的無依靠的難民，只有抗爭是我們死裏逃生的唯一出路！我們的目標是同一的：自已起來保衛自已的民族。我們的胸懷是光明的：要以血肉頭顱換取我們的自由。起來吧，亡國奴前夕的全國同胞！中國是沒有幾個華北和東北，經不起幾回「退讓」和「屈服」的！唇亡齒寒，亡國的慘痛，不久又要臨頭了，掙扎在死亡線上的全國大衆，趕快大家聯合起來！我們的目標是同一的：自已起來保衛自已的民族！我們的胸懷是光明的：要以血肉頭顱換取我們的自由！

國立清華大學學生自治會救國委員會

廿四年十二月九日

**163. 清华大学学生自治会救国委员会《告全国民众书》**

1935年12月9日

纵26.5、横31.5厘米

纸质，铅印

1935年华北事变后，清华大学学生自治会救国委员会先后两次召开全体学生大会，对国是发表意见，并一致通过“通电全国反对一切伪组织、伪自治”的决议。一二九运动爆发当天，清华大学学生自治会救国委员会又印发了《告全国民众书》，指出“华北之大，已经安放不得一张平静的书桌”，号召“挣扎在死亡线上的全国大众，赶快大家联合起来，要以血肉头颅换取我们的自由”！1959年3月北京市公安局档案科拨交。

## 164．张子意集红二方面军照片册

1935～1938 年

纵 28、横 24、厚 1 厘米

本册照片 61 幅

张子意（1904～1981 年），湖南醴陵人。曾任中共湘赣省委组织部长和宣传部长，湘赣军区政治部主任，红六军团政治部主任、中共湘鄂川黔省委副书记。1935 年参加长征，后任红二方面军政治部主任。本册照片收集了红二方面军到达陕北后，张子意与其他将领合影以及红二方面军官兵合影，党代会、运动会等珍贵历史照片。陕西古斋美术摄影社摄制。日光放大。1977 年 1 月张子意捐赠。

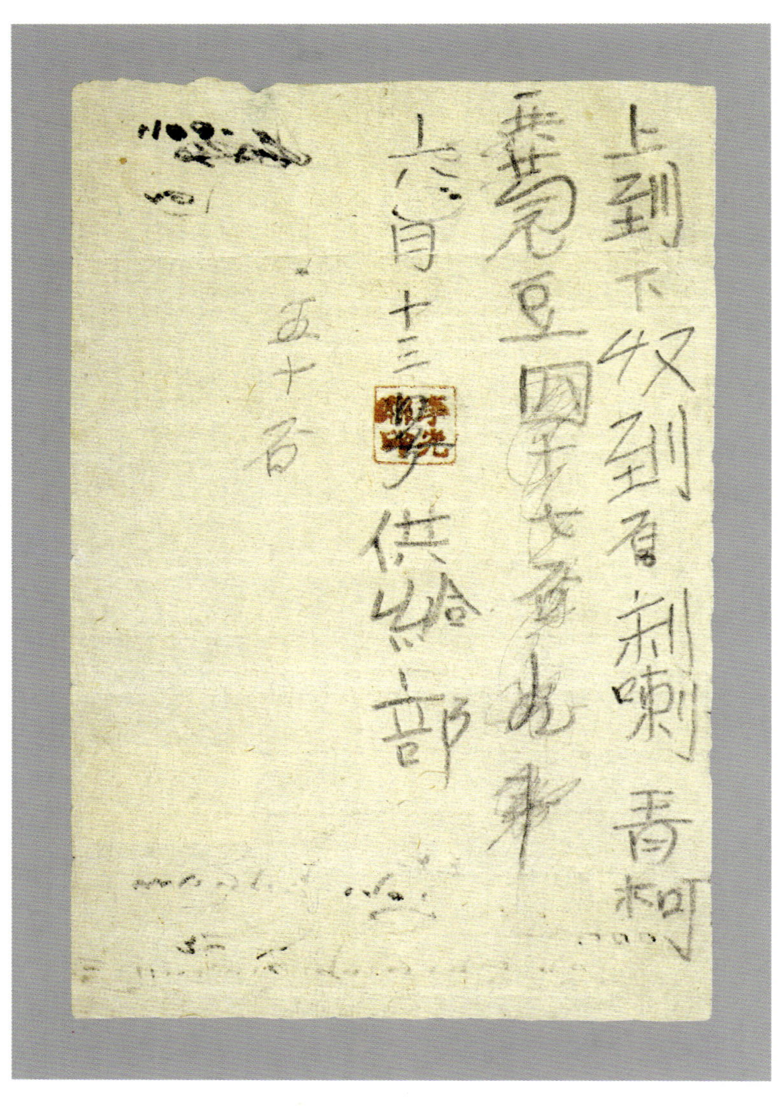

上到下收到[illegible]剌喇 青柯

蚕豆四[illegible]

六月十三 供给部

五十石

## 165．红军给白利寺喇嘛的收据

1936年6月13日
纵16.2、横10.7厘米
纸质，铅笔写

四川甘孜是藏族居住区，白利寺是爱国人士格达活佛所在的寺院。1936年4月上旬，红四方面军到达甘孜。6月初在此筹粮并准备与红二、六军团会合共同北上。由于红军坚决执行了党的民族政策和宗教政策，解除了藏胞的疑惧，赢得广大藏胞和宗教界人士的欢迎和拥护。藏族同胞纷纷支援粮食、糌粑、酥油茶。这是当年红军在收到支援物资时开给白利寺喇嘛的收据。1962年军委后勤学院拨交。

## 166．刘毅长征途中采的野菜

1936年7月
通高4.5厘米
草本

刘毅长征时任红四方面军第三十一军九十三师二七四团部干部。曾三次过草地。特别是第三次过草地时，粮食异常缺乏，有些战士因误食毒蘑、毒草中毒而死。经鉴别，草地上这种开黄花的小草，虽有毒，但食用无生命危险，所以红四方面军第三次过草地时，主要用它充饥。1936年7月，部队到达葛曲河畔，刘毅去采集黄花草时，特意留下一些放在小铁盒中保存。西安事变后，刘毅到陕西三原中学作宣传工作时，手捧这盒黄花草向师生们讲述了红军长征的艰苦历程，并让大家品尝，后留下这两株夹在日记本中珍藏。1975年10月刘毅捐赠。

**167.《北平笺谱》**

1933 年 9 月
纵 32.4、横 22.3 厘米
纸质，木板水印。1 函 6 集

鲁迅、郑振铎编辑。北平刊行。中国信笺图谱。刊印市上名笺，另增印有陈师曾、齐白石、吴待秋等画家的作品。共刊印 100 部，馆藏为第 55 部。

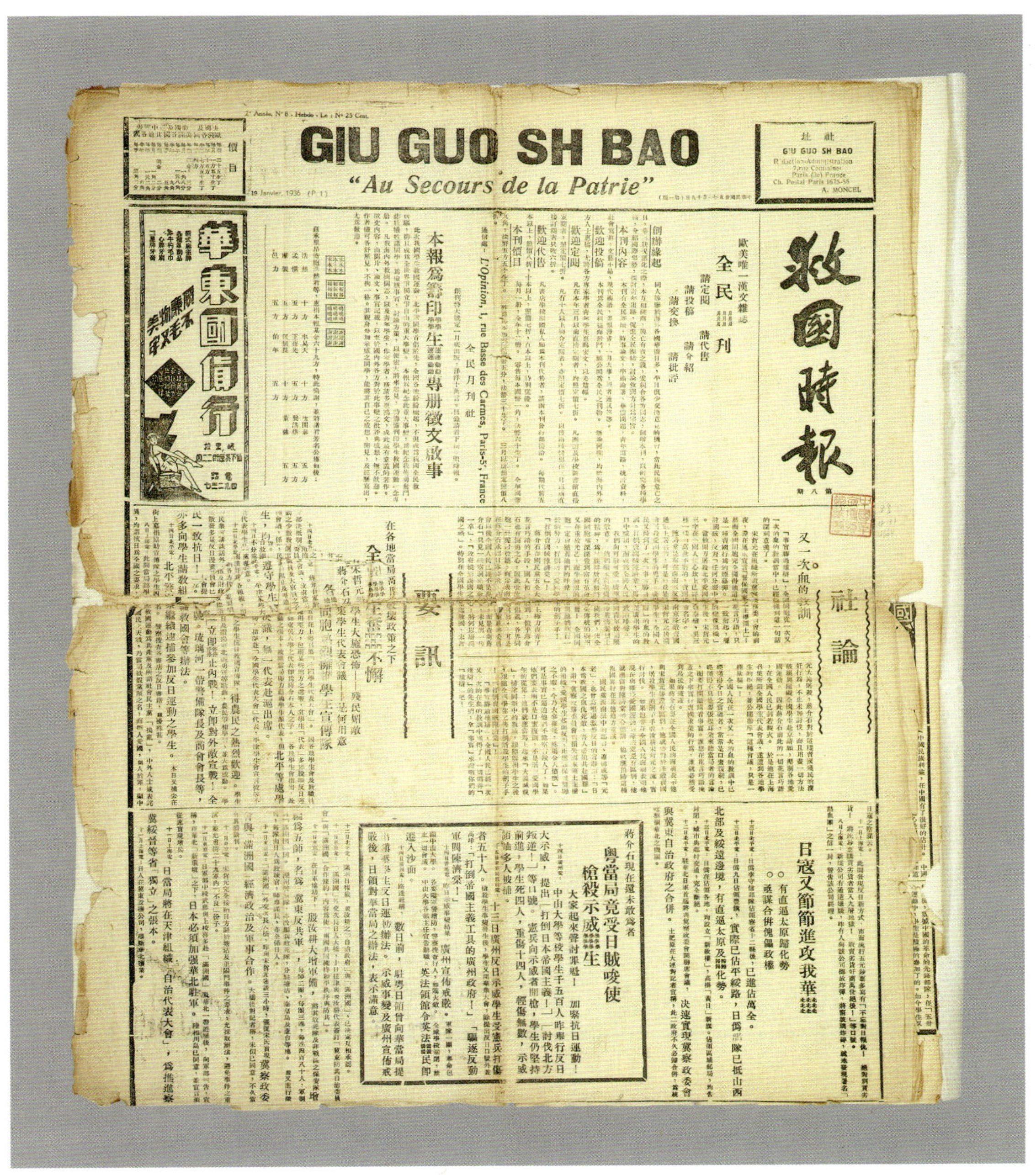

GIU GUO SH BAO
"Au Secours de la Patrie"

救國時報

本報為籌印生專册徵文啟事

全民月刊社

L'Opinion, 1, rue Basse des Carmes, Paris-5°, France

華東画信行

要訊

社論

日寇又節節進攻我華

與當局竟受日賊唆使槍殺示威學生

**168.《救国时报》**

1936 年 1 月 19 日～1938 年 2 月
纵 56.5 厘米、横 36 厘米
纸质，铅印。全民月刊社发行

中国共产党在法国巴黎宣传抗日民族统一战线的汉文报。吴玉章主编。吴玉章（1878～1966年），四川荣县人。中国无产阶级革命家、教育家。早年参加过中国同盟会和辛亥革命。1925 年加入中国共产党，1927 年参加南昌起义。1935 年 12 月 9 日，《救国时报》创办于巴黎。初为周刊，1936 年 1 月第 6 期改为 5 日刊。1938 年 2 月 10 日出版第 152 期后，宣告暂时终刊并迁美国。

### 169．斯诺在陕北采访用的摄影机

1936年
长22、宽5.5、高12.4厘米
金属、玻璃质

埃德加·斯诺（Edgar Parks Snow，1905～1972年），美国著名作家和新闻记者。1928年以记者身份来到中国。1936年6月由北平出发，经西安冒险进入陕北苏区，进行了四个多月的采访，会见了许多中共和红军领导人。后写成《红星照耀中国》（即《西行漫记》），第一个向西方报道了革命根据地的情况。斯诺在离开北平前向在燕京大学任教的詹姆斯·怀特借了这架16毫米的摄影机，首次摄下毛泽东、周恩来等中共和红军领导人的活动镜头，留下了珍贵的历史资料。1936年10月斯诺从苏区回北平，将此摄影机归还怀特，1940年怀特回美国休假时，又将该机还给姐姐D·E亚历山大夫人。1979年4月27日，D·E亚历山大夫人捐赠。

### 170．毛泽东在陕北戴过的红军八角帽

1936年
帽口周长57厘米
布质，灰色，褪色开线

1936年7月至10月，斯诺来到陕北革命根据地进行采访，他在陕西保安（今志丹县）为毛泽东摄影时，因毛泽东没戴帽子，就把自己戴的红军八角帽让毛泽东戴上，留下了一幅十分珍贵的照片。斯诺后将此八角帽带回美国珍藏。1975年9月，斯诺遗孀洛伊斯·惠勒·斯诺应邀访问中国，代表全家把这件珍贵的文物送交中国。同年10月，国家文物事业管理局转交。

**171．尼姆·威尔斯用罗炳辉赠的玛瑙佩珠镶的戒指**

1937年
托直径2、珠直径1.5厘米
银托嵌玛瑙珠，托两侧均刻有“天、地、人”

尼姆·威尔斯（Nym Wales），美国著名新闻记者、作家，斯诺前夫人。罗炳辉在长征途中任红一方面军第九军团军团长。红一、四方面军会师后，部队改编时罗炳辉任红军三十二军军长。1937年4月，罗炳辉将长征途中藏族喇嘛送给他的这颗玛瑙珠，送给到延安访问的美国友好人士尼姆·威尔斯女士。在她写的《续西行漫记》一书中有一段记载：“这是一颗玛瑙珠——一颗来自西藏的喇嘛的佩珠，佩在身上可以消灾交运。这颗珠的正中围着一圈白纹象土星的星晕。”后来，她将这颗玛瑙佩珠镶成一枚戒指，一直佩戴。1972年12月，尼姆·威尔斯重访中国时捐赠。

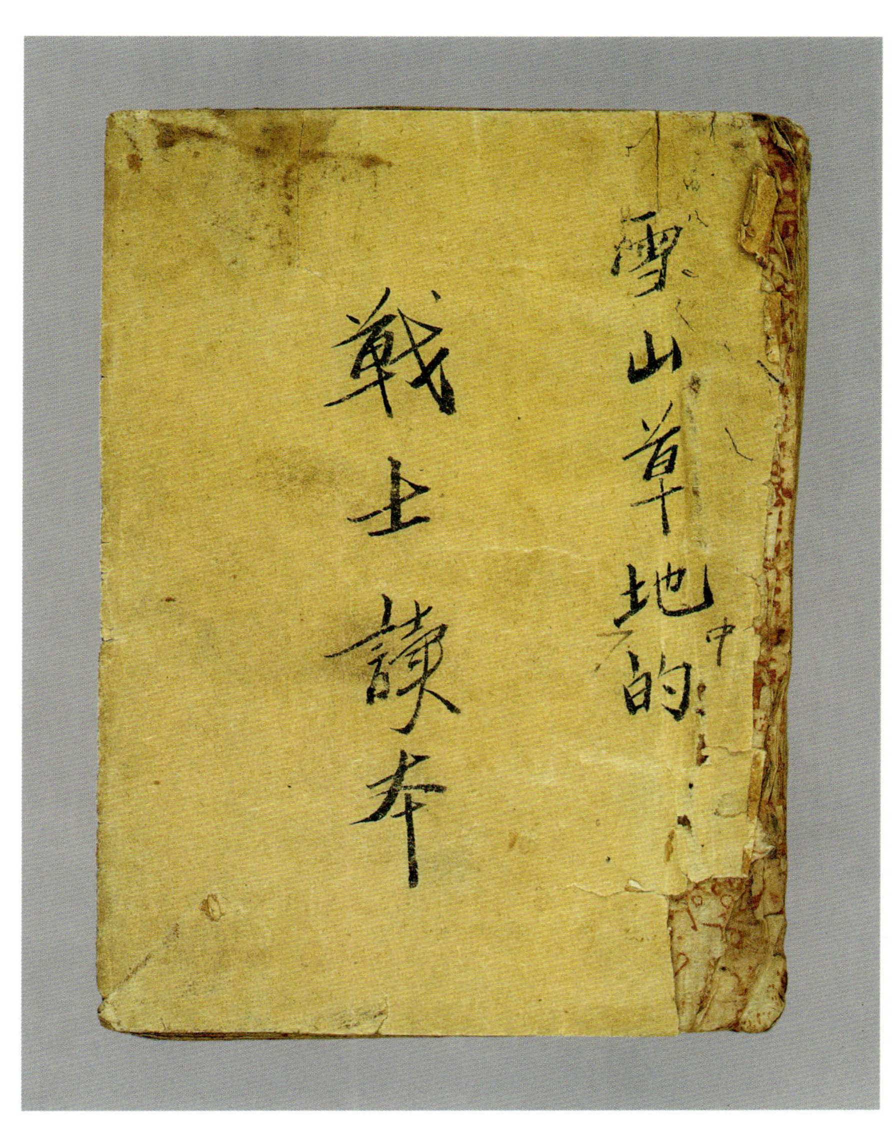


**172．红军《战士读本》**

1936年
纵13.7、横10厘米
纸质，油印。封面书写“雪山草地中的《战士读本》”

这本《战士读本》是红二方面军红六军政治部在长征途中翻印的，原为在红二方面军红军大学工作的周三秀所有。由于红军物质条件极端困难，缺乏印刷设备和材料，全凭土办法印制。他们将麻纸涂上桐油充当蜡纸，缺乏纸张，只好印在旧的藏文书页的背面。在这种艰苦条件下印刷出的少量书籍就成为红军宝贵的精神食粮。1937年6月，周三秀将这本《战士读本》送给了同在红二方面军教导团工作的张堃生。周三秀在抗日战争中于晋西北牺牲，张堃生将此书作为对战友的纪念珍藏起来。1956年7月捐赠。

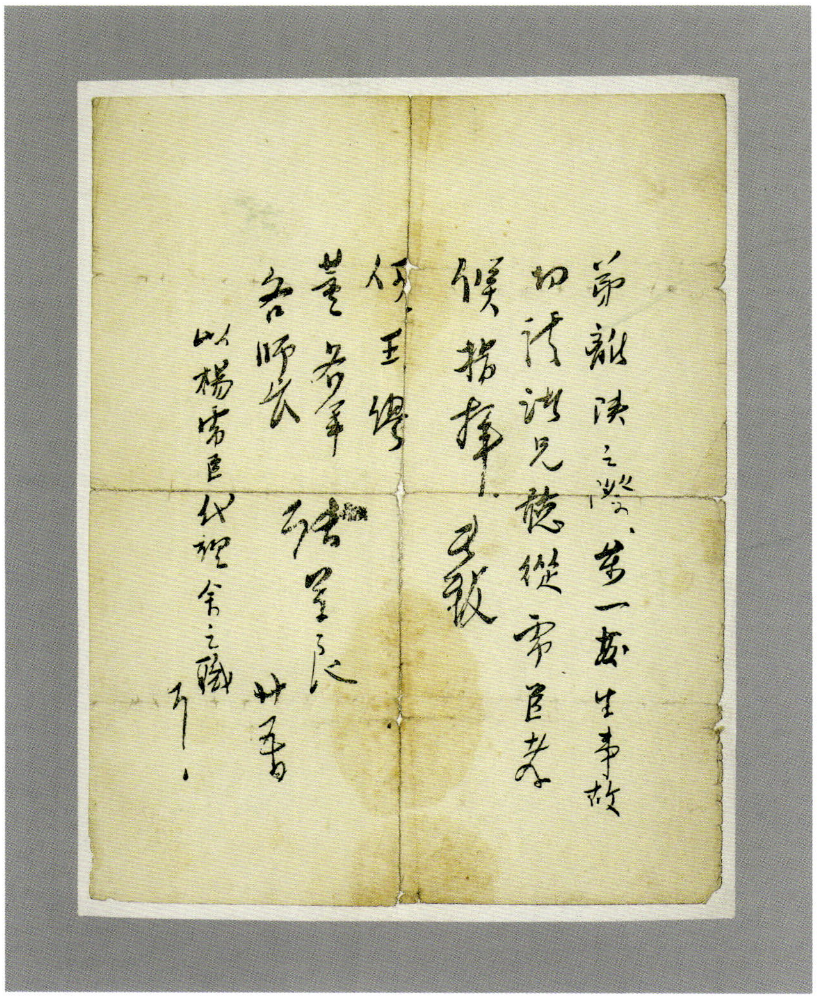
弟離陝之際，萬一發生事故，切請諸兄聽從虎臣、孝侯指揮。此致
何、王、繆、董各軍長
各師長
弟學良 廿五日
以楊虎臣代理余之職。

## 173．张学良手令

1936年12月25日
纵28、横21厘米
纸质，石印。原折断成四小块，已托裱

1936年12月12日，西安事变发生后，中共代表周恩来与张学良、杨虎城同蒋介石的代表谈判，于12月23日达成六项条件，得到蒋介石的同意。25日，张学良不顾自身的安危，毅然决定亲自送蒋介石回南京。离西安前，为应付可能发生的“事故”，张学良给部属写下了此手令，将东北军指挥权交给于学忠。手令石印件当时发给各军师长。手令中提及的“虎臣”即杨虎城，“孝侯”即于学忠，“何”即何柱国，“王”即王以哲，“缪”即缪澄流，“董”即董英斌。手令后为曾先后在张学良、于学忠身边做事的赵新华收藏。1983年捐赠。

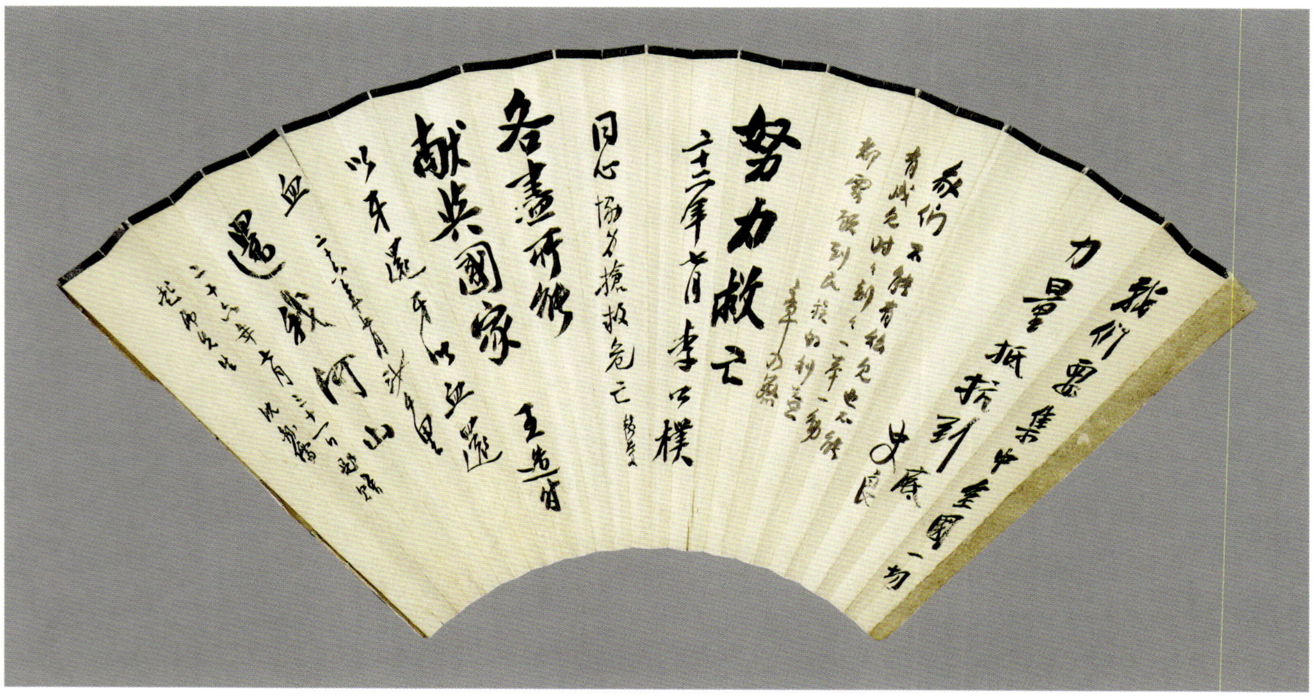

## 174．“七君子”题词扇面

1937年7月31日
长19厘米
纸质，毛笔写。扇面正面为“七君子”题词；扇面背面为李公朴夫人张曼筠作水墨写意山水图

1936年5月，沈钧儒、邹韬奋等在上海发起成立全国各界救国联合会，要求国民党政府停止内战，释放政治犯，建立统一的抗日政权。11月22日夜，国民党政府逮捕了沈钧儒、章乃器、邹韬奋、李公朴、沙千里、王造时、史良等七位救国会领导人，史称“七君子”事件。随后“七君子”被押于苏州江苏高等法院看守所。当时在苏州享有盛名的祖传中医陈起云曾赴监狱为“七君子”治病。1937年7月31日，在全国人民的压力下，国民党政府被迫释放“七君子”。是日陈起云前去迎接，并请“七君子”为其题写扇面留念。1983年12月购自陈起云夫人孙静华。

**175．中央军委主席团关于红军改编的命令**

1937年7月14日

纵37、横26厘米

纸质，油印。盖有“毛泽东印”。另有钢笔写“此令谭主任”

1937年7月7日夜，日本侵略军发动卢沟桥事变，中国驻军奋起抵抗，揭开了全国抗日战争的序幕。7月8日，中国共产党通电全国，号召筑成民族统一战线，实行全民族抗战。9日，中国工农红军全体将领通电全国，请缨杀敌，愿做抗日先锋。14日，中共中央军委主席团向彭德怀、任弼时等红军将士发布命令：红军以军为单位改组为国民革命军编制，并令红军各部十天内准备完毕，待命奔赴抗日前线。此件是当时发给谭政的。1951年7月军委文化部拨交。

命令　七月十四日於延安

彭總指揮任政委林校長各方面軍，各軍團各軍，各師，各團及各軍事學校首長同志們：

(甲)日本大舉向華北出兵，國家危急，廿九軍正在抗战，國民政府已調派援軍，全國救亡運動正在奮起。我抗日紅軍有開赴前綫增援友軍並配合友軍消滅野蠻日軍之任務。

(乙)令到着即以軍為單位，改組為國民革命軍編制，同時增加抗日政治課程，對幹部及兵員教授東四省及華北五省地理，教授日本現狀，軍事訓練着重雪地战鬥，夜間動作，襲擊战鬥，防空技術，長途行軍，與後方作战等項，各軍事學校大體同此辦理。

以上各項限十天完畢，聽候出動命令。

軍委主席團

〔此命令对紅軍公開宣布，惟對日寇及漢奸份子，嚴守秘密，不得疏忽。〕

**176．中国人民抗日军政大学第二期毕业证章（322）**

1937年8月

直径3.2厘米

铜质，嵌珐琅。圆形。黄地，红色五角星。刻有“抗大”及“团结、紧张、严肃、活泼”字样

“抗大”是中国共产党在抗日战争时期培养军政干部的学校。1936年6月1日，中共中央以中国工农红军大学为基础创建中国人民抗日红军大学。校址在陕北瓦窑堡，后迁保安，再迁延安。从第二期起改名“中国人民抗日军政大学”。到1945年8月抗战胜利，“抗大”共办八期，建立12所分校，培养造就了十多万德才兼备的军政干部，为我党我军的壮大，为夺取抗日战争和全国解放战争的胜利奠定了重要的组织基础。1959年4月中国人民解放军汉口高级步兵学校拨交。

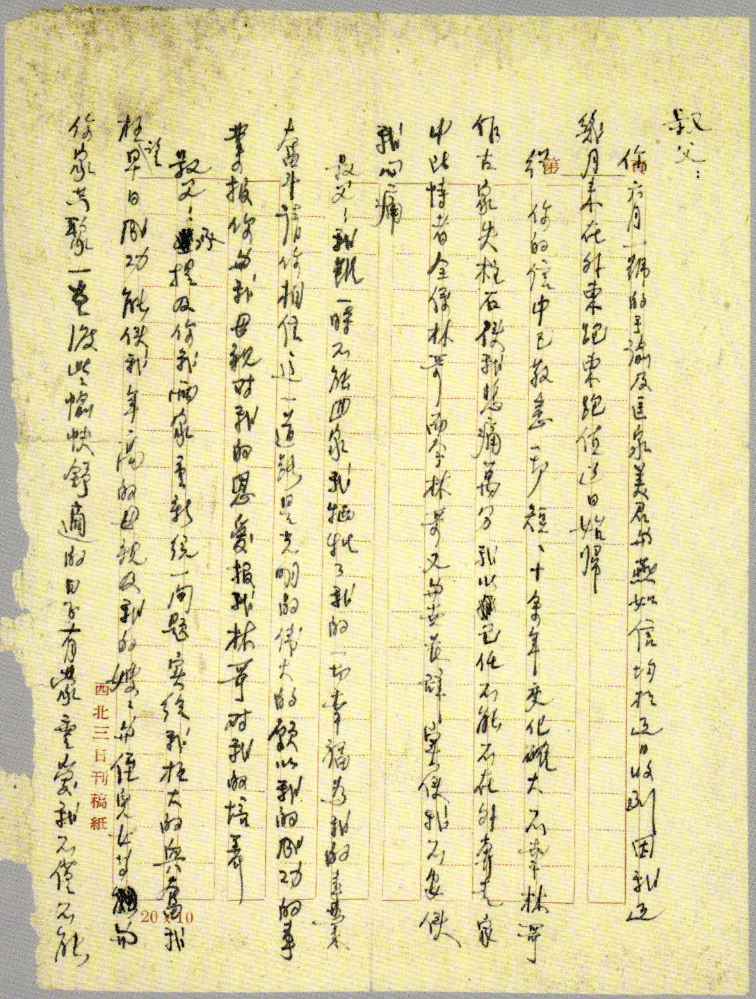

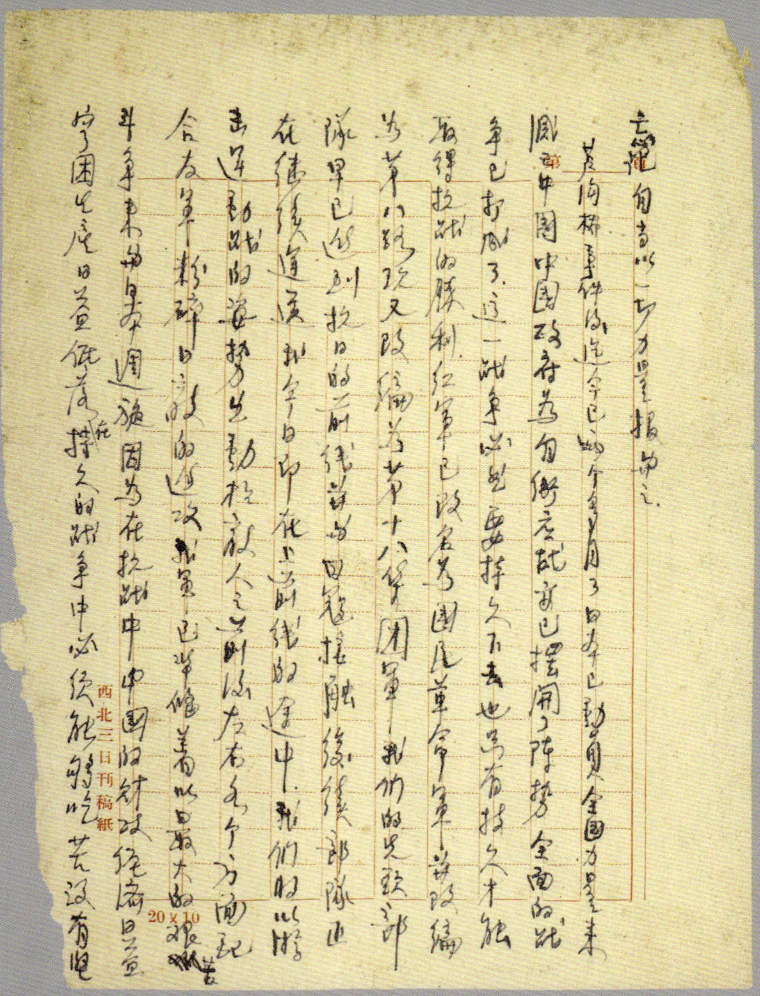

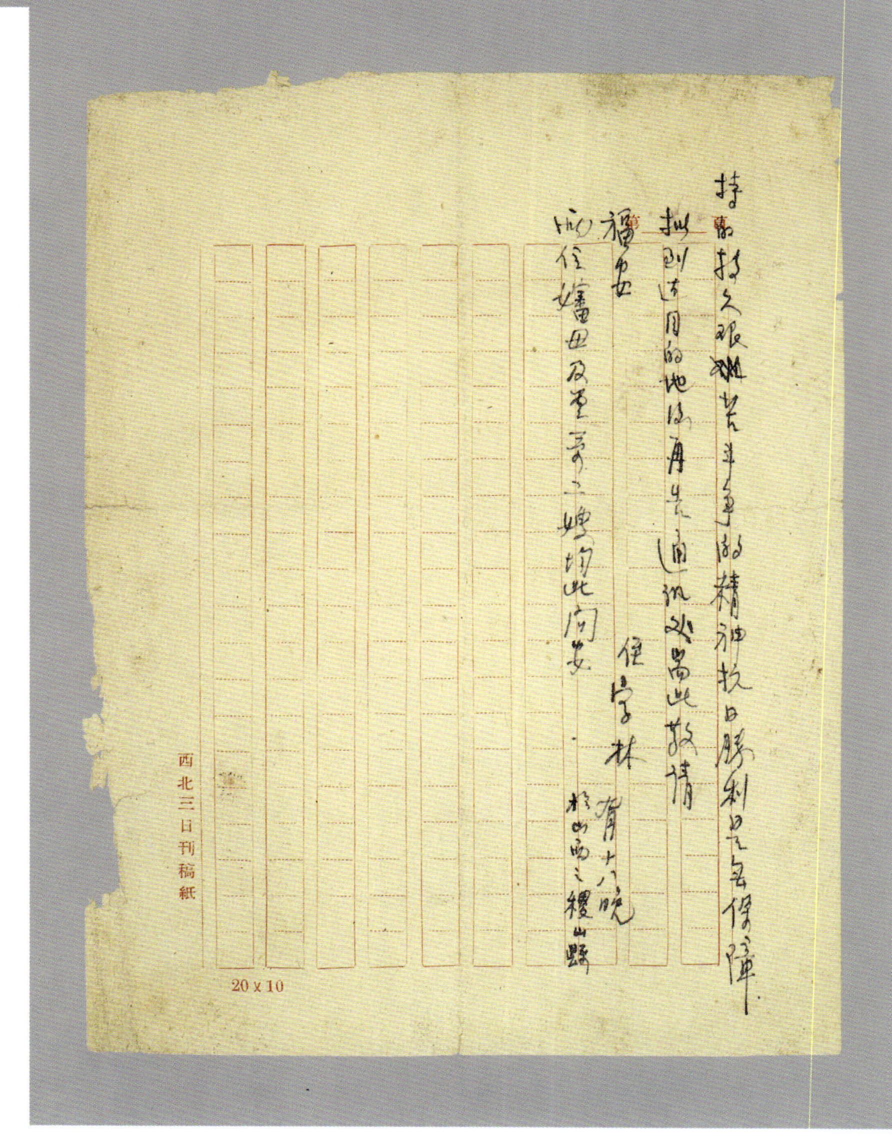

持了我久艰难奋斗的精神抗日胜利是有保障
到达目的地后再告通讯处当此敬请
福安
侄媳母及萱芳二嫂均此问安
侄 字林 九月十八晚
于山西之稷山县

## 177．左权致叔父信

1937 年 9 月 18 日
纵 21.3、横 15.8 厘米
纸质，钢笔写。3 页

左权（1905～1942 年），名自林（字林），湖南醴陵人。抗战爆发后任八路军副参谋长。1942 年 5 月 25 日在山西辽县（今左权县）与日军作战时牺牲。其叔父左铭三，长沙师范学校毕业，思想进步，对左权的一生影响很大。叔侄一直保持通信联系。1937 年 9 月左权率部东渡黄河，在开赴华北抗日前线途经山西稷山县时，于 9 月 18 日给其叔写了这封回信，信中谈及“红军已名为国民革命军、并改编为第八路（军），……我今日即在上前线途中”等，并表示：“我牺牲了，我的一切幸福为我的事业奋斗，请你相信，这一道路是光明的，伟大的，愿以我的成功的事业报你与我母亲对我的恩爱。”1953 年 4 月 22 日中南军区政治部组织部拨交。

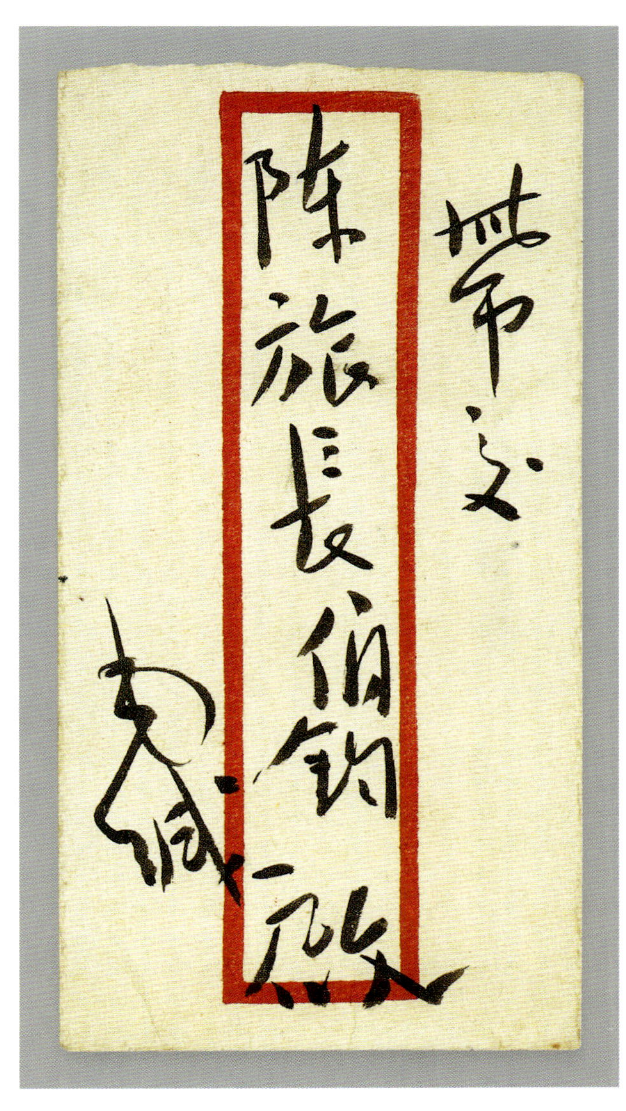


**178．毛泽东致陈伯钧亲笔信**

1937年10月9日
纵27.4、横15.3厘米
纸质，毛笔写。2页，有信封

陈伯钧（1910～1974年），四川达县人。1927年加入中国共产党，曾任红军军长。红军改编后，被任命为八路军一二〇师三五九旅旅长，并率所部在甘肃庆阳集结待命。毛泽东在信中告知陈伯钧：其家属回川事已安排妥当，并命令该部待国民党七十四师到庆阳接防后，立即由宜川渡河入晋，奔赴华北抗日战场。1977年陈伯钧夫人陈琳捐赠。

### 179．晋冀察边区临时邮政局半白日徽图伍分邮票

1937年12月

边长2.8厘米

白纸质，石印，无齿孔，无背胶。正方形，主图为倒三角形，内有青天白日徽志局部，标有“晋冀察边区”、“临时邮政”字样

晋察冀边区邮政创建于1937年冬，当时称晋冀察边区临时邮政。12月开始发行“半白日图”邮票，又称“半白日徽图”，共3枚，壹分1枚，伍分黑字 1枚，蓝字1枚。由高晋材绘图设计，在五台县城石印作坊平板印制，面值为法币。1938年1月停售，10月停用。是抗日根据地发行的第一套邮票。印量有限，使用时间短，为中国人民革命战争时期邮票中的珍品。这枚“伍分”（黑字）邮票原由张珩收藏，1974年10月张珩夫人顾眉捐赠。

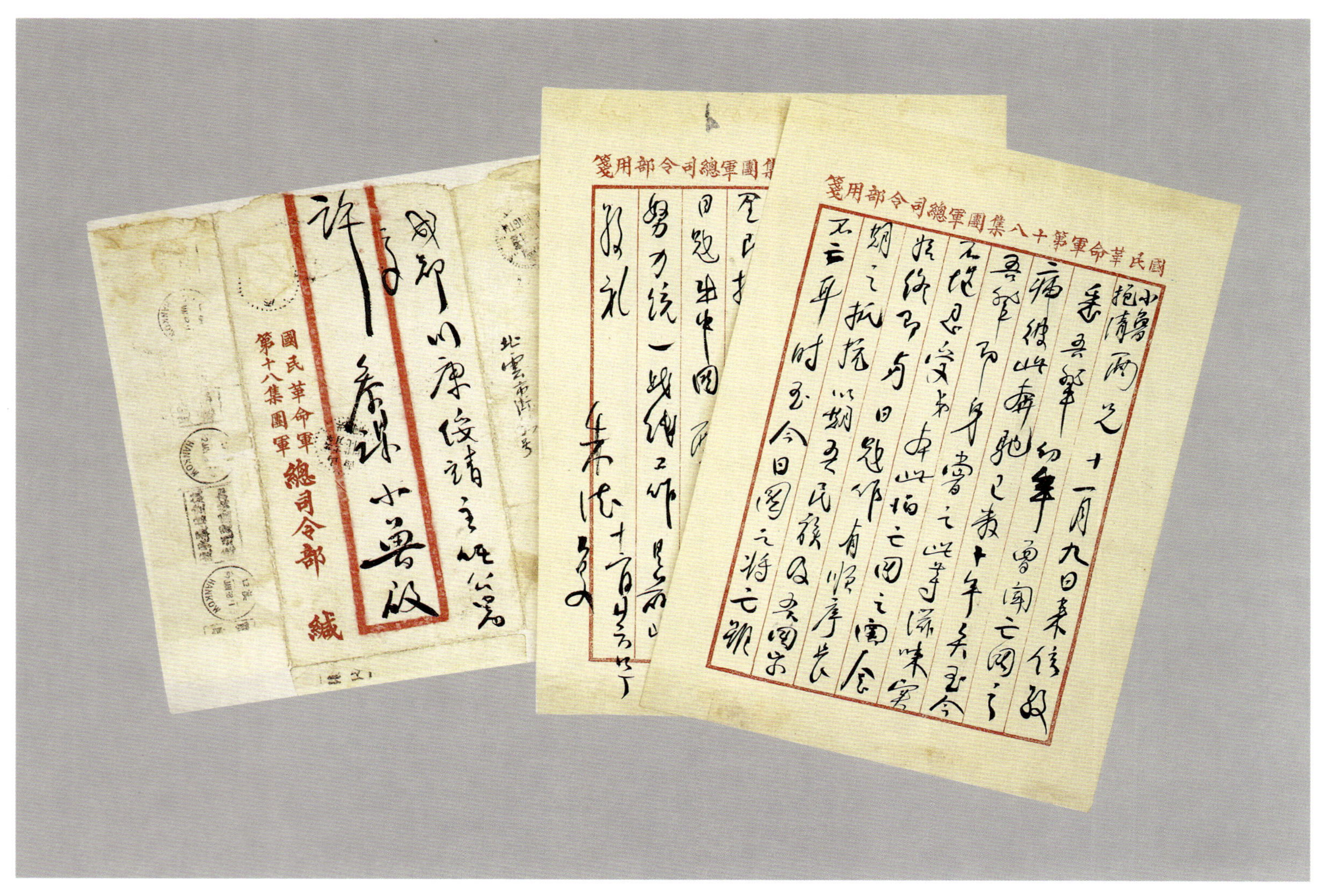


### 180．朱德致许小鲁、挹清信

1937年12月26日

纵28.5、横20厘米

纸质，毛笔草书。2页，有信封。信封上盖有山西洪洞、武汉、成都邮戳。邮票被揭

1937年8月25日，红军主力正式改编为国民革命军第八路军。不久，总司令朱德率八路军主力东渡黄河，开赴华北抗日前线。在转战山西途中，收到老友国民政府成都川康绥靖主任公署许小鲁、挹清的来信，随即于12月26日在山西洪洞八路军总部复信，勉励他们为驱逐日本出中国努力做好四川的统战工作，以达全民族抗战之目的。1951年西南军政委员会文教部拨交。

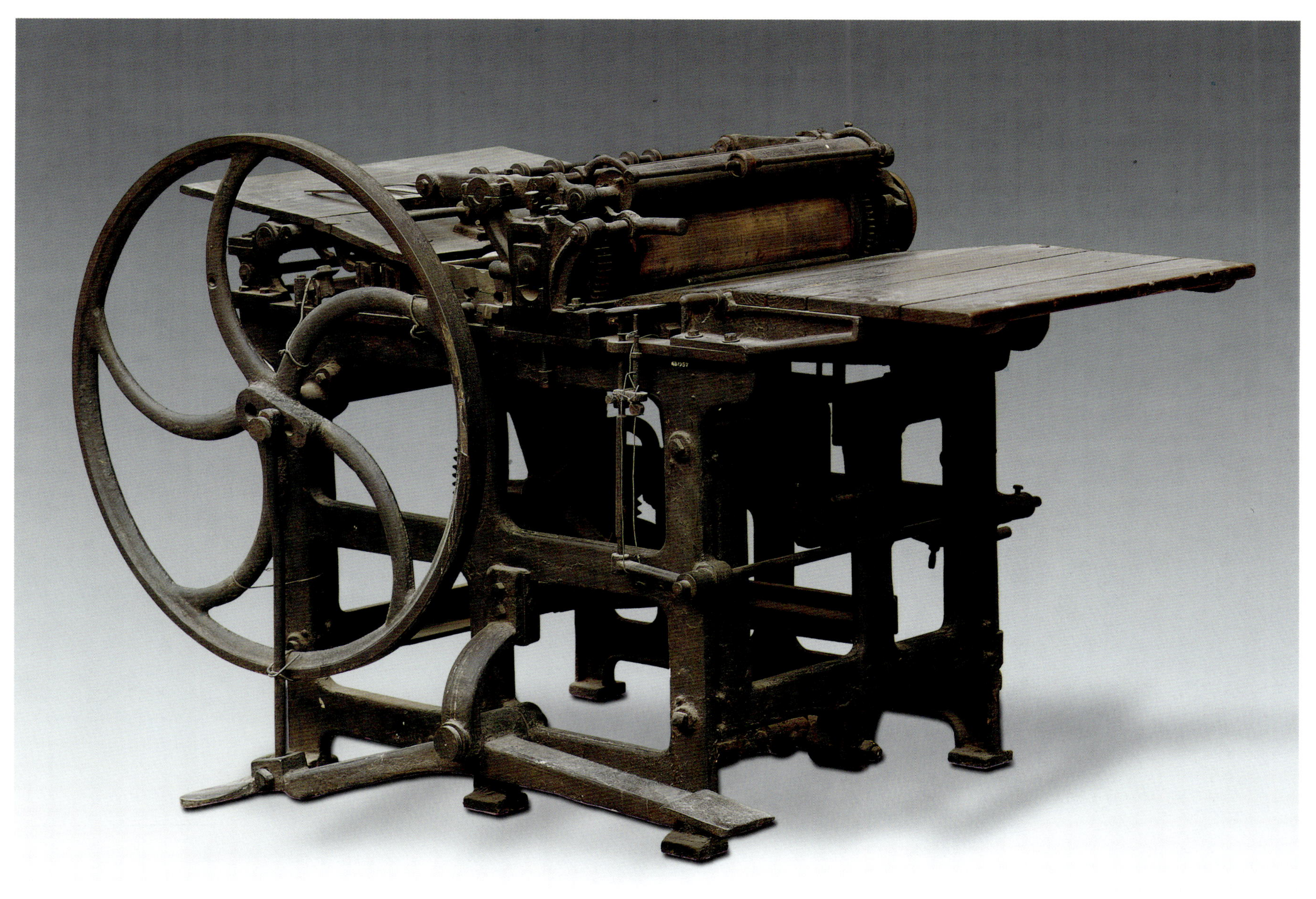

181. **延安中央印刷厂用的印刷机**

1937～1947年
长186、宽116、高111厘米
铁质

延安中央印刷厂成立于1937年7月，属中共中央党报委员会领导，负责党报及宣传资料的印刷工作。至1942年，已发展成为边区规模最大的印刷厂。这部印刷机是西安事变后购买的旧机器，从建厂起一直使用。曾担负印刷马列、毛泽东著作、边区教科书、各种报刊及有关政策文件等繁重任务。由于长时期夜以继日地使用，机器损耗很大。1947年，国民党军队进犯延安时，曾被转移到碛口、河东等地，1948年又运回延安。到1950年，已不能使用，由延安出版社保存并于1954年4月拨交。

## 182．李公朴藏抗战照片册

1937～1938 年
纵 18.5、横 26、厚 4 厘米
4 册，照片 1267 幅

李公朴，全国各界救国联合会领导人、要求抗日而被捕的“七君子”之一。1937 年 8 月赴山西，任战地总动员委员会宣传部长。经与周恩来商定，由中共和上海救国会合办全民通讯社，李公朴任社长。年底，在武汉创办《全民》周刊。这批照片由全民通讯社拍摄收集，内容包括卢沟桥抗战及台儿庄战役场景、国民革命军训练生活、文化界抗敌宣传、战地服务团、救护队、延安抗大、陕北公学等。1959 年收藏。

## 183．沈钧儒的国民参政会证章

1938 年
直径 3.1 厘米
银质、嵌珐琅，圆形。背面有“NO.33”字样

国民参政会是抗日战争时期国民政府组织成立的由国民党、共产党及其他抗日党派和无党派人士代表参加的全国最高咨询机关，是各党各派各界人士公开发表意见的讲台。1938 年 7 月 6 日至 15 日于汉口召开第一届第一次会议。后逐步蜕变为国民党粉饰一党专政的工具，许多进步参政员拒绝出席。1947 年 6 月召开第四届第三次会议后撤销。沈钧儒作为全国各界救国联合会的代表遴选为参政员，出席国民参政会并在会上发言。此证章是沈钧儒于 1938 年 7 月出席第一届会议时用的。1963 年沈钧儒女儿沈谱捐赠。

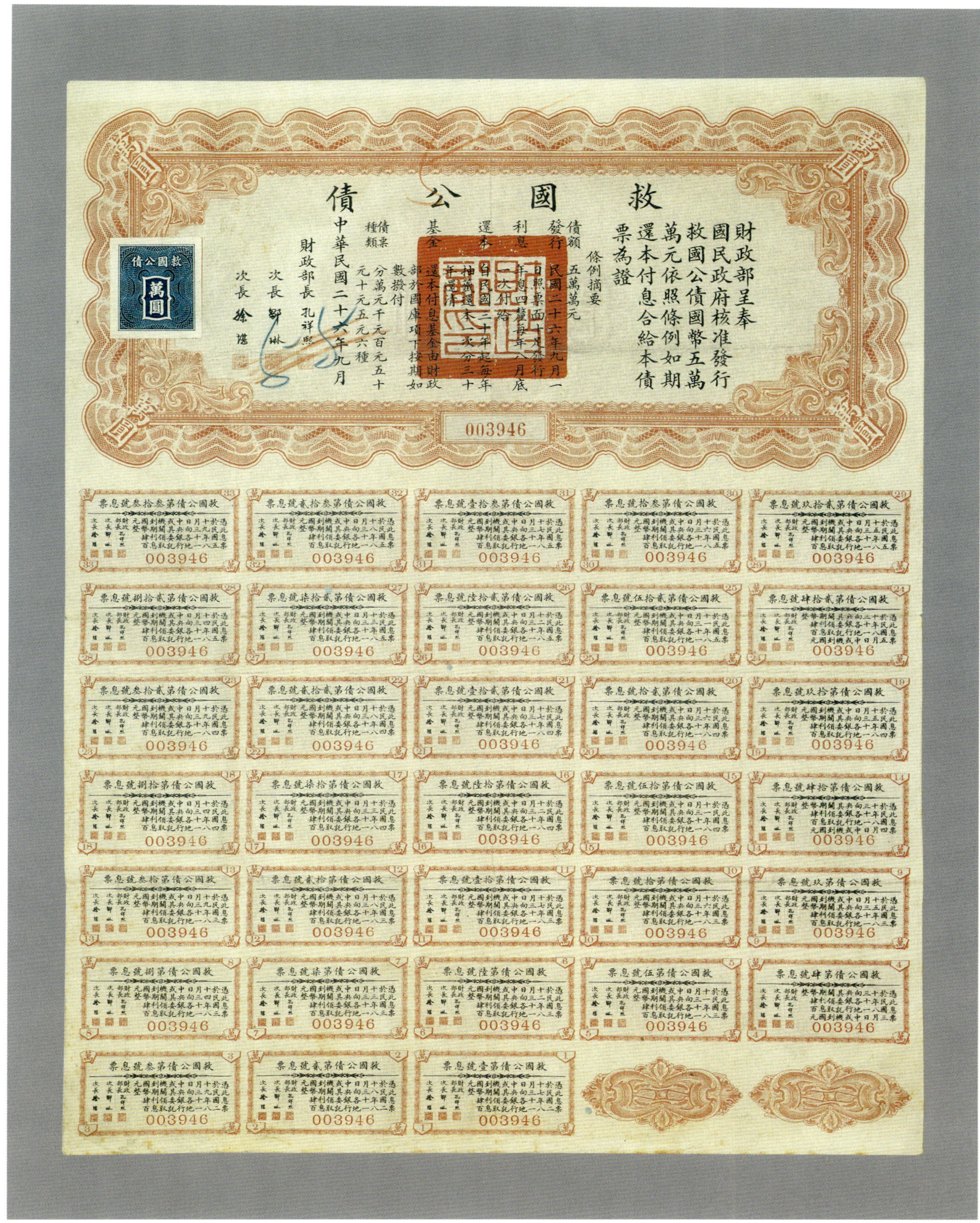

**184．周锐购买的救国公债万元券**

1937年

纵34.7、横26.9厘米

纸质，铜版印

抗日战争期间，海外华侨以各种方式支援祖国抗战。旅美爱国华侨领袖周锐多次捐款。1937年9月1日，国民政府向海外发行五万万元救国公债，分为万元、千元、百元、五十元、十元、五元6种。周锐向旅美华侨统一义捐救国总会购买了这张万元券和若干千元券，当时在美国购买万元公债的仅有3人，1937年12月8日的纽约《中国时报》报道了周锐的爱国义举。1985年周锐捐赠。

185．埃德加·史诺著《毛泽东自传》

1937年9月；1937年11月；1946年2月；1946年4月；1947年3月；1949年5月版本。
纵18.5、横13.3、高0.6厘米
纸质，铅印。分别由延安文明书局、上海文摘社、上海三友图书公司、大连大众书店、香港新民主出版社、上海文孚出版社出版，均为初版

1936年美国著名记者史诺（现译斯诺）在延安访问毛泽东时的谈话记录。馆藏有10余个版本。

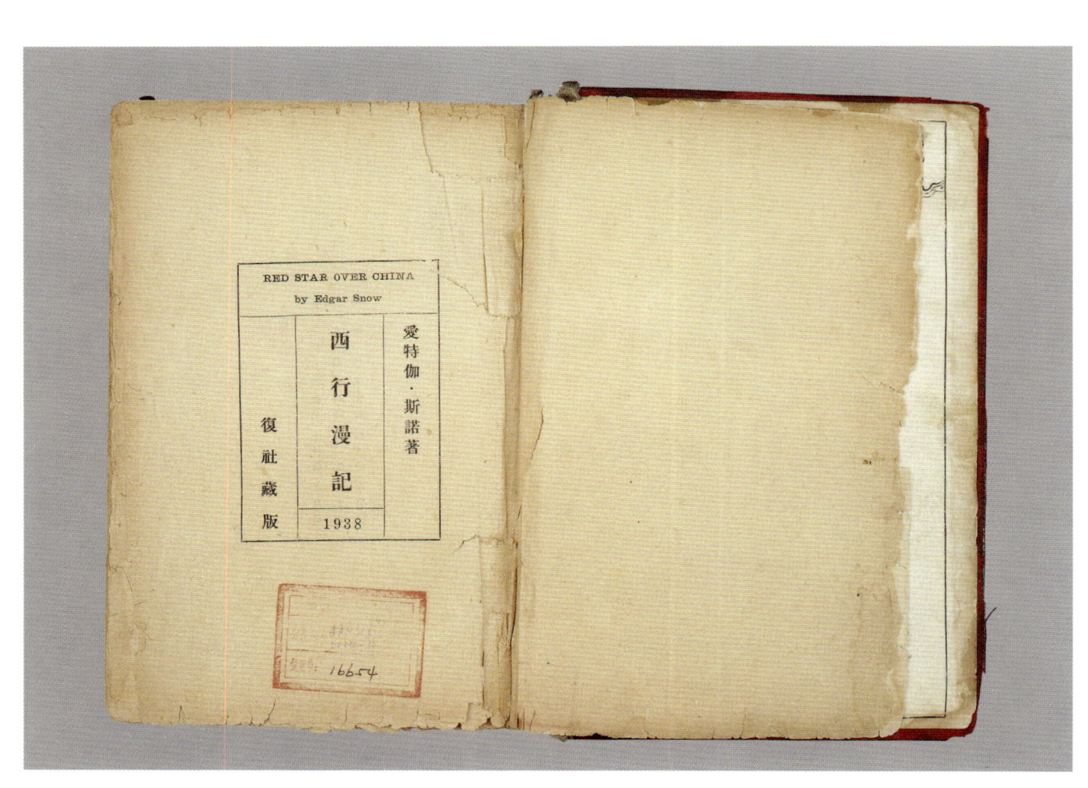


186．埃德加·斯诺著《西行漫记》

1938年10月10日
纵22.3、横15.5、厚4.5厘米
纸质，铅印。536页。上海复社出版，第三版

1936年美国著名记者斯诺访问陕北革命根据地后写成本书，原名《红星照耀中国》，上海复社出版的第三版改名为《西行漫记》（王厂青译）。本书真实、生动地反映了中国共产党和工农红军领导人的战斗与生活情况。

187.《西行漫画》

1938 年 10 月 15 日
纵 19.5、横 13.6、高 0.2 厘米
纸质，铅印
上海风雨书屋印行

二万五千里长征漫画集。作品25幅，以速写手法表现了中央红军艰苦转战的情景和革命乐观主义精神，以及少数民族的困苦生活。作者黄镇（1909～1989 年），安徽桐城（今属枞阳县）人，上海新华艺术大学毕业，1931年宁都起义时加入红军，长征时任中央军委直属队政治部宣传科科长，为长征留下了珍贵的形象史料。1938年辗转将画作照片带到上海交钱杏邨（即阿英）编印成书，印行 2000 册。钱写了题记。由于听说是萧华转来，作者误署为“萧华”。

188.《鲁迅全集》

1938 年 8 月 1 日出版
纵 19.4、横 13.3 厘米
纸质，铅印
上海复社出版，初版

鲁迅作品汇集，20卷。鲁迅（1881～1936 年），浙江绍兴人。中国文学家、思想家和革命家。1918 年发表第一篇白话小说《狂人日记》，大胆揭露人吃人的封建礼教，奠定新文学运动的基石。1930 年起，先后参加中国自由运动大同盟、中国左翼作家联盟和中国民权保障同盟，同国民党官方文人及其文学进行了不懈的斗争。1936 年 10 月病逝于上海。《鲁迅全集》由鲁迅先生纪念委员会编印，印刷 200 套。馆藏为鲁迅夫人许广平 1966 年 9 月 30 日捐赠。

**189．朱德等赠给国际纵队中国支队的锦旗**

1938 年

纵 160、横 77 厘米

丝绸、棉布质，红底黄字，蓝穗。用中英文写着“中西人民联合起来！打倒人类公敌——法西斯蒂！”署名处“彭德怀”三字脱落

1936 年 7 月，西班牙军官佛朗哥（Francisco Franco Bahamonde）在德意法西斯的支持下发动政变。来自 54 个国家的四万多名共产党员和进步人士响应共产国际号召，组成国际纵队，与西班牙人民并肩作战保卫共和国政府。中国有 100 余人参加。中共旅德支部负责人谢唯进担任国际纵队炮兵纵队政委。1938 年，朱德、周恩来、彭德怀代表中国共产党和八路军赠送这面锦旗，通过在外轮上服务的中国海员带至法国，转送西班牙战场。谢唯进于 1940 年将锦旗带回中国，1973 年 9 月捐赠。

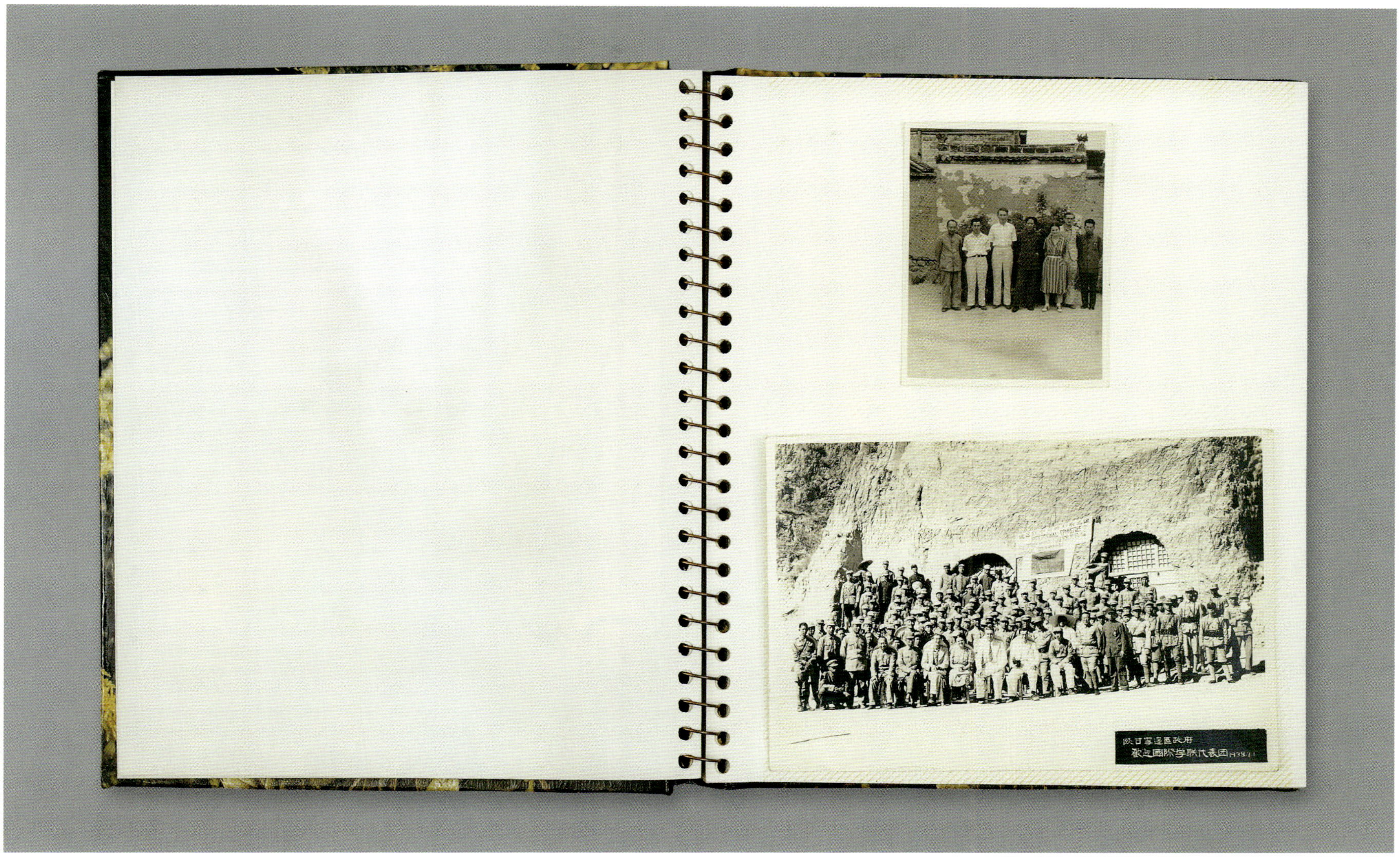

**190．世界学联代表团访华照片册**

1938 年 5～7 月
纵 29、横 24、厚 1.5 厘米
本册照片 86 幅

1938 年 5 月至 7 月，世界学联代表团应邀访问中国。代表团团长为世界学联总干事柯乐曼，成员有各国学生领袖福洛特（英国）、拉泽（加拿大）、雅德（美国）。代表团访问了武汉、南昌、长沙、重庆、西安、延安等地，会见了各界人士。他们目睹日军侵华暴行和中国军民的英勇抗争。在延安会见了毛泽东、朱德等中共领导人。离开中国后，代表团向第二届世界青年和平大会提交了访华报告，揭露日军侵略暴行、赞扬中国军民的英勇斗争，引起各国代表的强烈反响。会后他们携带在华拍摄的照片，分别在比利时、荷兰、英国和美国的学生中作巡回演讲，宣传中国抗日，争取各国民众对中国人民的同情和支援。1987 年 12 月莫利·雅德捐赠。

191．伊文思赠给延安电影团的手提摄影机

1938年
纵32、横15、厚21.5厘米
金属质地，“EYEMO”牌，美国制造

抗日战争爆发后，荷兰著名纪录电影艺术家伊文思(Joris Ivens)及助手通过“美国援华协会”来到中国。先后到汉口、台儿庄、西安等地拍摄反映中国抗战的纪录片《四万万人民》。原打算到延安拍摄，因受到国民党当局阻挠未能成行，便将随身携带的手提摄影机和剩余胶片赠给准备到延安拍片的中国电影工作者袁牧之等。不久，八路军政治部成立由袁牧之、吴印咸、徐肖冰等组成的延安电影团。他们走遍华北敌后抗日根据地，用这部摄影机拍摄了《延安与八路军》、《中共“七大”》等珍贵历史纪录片。摄影机原由农业电影制片厂保存，1979年中国电影工作者协会拨交。

192．白求恩用过的X光机

抗日战争时期
长28、宽21、高16厘米
金属、塑料质地，美国制造。缺变压器

诺尔曼·白求恩（Norman Bethune ，1890～1939年），加拿大共产党员，著名胸外科医师。抗日战争爆发后，受加拿大共产党和美国共产党派遣，率领医疗队到中国，支援中国人民抗战。1938年1月，白求恩等携大量医疗器械从温哥华启程，经香港、汉口、西安等地，于3月到达延安，不久又转赴晋察冀边区。他以精湛的医疗技术为中国抗日军民服务，并培养了大批医务干部。1939年11月，因抢救伤员感染中毒，在河北省唐县以身殉职。这架X光机是医疗队随身携带的医疗器械之一，1938年5月白求恩离开延安到后方医院巡视时，将它留在延安。1950年华北军区后勤部拨交。

**193．卫立煌送给刘少奇的钢笔**

1939年1月
长13厘米
化学、金属质地。派克牌

1938年9月至11月，中国共产党召开六届六中全会，确定了“巩固华北，发展华中”的战略方针，并决定设立中原局，任命刘少奇为中原局书记。11月23日，刘少奇等离开延安前往中原局机关驻地河南省确山县竹沟镇。1939年9月，刘少奇等持毛泽东的介绍信到洛阳拜访新任国民党第一战区司令长官卫立煌，并多次与卫立煌和原第一战区司令长官程潜商谈河北敌后抗日政权及双方军队协同作战等问题。临别，卫立煌送给刘少奇一套衣服和这支钢笔，刘少奇一直使用到新中国建立初期。1980年刘少奇夫人王光美捐赠。

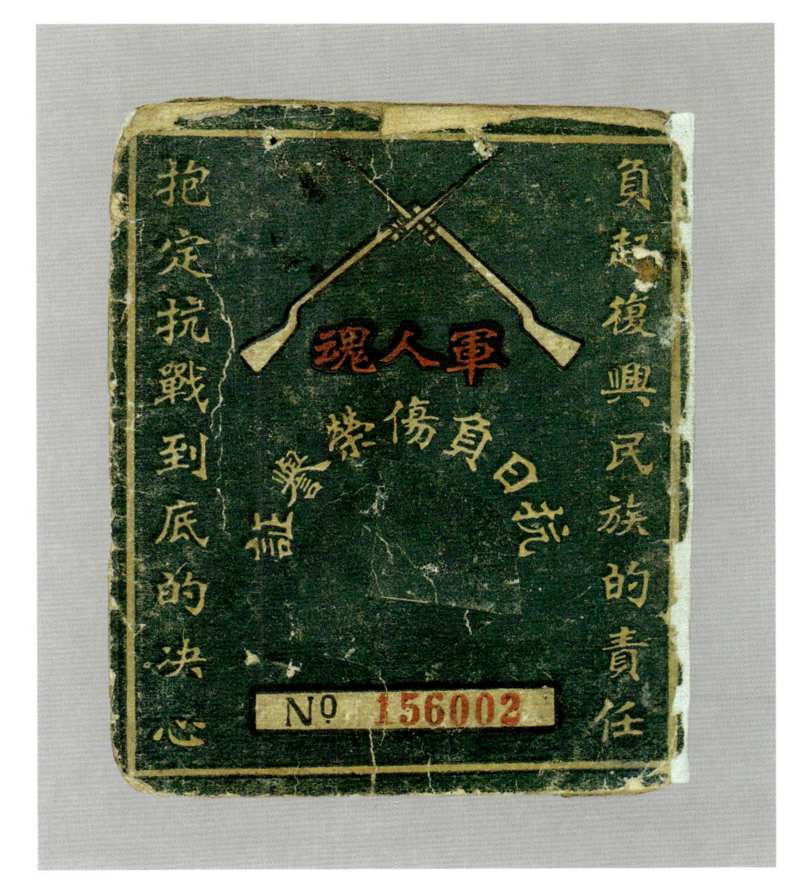


**194．国民政府军事委员会颁发给张秋明的“抗日负伤荣誉证”**

1939年9月31日
纵9.7、横7.8厘米
纸质、石印

1937年10月26日，在淞沪抗战中，守卫闸北的中国驻军第八十八师第五二四团奉命撤退。该团第一营在谢晋元副团长率领下负责掩护，壮士们坚守在苏州河畔的四行仓库，浴血奋战四昼夜，打退日军无数次进攻，创造了可歌可泣的英雄事迹。该团机枪手张秋明作战勇敢，在最后一次战斗中光荣负伤。在伤愈归队之际，国民政府军事委员会为他颁发了“抗日负伤荣誉证”。1986年张秋明捐赠。

**195．八路军总部黄崖洞兵工厂制造的独角牛枪**

抗日战争时期
纵12、横29.2、厚3厘米
铁质，锻造，木柄。枪号966

1939年夏，八路军总部决定在山区建立兵工厂。左权副参谋长亲自勘察地形，最后选定位于山西辽县、武乡、黎城交界的黄崖洞。经过半年的艰苦奋斗，1940年初黄崖洞兵工厂建成投产，共有机器40多部，工人700多人。生产能力最高时日产七九式步枪430支，掷弹筒200多门，五〇炮弹3000多枚。此外，还生产刺刀、地雷、子弹、手榴弹等，每年可装备16个团，是抗战初期八路军最大的兵工厂之一。1954年8月山西省沁县公安局拨交。

**196．张自忠赠给冯玉祥的日军军刀**

1939年
长105.5厘米
钢刀，皮鞘。刀上刻款："此刀是张上将自忠在临沂大战得的日本鬼子的民国二十八年送我的　冯玉祥　三四、九、二"

张自忠（1891～1940年），字荩忱，山东临清人。1916年起为冯玉祥部属，随冯玉祥参加北伐战争。1933年参加长城抗战。1937年任第五十九军军长。1938年在徐州会战中，奉命率部增援临沂，与日军精锐坂垣师团鏖战数日，歼其一部。后升任第二十七军团军团长。1940年5月在枣宜战役中殉国。1939年张自忠将在临沂战役中缴获的日军指挥刀赠与冯玉祥。1953年文化部文物事业管理局拨交。

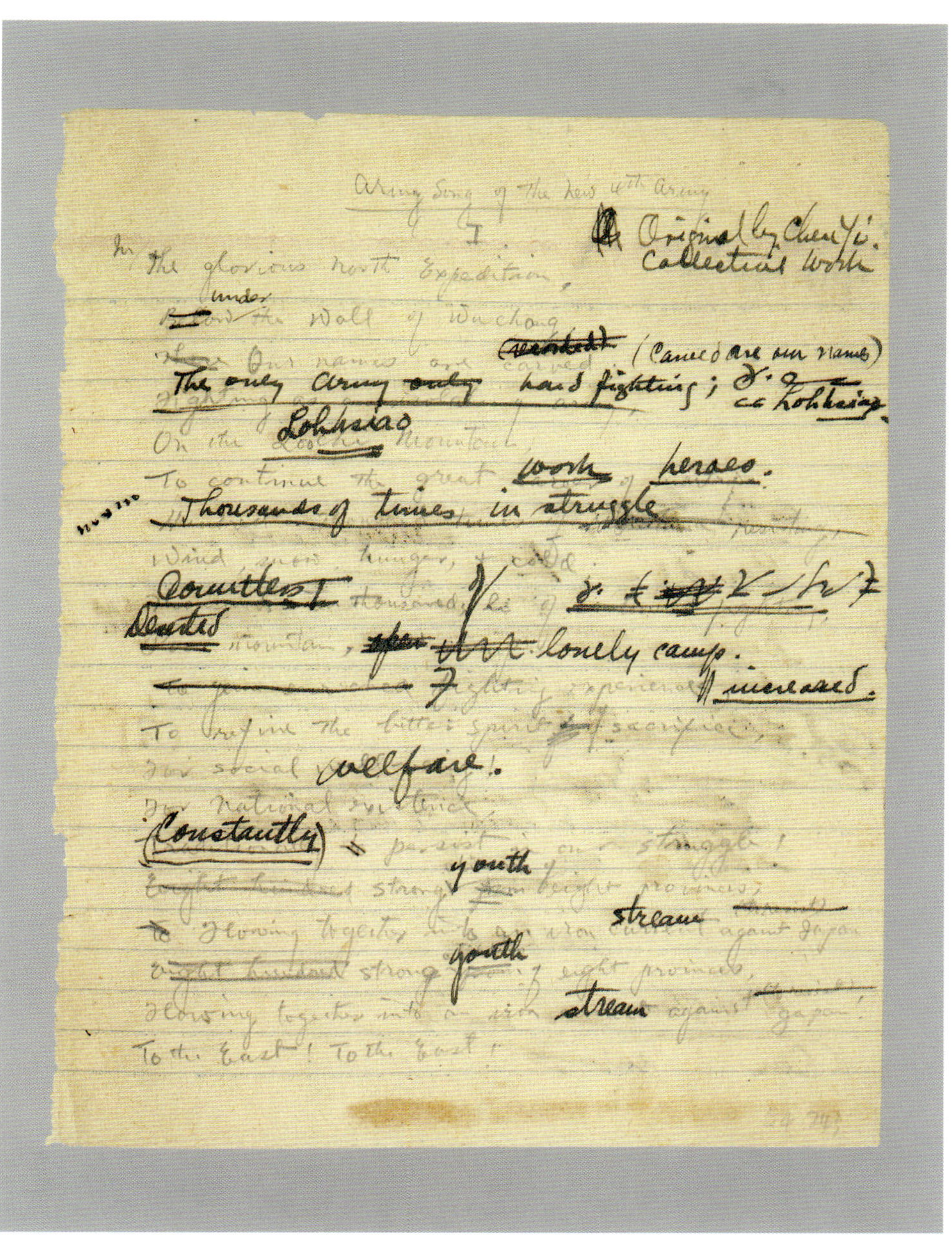
Army Song of the New 4th Army
I
Original by Chen Yi.
Collective work
The glorious North Expedition,
under the Wall of Wuchang
(Carved are our names)
The only Army hard fighting; i.e. at Lohhsiao
On the Lohhsiao Mountain,
To continue the great work heroes.
Thousands of times in struggle
Wind, snow, hunger, & cold.
Countless thousands of li
Deserted mountain, lonely camp.
fighting experience increased.
To refine the bitter spirit of sacrifice,
For social welfare.
For national existence
(Constantly) persist in our struggle!
youth strong from eight provinces,
Flowing together into an iron stream against Japan
youth strong from eight provinces,
Flowing together into an iron stream against Japan!
To the East! To the East!

## 197. 史沫特莱译《新四军军歌》手稿

抗日战争时期
纵20.2、横15.7厘米
纸质，铅笔写，钢笔改

艾格尼丝·史沫特莱（Agnes Smedley 1892～1950年），美国进步女作家、记者。抗日战争时期，先后到陕甘宁边区等抗日根据地采访，向国外报道中国的抗日战争。1939年，她在新四军驻地采访时，正值战士们在传唱由陈毅作词、集体改编的《新四军军歌》，便将歌词译成英文。1950年，史沫特莱逝世后，她的朋友遵其遗嘱，将歌词手稿等遗物一起寄给朱德，后由中华全国文学艺术界联合会接收，并于1951年5月拨交。

## 198. 八路军某部印发的“黑红点”传单

抗日战争时期
纵17、横9.5厘米
纸质，石印

根据1940年4月中共中央《关于瓦解敌军工作的指示》，八路军、新四军各部队及地方各级组织相继建立、健全了敌军工作部和地方党的敌伪军工作委员会，开展大规模的对敌政治攻势。采取散发张贴宣传品、书写标语、夜间对岗楼喊话、投递慰问品等多种形式对敌伪人员进行宣传、感化。“黑红点”传单是冀南等地采取的有效宣传方法之一。“黑红点”用于记载敌伪人员行动表现，做一件好事记一个红点，做一件坏事记一个黑点，并让本人知道以后是要算总账的。这对于瓦解敌人力量，促使伪军转化起了有效的作用。1957年济南军区司令部拨交。

八路軍
黑紅點，善惡錄，就是偽軍的生死簿。
忠實鬼子辦壞事；記一黑點在賬簿。
幫助抗日作好事；紅點紀在你名處。
按時查，按時算，黑點紅點多少數。
紅點若多無黑點；將功贖罪能饒恕。
滿篇一看淨黑點；生命財產難保全。
赶快想法作好事。多爭個紅點多
時機已到應回頭。錯過時機後悔

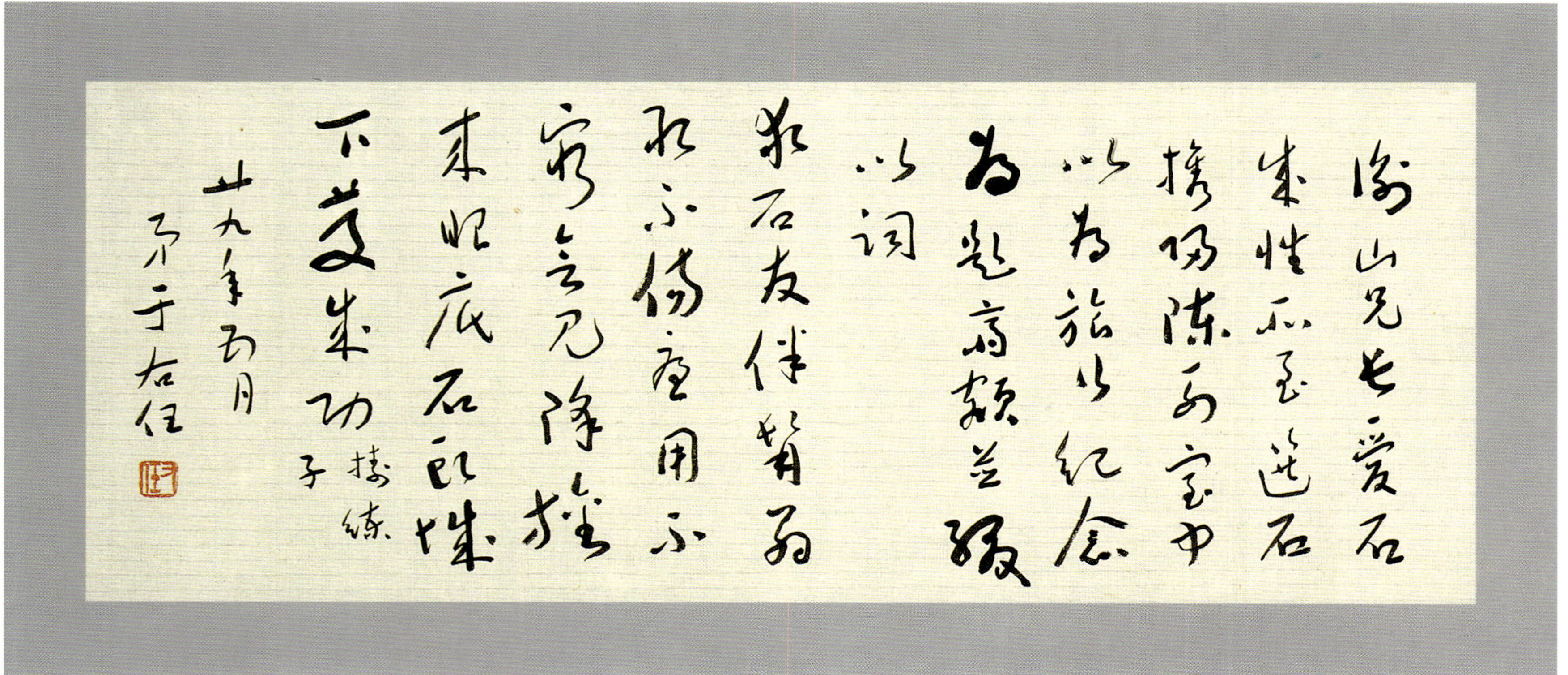

**199．于右任等为沈钧儒题词的《与石居》手卷**

1940 年 5～12 月  
纵 28、横 443 厘米  
宣纸，毛笔写

沈钧儒一生嗜石成癖，以"吾生尤好石，谓是取其坚"来铭志自己政治上的坚贞。在他的书斋里，除四壁图书外，有几个书架陈设着许多大大小小、形状各异的石头。抗日战争时期，沈钧儒将自己的书斋命名为"与石居"。1940 年 5 月，于右任为其题写了斋额及词一首于手卷，此后梁寒操、冯玉祥、李济深、黄炎培、郭沫若、茅盾又相继在手卷上题字或诗。1963 年沈钧儒之女沈谱捐赠。

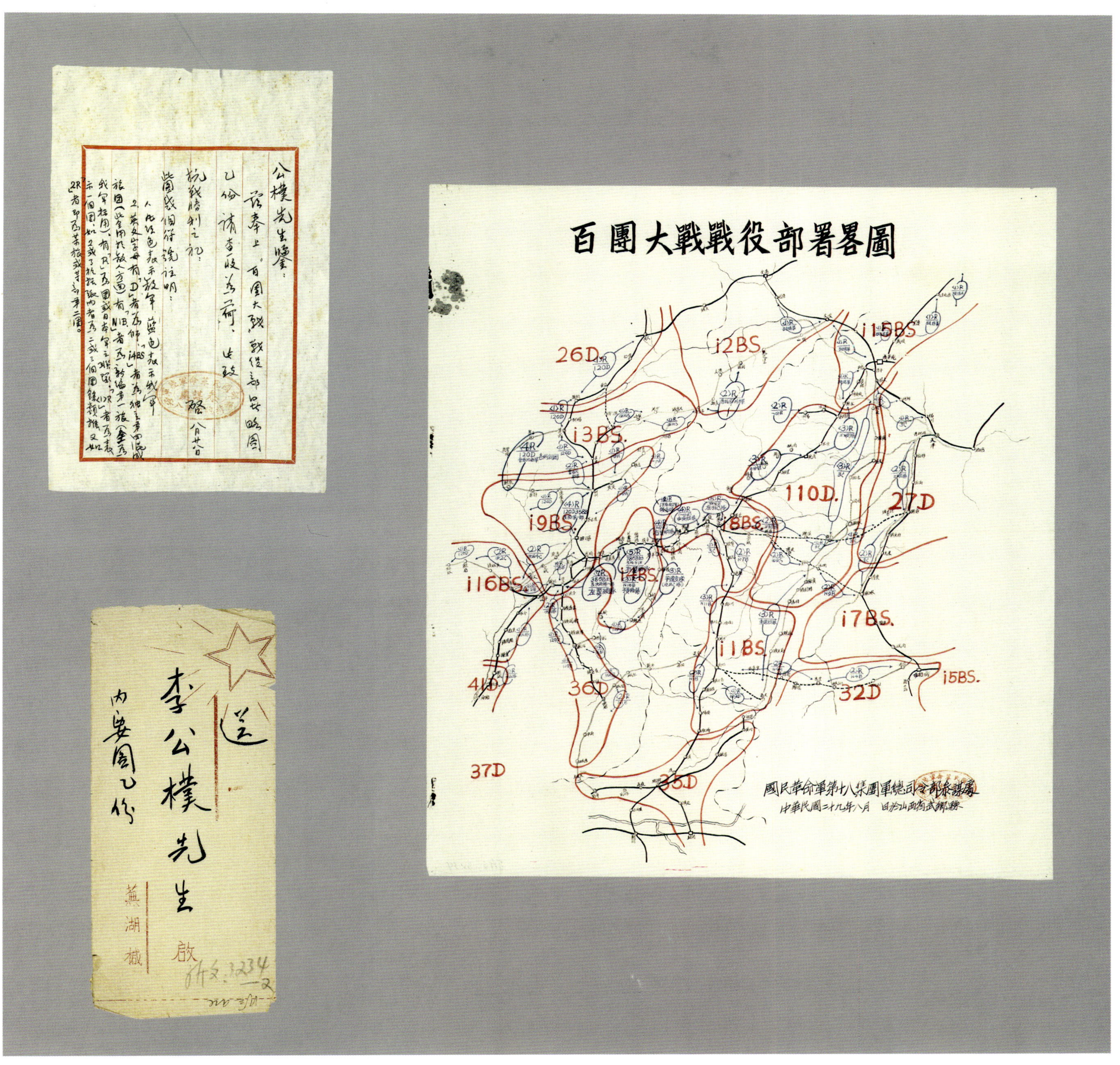
公樸先生鑒：

謹奉上"百團大戰"戰役部署略圖乙份，請查收為荷。此致

抗戰勝利之禮！

茲將個符號注明：

1.紅色表示敵軍，藍色表示我軍。

2.英文字母有"D"者為師，"i4BS"者為獨立第四混成旅團（此全用於敵人方面）；有"NIB"者為新編第一旅（全為我軍在用），有"R"為團或日本軍之聯隊，"(1)R"者為表示一個團，如2或3於括弧內者為二或三個團，餘類推。又如"2R"者即為某旅或某部第二團。

啓 八月廿日



## 200．八路军《百团大战战役部署略图》

1940年8月

纵64、横57厘米

纸质，毛笔绘。落款为"国民革命军第十八集团军总司令部参谋处　中华民国二十九年八月　日于山西省武乡县"。附信，对图中符号加以说明。有信封

百团大战是抗日战争时期八路军在华北地区进攻日军、打破其"囚笼政策"的大规模战役，1940年8月20日开始，12月5日结束。八路军参战兵力105个团，20多万人，作战1824次，毙伤日、伪军2.5万余人，俘1.8万余人，破坏铁路470余公里、公路1500余公里，摧毁大量日伪军据点，鼓舞了全国人民的夺取抗战胜利信心。战役开始后，李公朴访问了八路军总部，该部将此图送给他留作纪念。1959年7月李公朴夫人张曼筠捐赠。

201．铁道游击队队员化装穿的长衫

抗日战争时期
长133.1厘米
毛呢质地，中式，大襟

1938年春，日军占领山东枣庄后，当地一些失业的煤矿工人自发组织了铁道游击队。1939年冬，八路军苏鲁支队派人深入矿区，组织指导开展对敌斗争。他们以微山湖为依托，立足于铁路两侧村庄，机动灵活地战斗在津浦、临枣、正枣铁路线上。打票车、劫货车、截军车、夺军火、扒铁道、炸桥梁、割电线、袭据点，阻滞敌人铁路运输，有力地钳制、削弱了敌人对根据地的进攻。这件长衫是铁道游击队队员赵家泉在一次打票车战斗中化装穿过的。1959年5月江苏省革命历史文物征集委员会拨交。

202. 白洋淀雁翎队的战斗船

抗日战争时期
长342、宽115、高32厘米
木质，糟朽

白洋淀是天津、保定内河航运的中枢。1938年，日军在白洋淀设据点，修碉堡，汽艇在水上横冲直撞，使渔民无法捕鱼。在中国共产党领导下，忍无可忍的白洋淀人民拿起打野禽的大抬杆（大型土枪），驾着枪排（打水禽的一种小船）和渔船，于1940年组成水上游击队——安新县大队第三小队。因他们常把雁翎插在小船上作为行动的标志，被当地百姓称为“雁翎队”。他们利用湖河港汊等有利地形，驾着小船神出鬼没，伏击敌人来往船队，像一把锐利的尖刀，插在敌人津保水路航线的咽喉上。当时白洋淀内共有49个村庄，这是雁翎队在张庄、刘庄等多次战斗中使用过的船。1959年7月河北军区在当地征集后拨交。

## 203．邢女花为琼崖游击队传送文件用的竹篮

抗日战争时期
高15、口径20厘米
竹编，圆形

1939年2月，日军在海南岛登陆。中国共产党领导的民众抗日自卫团独立队（后改称琼崖纵队），在琼山、文昌一带开展游击战争，创建了琼崖抗日游击根据地。日军不断对该根据地疯狂扫荡，严密封锁。文昌县宝芳乡妇女邢女花多次冒着生命危险，穿过敌人的封锁线，为游击队传递文件、送情报。在一次送情报途中被敌人发现，惨遭杀害。此后乡亲们将她传送情报时经常用作掩护的竹篮珍藏起来，新中国建立后捐献国家，1959年8月中国人民革命军事博物馆拨交。

## 204．延安新华广播电台发射机

1940～1947年
长161、宽101.5、厚55.6厘米
金属质地。个别零件及外壳为后配

延安新华广播电台是中国人民广播事业史上最早的一座广播电台，是中央人民广播电台的前身。这是延安新华广播电台使用的第一部发射机。它是1940年3月周恩来从苏联回延安时带来的，是苏联第一个五年计划期间的产品，技术上比较落后，经过改装，于1940年冬试播。1941年1月下旬，曾播出毛泽东《为皖南事变发表的命令和谈话》。1945年9月5日正式播音。解放战争时期，这部发射机曾为西北新华广播电台播音。发射机前后经过三次改装，在运来北京前恢复原样。1959年9月陕西人民广播电台拨交。

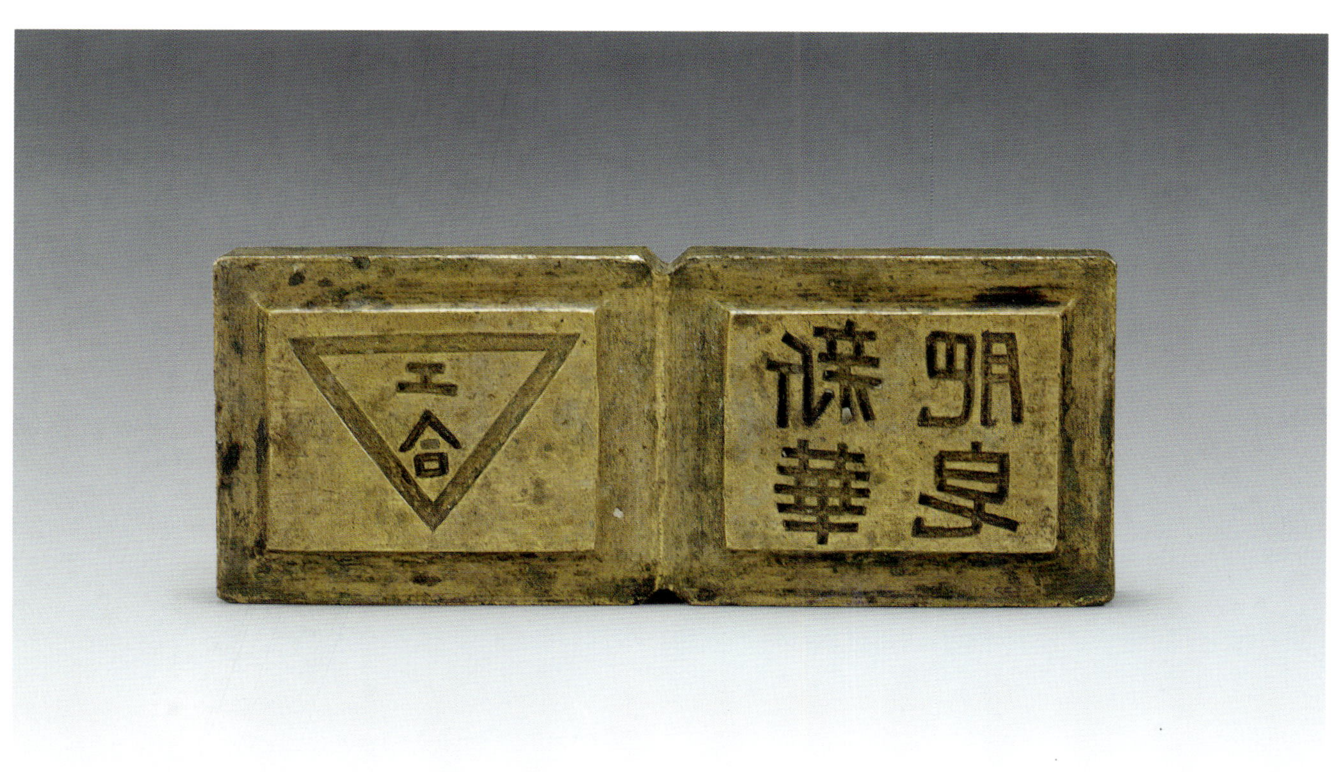


205. 陕甘宁边区“新华牌”肥皂模

1940～1947年
上：纵9.7、横25.5、厚7.8厘米
下：纵5.5、横13.8、厚2.2厘米
铜质，铸造。刻有三角形工合标志和“新华肥皂”字样

新华化学工业合作社是陕甘宁边区最早的一家化学工厂，1939年7月建成，主要生产新华牌肥皂，供应延安市场。1940年初，中国工业合作协会总顾问新西兰人路易·艾黎(Rewi Alley)来厂参观时，看到该厂设备简陋，便决定出资10万元，用于改善设备，扩大生产。这样，该厂就成为“工合”的一个成员。1942年以后，肥皂产量增加，品种增多，除了自给还销往西安等地，换回边区所需物资。这是新华化学工业合作社生产新华牌肥皂用的第二套模子（第一套在生产中毁坏），由延安农具厂铸造。1940年8月开始使用，直到1947年。1959年4月延安革命纪念馆拨交。

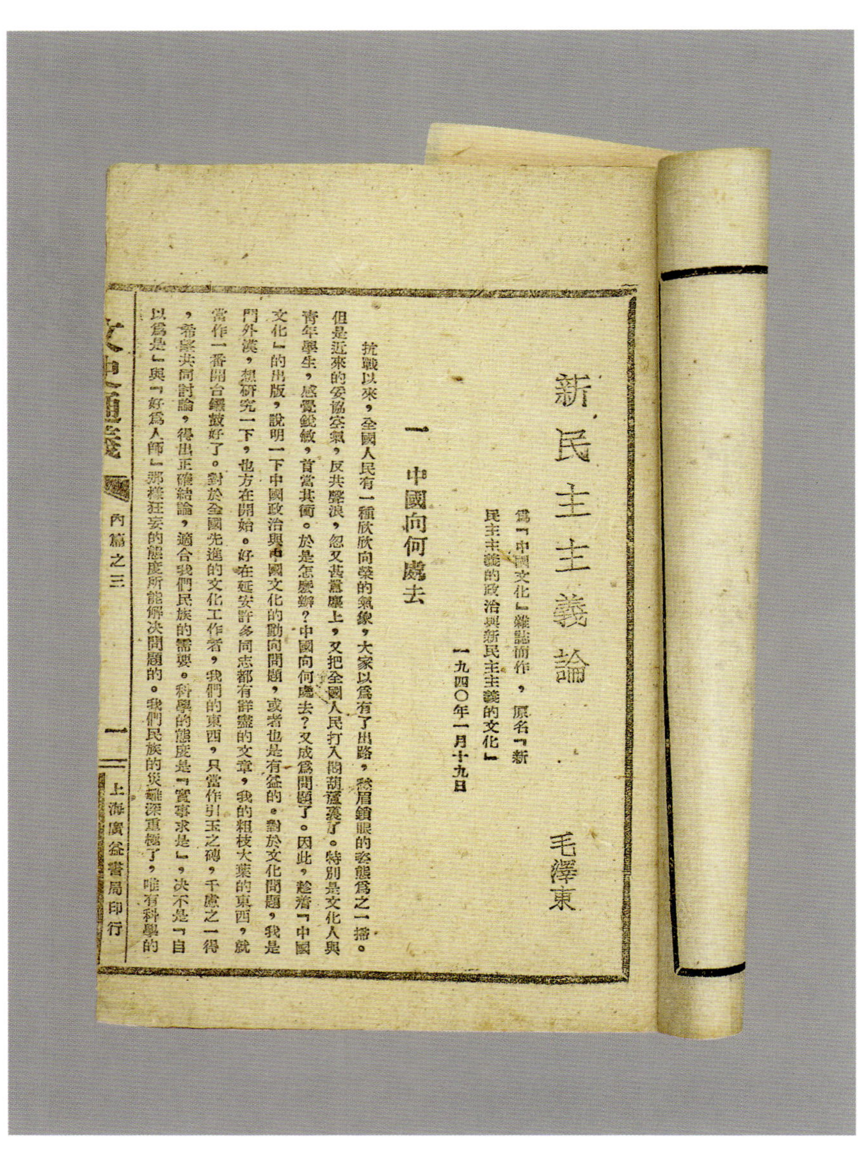

文史通義 內篇之三 一

新民主主義論

毛澤東

爲「中國文化」雜誌而作，原名「新民主主義的政治與新民主主義的文化」

一九四〇年一月十九日

一 中國向何處去

抗戰以來，全國人民有一種欣欣向榮的氣象，大家以爲有了出路，愁眉鎖眼的姿態爲之一掃。但是近來的妥協空氣，反共聲浪，忽又甚囂塵上，又把全國人民打入悶葫蘆裏了。特別是文化人與青年學生，感覺銳敏，首當其衝。於是怎麼辦？中國向何處去？又成爲問題了。因此，趁着「中國文化」的出版，說明一下中國政治與中國文化的動向問題，或者也是有益的。對於文化問題，我是門外漢，想研究一下，也方在開始。好在延安許多同志都有詳盡的文章，我的粗枝大葉的東西，就當作一番開台鑼鼓好了。對於全國先進的文化工作者，我們的東西，只當作引玉之磚，千慮之一得，希望共同討論，得出正確結論，適合我們民族的需要。科學的態度是「實事求是」，決不是「自以爲是」與「好爲人師」那樣狂妄的態度所能解決問題的。我們民族的災難深重極了，唯有科學的

上海廣益書局印行

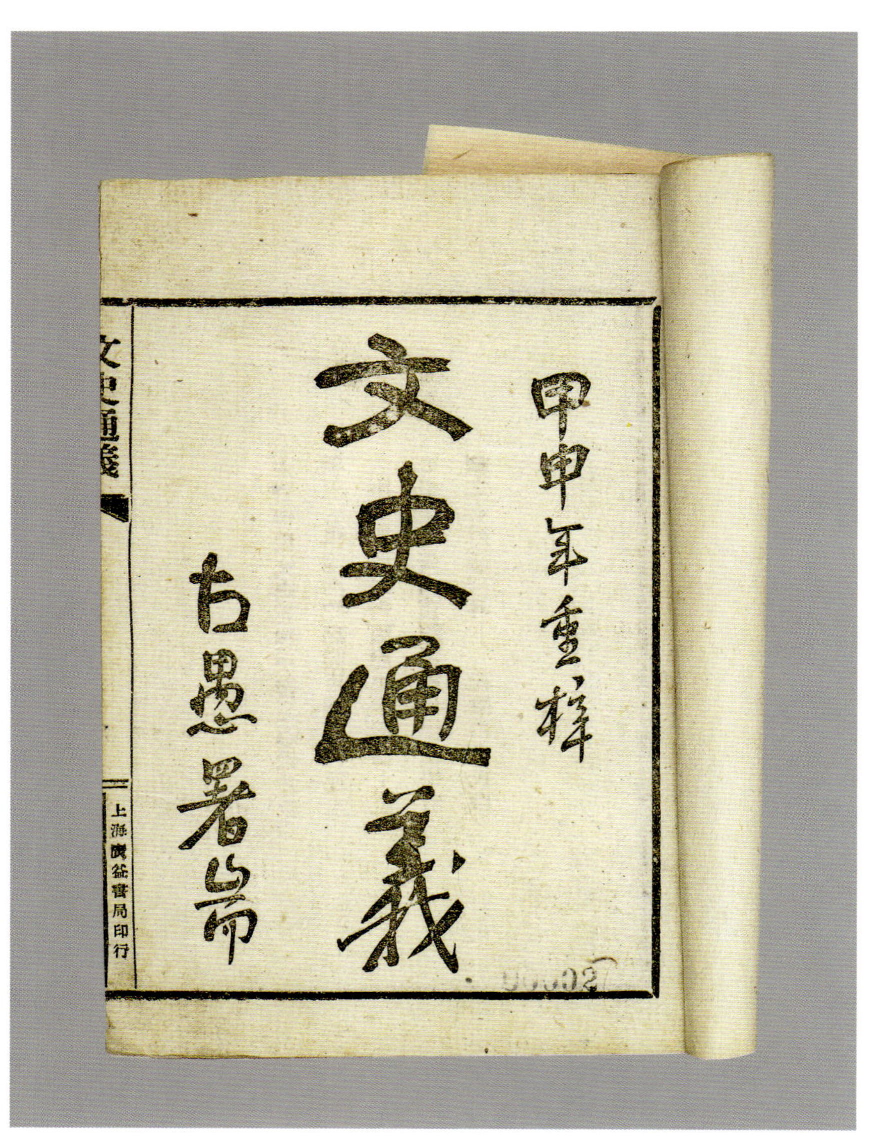

文史通義

甲申年重梓

古愚署耑

文史通義

上海廣益書局印行

## 206．毛泽东著《新民主主义论》的伪装本《文史通义》

抗日战争时期

纵17.6、横12.2厘米

纸质，铅印。封面为《文史通义》，内容为《新民主主义论》

伪装书是革命战争年代共产党和进步文化界抵制国民党文化专制政策的一种有效手段。1940年1月，毛泽东在《中国文化》创刊号上发表了《新民主主义的政治和新民主主义的文化》一文，系统地阐述了新民主主义革命的基本理论。不久，上海新民书店以《新民主主义论》为题出版了该文的单行本。1940年8月，国民党中央图书杂志审查委员会以“内容荒谬，立论偏激”为由查禁此书。为冲破国民党文化当局的封锁，新华书店以上海广益书局印行的《文史通义》作为伪装封面出版了《新民主主义论》。1954年8月河北省涉县文化馆拨交。

**207．彦涵作套色木刻年画《保卫家乡》**

1940 年
右：纵 36.2、横 30.8 厘米；左：纵 34.5、横 28.4 厘米
有光纸，水印，套色，木刻。一副两张，因分别贴在两扇门上，又称门画

1938 年 11 月，延安鲁迅艺术学院师生响应中共中央号召，组成以胡一川为团长的"延安鲁迅艺术学院木刻工作团"，到太行山区深入生活。1940 年春节前夕，他们在武乡县关垴村创作了一套新年画，共八张。采用民间年画的形式，以写实手法表现抗日斗争内容，深受太行山区人民的喜爱。1940 年 6 月，前往太行山区参观的李公朴，受彦涵之托带了两套年画到重庆展览。其中一套后由李公朴保存，《保卫家乡》为其中的一副。1959 年 7 月李公朴夫人张曼筠捐赠。

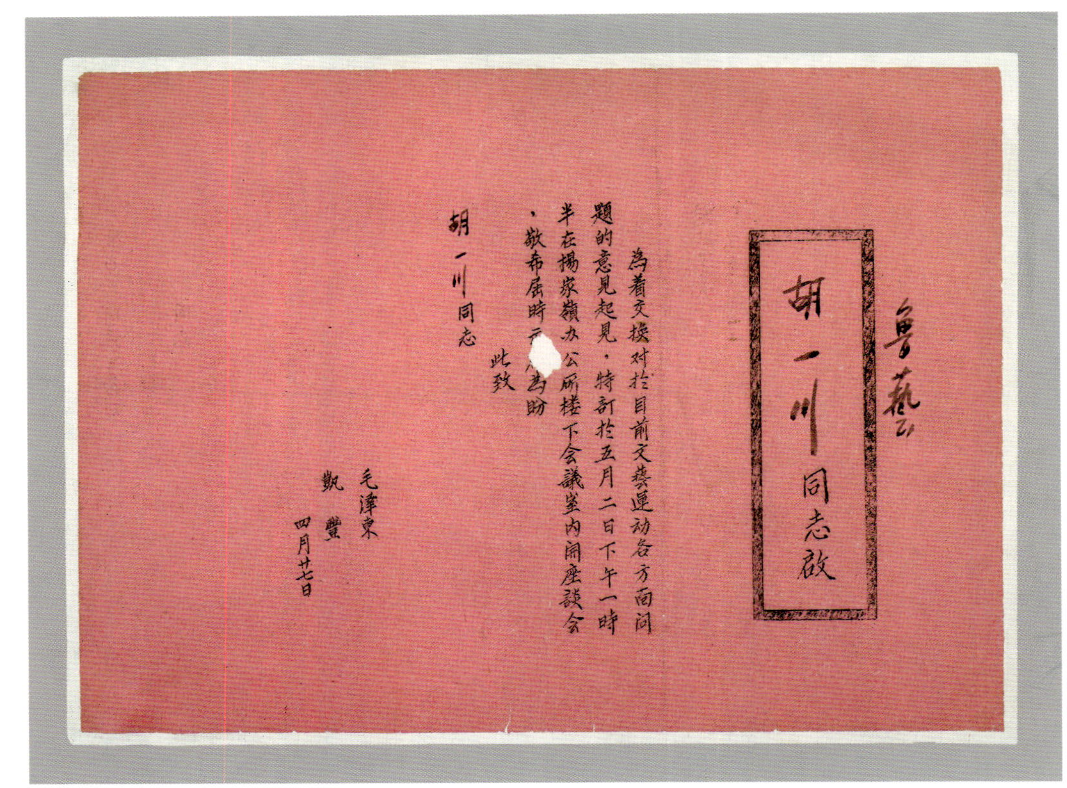

鲁藝

胡一川同志啟

為着交換对於目前文藝運动各方面問題的意見起見，特訂於五月二日下午一時半在楊家嶺办公所楼下会議室内開座談会，敬希届時[illegible]為盼

此致

胡一川同志

毛澤東
凱豐
四月廿七日

**208．胡一川出席延安文艺座谈会的请柬**

1942 年 4 月 27 日
纵 21、横 28.3 厘米
纸质，油印，毛笔填写。毛泽东、凯丰署名

1942 年 5 月 2 日至 23 日，中共中央在延安杨家岭召开文艺工作者座谈会，共有 100 多人参加。毛泽东于 5 月 2 日和 23 日两次发表重要讲话，即《在延安文艺座谈会上的讲话》，前一次称“引言”，后一次称“结论”。着重阐述了革命文艺为人民大众，首先是为工农兵服务的根本方向。凯丰当时任中共中央宣传部负责人。延安鲁迅艺术学院木刻教员胡一川应邀参加了座谈会。1981 年 10 月 26 日胡一川捐赠。

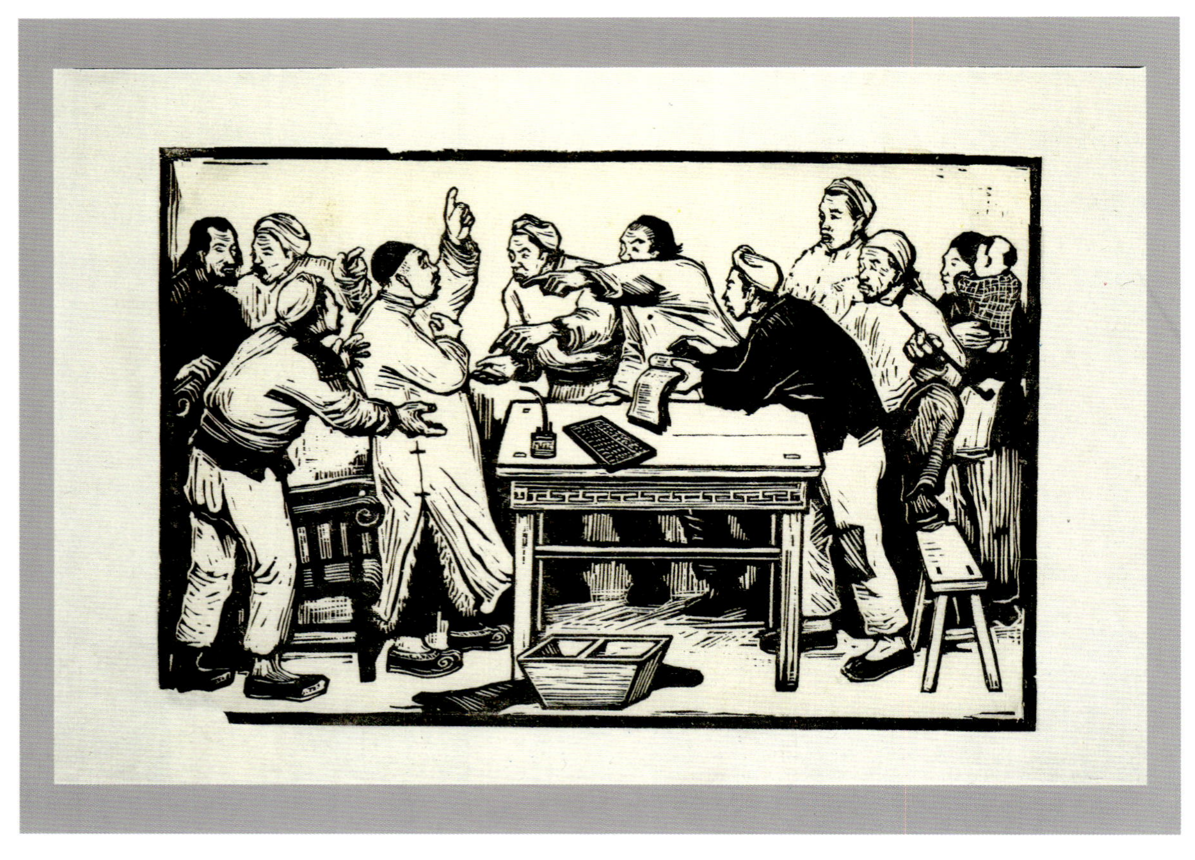

**209．古元作木刻画《减租会》**

1943 年
纵 13.5、横 19.5 厘米
纸质，木版印

从 1939 年冬起，各抗日根据地先后实行减租减息政策，减轻农民负担，提高了广大农民生产与抗战的积极性。1940 年夏，延安鲁迅艺术学院美术系学生古元响应中共中央号召，到延安县川口区碾庄村深入生活，与农民同吃同住同劳动。他注意观察农民日常生活，不断发掘素材，创作了大量优秀木刻作品。《减租会》为其中之一，创作于 1943 年，其素材来源于碾庄村农民在减租减息运动中的一次与地主说理斗争会。1959 年古元捐赠。

**210．延安《解放日报》报头印版**

1941～1947年
纵6.6、横14.7、厚1.9厘米
铜质，草书，阳文刻

1941年，抗日战争进入最困难时期，为了巩固抗日根据地，驳斥国民党顽固派的诬蔑和诽谤，扩大国内外影响，中共中央决定将《新中华报》与新华社内部刊物《每日新闻》合并，出版对开大型中央机关报《解放日报》。1941年5月16日，《解放日报》在延安创刊，毛泽东撰写了发刊词并题写了刊名。1947年3月27日，中共中央撤离延安，《解放日报》停刊，共出版2130期。这是毛泽东题字的报头印版，从创刊到停刊共使用了五年十个月又十一天。1959年延安革命纪念馆拨交。

**211．王震在南泥湾开荒用的锄头**

抗日战争时期
纵16.5、横19.3、柄长21.5厘米
铁质，锻造

1941年，为克服严重的经济困难，各抗日根据地掀起大规模的生产运动。3月，八路军一二〇师三五九旅奉命开进南泥湾，实行军垦屯田。在极其困难的条件下，从旅长王震到公勤人员、随军家属都参加了生产。他们开荒种粮，饲养禽畜，发展小型工业、手工业、商业和运输业。在短短三年时间里，把昔日荒无人烟的南泥湾变成了“陕北的江南”。除自给外，每年上缴公粮一万石。三五九旅成为大生产运动的模范集体，王震被评为陕甘宁边区劳动模范。1959年4月延安革命纪念馆拨交。

212．宋学义的“坚决顽强”奖章

1941年

对角线4.4厘米

铜质，五角形。用日本炮弹壳手工制作。设计者劳神，制作者王英。图案为人狼搏斗，象征人民军队不畏强暴、坚决顽强的革命意志。刻有“坚决顽强 1941 晋察冀军区政治部”字样

1941年9月25日，日军进攻驻河北易县的八路军。为掩护主力转移，晋察冀军区一分区一团七连六班班长马保玉等五人把敌人引到狼牙山的悬崖绝顶——棋盘陀，据险抵抗，直至弹尽援绝，他们宁死不当俘虏，毅然砸枪跳崖。马保玉和战士胡德林、胡福才壮烈牺牲，副班长葛振林、战士宋学义负伤幸存。在1941年晋察冀第一军分区反“扫荡”祝捷大会上，军区发布训令，决定在棋盘陀为三烈士建立纪念塔，杨成武司令员代表晋察冀军区政治部向负伤的二壮士颁发“坚决顽强”奖章。1959年宋学义捐赠。

213．冀中冉庄群众挖地道用的镐

抗日战争时期

长35厘米

铁质，木柄

1941年至1942年，为粉碎日军对抗日根据地的大“扫荡”，冀中平原军民创造了地道战。位于清苑县西南的冉庄，是保定日军南犯的必经之地，经常遭到日军搔扰和抢劫。为了躲避敌人，村民在家里隐蔽的地方挖洞藏身和坚壁物品。后来，这种单口洞发展成双口洞，形成地道雏型，根据战斗需要随战随挖。到1945年，形成以十字街为中心的东、南、西、北四条地道干线，连同支线和联村地道总共15公里，并修筑了几十个与地道相通的工事。民兵们以村落战、地雷战、地道战相结合的战术，有力地打击了来犯之敌。1959年6月河北省博物馆拨交。

**214．戎冠秀护理八路军伤病员用的碗和勺**

抗日战争时期

碗为陶瓷质，口径16.9厘米；勺为铜质，铁柄，长13.6厘米

戎冠秀（1897～1989年），河北省平山县下盘松村人，拥军模范。1938年加入中国共产党，任村抗日妇救会主任、八路军伤病员转运站站长。在反“扫荡”斗争中，她组织妇女做军鞋，缝军衣，支援前线，并夜以继日地照料过往的八路军伤病员，对子弟兵像对待自己的亲人一样，战士们亲切地称她“子弟兵的母亲”。她多次受到晋察冀军区、边区政府表彰。这是在反“扫荡”战斗中，戎冠秀为伤病员喂饭和汤水用的碗和勺。1959年2月戎冠秀捐赠。

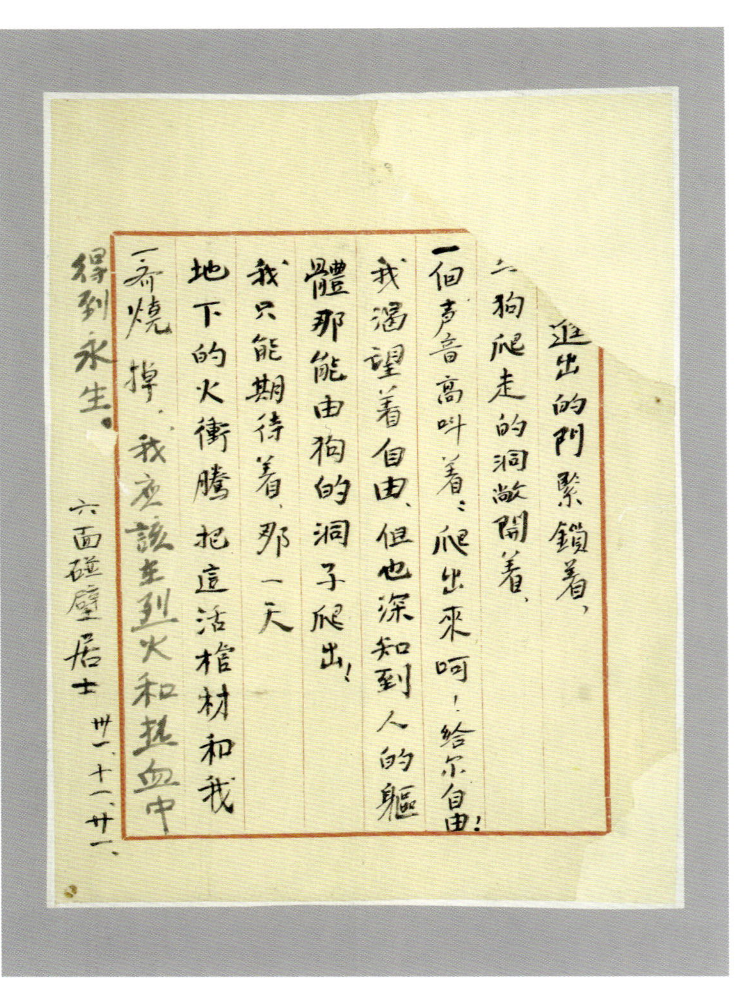

進出的門緊鎖着，
為狗爬走的洞敞開着，
一個声音高叫着：爬出來呵！給你自由！
我渴望着自由，但也深知道人的軀
體那能由狗的洞子爬出！
我只能期待着，那一天
地下的火衝騰，把這活棺材和我
一齊燒掉，我應該在烈火和熱血中
得到永生。

六面碰壁居士 卅一、十一、廿一

**215. 叶挺《囚诗》手稿**

1942年11月21日
纵29、横21.7厘米
纸质，毛笔写

叶挺（1896～1946年），字希夷，广东惠阳人。中共党员，北伐名将。1937年10月任新四军军长。1941年1月，在皖南事变中被国民党扣押。先后被囚禁于江西上饶、湖北恩施、广西桂林、四川重庆等地。在狱中，他始终坚贞不屈。1942年11月，重庆各界举行活动为郭沫若祝寿，被关押在“中美合作所”集中营红炉厂囚室的叶挺得知后，用香烟罐内的圆纸片自制了一枚“文虎章”，托夫人李秀文带给郭沫若表示祝贺。不久，又由李秀文送去一封修改“文虎章”上题字的信和这首署名“六面碰壁居士”（叶挺别号）的《囚诗》，表达了革命者为真理献身的高风亮节和英雄气概。1959年7月郭沫若捐赠。

**216. 吉福庚为游击队修理枪枝用的铜匠担**

1942～1948年
高47.5、纵52、横18厘米
木质，残破

吉福庚是江苏省镇江市大路镇的铜匠。1942年开始到山北县（今镇江市丹徒区）抗日民主政府警卫营为新四军游击队修理枪械，到1948年，吉福庚用这副铜匠担为新四军、解放军秘密修理枪枝400余支，改制和修理子弹5万余发，支援了抗日和解放战争。1959年4月镇江博物馆拨交。

## 217. 小英雄王璞用的红缨枪头

抗日战争时期
长 34.5 厘米
铁质，锻造

王璞（1929～1943 年），1940 年当选为河北省完县野场村儿童团长。他经常带领儿童团员站岗放哨，为八路军送信、带路，并积极参加除奸防特，坚壁清野等抗日活动。1943 年 5 月，在日军对晋察冀边区进行春季大“扫荡”时被抓。为了保守八路军的机密，王璞在敌人的威胁、恫吓面前毫不畏惧，带头背诵《军民誓约》，最后惨遭日军枪杀。晋察冀边区政府授予王璞“抗日民族小英雄”的光荣称号。这是王璞为八路军站岗放哨时使用过的红缨枪头。1959 年 5 月共青团中央拨交。

## 218. 晋察冀边区第一届参议会纪念瓷碗

1943 年 1 月
碗口直径 18.6 厘米
陶瓷质，青灰色釉。碗口残缺。外壁烧有“民主团结　晋察冀边区第一届参议会纪念　民国三十二年一月制”

1943 年 1 月 15 日至 21 日，晋察冀边区第一届参议会在河北省阜平县城南庄举行。到会议员包括共产党员、国民党员、无党派民主人士、科技专家及少数民族代表等 288 人。大会选举成仿吾、于力为参议会正副参议长，杨耕田、阎力宣等为参议员，王斐然为边区高等法院院长。这次选举是在真正平等的民主制度下，采取直接普遍的无记名投票的方式进行，充分体现了边区广大人民的意志。1959 年 2 月中共河北省阜平县城南庄委员会拨交。

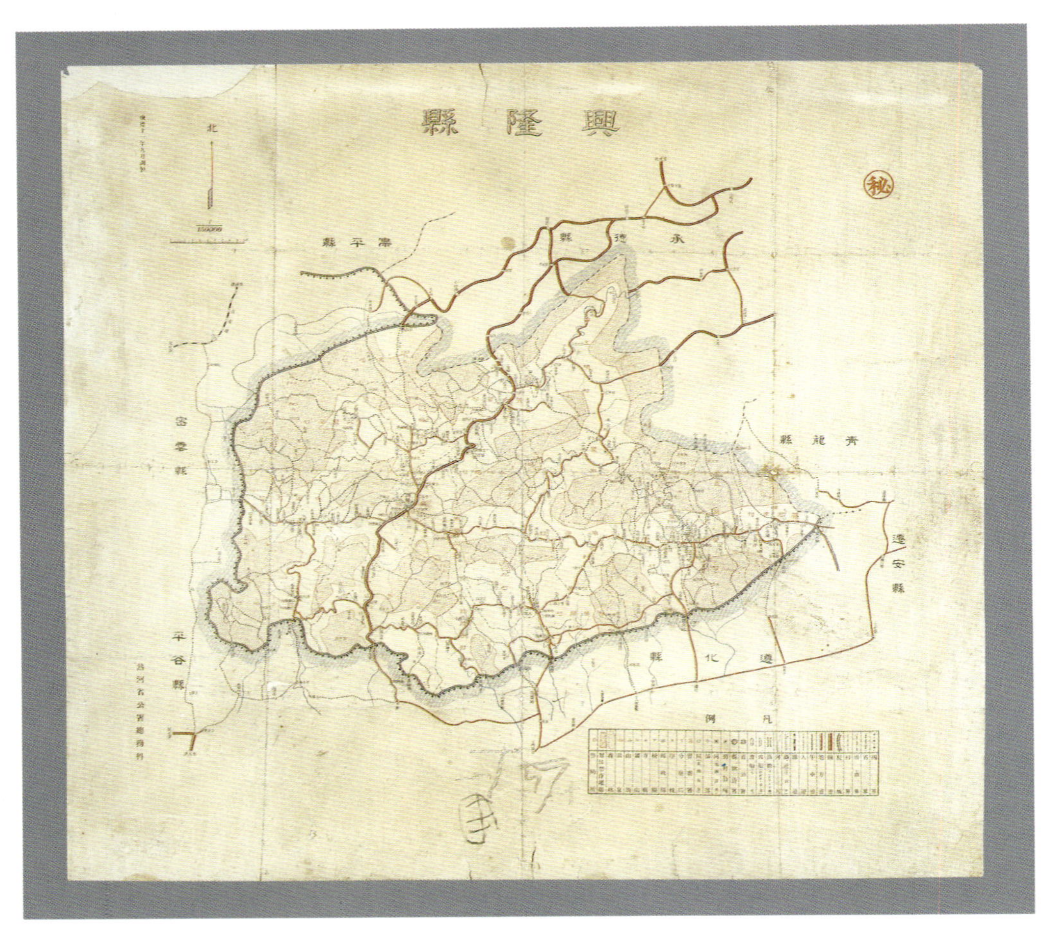


**219．日军在河北兴隆县制造“无人区”地图**

1944 年
纵 83.2、横 76.3 厘米
纸质，铅印。右上角印有“秘”字

制造“无人区”是日本侵略军为隔断中共领导的抗日武装同人民群众的联系、彻底摧毁其生存条件而采取的一种法西斯手段。从 1940 年开始，日军先后在华北、鲁中等地制造“无人区”，实行集家并村，建立部落，严加控制。擅自进入无人区者，即以通匪罪名论处；拒绝迁入部落者都要遭到烧杀。日军在无人区实行法西斯统治，造成大批田园荒芜，村庄被毁。此图为热河省公署总务科绘制，图中详细标明了该地区“部落”设置等情况。1959 年河北省博物馆拨交。

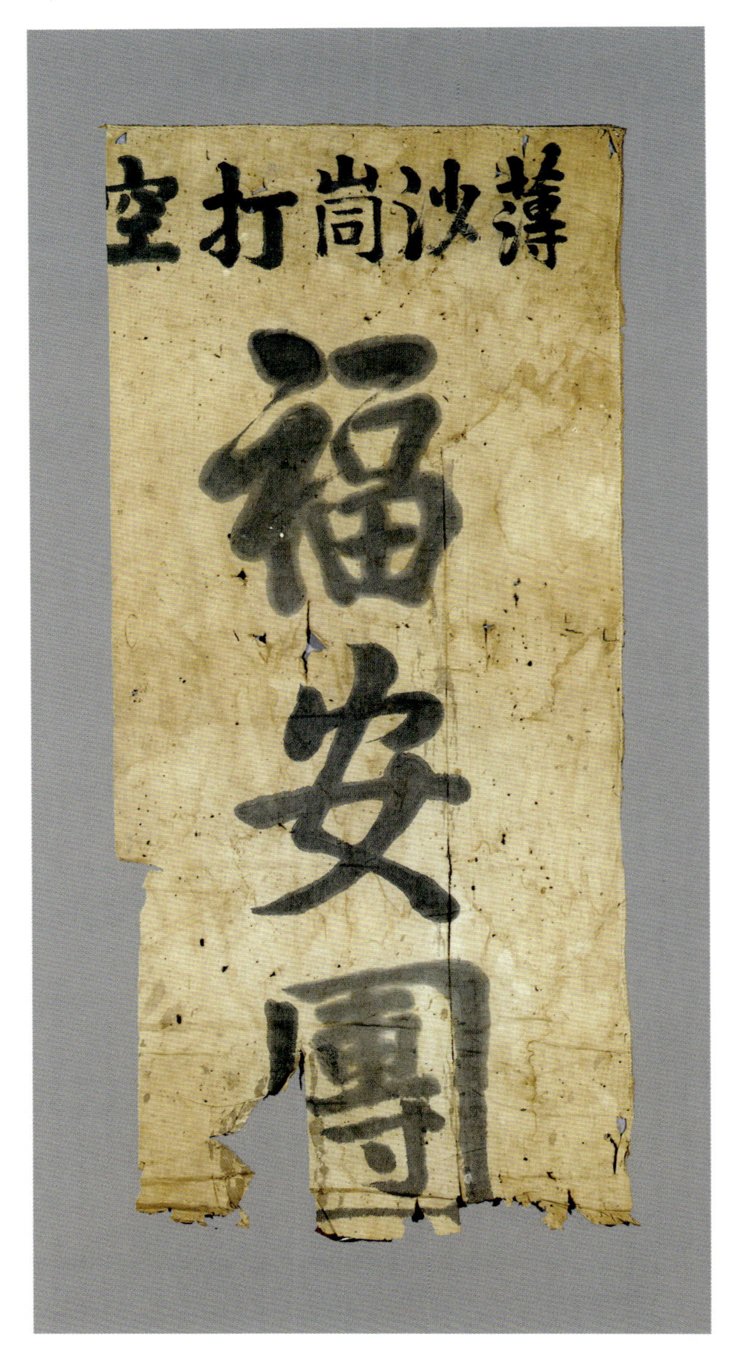


**220．黎族人民在白沙起义时用的“福安团”旗**

1943 年 7 月
纵 150、横 66.6 厘米
布质，污旧，残破。旗上墨写“薄沙峒打空　福安团”

1939 年 2 月，日军在海南岛登陆。驻岛国民党军队、军政官员及其家眷竞相撤进五指山区。他们不抗日，却巧立名目，横征暴敛，欺压百姓，给黎族等当地各族人民带来无穷灾难。1943 年 7 月，王国兴、王玉锦领导白沙、细水等地数万名黎族人民举行起义，他们高举自己的峒旗，手持粉枪、弓箭、砍刀等武器，反抗国民党反动派的迫害。起义被镇压后，王国兴率起义军进入深山，在中国共产党领导下，1944 年组成白（沙）保（亭）乐（东）人民解放团。峒是黎族的社会组织，每个峒都有峒旗，旗的颜色、形状各异。此旗是白沙峒（薄沙峒）的旗帜。1959 年 4 月广东省博物馆拨交。

221．中共太行区党委授予李顺达的锦旗

1944年12月
纵70、横205厘米
丝绸质，长方形，黄地蓝花，贴紫红色字“赠　边区劳动英雄　组织起来顶机器　中共太行区党委”。污旧，褪色，部分字迹脱落

李顺达（1915～1983年），全国劳动模范。抗日战争时期任山西平顺县西沟村民兵小队长、农会主席。他响应毛泽东“组织起来”的号召，在西沟村组织了太行山区第一个互助组——“李顺达互助组”。带领大家开荒种粮，发展生产，推广新技术，粮食产量连年增加。1944年，在“太行区杀敌英雄、劳动英雄和模范工作者大会”上被评为一等劳动英雄，被授予这面锦旗。1954年8月李顺达捐赠。

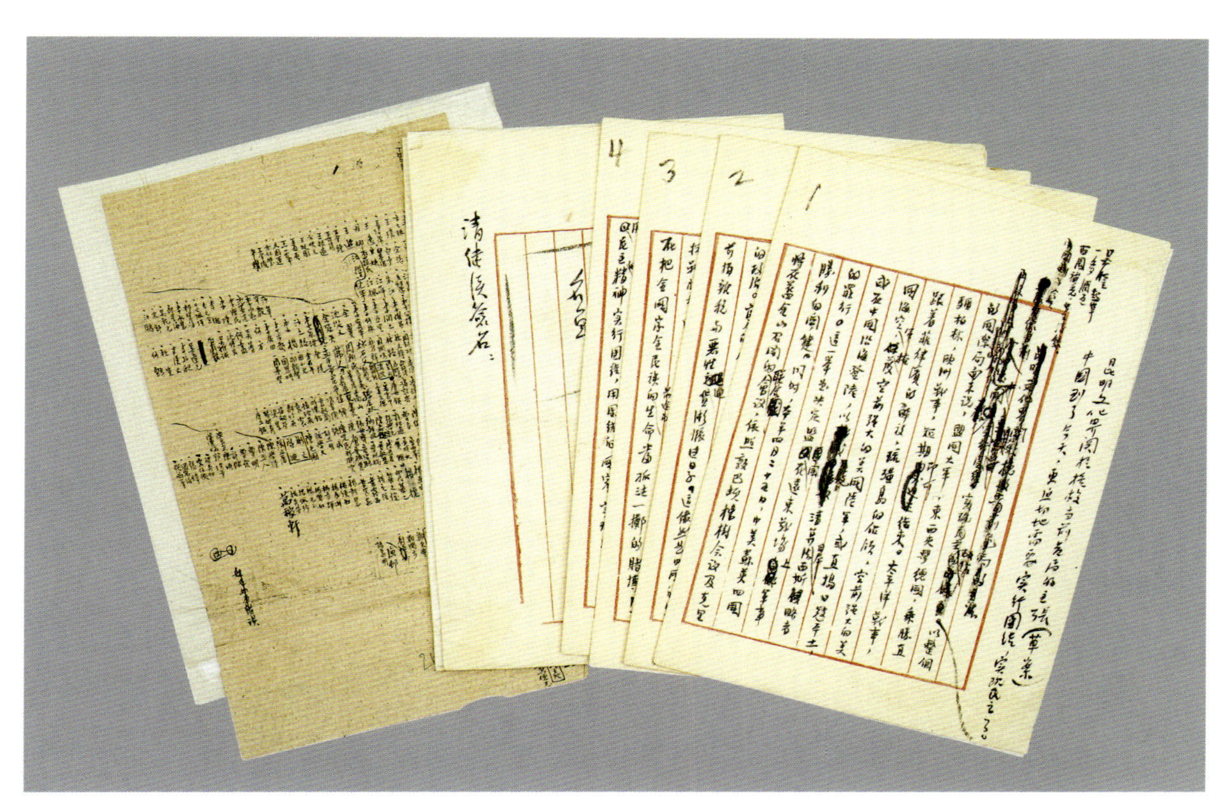

222．《昆明文化界关于挽救当前危局的主张（草案）》原稿

1945年3月12日
纵30.5、横21.2厘米
纸质，毛笔写。6页

抗日战争后期，国统区爱国民主运动出现新的高涨。1944年9月，中共代表林伯渠在国民参政会上提出废除国民党一党专政、组织民主联合政府的主张，得到各民主党派和各界民主人士的赞同和支持。1945年3月12日，昆明文化界340多人联名发表《关于挽救当前危局的主张（草案）》，提出召集国是会议，组织联合政府，保障人民民主权利等。此稿由吴晗起草，闻一多润色，华岗（西园）补充，罗隆基（努生）清录。收入吴晗存《甲乙文献征存录》。后由吴晗转交张光年，辗转捐赠国家，1951年中共中央办公厅秘书处拨交。

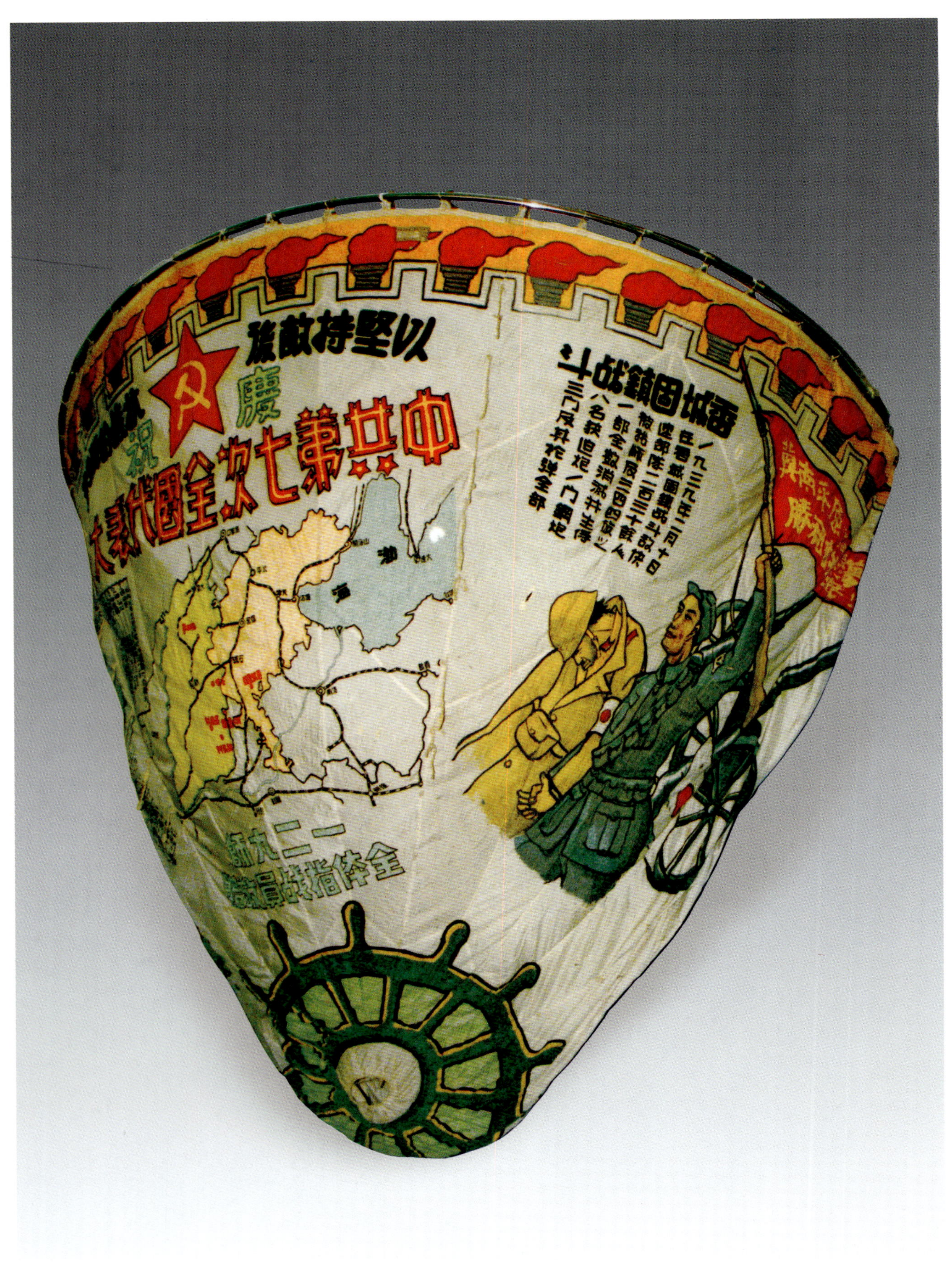


**223．八路军一二九师献给中共“七大”的礼品——降落伞**

1939 年
半径 370 厘米
丝绸质地，白色，毛笔彩绘

1937 年 12 月，中共中央政治局会议通过了关于召集中国共产党第七次全国代表大会的决议。1939 年，根据中央指示，各地代表陆续到达延安。后七大因故延期至 1945 年正式召开。为迎接七大召开，许多部队、机关、团体向大会敬献了礼品。此降落伞是八路军一二九师在 1939 年 10 月山西昔阳县安丰村战斗中，从被击落的日本飞机内缴获的。该师指战员以生动的宣传画绘制在降落伞上，形象、真实地记录了一二九师抗战以来的主要战绩，作为礼品献给七大。1982 年中共中央办公厅拨交。

**224．鲁艺文供社献给中共“七大”的毛泽东像纪念章**

1945年

直径2.7厘米

锡质，圆形，正面为浅浮雕毛泽东侧面头像，右下方英文字母“LF”，是凌子风（原名凌风）名字的英文缩写。背面刻有“献给七大主席团　鲁艺文供社”字样

1945年4月，中共七大召开前夕，各抗日根据地广大军民纷纷向大会献礼。这枚纪念章由延安鲁迅艺术文学院教员凌子风设计，在一块砚石上雕刻后，经大家认可，鲁艺文化供应社（简称文供社）成员集体翻模制作。他们将锡制香炉、蜡扦熔化后，用母模铸造，其中的15枚像章分别赠送给大会15位主席团成员。陈毅保存的这一枚，是15枚中仅存的一枚，也是现知最早的一枚金属质毛泽东像章。1975年陈毅之子陈昊苏捐赠。

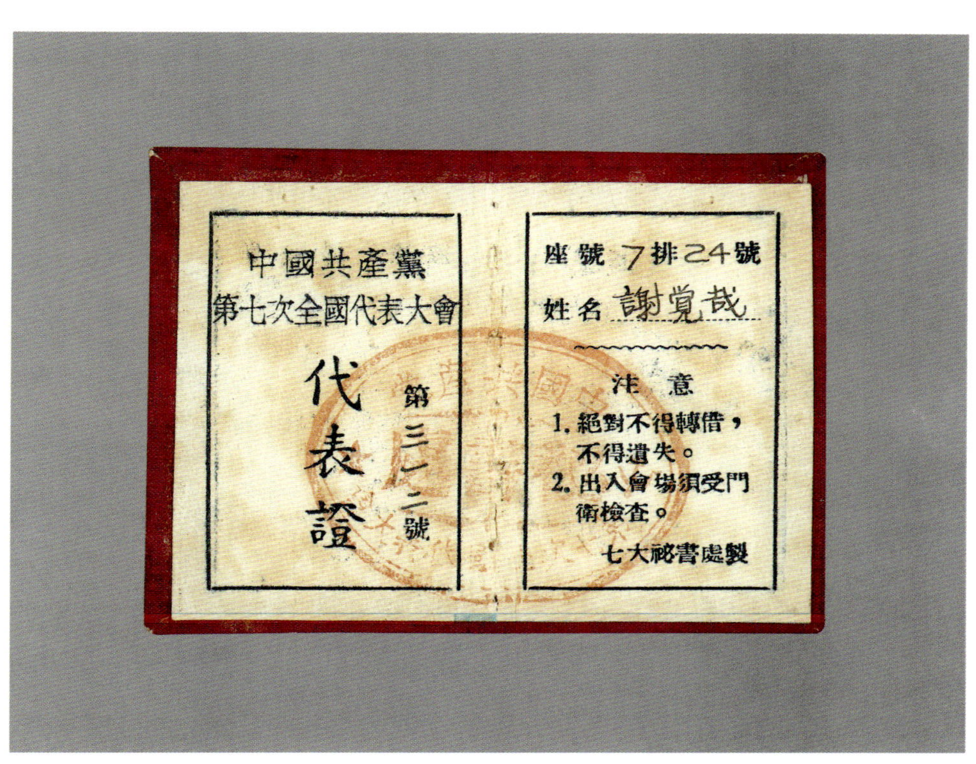

中國共產黨
第七次全國代表大會
代表證
第三一二號

座號　7排24號
姓名　謝覺哉

注意
1. 絕對不得轉借，不得遺失。
2. 出入會場須受門衛檢查。

七大祕書處製

**225．谢觉哉出席中共“七大”的代表证**

1945年

纵6.7、横8.8厘米

纸质，紫绸面，铅印，钢笔填写

1945年4月23日至6月11日，中国共产党第七次全国代表大会在延安举行，出席大会的正式代表547人，候补代表208人。谢觉哉当时任中共中央党校副校长、中共中央西北局副书记兼陕甘宁边区政府秘书长、陕甘宁边区参议会副参议长，作为“七大”正式代表出席了大会。这是七大秘书处发给他的代表证。1972年谢觉哉其夫人王定国捐赠。

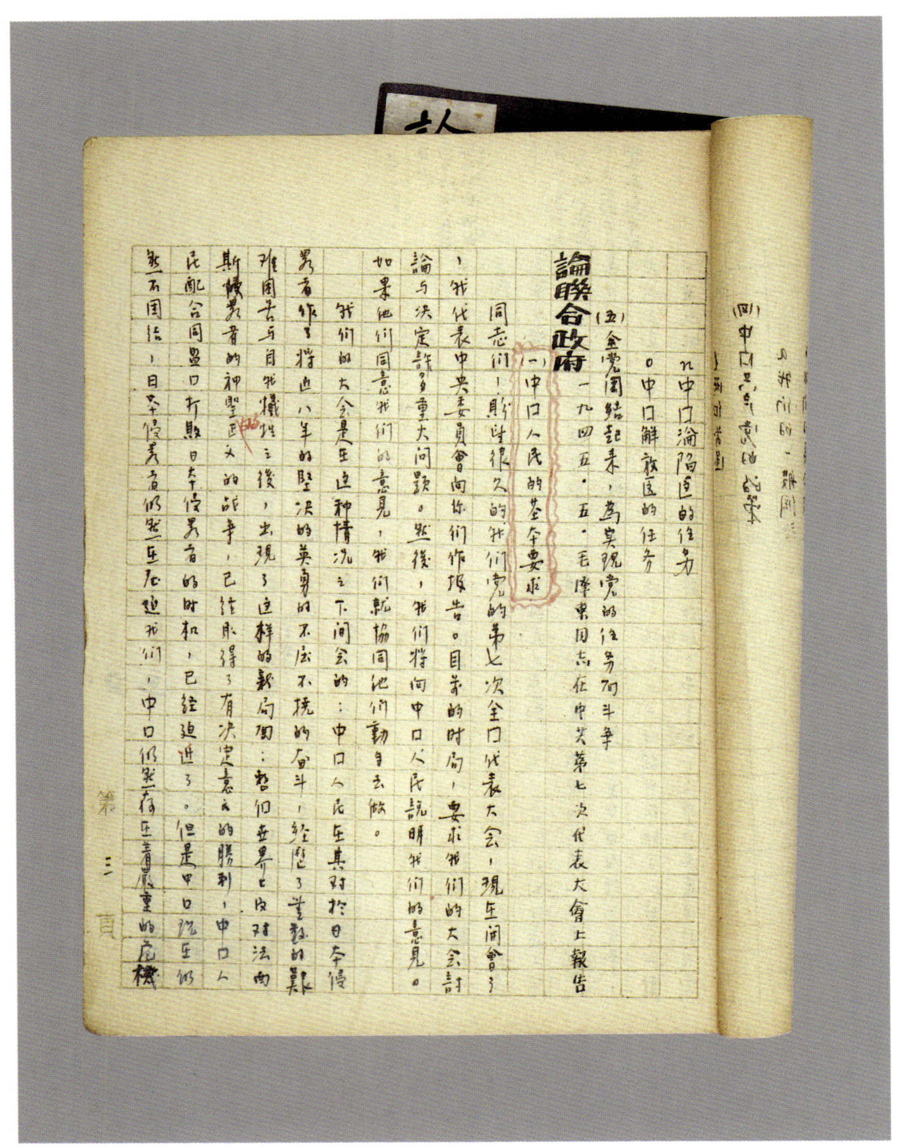

**226．新四军淮南新闻电台收抄的《论联合政府》电稿**

1945 年 5 月

纵 27.3、横 20.5 厘米

纸质，钢笔写。线装本，毛笔题款“论联合政府　一九四五年收抄于苏北沭阳敌后根据地　五零年深秋”，有“一氓”印

1945 年 4 月 24 日，毛泽东在中国共产党第七次全国代表大会上作了题为《论联合政府》的政治报告。不久，延安新华广播电台向各根据地播发。这是新四军淮南新闻电台在苏北沭阳敌后根据地收抄的新华广播电台播发的《论联合政府》报告的电稿。李一氓当时任淮海区党委副书记，曾用此件向淮海区党委干部传达。1950 年秋李一氓重新装订，1976 年 3 月 24 日捐赠。

**227．美军观察组在延安照片册**

1944～1946 年
纵 36.5、横 31.5、厚 2.5 厘米
本册照片 102 幅

为了解中共和敌后抗日根据地的情况，经美国副总统华莱士向蒋介石提议，由中缅印战区美军司令部派遣美军观察组(又称迪克西使团)访问延安。1944 年 7 月 22 日和 8 月 7 日，美军观察组 18 人分两批（一团、二团）飞抵延安。美军上校包瑞德任组长，美国驻华使馆秘书谢伟思、卢登等人同行。他们受到中共的欢迎，毛泽东等与之多次会见。观察组对延安、晋察冀、晋绥等敌后抗日根据地进行了考察，向美国政府提交了调查报告，比较客观地反映了抗日根据地的政治、经济、军事情况和中国共产党的方针政策。观察组于 1946 年 4 月 20 日结束工作离开延安。本册照片（附美军观察组臂章）记录了观察组在延安等地的活动情况。1978 年原美军迪克西二团成员访华时捐赠。

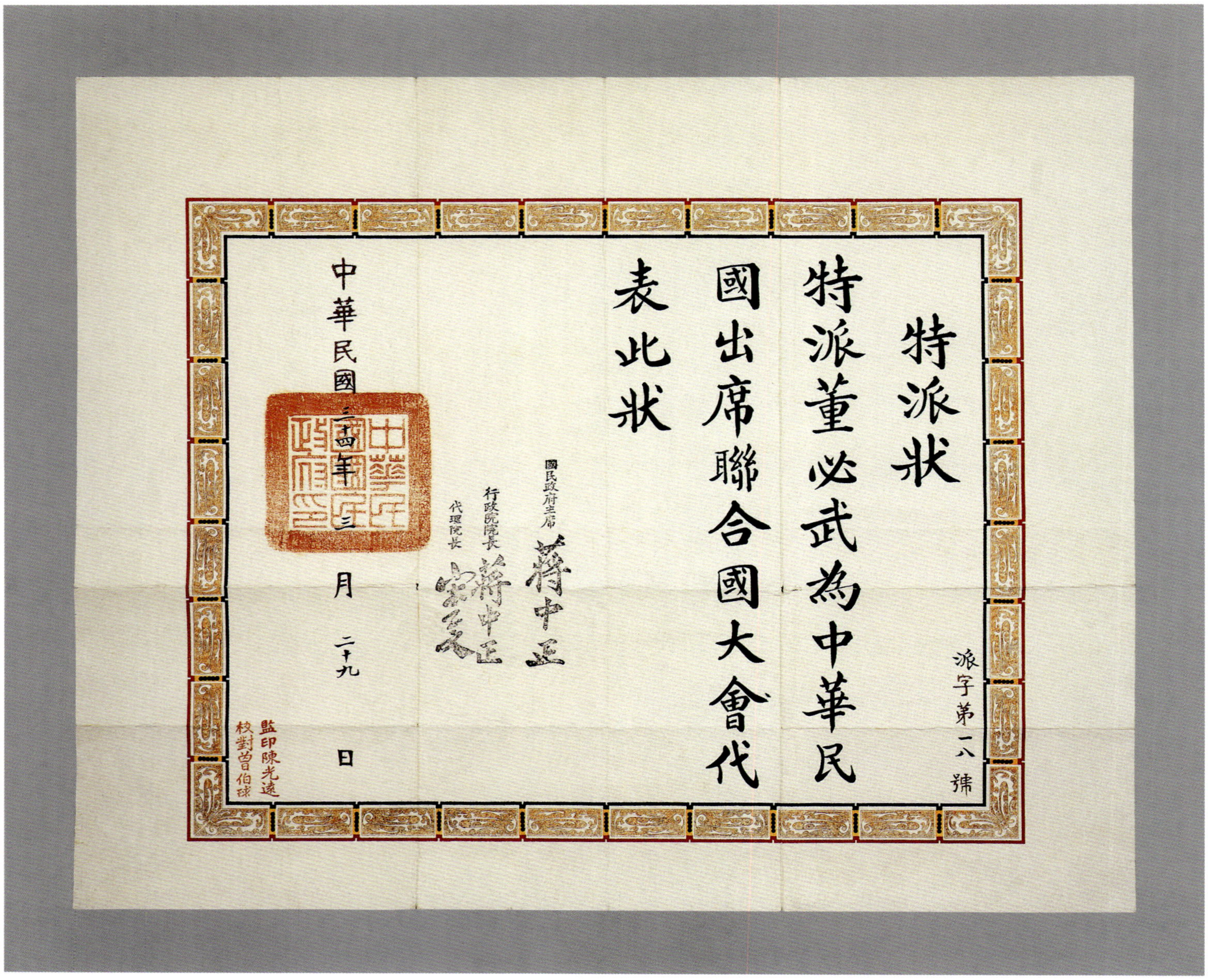

派字第一八號

特派狀

特派董必武為中華民國出席聯合國大會代表此狀

國民政府主席 蔣中正
行政院院長 蔣中正
代理院長 宋子文

中華民國三十四年三月二十九日

監印陳光遠
校對曾伯球

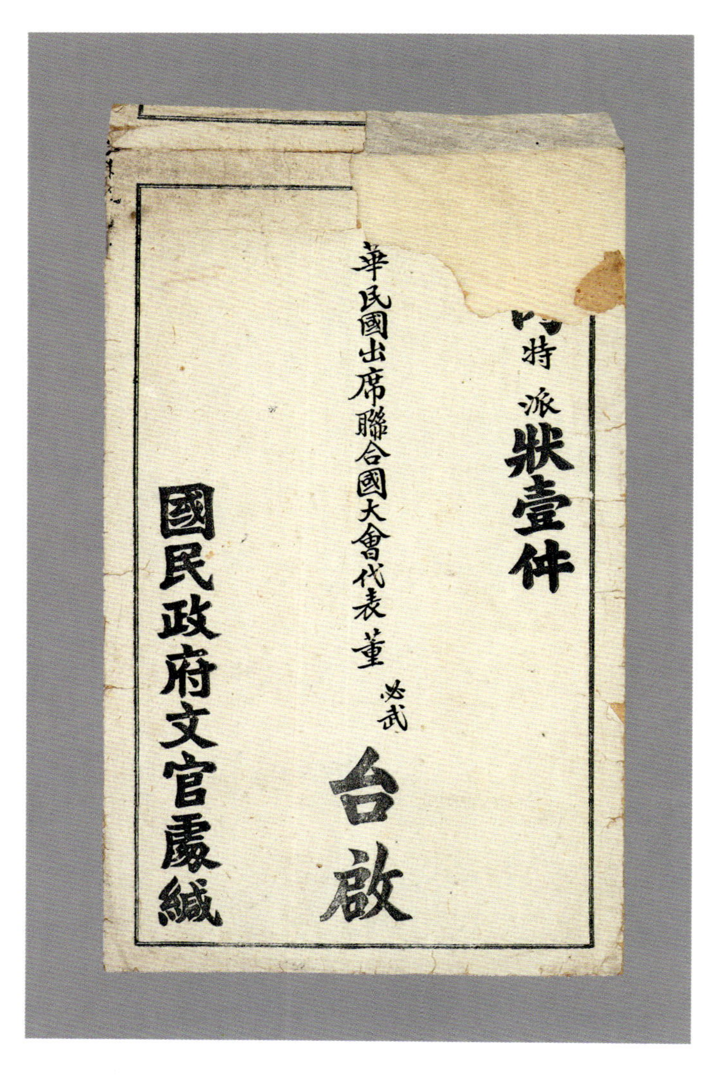


**228．国民政府委派董必武为出席联合国大会代表特派状**

1945年3月29日

纵41.3、横50.7厘米

纸质，石印、毛笔写。盖有中华民国国民政府印。有信封

联合国成立大会于1945年4月至6月在美国旧金山举行。中国为发起邀请国之一。中国共产党提出，中国代表团必须包括共产党和民盟代表，并提出共产党代表人选为周恩来、董必武、秦邦宪。国民党同意董必武为代表。中国代表团以国民政府外交部部长宋子文为首，共5人。董必武率随员章汉夫、陈家康参加联大会议，并在《联合国宪章》上签字。此特派状（派字第十八号）由国民政府主席兼行政院长蒋中正和代理院长宋子文签署。1978年2月董必武夫人何莲芝捐赠。

229．美国政府授予李温平的“自由勋章”

1946 年 12 月
勋章直径 3.3 厘米
铜质。正面图案为钟，背面为自由女神

1942年底，滇缅公路中断。美国盟军总部决定赶修一条从印度密支那经缅甸至中国云南保山的公路（即保密公路）。中国爆破工程专家李温平被任命为第一工程处副处长，与美国工兵团一起克服重重困难，仅用两个多月就打通了300公里长的保密公路国内段。1945年1月20日正式通车，为赢得抗日战争最后胜利发挥了作用。1946年12月，美国总统发布命令，授予李温平等4名中方工程技术人员铜质“自由勋章”，这是美国政府向民间人士颁发的最高勋章。此勋章原保存在美国国防部。1984年，李温平赴美时接受，1986年捐赠。

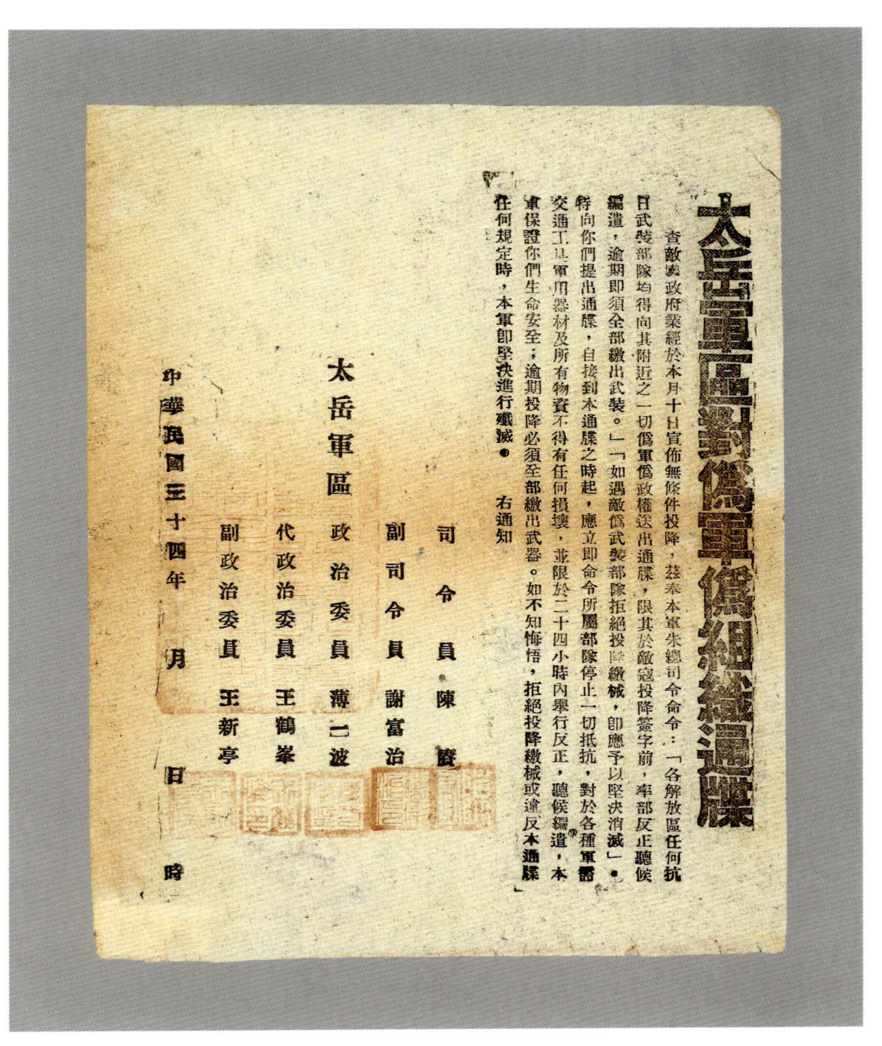

太岳軍區對偽軍偽組織通牒

查敵國政府業經於本月十日宣佈無條件投降，玆奉本軍朱總司令命令：「各解放區任何抗日武裝部隊均得向其附近之一切偽軍偽政權送出通牒，限其於敵寇投降簽字前，率部反正聽候編遣，逾期即須全部繳出武裝。」「如遇敵偽武裝部隊拒絕投降繳械，即應予以堅決消滅」。特向你們提出通牒，自接到本通牒之時起，應立即命令所屬部隊停止一切抵抗，對於各種軍需交通工具軍用器材及所有物資不得有任何損壞，並限於二十四小時內舉行反正，聽候編遣，本軍保證你們生命安全；逾期投降必須全部繳出武器。如不知悔悟，拒絕投降繳械或違反本通牒任何規定時，本軍即堅決進行殲滅。 右通知

司令員 陳賡
副司令員 謝富治
太岳軍區 政治委員 薄一波
代政治委員 王鶴峯
副政治委員 王新亭

中華民國三十四年 月 日 時

230．太岳军区对伪军伪组织通牒

1945 年 8 月 12 日
纵 24.5、横 19 厘米
纸质，铅印。盖有陈赓等 5 人名章

1945 年 8 月 10 日，日本政府发出乞降照会。根据八路军总司令朱德命令，8 月 12 日，太岳军区司令员陈赓、副司令员谢富治、政治委员薄一波、代政治委员王鹤峰、副政治委员王新亭署名发出“太岳军区对伪军伪组织通牒”，命令敌伪武装在“24 小时内举行反正，听候编遣”；“逾期必须全部缴出武装，如不知悔悟，拒绝投降缴械或违反本通牒任何规定时，本军即予以坚决消灭。”1954 年 8 月山西沁源县公安局拨交。

**231．远东国际军事法庭照片**

1946～1948 年
纵 7.5～21、横 11～26 厘米
照片 134 幅

1945 年 8 月 15 日，日本宣布无条件投降。根据《开罗宣言》、《波茨坦公告》和《莫斯科协议》，1946 年 1 月 19 日，同盟国授权远东盟军最高统帅麦克阿瑟发布特别通告，宣布在东京成立远东国际军事法庭，对日本首要战争罪犯进行审判。法庭由中、美、英、苏、法、加、澳、新、荷、印、菲 11 国各派一名法官和一名检察官组成。中国法官为梅汝璈，检察官为向哲浚。1948 年 11 月 4 日法庭宣判：判处东条英机、土肥原贤二、松井石根等 7 人绞刑，畑俊六、梅津美治郎等 16 人无期徒刑，东乡茂德 20 年徒刑，重光葵 7 年徒刑。照片记录了法庭审判过程。1986 年 1 月杨寿林（原中国法官秘书）捐赠。

**232．梅汝璈参加东京审判时穿的法袍**

1946年5月～1948年4月
长124.3厘米
丝绸质地

梅汝璈(1904～1973年)，江西南昌人。获芝加哥大学法学博士学位。后在山西大学等校任法律教授。1934年任中国立法委员，代理立法院外交委员会主席。1946年2月，被任命为远东国际军事法庭法官，同美、苏、英等10个同盟国的法官一起，参加审判日本首要战犯。他依法行事，据理力争，为中国人民伸张正义，维护了国家主权和民族尊严。图为梅汝璈参加远东国际军事法庭审判日本首要战犯时穿的法袍。1949年6月，梅汝璈将法袍带至香港，年底带回北京。1998年梅汝璈家属捐赠。

**233．《远东国际军事法庭审判书》（英文）**

1946～1948年
纵33、横20.3厘米
纸质，英文打字。9册

1946年1月19日，远东盟军最高统帅部决定在日本东京设立远东国际军事法庭，审判日本首要战犯。2月，根据各国政府提名，任命梅汝璈等11名法官。审讯工作从1946年5月3日开始，到1948年11月12日结束。判决书由中、苏、英、美、加等七国法官共同起草，其中有关中国部分由中国法官起草。梅汝璈与几位助手通力合作，在300余页的初稿上倾注了大量心血，为国际军事法庭的审判提供了强有力的证据。1949年6月梅汝璈将这份判决书带至香港，交书法家柳颙庵珍藏。1998年梅汝璈家属捐赠。

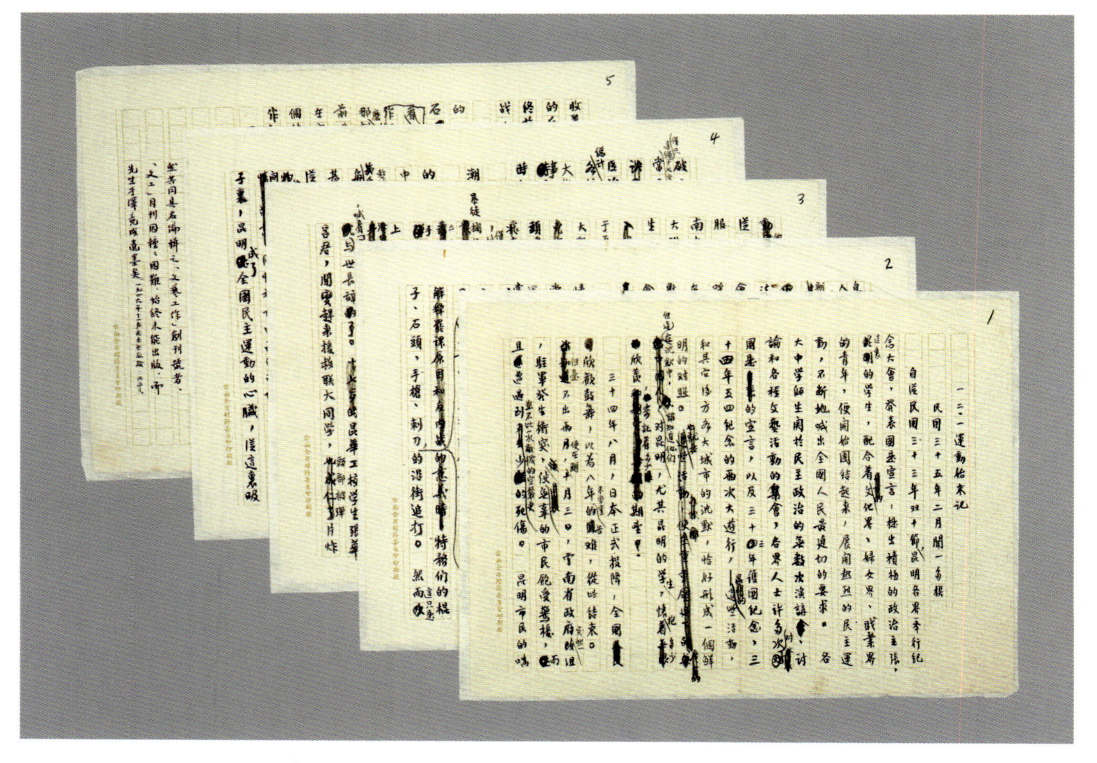

234. 闻一多撰《一二·一运动始末记》手稿

1946年2月
纵21、横27.9厘米
纸质，毛笔写。5页

1945年11月25日，昆明6000余名大、中学生在西南联大举行反内战时事晚会，遭国民党军警包围、恫吓。各校3万余名学生于次日起罢课。12月1日，国民党云南当局出动军警特务镇压，致使4人遇难，数十人受伤，酿成震惊全国的一二·一惨案。1946年2月，爱国民主人士、西南联大教授闻一多为一二·一烈士墓撰写此碑文，刻于四烈士墓前柱子上。此文详述惨案经过，抨击了国民党独裁、内战政策。后将手稿寄往北平，准备刊入《文艺工作》。同年7月15日闻一多被国民党特务暗杀。11月，该刊主编之一光未然（张光年）于北平题跋。1951年中共中央办公厅秘书处拨交。

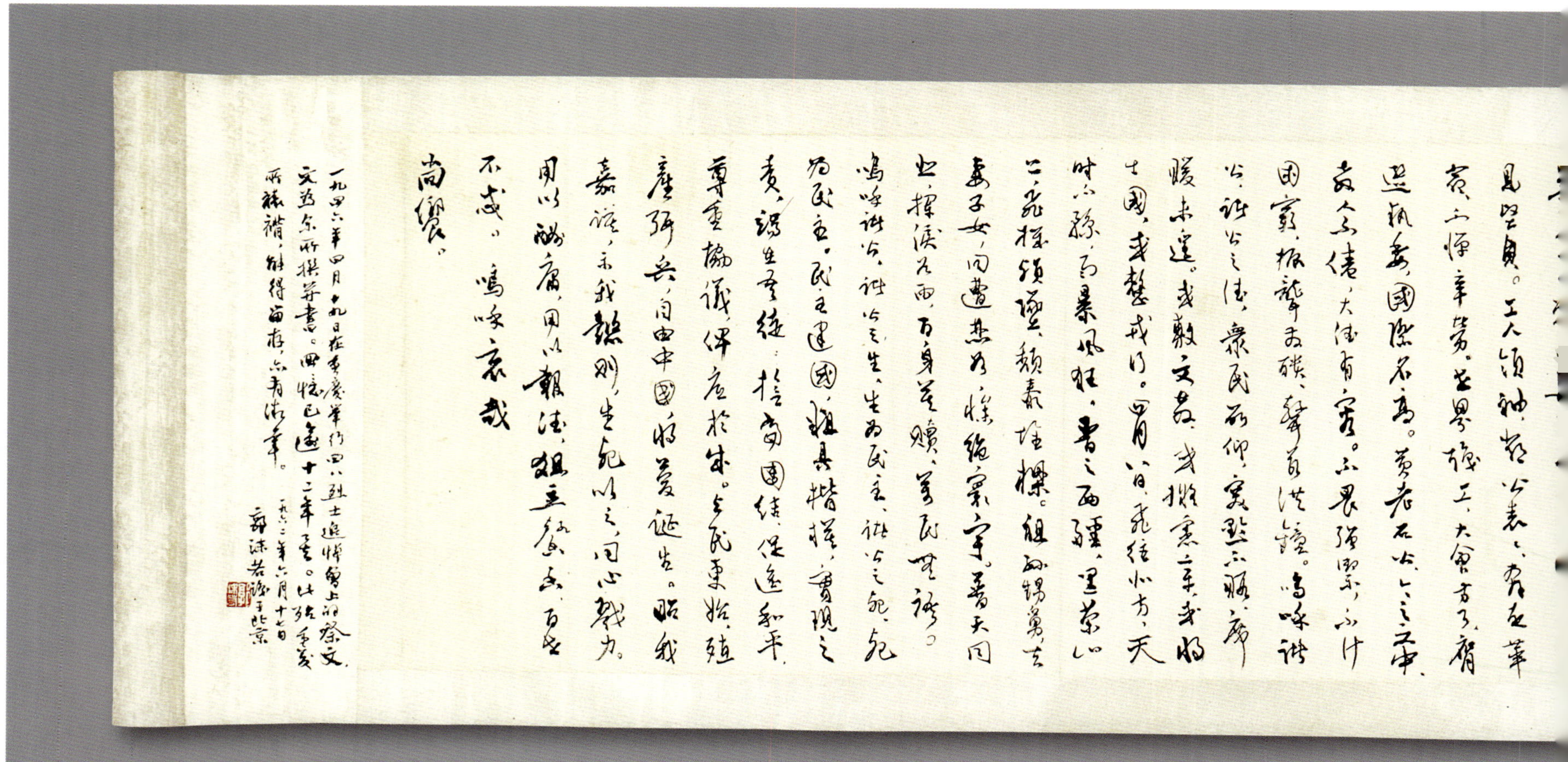

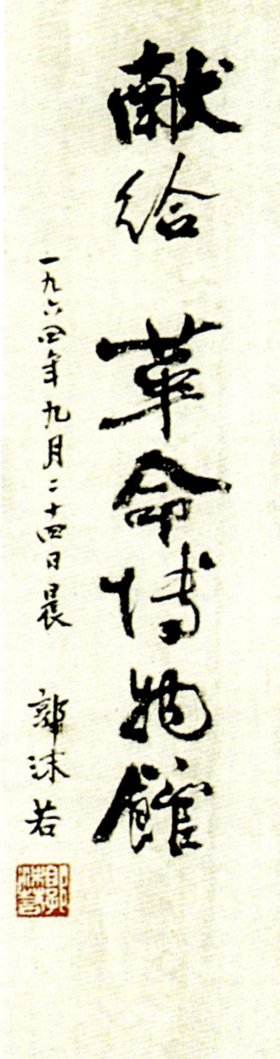


### 235．郭沫若撰书“四八”烈士祭文

1946年4月19日
纵36.5、横156厘米
宣纸，草书。文末有1962年作者题记

1946年4月8日，中共政协代表王若飞、政协宪草审议委员会代表秦邦宪，因国民党破坏政协协议，冒恶劣天气乘美军C47式运输机从重庆回延安向党中央汇报和请示，飞机不幸在山西黑茶山失事，同机罹难的有刚刚获释不久的新四军原军长叶挺、解放区职工联合会筹备会主任邓发等。4月19日，重庆各界举行追悼“四八”烈士大会，周恩来、董必武、邓颖超等中共驻渝全体人员参加大会，郭沫若在会上宣读该祭文。1964年郭沫若捐赠。

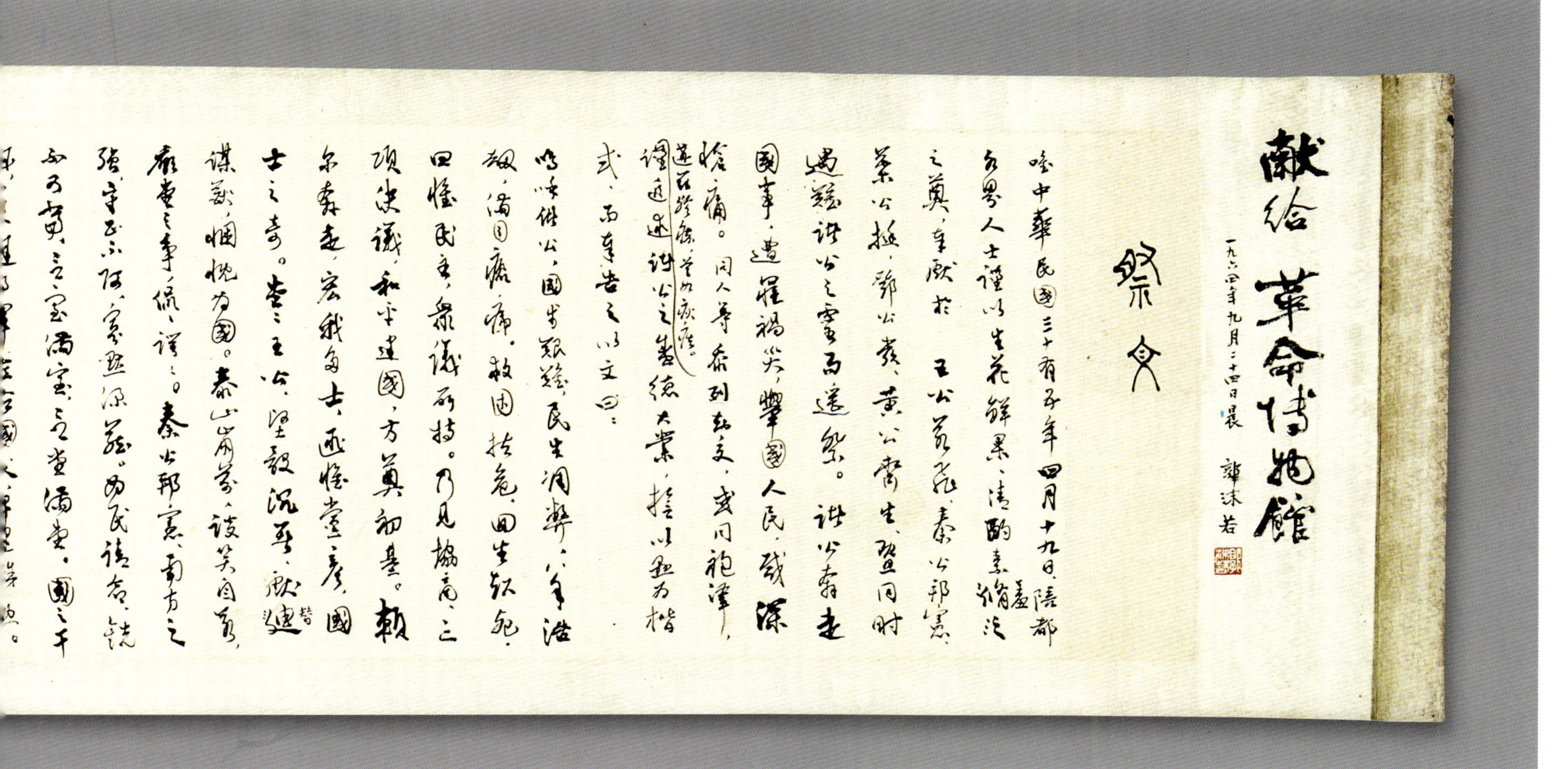

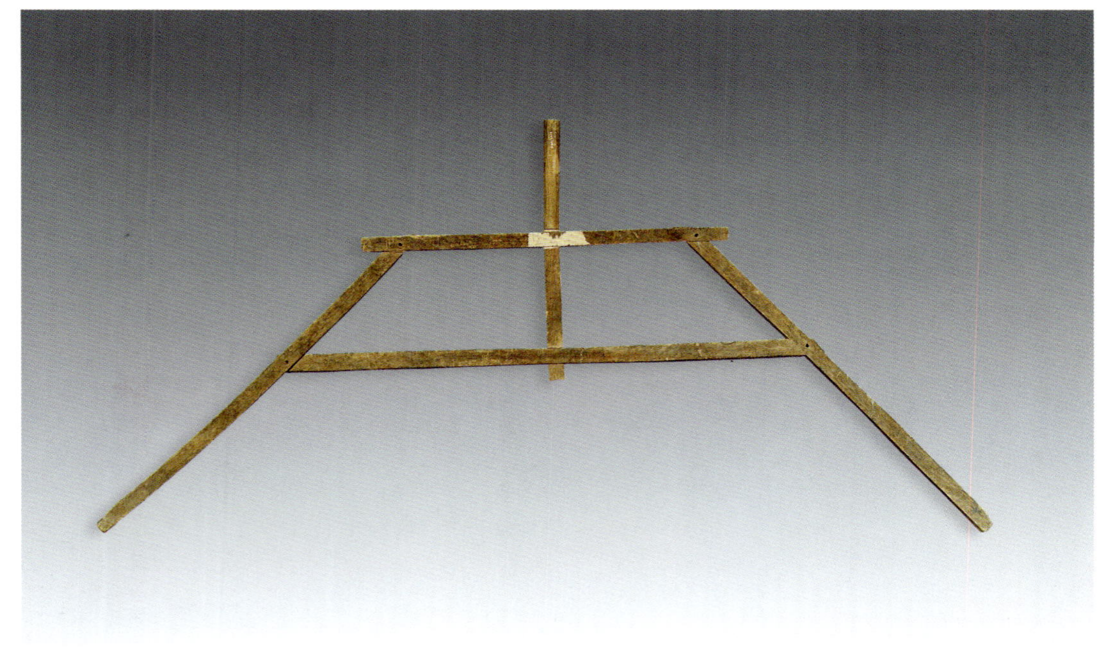

**236. 山西昔阳县白洋峪村土改时丈量土地用的步弓**

1946 年
纵 77.5、横 162 厘米
木质

抗战胜利以后，解放区农民在反奸清算、减租减息运动中迫切要求解决土地问题。在此情况下，中共中央于 1946 年 5 月 4 日发布《关于土地问题的指示》（即《五四指示》），决定将抗日战争以来实行的减租减息政策，改变为实现“耕者有其田”的政策。遵照《五四指示》，各解放区普遍开展了土地制度的改革运动，到 1947 年 2 月，解放区已有三分之二的地区解决了土地问题。这是山西昔阳县白洋峪村在土改运动中丈量土地用的步弓，每步约 5 尺。1959 年 6 月 3 日山西昔阳县白洋峪管区拨交。

**237. 李公朴烈士的血衣**

1946 年 7 月 11 日
长 133 厘米
灰色毛呢质地，中式，大襟。有弹孔、血迹

李公朴（1902～1946 年），江苏常州人。九一八事变后，致力于抗日救亡运动。1936年11月被国民党政府逮捕入狱。1937年7月获释，继续从事抗日救亡运动。1944年后任民盟云南支部执委、民盟中央执委。1946 年 2 月 10 日，重庆各界在较场口举行庆祝政治协商会议成功大会，国民党派特务捣毁会场，打伤李公朴等 60 多人，造成“较场口事件”。李公朴返回昆明后继续参加爱国民主运动。7 月 11 日晚 8 时，在昆明街上被特务暗杀。15 日特务又杀害了闻一多。造成震惊全国的李、闻血案。1959 年 7 月李公朴夫人张曼筠捐赠。

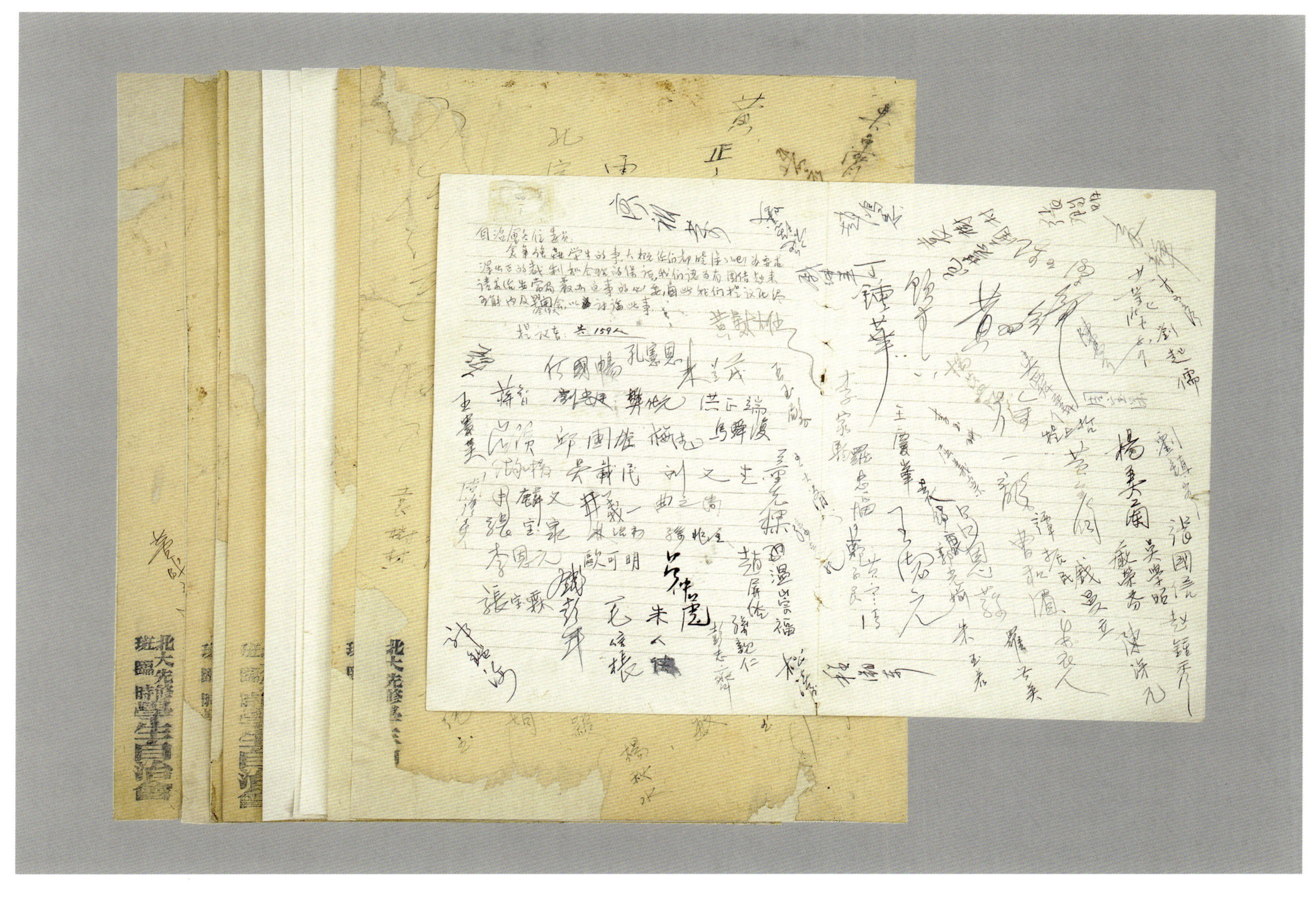

238. **北京大学学生抗议美军暴行签名单**

1946年12月

纵25.6、横36厘米

纸质，钢笔、铅笔写。10页，其中4页落款为“北大先修班临时学生自治会”

1946年12月24日，美国军人在北平（今北京）东单操场强奸了北京大学先修班学生沈崇，激起广大学生的愤怒。北大先修班学生159人联名上书，要求召开学生自治会，声讨美军暴行，严惩凶手。后签名者增至200余人。27日，北京大学召开各系级代表及各社团代表大会，成立北大学生抗议美军暴行筹备会，并决议30日罢课一天，举行示威游行。30日，北大、清华等校学生5000余人举行声势浩大的示威游行和群众集会，由此掀起全国范围的抗议美军暴行运动。1950年1月中共北京大学总支委员会拨交。

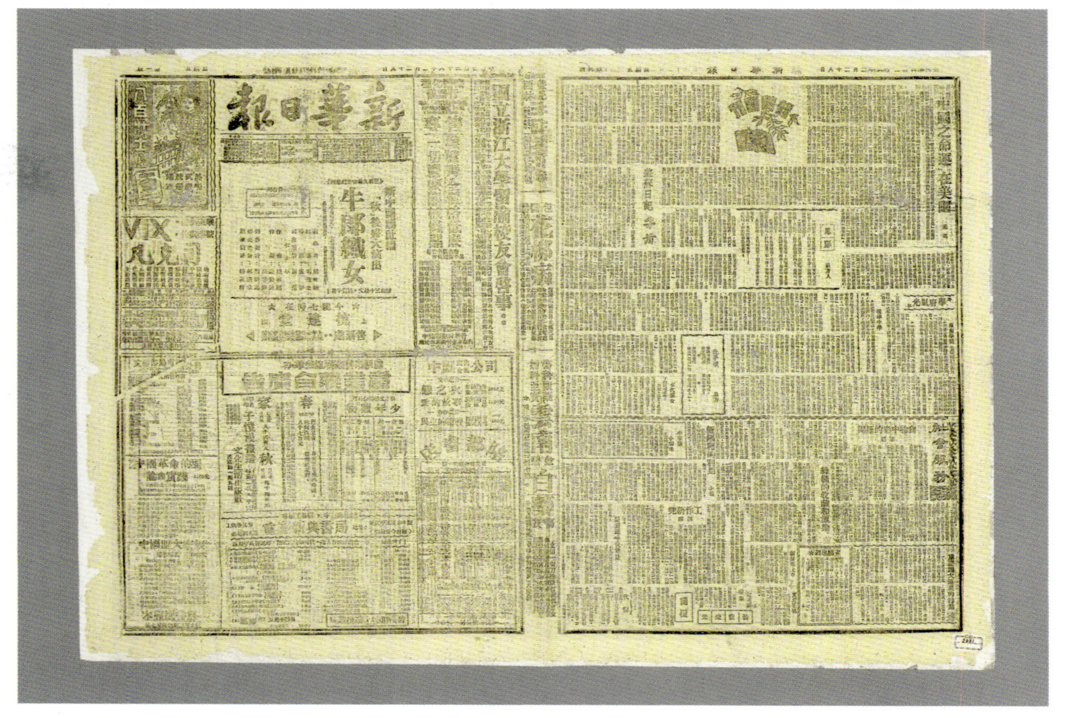

新華日報

**239. 重庆新华日报社被国民党军警包围时抢出的最后两张《新华日报》**

1947年2月28日
纵52.1、横78厘米
纸质，铅印。2张，其中一张只印了一面

《新华日报》是中国共产党在国民党统治区公开出版发行的报纸。1938年1月11日在武汉创刊，10月迁往重庆。1947年2月27日、28日，国民党政府先后通知中共驻重庆、南京等地代表和工作人员于3月5日全部撤退。27日夜，重庆国民党当局突然出动军警强行查封《新华日报》报馆，令其在28日零时前停止一切活动，并拘押了工作人员。当时，28日的报纸正在排印中，印刷工人抢出最后两张报纸。报纸共四版，报道了人民解放军莱芜大捷，并转载延安《解放日报》社论《剥开皮来看》等。由中共驻重庆代表吴玉章带回延安，1959年6月捐赠。

**240. “军事调处执行部”牌匾**

1946年
纵75.5、横415.5厘米
木质，漆写

1946年1月10日，国共代表正式签订停战协定，同时下达于1月13日午夜生效的停战令。根据停战协定，在北平设立由国民党、共产党和美国三方代表组成的军事调处执行部，负责监督执行停战协定。执行部下设若干军事调处执行小组，分赴各冲突地点进行调处。这是设在北平（今北京）东单三条九号协和医院的军事调处执行部的牌匾。1947年初，国民党内战准备就绪，于1月31日宣布解散三人小组和军调部。2月21日，中共代表叶剑英等撤离北平。1953年8月文化部社会文化事业管理局拨交。

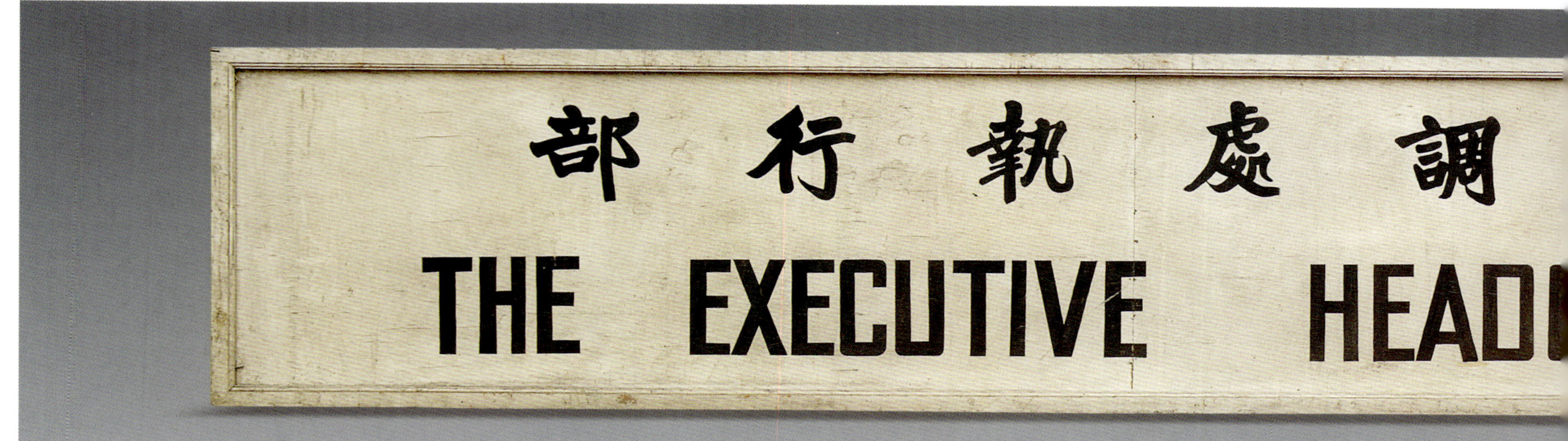

**241．周恩来转战陕北时用的木箱**

1947年3月~1948年4月
长72.8、宽35.3、高46.2厘米
木质，长方形。箱侧墨书“胡必成”

1947年3月，国民党军队在对解放区全面进攻受挫后，被迫改为向陕北、山东重点进攻。13日，胡宗南调集25万人向延安发动突然袭击，中共中央于19日主动撤离延安。但毛泽东、周恩来、任弼时率中共中央和人民解放军总部机关仍留在陕北，指挥全国解放战争。这是中央军委副主席兼代总参谋长周恩来在转战陕北期间装文件等物品用的木箱。在西柏坡期间仍然使用。“胡必成”是周恩来的化名。1949年，周恩来进北平后送给工作人员张树迎。1978年7月14日张树迎捐赠。

**242．李济深、何香凝致谭平山等人的密信**

1947年
纵9、横6厘米
白色丝绸质，不规则半圆形，毛笔书。李济深执笔，李济深、何香凝亲笔签名

抗战胜利后，国民党内部民主派为促进国内和平、民主，反对蒋介石的内战、独裁政策，先后成立三民主义同志联合会、国民党民主促进会等组织。为实行革命联合，1947年秋李济深、何香凝在香港联名写信给在上海、南京的谭平山、柳亚子、郭春涛、陈真如（铭枢）等人，邀其来港共筹大计。此信原拟由朱蕴山（蕴兄）转交，后因故由龚品娟秘密带至上海，送交有关人士传阅后，由柳亚子收藏。后国民党民主派联合代表大会在香港举行，于1948年1月1日成立中国国民党革命委员会。1963年柳亚子之女柳无非、柳无垢捐赠。

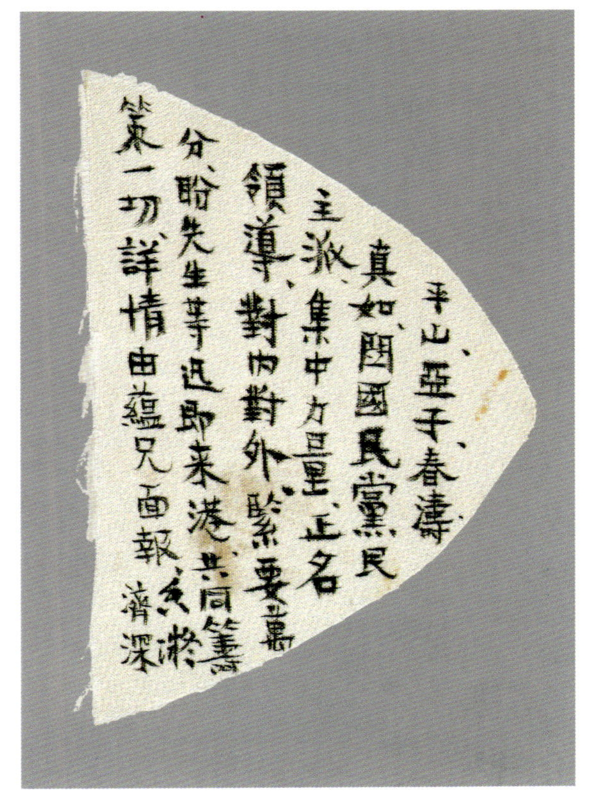
平山、亞子、春濤、
真如，因國民黨民
主派集中力量，正名
領導，對內對外，緊要萬
分，盼先生等迅即來港共同籌
策一切，詳情由蘊兄面報，[illegible]
濟深

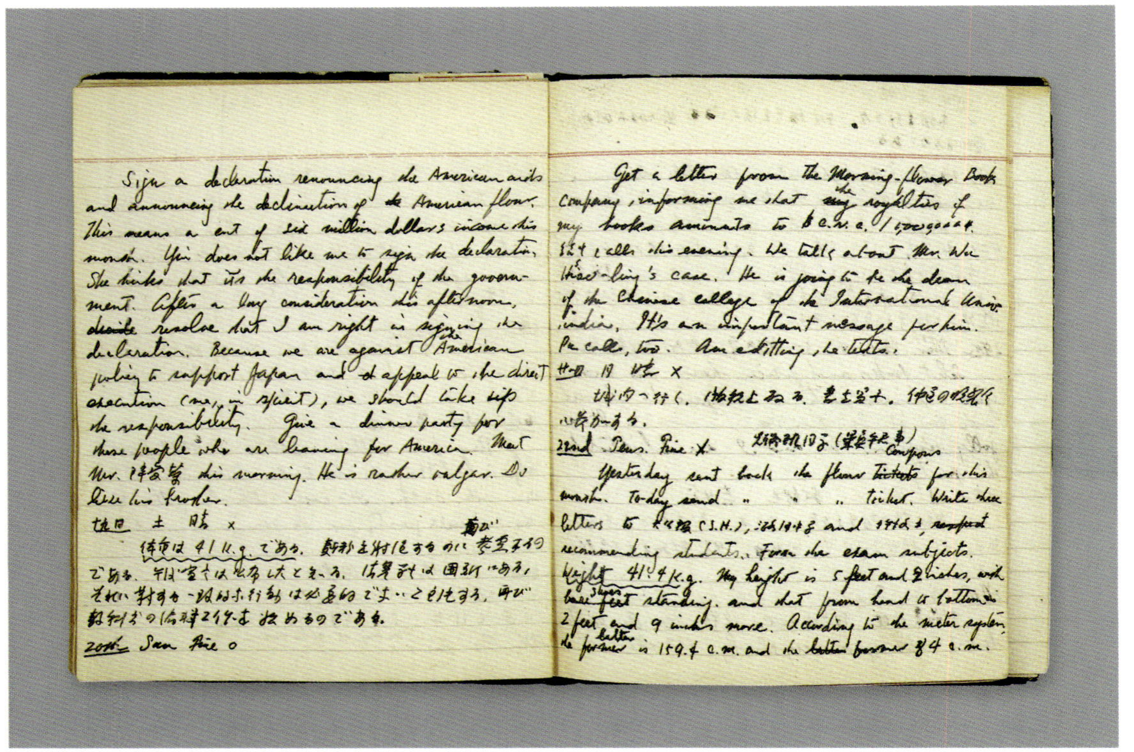

**243．朱自清日记**

1947 年 5 月 1 日～1948 年 8 月 20 日
纵 19.5 、横 15 厘米
纸质，硬皮。钢笔英、日文书写

朱自清（1898～1948 年），原籍浙江绍兴。西南联大和清华大学教授，现代文学家。1948 年 6 月 18 日，北平各大学教授数百人联名发表宣言，抗议美国扶植日本，拒绝领取“美援”面粉。朱自清带头在宣言上签名。当天用英文记的日记记述了签名的情况。尽管此时他已身患重病，生活拮据，但他宁愿饿死，也不领美援面粉，表现了中华儿女不可辱的民族气节。8 月 12 日，朱自清因贫病交加，在北平逝世。临终时仍嘱咐家人不要购买配售的美援平价面粉。1962 年朱自清夫人陈竹隐捐赠。

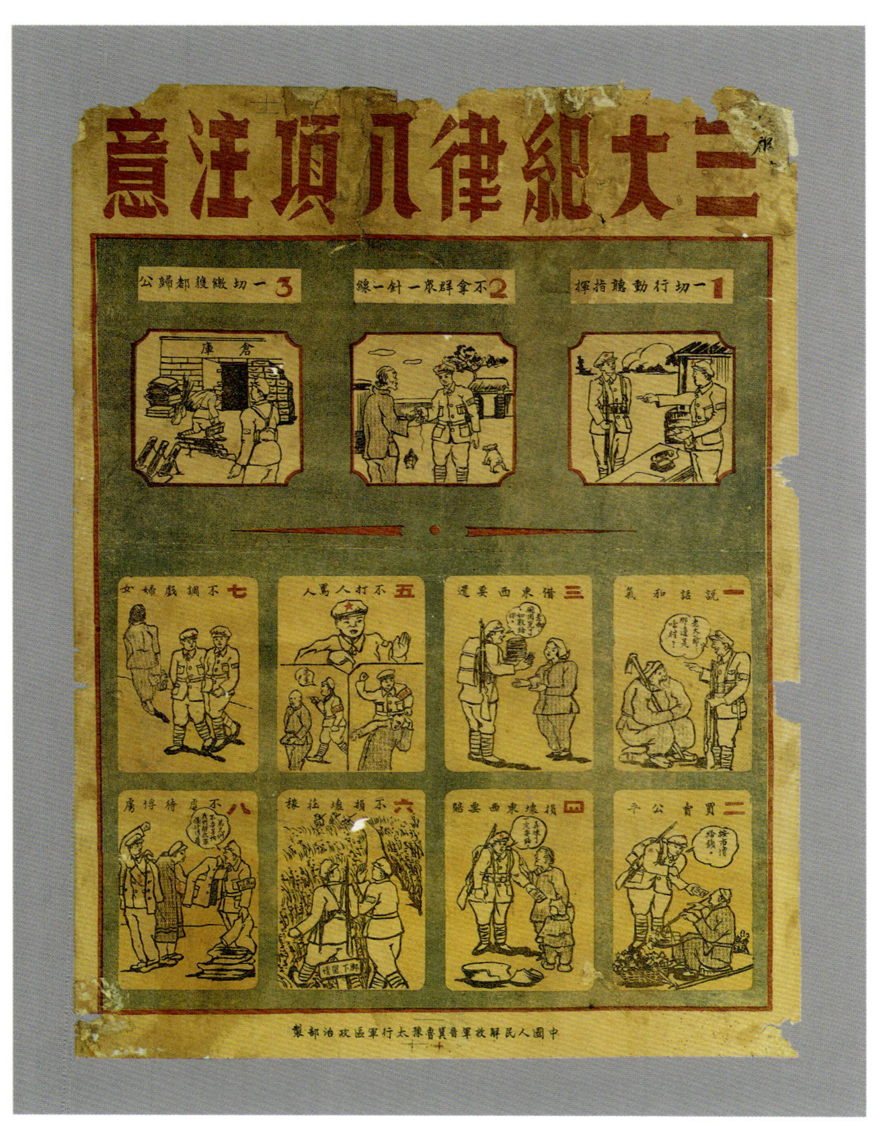


**244．太行军区政治部印制的《三大纪律八项注意》宣传画**

1947 年 11 月～1948 年 4 月
纵 53.7、横 38.5 厘米
纸质，彩印

1947 年 10 月 10 日，中国人民解放军总部发布由毛泽东起草的《关于重新颁布三大纪律八项注意的训令》，对已实行多年的三大纪律八项注意的内容作了统一规定。其中三大纪律是：一切行动听指挥、不拿群众一针一线、一切缴获都归公；八项注意是：说话和气、买卖公平、借东西要还、损坏东西要赔、不打人骂人、不损坏庄稼、不调戏妇女、不虐待俘虏。为了使部队做到“深入教育，严格执行”，晋冀鲁豫军区太行军区政治部印制了《三大纪律八项注意》宣传画。1954 年 8 月河北涉县赤岸乡王堡村拨交。

245．上海申新九厂工人抗击军警镇压用的水龙头

1948年2月2日
长42厘米
铜质

1948年1月31日，在中共上海地下党组织领导下，上海申新第九棉纺织厂工人为反对资本家停发配给品、要求改善待遇举行罢工。2月2日，国民党政府出动大批军警包围工厂，以装甲车和催泪弹等为掩护，血腥镇压工人，当场打死3人，打伤40余人。上海工人纷纷成立“申九惨案后援会”，广泛开展抗议活动进行声援，国民党政府被迫释放大部分被捕工人，恢复部分被开除工人的工作。此为工人被迫自卫时使用的水龙头。1963年12月上海申新九厂工会拨交。

246．刘邓大军挺进大别山时刘伯承用的望远镜

1947年
长47厘米
玻璃、金属、化学质地。德国制造，“ZEISS”牌，单筒，可变焦

1947年6月30日晚，司令员刘伯承、政委邓小平率领晋冀鲁豫野战军主力一举突破黄河天险，挺进鲁西南，在近一个月的时间内，歼敌6万余人。8月7日，主力分三路向南疾驰，27日起先后进入大别山区，实施战略展开。到11月下旬，共歼敌3万余人，并建立33个县的民主政权，开辟了大别山根据地。千里跃进大别山是解放军由战略防御转入战略进攻开始的标志。1975年刘伯承夫人汪荣华捐赠。

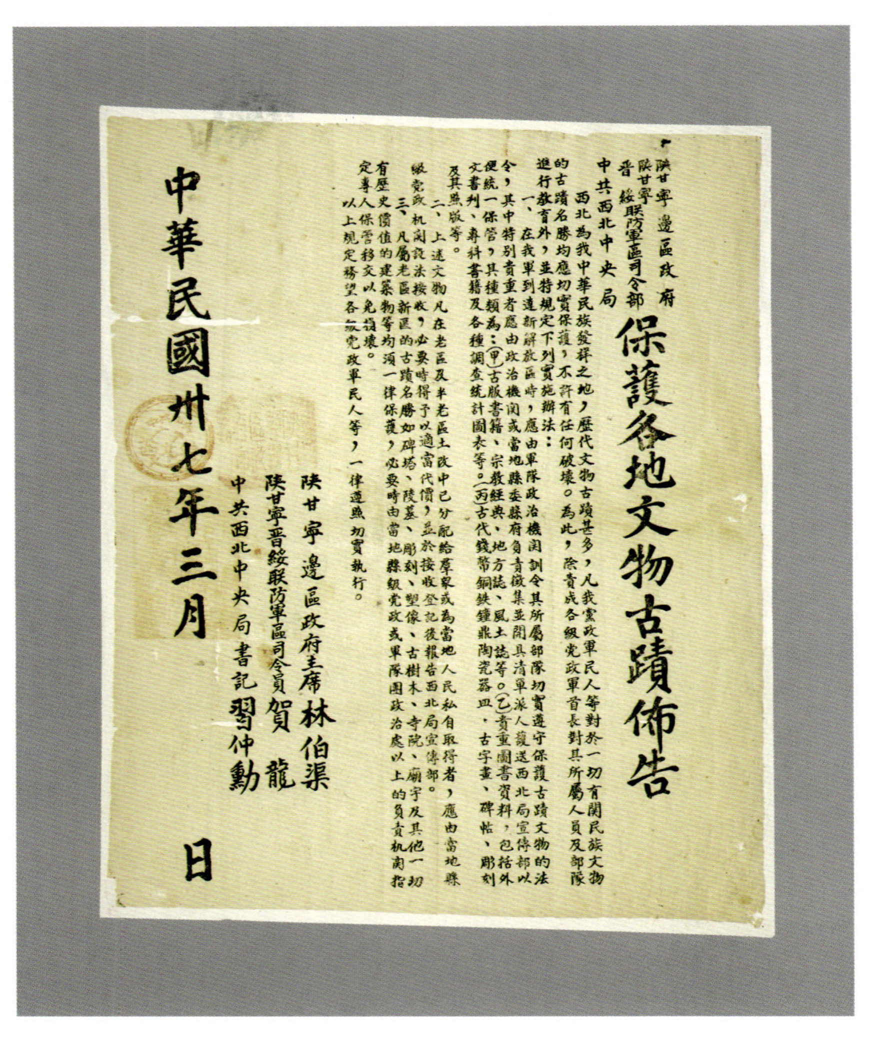

陝甘寧邊區政府
陝甘寧晉綏聯防軍區司令部
中共西北中央局

保護各地文物古蹟佈告

西北為我中華民族發祥之地，歷代文物古蹟甚多，凡我黨政軍民人等對於一切有關民族文物的古蹟名勝均應切實保護，不許有任何破壞。為此，除責成各級党政軍首長對其所屬人員及部隊進行教育外，並特規定下列實施辦法：

一、在我軍到達新解放區時，應由軍隊政治機関訓令其所屬部隊切實遵守保護古蹟文物的法令，其中特別貴重者應由政治機関或當地縣委縣府負責徵集並開具清單派人護送西北局宣傳部以便統一保管，其種類為：(甲)古版書籍、宗教經典、地方誌、風土誌等。(乙)貴重圖書資料，包括外文書刊、專科書籍及各種調查統計圖表等。(丙)古代錢幣銅鉄鐘鼎陶瓷器皿，古字畫、碑帖、彫刻及其照版等。

二、上述文物凡在老區及半老區土改中已分配給羣衆或為當地人民私自取得者，應由當地縣級党政机関設法接收，必要時得予以適當代價，並於接收登記後報告西北局宣傳部。

三、凡屬老區新區的古蹟名勝如碑塔、陵墓、彫刻、塑像、古樹木、寺院、廟宇及其他一切有歷史價值的建築物等均須一律保護，必要時由當地縣級党政或軍隊團政治處以上的負責机関指定專人保管移交以免損壞。

以上規定務望各級党政軍民人等，一律遵照切實執行。

陝甘寧邊區政府主席林伯渠
陝甘寧晉綏聯防軍區司令員賀龍
中共西北中央局書記習仲勳

中華民國卅七年三月　日

## 247．陕甘宁边区《保护各地文物古迹布告》

1948 年 3 月

纵 57.1、横 45.9 厘米

纸质，石印。盖有陕甘宁边区政府、陕甘宁晋绥联防军区司令部和中共中央西北局印

中国共产党历来十分重视保护文化遗产。1948 年 2、3 月间，解放军西北野战军五战五捷，转入战略进攻。为在进军中妥善保护文物古迹，陕甘宁边区党、政、军领导联名颁发此布告。指出："西北是我中华民族发祥之地，历代文物古迹甚多，凡我党政军民人等对于一切有关民族文物的古迹名胜均应切实保护……" 同时还开列了应送交西北局宣传部的贵重文物种类。1954 年 8 月山西省人民政府民政厅拨交。

37/特　No. C 90631

DELIVERY ORDER
SUNG SING COTTON MILL NO. 9
Mill Address 14 Macao Road, Shanghai
申新紡織第九廠棧單
廠址 上海澳門路十四號

SHANGHAI, 194

To Godown-Keeper

Please Effect Delivery of The Under Described Goods

To Messrs. 大中華橡膠廠 寶號

| DESCRIPTION OF GOODS 貨品種類 | Wt. of Cloth 布重 | Trade Mark 商標 | Style 布類 | Length 布長 | Remarks 備註 |
|---|---|---|---|---|---|
| | | #150 | 網形 | 帆布 | |

| QUANTITY 數量 | Bales 件數 | Pieces per Bale 每件疋數 | Total Pieces 合計疋數 |
|---|---|---|---|
| | 計 | 壹萬 | 磅整 |

GOODS DELIVERED ALREADY (PIECES) 已付疋數

| Date 日期 | Delivered 出貨 | Balance 餘額 | Date 日期 | Delivered 出貨 | Balance 餘額 | Date 日期 | Delivered 出貨 | Balance 餘額 |
|---|---|---|---|---|---|---|---|---|
| 9/9 | [illegible] | | | | | | | |
| 12/9 | [illegible] | | | | | | | |

Issued by　　SUNG SING COTTON MILL NO. 9

## 248．贴有巨额印花税票的上海申新九厂栈单

1948 年 8 月 23 日

纵 25、横 784.3 厘米

纸质，铅印。贴有 6100 余张 1 万元和 1 张 3 万元面额的印花税票

上海申新纺织第九厂为大中华橡胶厂开具的这张购买一万磅帆布栈单（即提货单）上印花税竟高达6000多万元。当时的凭证税率为千分之三，开具栈单时须按照印花税法缴纳凭证税。由于物价飞涨，一时来不及印制更大面额的印花税票，以至在这件栈单上贴有6100余张1万元面额和1张3万元面额的印花税票，使栈单总长度达784.3厘米。它反映了国统区经济崩溃金融财政的混乱状况。1959 年 6 月商业部拨交。

249．孟良崮战役中缴获的美制卡宾枪

1948 年 5 月
长 91 厘米
钢质，木柄

1947 年 5 月中旬，华东野战军在陈毅、粟裕、谭震林的指挥下，在山东临沂以北的孟良崮地区，一举围歼了被称为国民党军“五大主力”之一、全部美式装备的整编第七十四师等部3万余人，击毙中将师长张灵甫，迫使国民党军暂停对山东解放区的进攻。1948 年 5 月，朱德代表党中央赴河南濮阳参加华东野战军前委扩大会议时，陈毅、粟裕将在孟良崮战役中缴获的美制卡宾枪送给朱德作纪念。1980 年 4 月中办警卫局保卫处拨交。

250．济南战役时解放军攻城用的云梯

1948 年 9 月
高 689 厘米
木质

济南是津浦、胶济线交会点和连接华东、华北地区的枢纽，内外城高大坚固。国民党军以 10 万重兵守备，屏障徐州。1948 年 9 月 16 日，解放军华东野战军发起济南战役。经过八昼夜激烈的攻坚作战，于24 日攻克济南。共歼守敌 10.4 万人，争取吴化文部2万人起义，生俘国民党军第二绥靖区司令官王耀武，揭开了战略决战序幕。这架云梯是华东野战军攻城部队攀登济南城墙爆破口时用的，1959 年 9 月中国人民革命军事博物馆拨交。

## 251. 锦州战斗阵地配备及射击要图

1948 年 10 月
纵 75.9、横 58 厘米
纸质，毛笔彩绘

1948 年 9 月 12 日，东北野战军发起辽沈战役。10 月 9 日，首先以六个纵队、一个炮兵纵队和一个坦克营围攻锦州。锦州是北宁线上的咽喉，连接东北、华北两大战区的战略要点，地势险要，城防坚固。10 月 14 日，解放军开始攻城，900 余门大炮同时开炮，经过 31 小时激战，于 15 日攻克锦州，全歼守军 10 万余人，俘东北“剿总”副总司令范汉杰。此图是东北野战军炮兵司令部攻打锦州时绘制使用的。1961 年 3 月解放军炮兵司令部拨交。

## 252. 淮海战役中董力生支前用的独轮车

1948 年 11 月～1949 年 2 月
长 190、宽 110、高 96 厘米
木质

董力生，女，江苏赣榆县（原竹庭县）人，自幼无名，1949 年 3 月出席中国妇女第一次全国代表大会时，毛泽东为她取名“力生”。淮海战役时，解放军运输工具十分落后，粮食弹药的供应全靠肩挑背扛、小车推送。据统计，当时华东、中原、华北三大解放区共动员民工 543 万人，担架 7 万 3 千副，手推车 41 万余辆，向前线运送弹药 1460 万斤，粮食 9 亿 6 千万斤。董力生用这辆独轮车为解放军运送粮食，被评为支前模范。1959 年 4 月江苏赣榆县城头公社拨交。

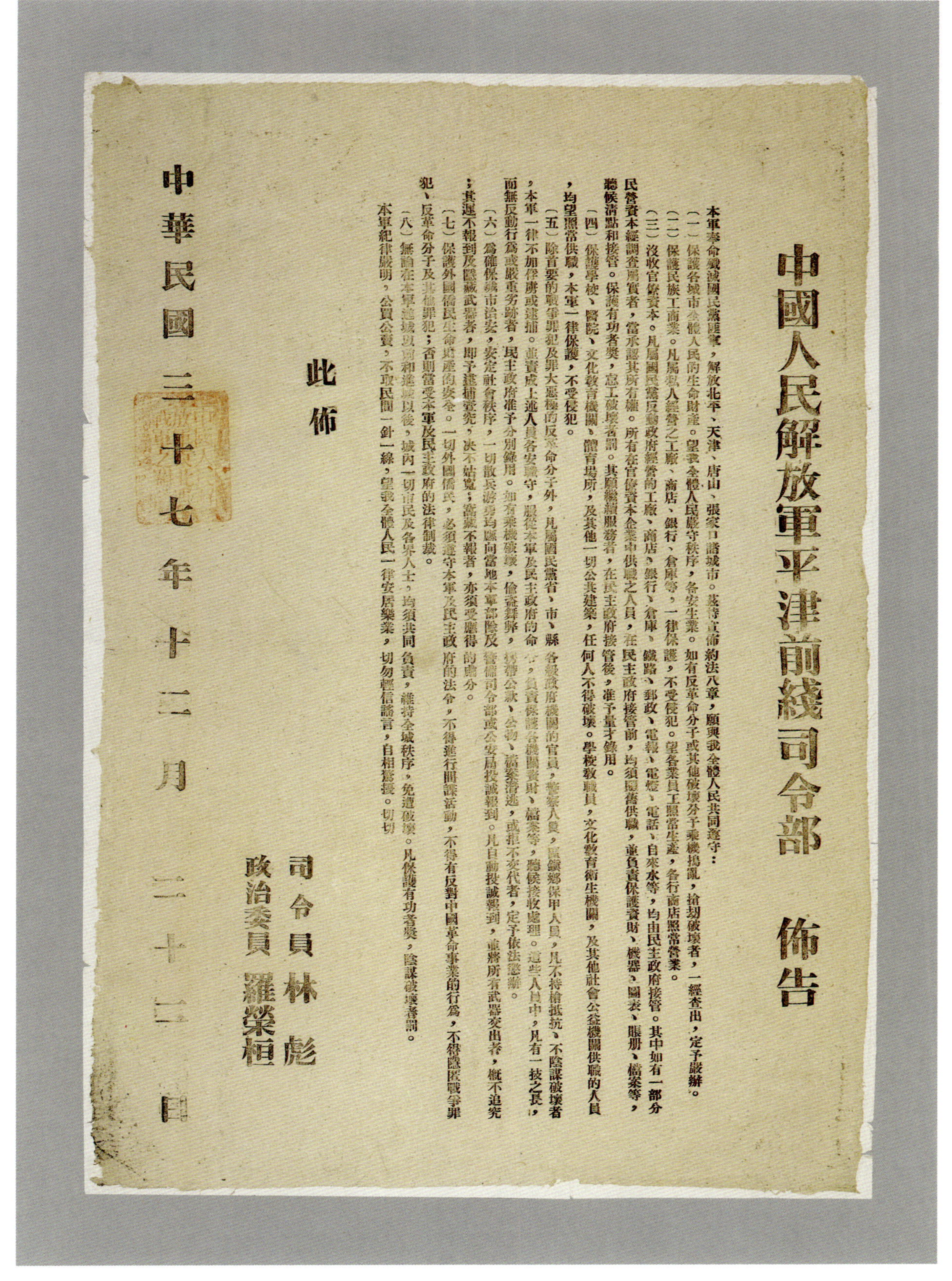

253．中国人民解放军平津前线司令部约法八章布告

1948年12月22日

纵80.4、横54.5厘米

纸质，铅印。盖有“中国人民解放军东北野战军之司令部关防”

1948年12月21日，平津战役进入攻坚阶段，人民解放军首先攻克新保安、张家口。为了保护古都北平和华北最大的工商业城市天津，保护广大人民的生命财产安全，人民解放军平津前线司令部于22日发布由司令员林彪、政委罗荣桓署名的约法八章布告，规定了保护全体人民生命财产，保护民族工商业，没收官僚资本……等接管城市的各项政策，号召北平、天津等地的敌军放下武器。1963年3月中国人民银行天津市分行拨交。

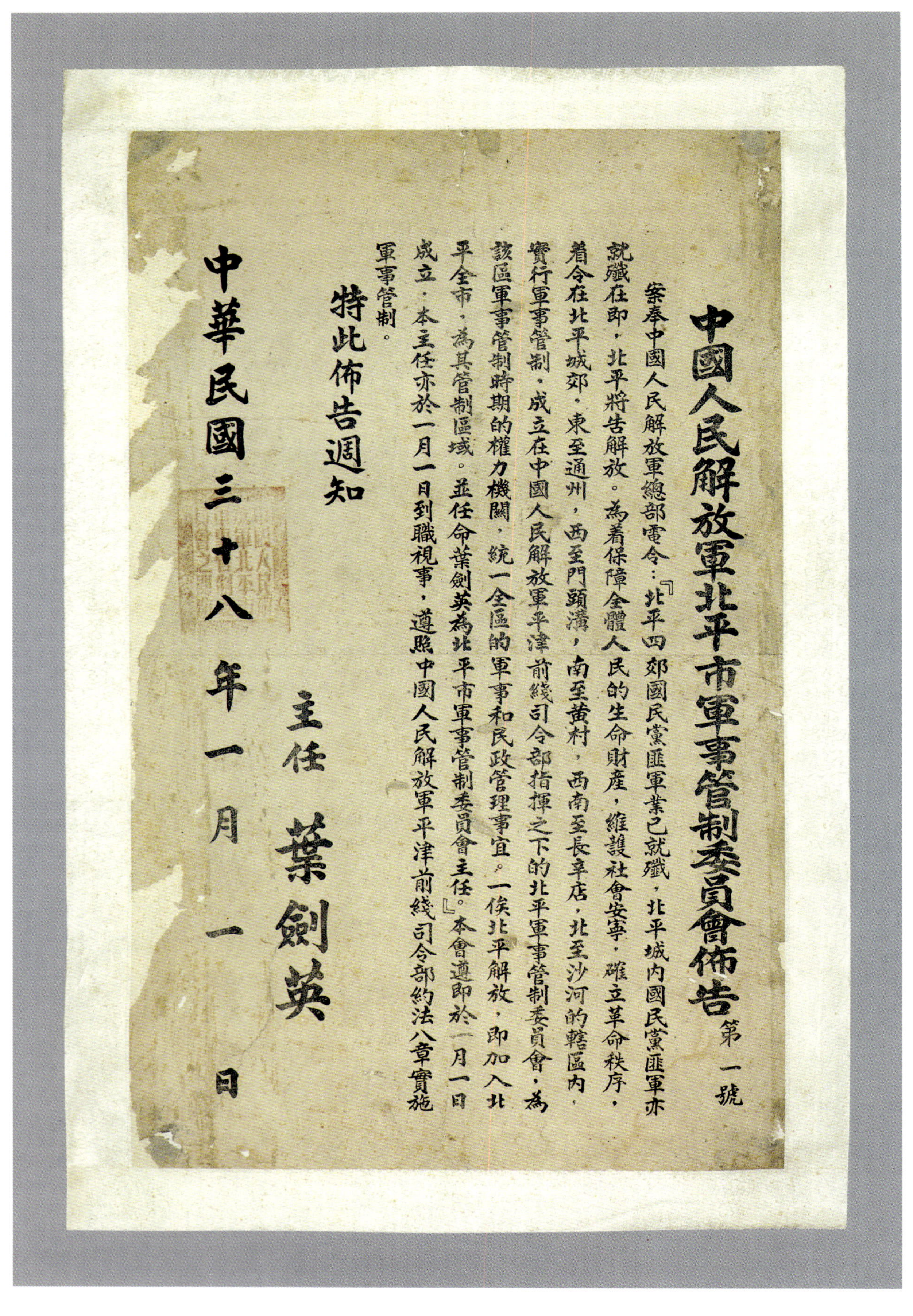

中國人民解放軍北平市軍事管制委員會佈告 第一號

案奉中國人民解放軍總部電令：『北平四郊國民黨匪軍業已就殲，北平城內國民黨匪軍亦就殲在即，北平將告解放。為着保障全體人民的生命財產，維護社會安寧，確立革命秩序，着令在北平城郊，東至通州，西至門頭溝，南至黃村，西南至長辛店，北至沙河的轄區內，實行軍事管制，成立在中國人民解放軍平津前線司令部指揮之下的北平軍事管制委員會，為該區軍事管制時期的權力機關，統一全區的軍事和民政管理事宜。一俟北平解放，即加入北平全市，為其管制區域。並任命葉劍英為北平市軍事管制委員會主任』。本會遵即於一月一日成立，本主任亦於一月一日到職視事，遵照中國人民解放軍平津前線司令部約法八章實施軍事管制。

特此佈告週知

主任 葉劍英

中華民國三十八年一月一日

**254．北平市军管会成立布告（第一号）**

1949年1月1日

纵83、横50.1厘米

纸质，石印

1948年11月29日，东北、华北人民解放军发起平津战役，将国民党军队在华北战场的主力分割包围于北平、天津、张家口、新保安、塘沽五个据点。12月中旬，中共中央决定建立中共北平市委和北平市军管会，准备接管北平。根据中国人民解放军总部的命令，1949年1月1日，在北平郊区良乡成立了中国人民解放军北平市军事管制委员会，叶剑英为主任，并宣布对北平辖区实行军事管制，一俟北平城区解放，即加入管制区域。该布告由叶剑英署名发布，1950年中国历史博物馆拨交。

### 255. 余祖胜烈士在狱中刻制的红心

1949年
长2.7、宽2.5厘米
红心为竹制，红药水涂色。刻有“Live long C.P.”(共产党万岁)。十字架为骨质牙刷柄制成，缺横杠。刻有“ONE FOR ALL”(我为人人) “ALL FOR ONE”(人人为我)

1949年春节前夕，重庆“中美合作所”渣滓洞集中营地下党组织决定举行联欢会庆祝解放军胜利抵达长江北岸，要求每人制作一件礼物送给难友作为纪念。共产党员余祖胜等从楼板上拔出铁钉磨尖作刻刀，用旧牙刷柄和竹片刻制了100多颗五角形和心形纪念品。为迷惑敌人，用铁丝做成链子，一头挂着这颗红心，另一头挂着十字架。难友唐弘仁出狱时将红心缝在衣服里带出。1962年罗广斌、杨益言捐赠。

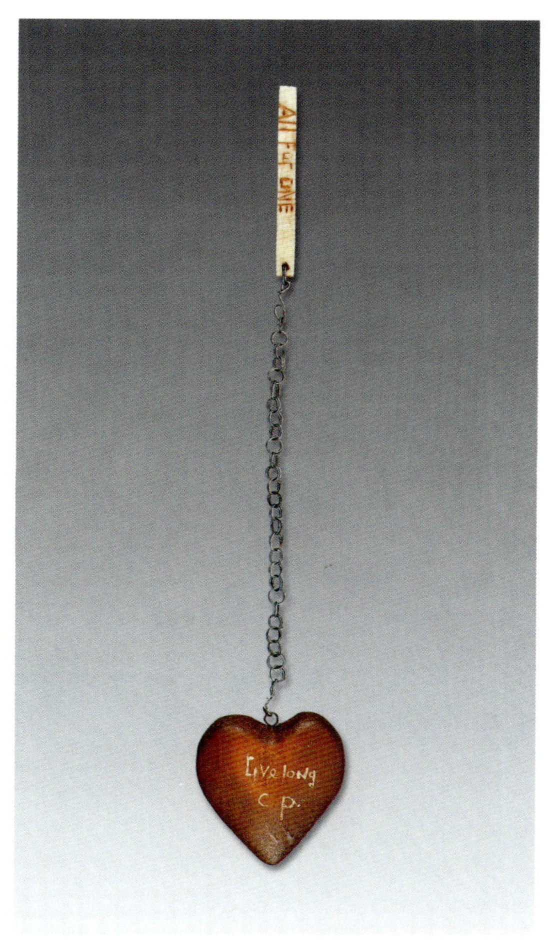

### 256. 国民党新疆省银行发行的陆拾亿元纸币

1949年
纵6.2、横14.4厘米
纸质。正面为蓝色孙中山像。背面为紫色新疆省银行大楼图案

为了弥补内战造成的巨额财政赤字，国民党政府大量印发纸币，致使物价飞涨，被迫实行币制改革，于1948年8月19日发行金圆券，以1比300万兑换法币。但金圆券膨胀速度更快，面额也越来越大，至12月，发行量由9亿元增至80亿元。物价如脱缰野马，金圆券形同废纸。新疆省军政开支浩大，国民党政府无力支持，只得听任新疆省银行滥发省币。这是该行于1949年发行的面值陆拾亿元纸币（折合金圆券壹万元），是当时世界上面值最大的纸币之一。据推算在当时只能买到0.06两大米。1959年6月中国人民银行总行拨交。

## 257．渡江战役中最先到达南岸板石矶的木帆船

1949 年 4 月

长 886、宽 248、连桅杆高 670 厘米

木质。残破，部分修复，有明显弹痕

1949 年 4 月 20 日夜，人民解放军发起渡江战役。20时，解放军的中突击集团首先起渡，突破国民党安庆芜湖间防线，在南岸建立了滩头阵地。当时共筹集木船 9400 余只，动员万余名船工参战。当日夜安徽巢县钓鱼乡张孝华、张友香父子驾驶自家木帆船，载解放军战士 26 人，从无为县泥汊镇出发，驶往板石矶。船接近南岸时双方交火，船被打穿两处，蓬帆被打穿 20 余处，橹被打坏，但张孝华父子仍驾船奋勇前进，最先登陆南岸板石矶。张孝华父子分别被评为一、二等功，获“渡江有功”奖旗。1959 年 6 月安徽省巢县港木帆船运输合作社拨交。

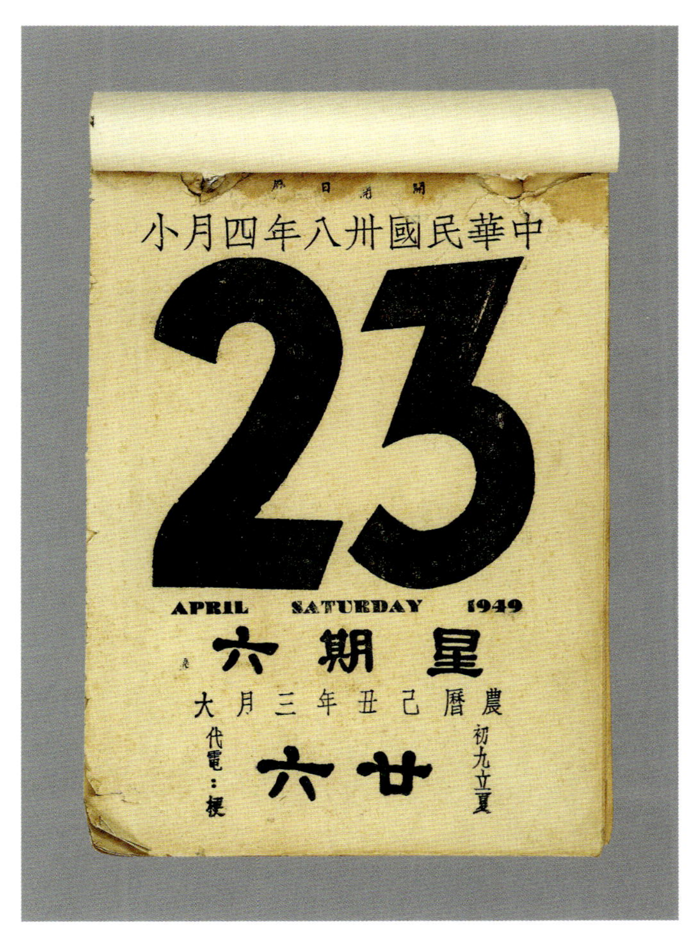


**258．解放军缴获的国民党政府“总统”办公室日历**

1949 年

纵 18、横 12.5 厘米

纸质，铅印

1949 年 4 月 20 日，国民党政府拒绝在《国内和平协定》（最后修正案）上签字。人民解放军根据毛泽东主席和朱德总司令发布的进军命令，于当夜强渡长江天堑。国民党政府机构仓皇迁往广州，代“总统”李宗仁 22 日逃离，行政院长何应钦、参谋总长顾祝同 23 日逃离。当日晚，解放军八兵团一部，占领南京。24 日凌晨 3 时，占领国民党政府“总统”府，延续 22 年的国民党统治彻底覆灭。这本日历停留在 4 月 23 日。1966 年 5 月 21 日江苏省人民委员会办公厅秘书处拨交。

**259．解放军接收的中央银行发行局库房钥匙**

1949 年 5 月

长 20.8 厘米

铁质。尾部刻有英文“CHUBB’S LONDON”、“BOTTOM”

1928 年 11 月，国民政府成立了具有国家银行地位的中央银行，总行设于上海。1949 年 5 月 28 日，上海解放第二天，上海市军管会按照中共中央没收官僚资本的方针，根据《中国人民解放军布告》规定的没收范围，任命卢纯银为军管会代表，进驻中央银行，进行军事监督和接管清理。接管范围包括中央银行所有的库房。这是当时接收的中央银行发行局库房的钥匙。1959 年中国人民银行总行拨交。

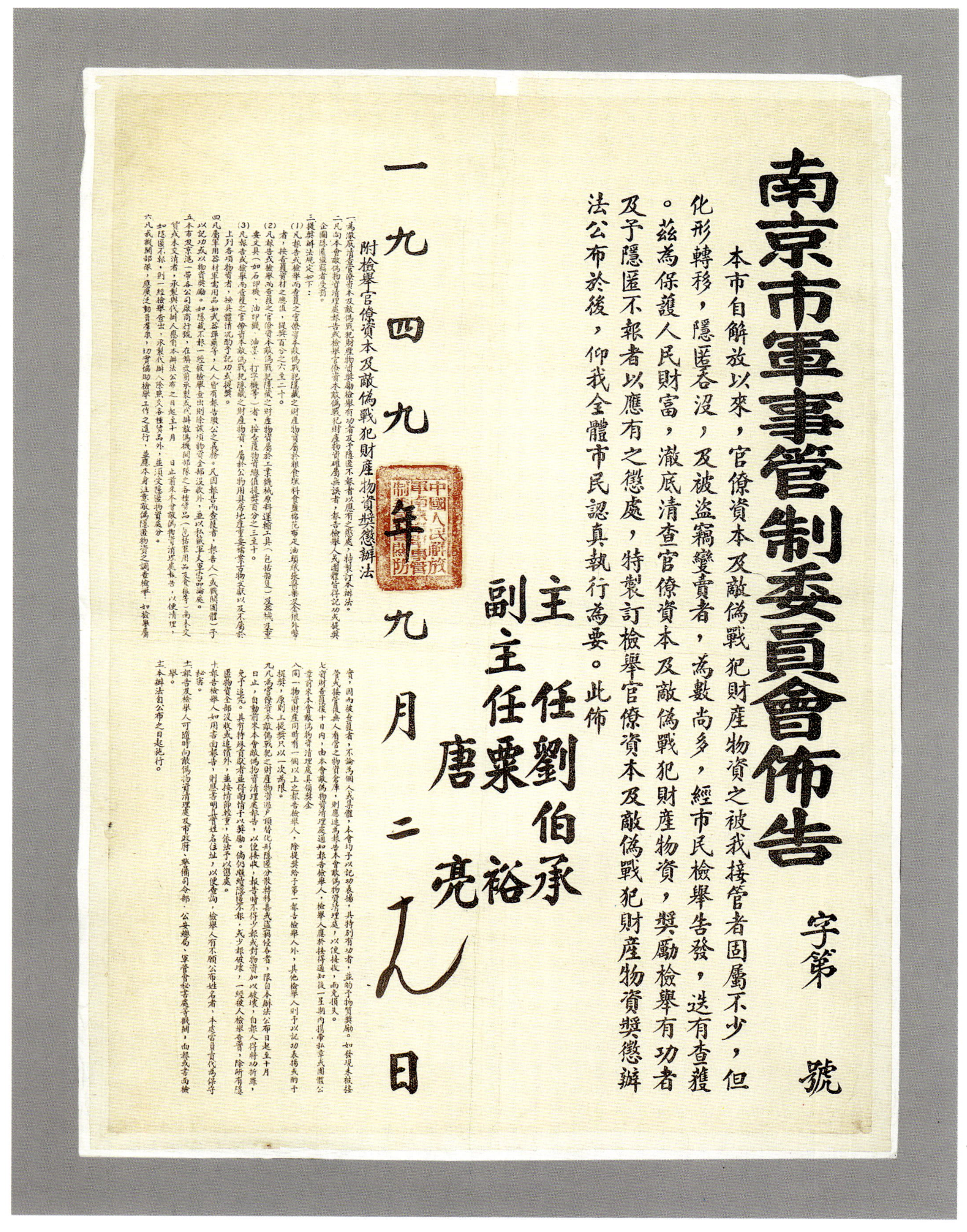

南京市軍事管制委員會佈告

字第　　號

本市自解放以來，官僚資本及敵偽戰犯財產物資之被我接管者固屬不少，但化形轉移，隱匿吞沒，及被盜竊變賣者，為數尚多，經市民檢舉告發，迭有查獲。茲為保護人民財富，澈底清查官僚資本及敵偽戰犯財產物資，獎勵檢舉有功者及予隱匿不報者以應有之懲處，特製訂檢舉官僚資本及敵偽戰犯財產物資獎懲辦法公布於後，仰我全體市民認真執行為要。此佈

主　任　劉伯承

副主任　粟　裕

　　　　唐　亮

附檢舉官僚資本及敵偽戰犯財產物資獎懲辦法

一九四九年九月二九日

**260．南京市军管会布告**

1949 年 9 月 29 日

纵 76.7、横 54.1 厘米

纸质，石印

南京解放后，接收官僚资本及敌伪战犯财产物资成为南京市军管会接管城市工作的主要部分。但在接收中发现化形转移、隐匿吞没及被盗变卖的情况很多。为保护国家财产、彻底查清官僚资本及敌伪战犯财产物资，南京市军管会制定了对检举有功者给予奖励，对隐匿不报者给予惩处的办法。该布告由南京市军管会主任刘伯承，副主任粟裕、唐亮署名签发。1960 年南京市档案馆拨交。

**261．鞍钢第一号高炉命名标牌**

1949年7月1日

纵55、横74厘米

铁质。铸有“鞍钢第壹号高炉1949年7月1日命名”字样

由于日本侵略者和国民党军的破坏，鞍钢解放时已成为一片废墟。当时有人认为要修复需15至20年，一个留用的日本工程师说，在鞍钢只能种高粱了。1948年底，鞍钢工人在共产党领导下开始修复工作。到1949年6月13日，便恢复了炼焦生产。27日，原二号高炉点火，翌日出铁。该炉是当时全国已开工的炼铁炉中最大的，一次可炼铁400吨。7月1日，该炉被命名为鞍钢第一号高炉。这是用命名后的第一炉铁水浇铸的高炉标牌。1960年鞍山钢铁公司拨交。

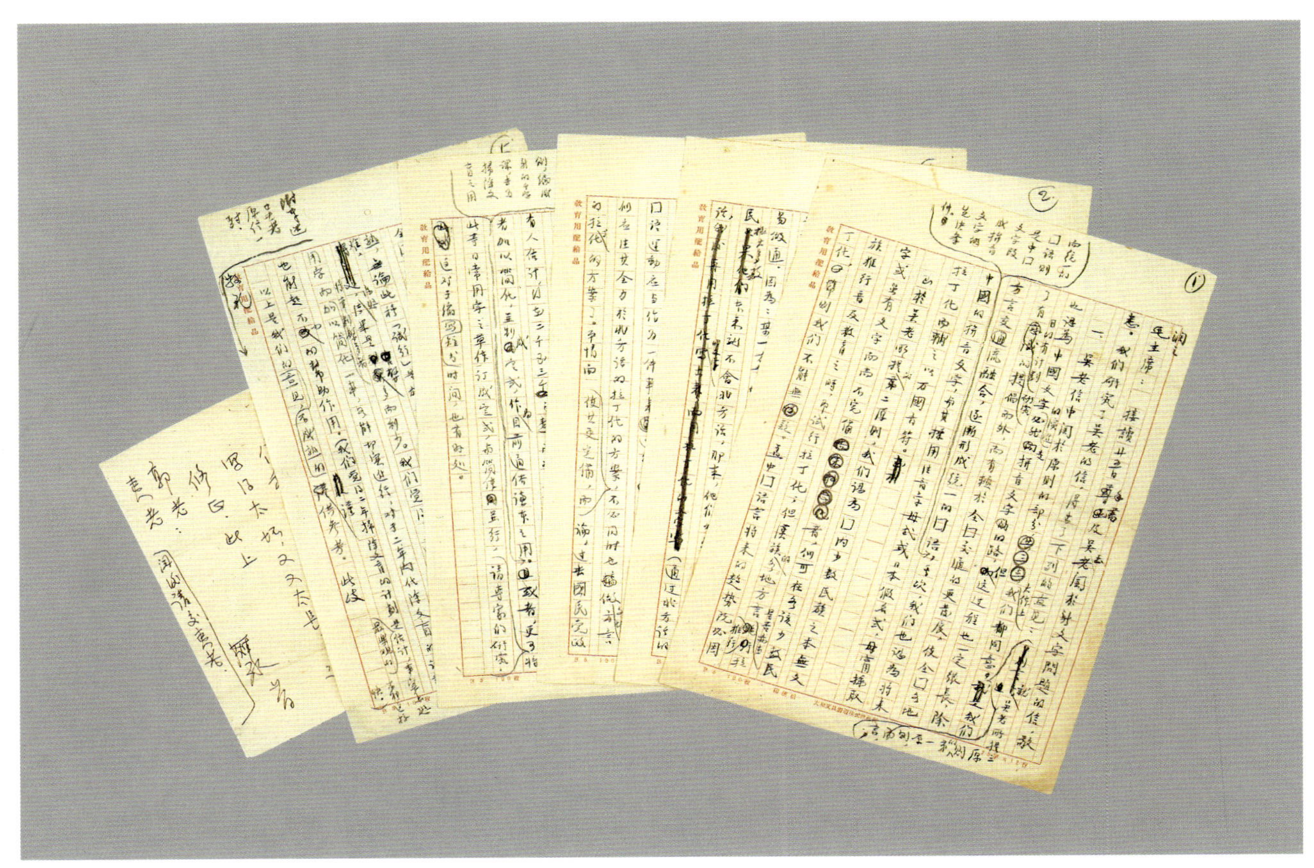

**262．沈雁冰等人关于文字改革问题给毛泽东的复信稿**

1949年8月25日

纵26.3、横19厘米

纸质，信5页毛笔写，便条1页钢笔写。沈雁冰执笔

新中国建立前，有一批学者致力于新文字与文字改革运动，主张采用拼音文字。北平解放后，华北大学校长吴玉章和北京师范大学教授黎锦熙等发起成立中国文字改革协会。1949年8月25日，吴玉章致信毛泽东，提出文字改革的三个原则，主张将中国文字改为罗马字即拉丁化文字。毛泽东当即转给沈雁冰、郭沫若、马叙伦，并征询意见。28日，三人复信毛泽东。表示赞成走拼音文字的道路，但首先是推广国语（普通话），拉丁化注音应与国语一致，赞成整理简化字，还应统计常用字。1986年5月马叙伦之子马克强捐赠。

**263．曾联松设计的中华人民共和国国旗图案原稿**

1949 年 8 月
纵 29.8、横 45 厘米
红黄两色电光纸剪贴。背面有曾联松题记“此为报送政协筹备处的草图”及签名、印章

1949 年 7 月 14 日，新政治协商会议筹备会登报在全国征集国旗、国徽图案和国歌词谱。一个多月内，收到国旗应征图案 2992 件。上海“现代经济通讯社”职员曾联松设计的图案为：红地，左上方有一颗黄色大五角星，内含镰刀斧头，大五角星的右面环绕着四颗小五角星。曾联松将用红黄两色电光纸剪贴的国旗图案寄往北京新政协筹备会。审议时，决定去掉镰刀斧头，作为复字第三十二号图案提交大会。9 月 27 日，政协第一届全体会议一致通过关于国旗的决议：中华人民共和国的国旗为五星红旗，象征中国革命人民的大团结。1994 年曾联松捐赠。

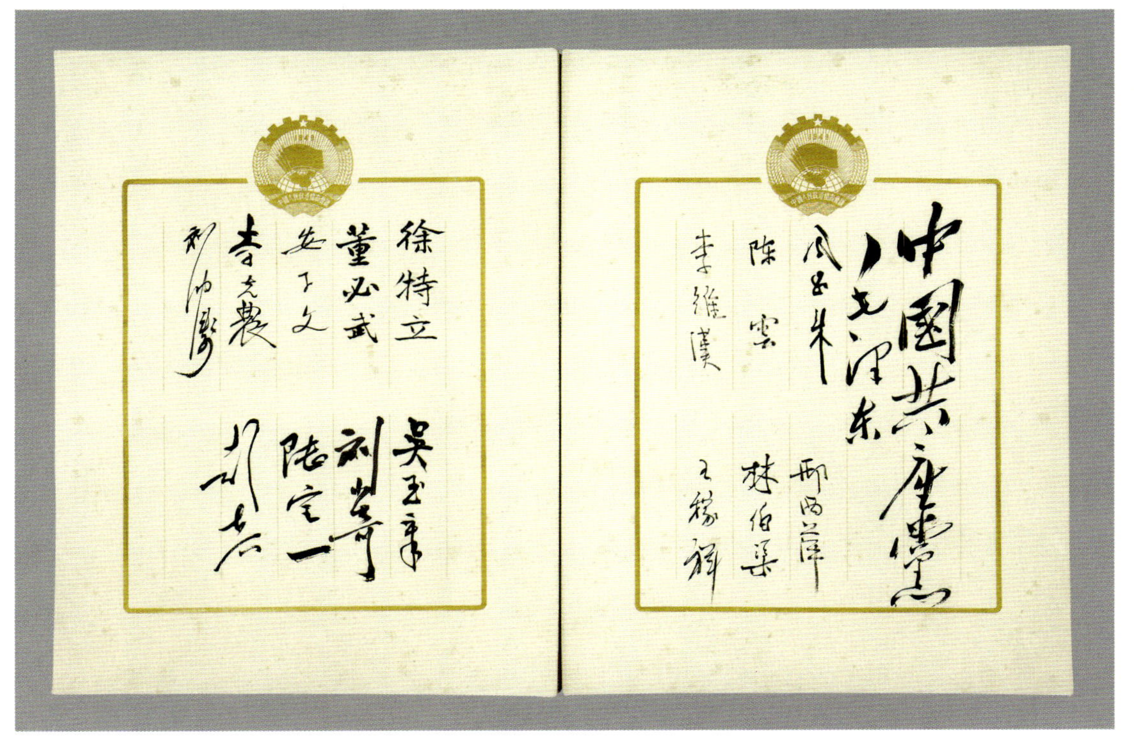

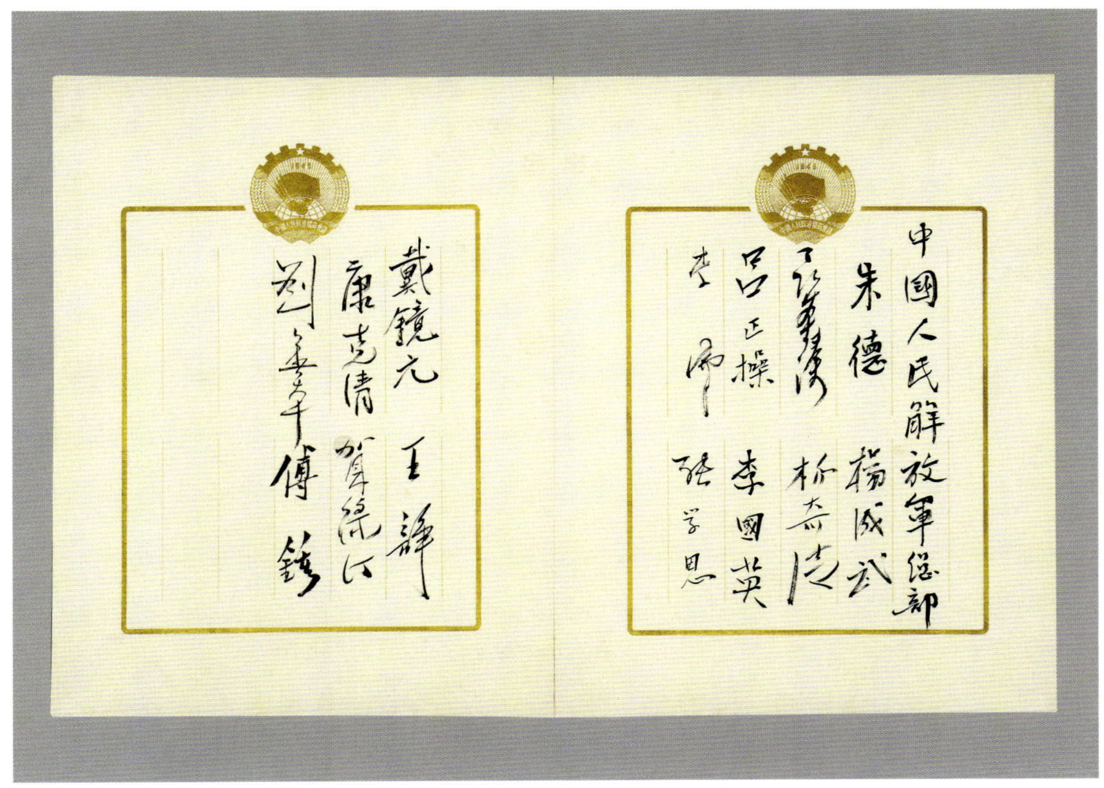


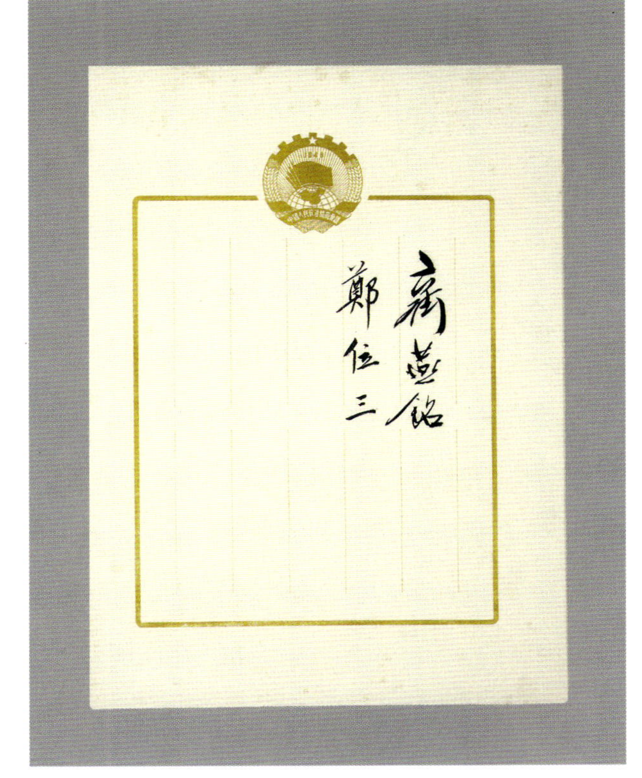


**264. 中国人民政治协商会议第一届全体会议代表签名册**

1949年9月15日

纵43、横32.5厘米

纸质，毛笔、钢笔写。封面木质，镌刻政协会徽和林伯渠题款

1949年9月21日至30日，中国人民政治协商会议第一届全体会议在北平中南海怀仁堂举行。参加会议的有中国共产党、各民主党派、无党派民主人士、各人民团体、人民解放军、各地区、各少数民族、海外华侨、宗教界人士等45个单位及特邀人士，共662名代表。9月15日上午9时至下午4时，代表们在中南海勤政殿按各自单位分别签名报到。部分代表为后来补签。实际出席会议的644名代表有643人签名报到。82页签名纸后装订为2册。1965年10月政协全国委员会拨交。

### 265.《中国人民政治协商会议第一届全体会议会刊》

1949 年 10 月出版
纵 26.4、横 18.5 厘米
纸质，铅印。中国人民政治协商会议第一届全体会议新闻处编印，（1～12 期合订本），初版

会刊收录了各党派团体领导人在一届政协全体会议上的讲话文稿，介绍了会议情况。

### 266．中国人民政治协商会议第一届全体会议选举用的票箱

1949 年 9 月
长 39.8、宽 30.3、高 62.8 厘米
木质，红色。正面有政协会徽

1949 年 9 月 21 日至 30 日，中国人民政治协商会议第一届全体会议在北京举行。9月30日下午，638 名代表在中南海怀仁堂进行庄严选举。根据会议通过的《中华人民共和国中央人民政府组织法》和《中国人民政治协商会议组织法》的有关规定，全体代表举手通过选举毛泽东等180人组成政协第一届全国委员会。接着，又以无记名联记投票方式，选举毛泽东为中华人民共和国中央人民政府主席，朱德、刘少奇、宋庆龄、李济深、张澜、高岗为副主席，周恩来等 56 人为委员。此为投票时用的 9 只票箱之一，1961 年政协全国委员会拨交。

**267．开国大典时毛泽东升起的中华人民共和国第一面国旗**

1949年10月1日
纵338、横460厘米
旗面由五幅红绸拼成，五星为黄缎，大星一角有拼接。轧制

1949年10月1日下午3时，北京30万军民齐集天安门广场，隆重举行庆祝中华人民共和国中央人民政府成立典礼，毛泽东主席在天安门城楼上按动电钮，象征中华人民共和国成立的第一面国旗冉冉升起在广场中央旗杆顶端。1951年7月1日北京市人民政府拨交。

### 268．开国大典用的礼炮

1949年10月1日
口径7.5、通长、高115、宽130厘米
此为缴获的日本制造九四式七五山炮，后又多次使用并改为电拉火

1949年10月1日下午3时，首都北京隆重举行开国大典，与升国旗、奏国歌同时，54门礼炮齐鸣28响。“54”代表参加中国人民政治协商会议的45个单位和9个方面的特邀人士，“28”代表中国共产党领导全国各族人民进行民主革命28年。礼炮队来自华北军区特种兵部队。因无专门礼炮，用的是比较轻巧、射程近的老式七五山炮。大典时，礼炮坐北向南，在天安门东长安街南侧一字排开，炮弹去头堵齐。1988年9月2日天安门管理处拨交。

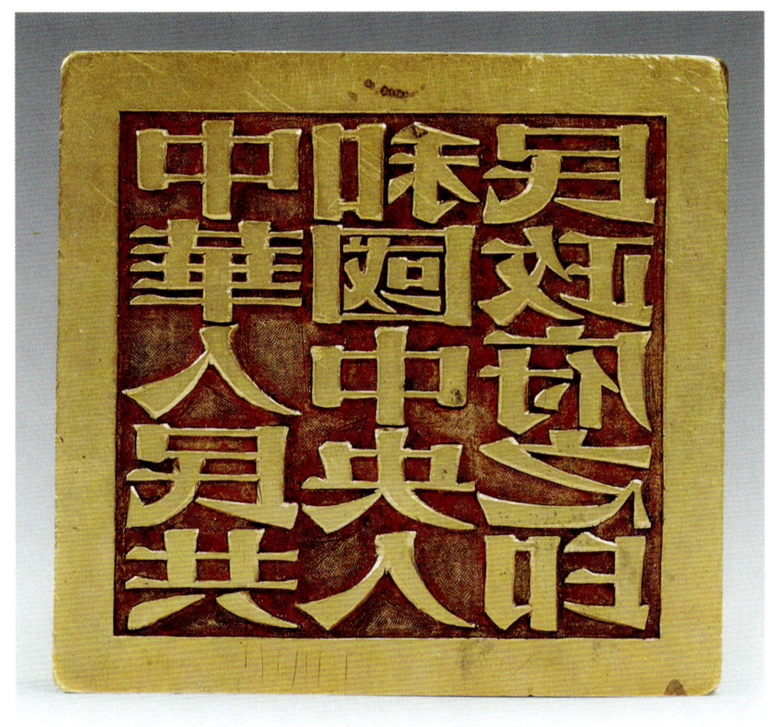

**269．中华人民共和国中央人民政府之印**

1949年

边长9、厚2.7、柄长10.9厘米

方形圆柄，铜铸。印面凿阳文宋体字“中华人民共和国中央人民政府之印”。刻款“中华人民共和国中央人民政府之印　一九四九年十一月一日　第一号”

1949年9月30日，中国人民政治协商会议第一届全体会议选举了以毛泽东为主席的中华人民共和国中央人民政府委员会。10月1日正式就职。在1954年9月第一届全国人民代表大会召开之前，它是行使国家权力的最高机关。该印章是中央人民政府颁布批准有关法律、法令、施政方针、条约、命令和行使其他权力的凭证。1959年5月国务院秘书厅拨交。

**270．中央人民政府政务院印**

1949 年

边长 7、厚 2、柄长 9.3 厘米

方形圆柄，铜铸。印面凿阳文宋体字“中央人民政府政务院印”。刻款“中央人民政府政务院　一九四九年十一月一日　第贰号”

1949 年 10 月 1 日，中华人民共和国中央人民政府委员会第一次会议任命周恩来为政务院总理；19 日，该会第三次会议任命政务院副总理、政务委员等；21 日，中央人民政府政务院正式成立。在 1954 年 9 月第一届全国人民代表大会召开前，它是国家政务的最高执行机关。该印章是政务院颁布有关指示、命令、规定、决议、条例和办法，以及批准中国同外国签订的协定的凭证。1959 年 5 月国务院秘书厅拨交。

**271．毛泽东题“庆祝中华人民共和国诞生”半身照**

1949年10月2日
纵10.2、横7.4厘米

1949年10月1日，参加了在匈牙利布达佩斯召开的世界民主青年第二次代表大会后归国的“中国民主青年代表团”，又在北京参加了开国大典。当团员王湘得知中央人民政府主席毛泽东等领导人将在第二天接见代表团成员时，立刻到王府井照相馆买了一张毛泽东半身照（开国大典使用的标准像，1945年由郑景康拍摄）。10月2日接见时，王湘拿出照片和钢笔，请毛泽东主席在照片上题字，毛泽东欣然题写了“庆祝中华人民共和国诞生　毛泽东　一九四九年十月二日”的字样。1976年12月王湘捐赠。

**272．中央人民政府任命沈钧儒为最高人民法院院长的任命书**

1949年
纵27、横32厘米
纸质，石印，毛笔写。有封套

沈钧儒（1875～1963年），浙江嘉兴人，著名法律学家，爱国民主人士。早年参加辛亥革命，1936年因要求国民政府抗日，与邹韬奋等7人被捕入狱，称“七君子”。1941年后任民主同盟中央常委、救国会主席。1949年9月当选中华人民共和国中央人民政府委员，10月1日在中央人民政府委员会第一次会议上被任命为最高人民法院院长，时年74岁。这是中央人民政府主席毛泽东签署的任命书。1960年本馆收藏。

中央人民政府任命通知書　府字第　號

茲經中央人民政府委員會
第一次會議通過任命沈鈞儒為
中央人民政府最高人民法院院長
特此通知

主席　毛澤東

一九四九年十月一日

中華人民共和國中央人民政府之印

**273. 刘少奇签署公文用的签名章**

1949年10月～1966年
纵7.5、横3.5、通高7.1厘米
长方形，圆柄，铜质，镌阳文毛笔签名“刘少奇”三字。附铜印泥盒

刘少奇于1949年10月至1954年9月任中华人民共和国中央人民政府副主席；1954年9月至1959年4月任第一届全国人大常委会委员长；1959年4月和1965年1月两次当选中华人民共和国主席兼国防委员会主席。此章是刘少奇任上述职务期间签署公文用的。1966年“文化大革命”中刘少奇遭到残酷迫害。1980年2月，中共十一届五中全会为刘少奇平反，恢复名誉。2月6日王光美捐赠。

**274. 中华人民共和国国徽图案石膏模型母模**

1950年8月
纵31.9、横31.5、厚1.2厘米
石膏质

1950年6月28日，中央人民政府委员会第八次会议通过政协一届二次会议提出的国徽图案（梁思成等修正绘制）。图案内容是国旗、天安门、齿轮和麦稻穗，象征中国人民自五四运动以来的新民主主义革命斗争和工人阶级领导的以工农联盟为基础的人民民主专政的新中国的诞生。后由高庄负责塑造国徽立体模型（浮雕）。他在造型时作了一些艺术上的修改，定型后翻铸成石膏模子即母模，再翻铸出正式的国徽图案石膏模型（尚需切割边缘）。同年8月经审查通过。9月20日，毛泽东主席发布中央人民政府命令，公布中华人民共和国国徽。1961年国务院秘书厅拨交。

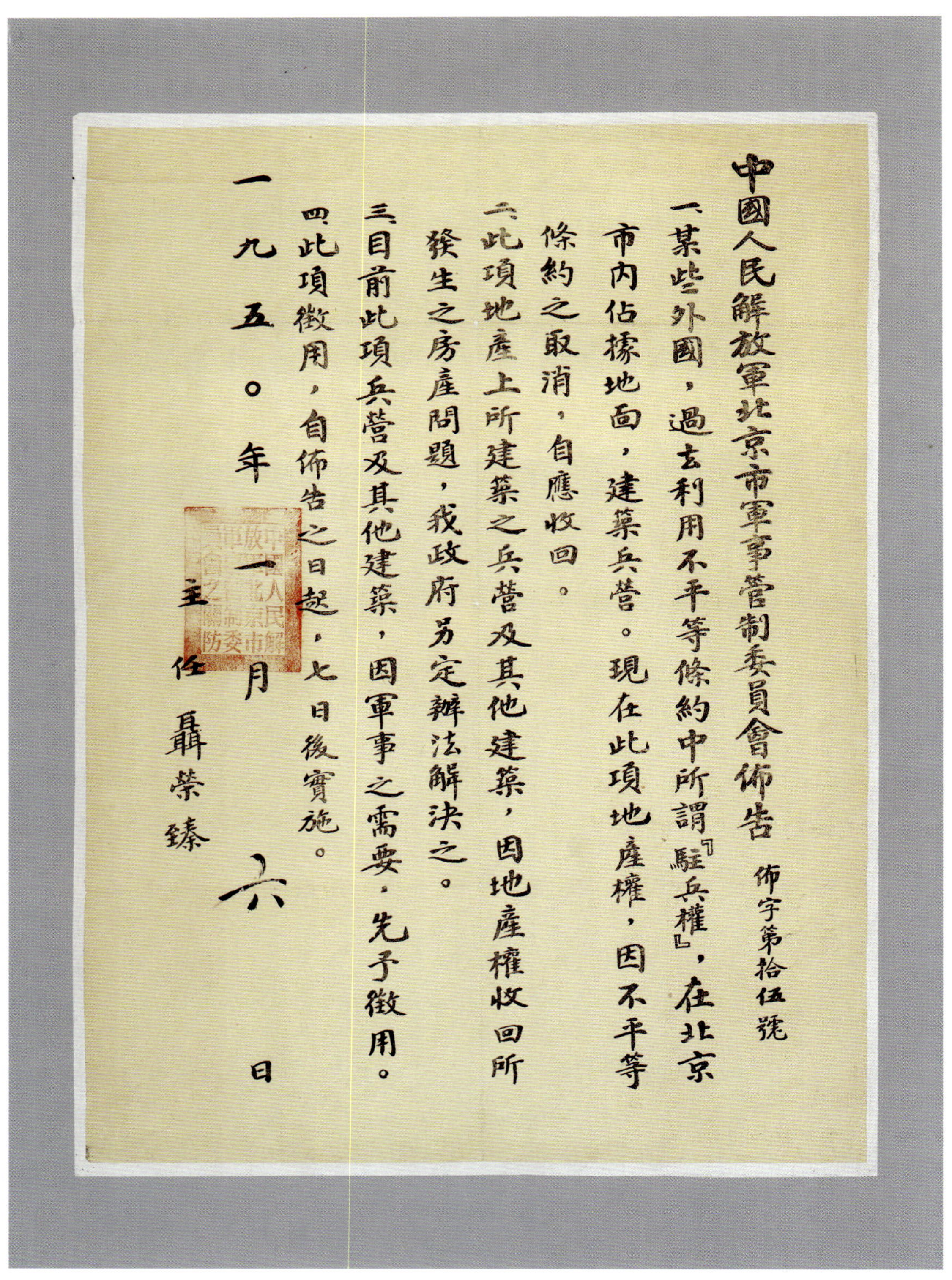

中國人民解放軍北京市軍事管制委員會佈告　佈字第拾伍號

一、某些外國，過去利用不平等條約中所謂『駐兵權』，在北京市內佔據地面，建築兵營。現在此項地產權，因不平等條約之取消，自應收回。

二、此項地產上所建築之兵營及其他建築，因地產權收回所發生之房產問題，我政府另定辦法解決之。

三、目前此項兵營及其他建築，因軍事之需要，先予徵用。

四、此項徵用，自佈告之日起，七日後實施。

一九五〇年一月六日

主任　聶榮臻

**275．北京市军管会收回市内外国兵营地产布告**

1950年1月6日
纵73.5、横53.2厘米
纸质，石印，有张贴痕迹

帝国主义国家在北京东交民巷设有兵营始于1901年《辛丑条约》规定的“驻兵权”。后虽几经变迁，但直到北京解放初期，美国、法国、荷兰（占前德国兵营）兵营地产、房产仍由其官方人员管理。为维护国家领土主权完整，1950年1月6日，北京市军事管制委员会颁发此布告，收回市内外国兵营地产，并因军事需要征用其地面上的兵营和其他建筑。7日，向前美、法、荷领事发出命令，着其按期腾交。对方虽借口1943年与国民党订立的条约条款企图拖延抗拒。但我方态度坚决，终于在14日、16日全部收回。4月，又征用英国兵营。至此，丧失达50年之久的东交民巷领土主权重新回到祖国怀抱。1960年外交部拨交。

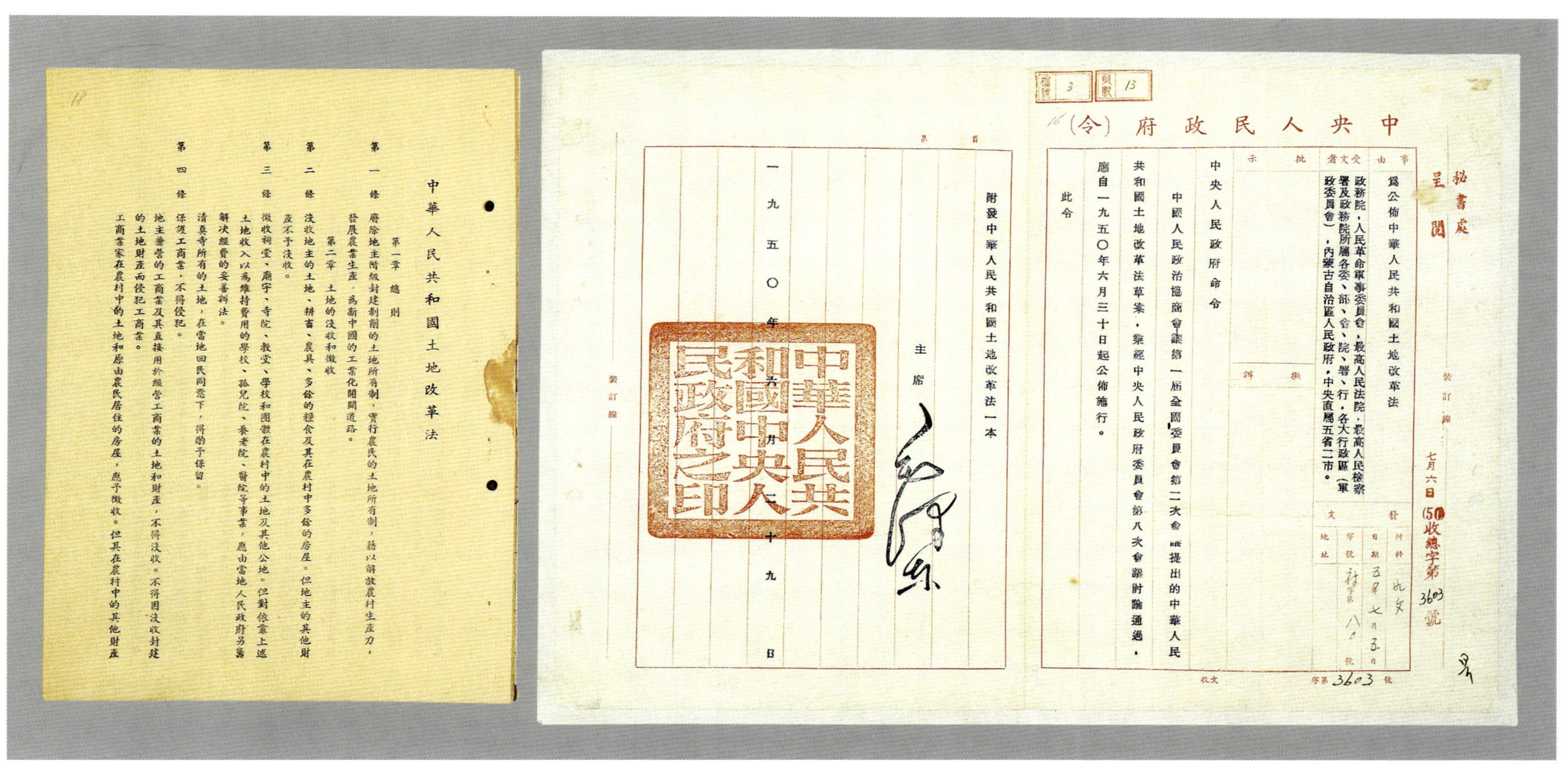

276．中央人民政府命令颁布《中华人民共和国土地改革法》的发文稿

1950年6月29日
纵26.5、横37.5厘米
纸质，发文稿打印；附《中华人民共和国土地改革法》，铅印

1950年6月28日，中央人民政府委员会第八次会议通过了由刘少奇主持制定、经中共七届三中全会和政协一届二次会议讨论后提交的《中华人民共和国土地改革法》。它总结了过去土地改革的经验教训，为适应建国后的新形势确定了新政策（即由过去征收富农多余的土地财产改为保存富农经济）。成为指导土改的基本法律根据。此为29日的中央人民政府命令颁布土改法的发文稿。30日正式颁布。1959年国务院秘书厅拨交。

277．上海市军管会和人民政府加强市场管理、取缔投机暂行办法修定稿

1950年12月
纵27.2、横39厘米
纸质，打印、毛笔修改

1950年5月，经过历时一年的稳定物价斗争，结束了旧中国长达十余年的恶性通货膨胀局面，金融物价趋于稳定。但同年10月志愿军赴朝参战后，某些资本家囤积居奇，使各地市场主要商品如粮食、纱布等价格大幅度上涨，社会上又出现了抢购风潮。根据这一情况和第二次全国财政会议提出的战争第一，市场第二，其他第三的财经工作方针，各地政府都采取了加强市场管理、平稳物价的积极措施。此为上海市军管会和市政府制定的加强市场管理、取缔投机暂行办法修定稿，12月18日见报。1960年上海革命历史纪念馆拨交。

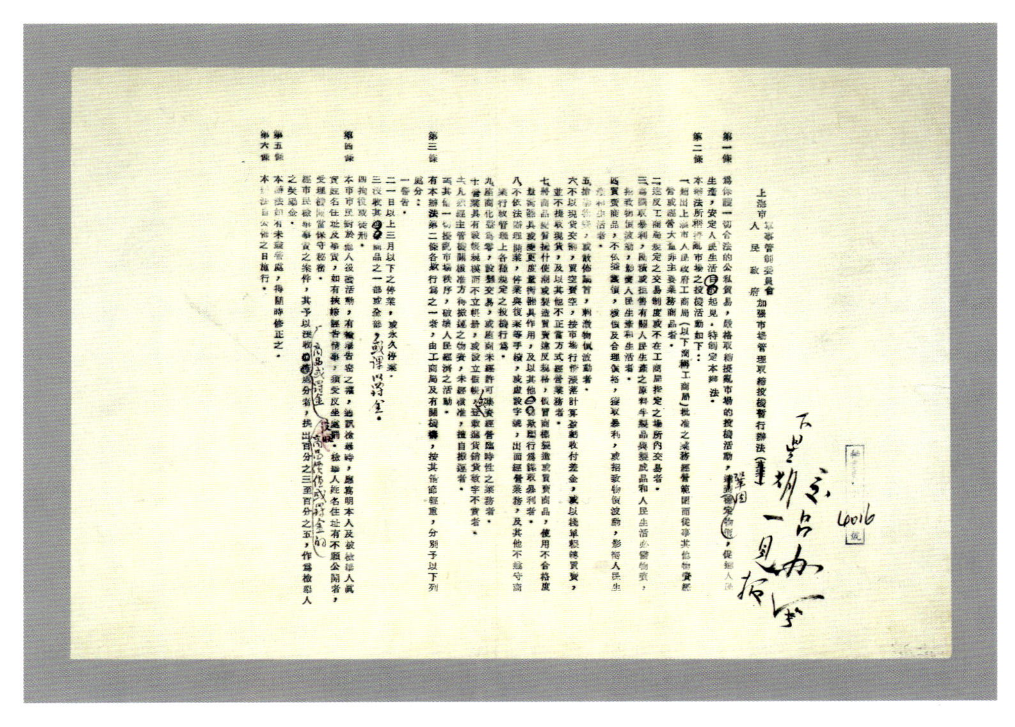

**278．海南岛战役时琼崖纵队用的联络灯**

1950 年 4 月
纵 50、横 25、厚 13.6 厘米
玻璃、金属质

1950 年 3 月上旬，人民解放军发起海南岛战役。3 月 5 日至 11 日和 26 日至 4 月 1 日，在长期坚持斗争的琼崖纵队接应下，第四野战军第十五兵团先遣部队 8000 余人分两批实施偷渡成功。4 月 16 日晚，主力部队两个军强渡琼州海峡，17 日凌晨在海南岛北部海岸胜利登陆。经激战，至 5 月 1 日解放全岛，共歼敌 3 万余人，残敌逃往台湾。这盏联络灯是琼崖纵队为主力部队指示登陆地点时用的。1971 年 10 月 6 日解放军通讯部拨交。

279.《全国战斗英雄代表会议纪念刊》

1950 年

纵 27.2、横 27.2 厘米

纸质，铅印。273 页。中央人民政府人民革命军事委员会总政治部编印，初版

收录了政务院、中央军委、中央人民政府人民革命军事委员会总政治部给会议发来的文件、指示，首长讲话、大会祝词、通电等，以及战斗英雄代表名单和事迹介绍。

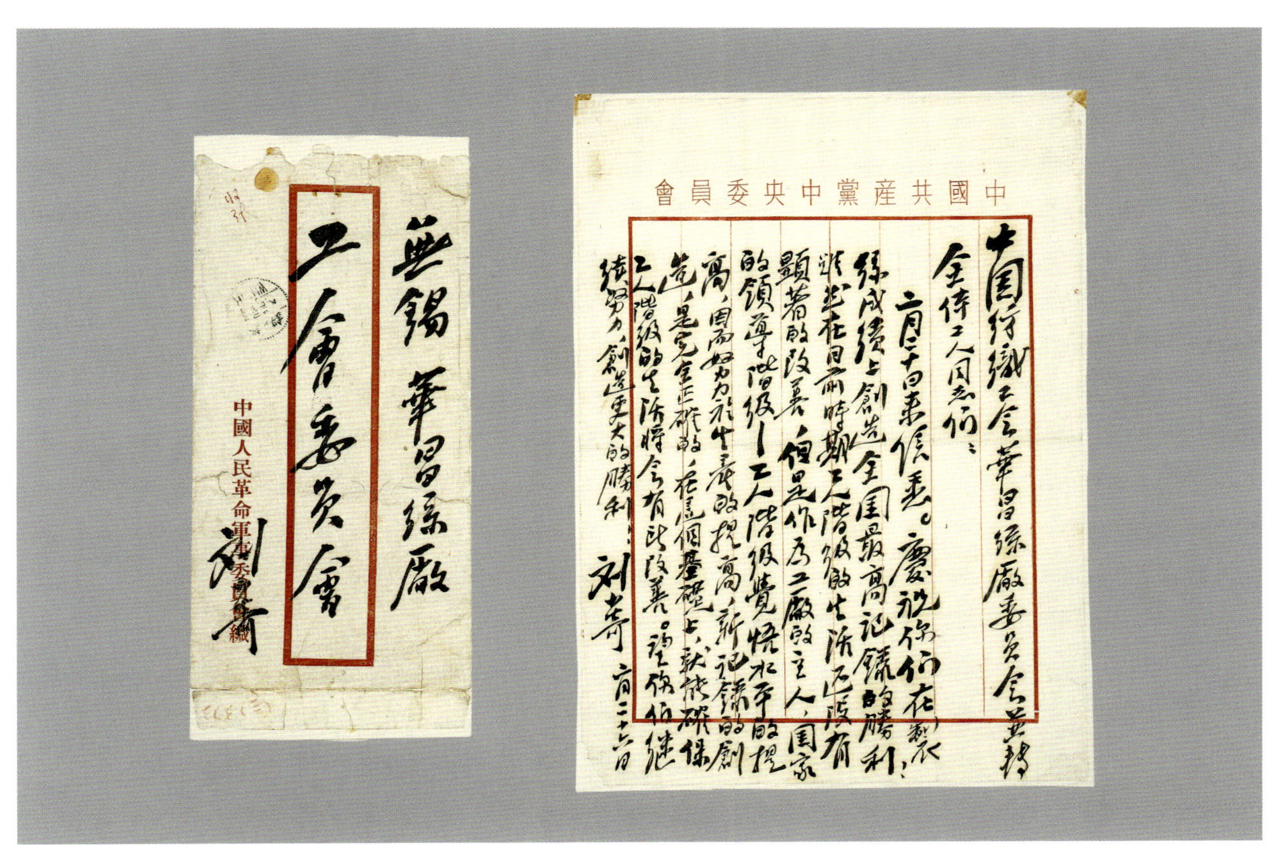

無錫華昌絲廠
工會委員會
中國人民革命軍事委員會
劉少奇

中國共產黨中央委員會

中國紡織工會華昌絲廠委員會並轉
全体工人同志們：
二月二十日來信悉。慶祝你們在製絲成績上創造全國最高記錄的勝利。並且在目前時期工人階級的生活還沒有顯著的改善，但是作為工廠的主人，國家的領導階級——工人階級覺悟水平的提高，因而努力於生產的提高，新記錄的創造，是完全正確的。在這個基礎上，就能保證工人階級的生活將會有改善。望你們繼續努力，創造更大的勝利！
劉少奇
二月二十六日

280. 刘少奇给无锡华昌丝厂职工的亲笔贺信

1951 年 2 月 26 日

纵 32.4、横 22.9 厘米

纸质，毛笔写。有信封，贴邮票 4 枚

在抗美援朝运动中，全国工矿企业的工会开展了爱国主义生产竞赛。公私合营无锡华昌丝厂职工在生产竞赛中于 1951 年 1 月创造了缫丝成绩立缫车 4A，坐缫车 3A 的全国缫丝质量最高纪录。2 月 20 日，该厂职工写信向中央人民政府副主席兼全国总工会名誉主席刘少奇和中国纺织工会主席陈少敏报喜。刘少奇当即复信祝贺，指出要依靠工人阶级觉悟水平的提高和主人翁的劳动态度来创造更大的胜利。1959 年纺织工业部拨交。

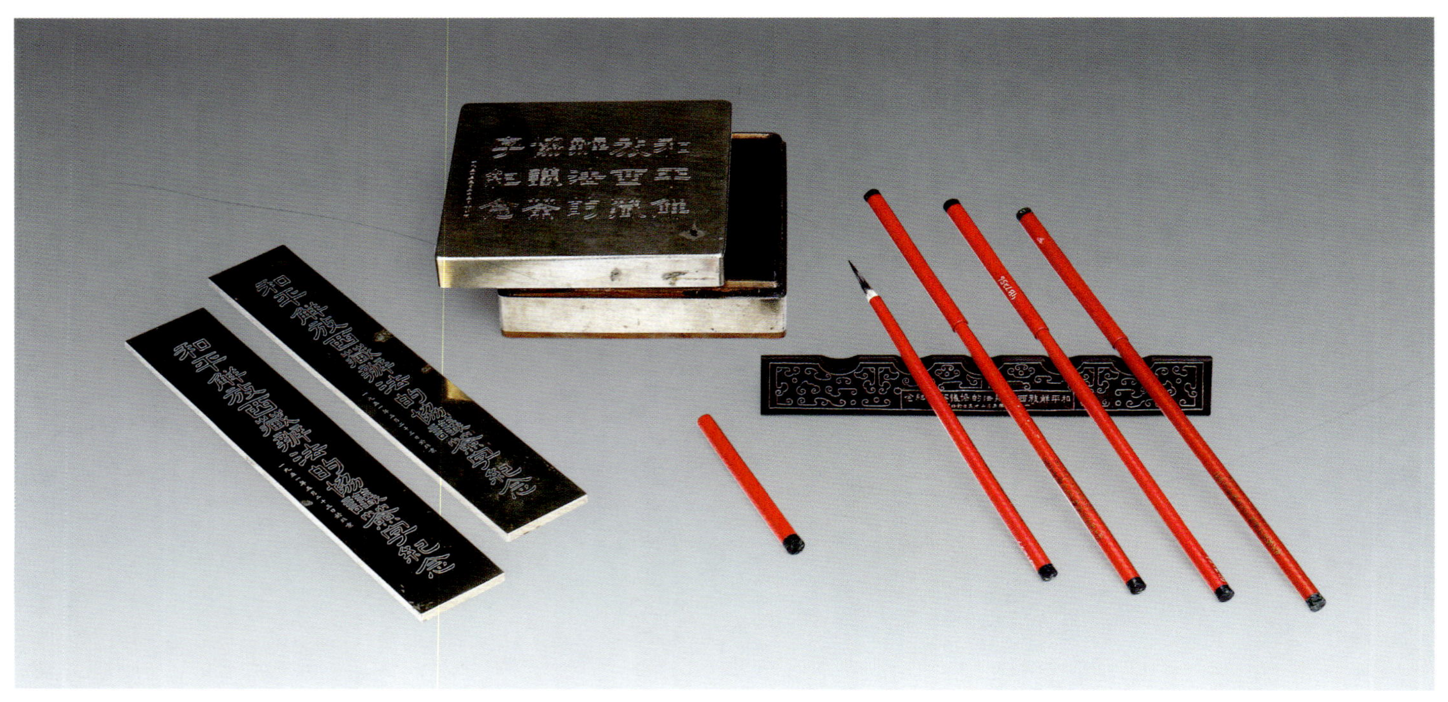

中央人民政府代表团用的文具、印章

**281．签订《关于和平解放西藏办法的协议》时用的文具、印章**

1951年

最长30.8厘米

毛笔4支，竹、毛质；竹笔（藏族习用的书写工具）5支；笔架2个，木质；墨盒2个，镇尺4个，铜质；印章9枚，石质。均刻款："和平解放西藏办法的协议签字纪念"

1951年4月，西藏地方政府派出由阿沛·阿旺晋美（首席全权代表）、凯墨·索安旺堆、土丹旦达、土登列门、桑颇·登增顿珠组成的代表团到北京，同由李维汉（首席）、张经武、张国华、孙志远组成的中央人民政府代表团进行谈判。5月23日，在中南海勤政殿签订《中央人民政府全权代表和西藏地方政府全权代表关于和平解放西藏办法的协议》。10月，人民解放军根据协议进驻拉萨，实现了西藏的和平解放和全国大陆的统一。1951年7月文化部文物局拨交。

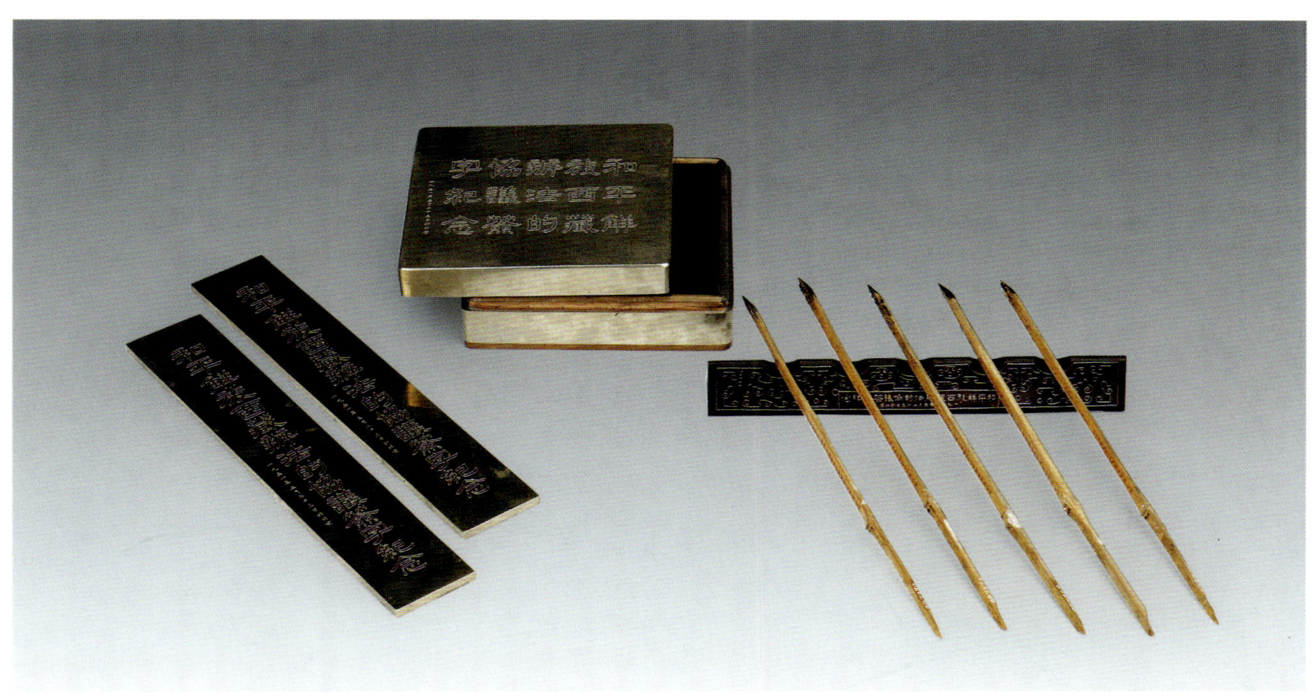

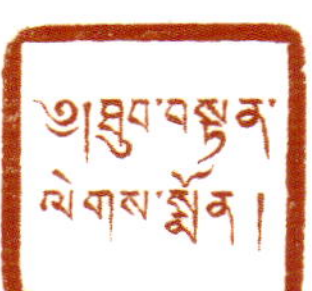

西藏地方政府代表团用的文具、印章

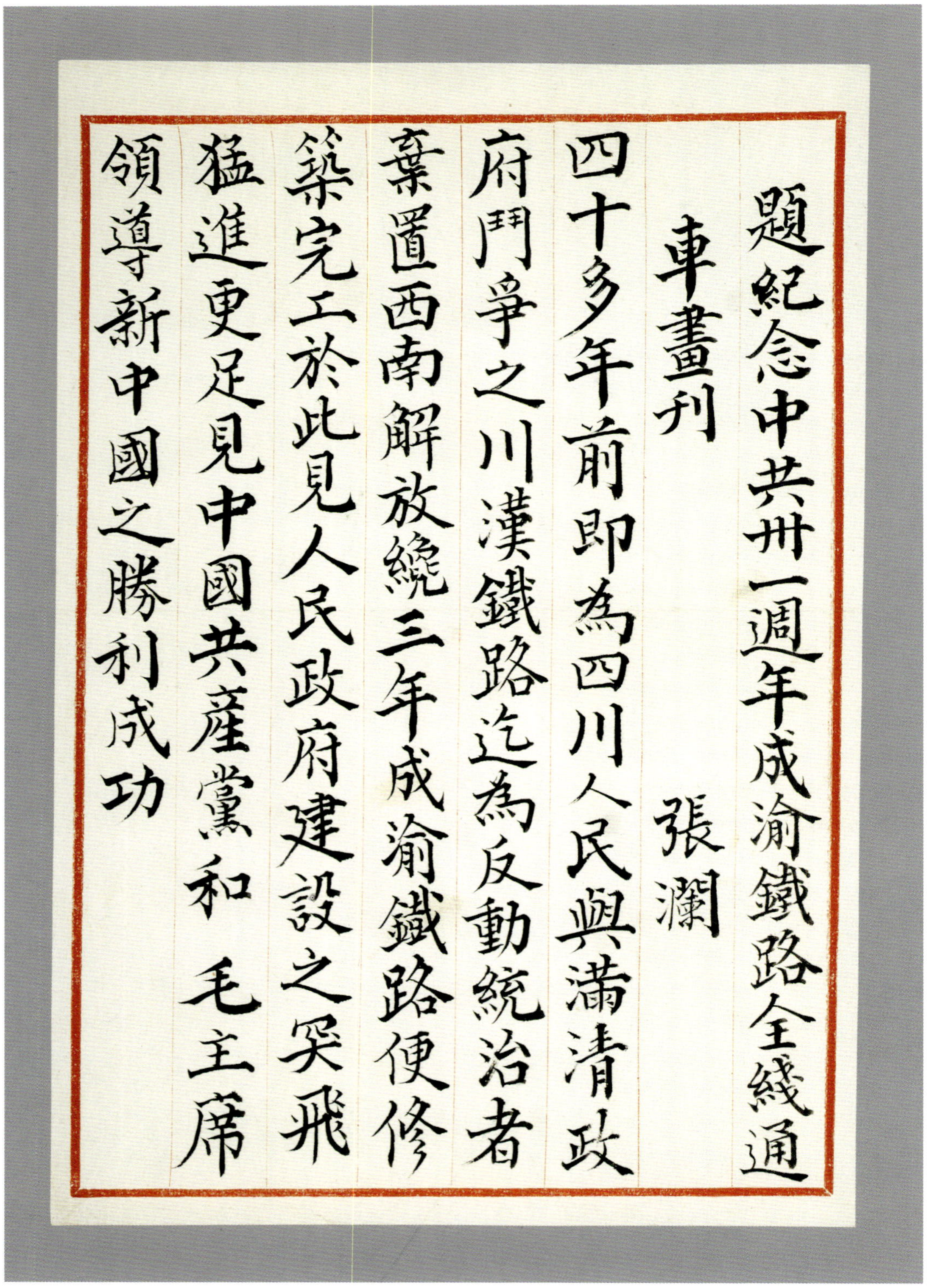

題紀念中共卅一週年成渝鐵路全綫通
車畫刊　張瀾
四十多年前即為四川人民與滿清政
府鬥爭之川漢鐵路迄為反動統治者
棄置西南解放纔三年成渝鐵路便修
築完工於此見人民政府建設之突飛
猛進更足見中國共產黨和 毛主席
領導新中國之勝利成功

**282．张澜庆贺成渝铁路通车的题词**

1952 年
纵 22.2、横 14.9 厘米
纸质，毛笔楷书写

成渝铁路东起重庆，西至成都，全长505公里。1950年6月动工，1952年6月完工，7月1日全线通车。它对发展西南地区经济、巩固国防有着重大意义。早在辛亥革命前，四川人民就酝酿修建铁路，并因反对清政府出卖路权发动保路运动。国民党统治时筹备多年竟未修成一寸铁路。新中国成立仅两年多，就使四川人民40余年梦寐以求的理想变成了现实。中央人民政府副主席张澜（保路运动时为川汉铁路股东会副董事长）为此欣然命笔题词。1959年铁道部拨交。

## 283. 亚洲及太平洋区域和平会议签到册

1952年

纵47、横35.8、厚6.7厘米

纸质，毛笔、钢笔写，包括参加筹备会的代表签到。封面封底木质，包铜角，封面嵌铜版腐蚀画毕加索名作“和平鸽”

1952年3月21日，中国致力和平事业人士宋庆龄、郭沫若、彭真等联名电邀亚洲及太平洋区域和平人士，建议召开亚洲及太平洋区域和平会议。6月3日至6日，19个国家的45名代表在北京召开筹备会议。10月2日至13日，37个国家的344名正式代表、34名列席代表和世界和平理事会、世界工联的代表出席了在北京举行的亚洲及太平洋区域和平会议，表达了本地区16亿人民要求和平，反对战争的坚强意志。1959年中国人民保卫世界和平反对美国侵略委员会拨交。

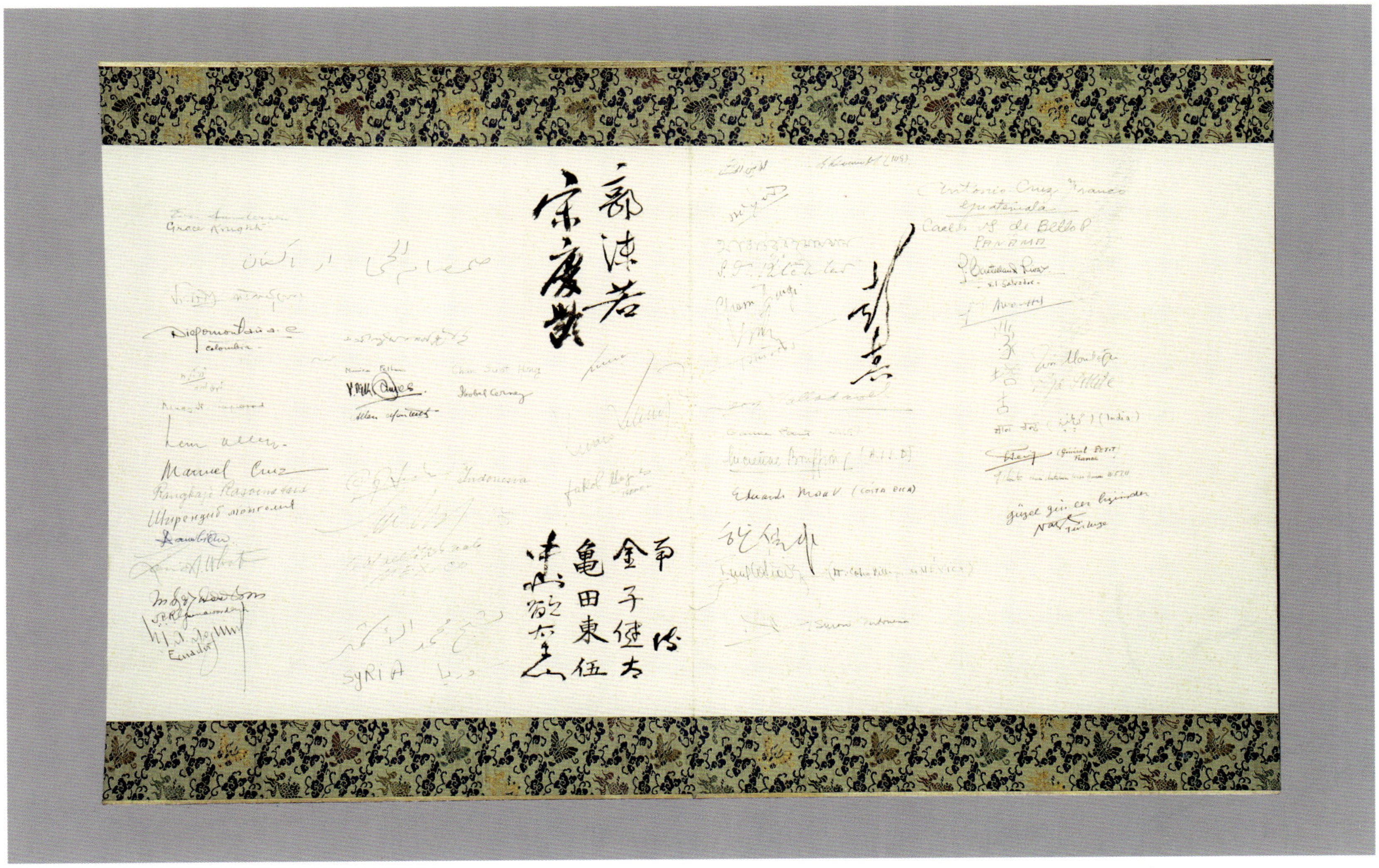

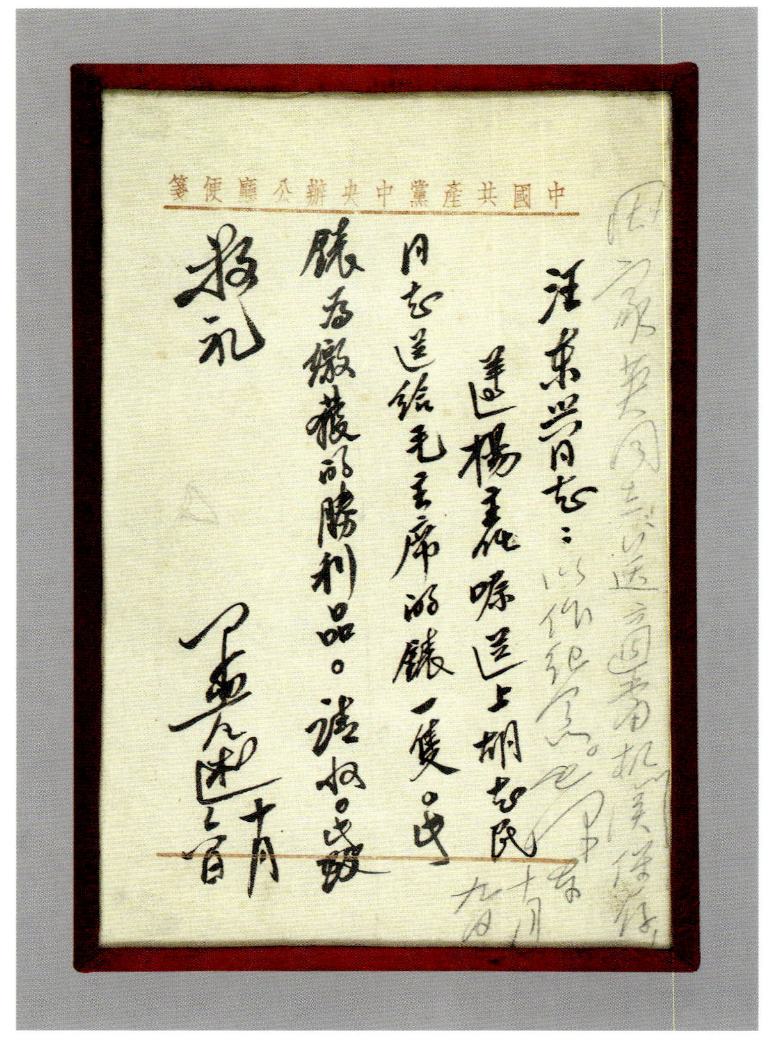

**284．胡志明赠给毛泽东的手表**

1952年

直径3.5厘米

钢质，玻璃表蒙，塑料表带。JUVENIA 牌

胡志明（1890～1969年），越南劳动党和越南民主共和国的缔造者。1945年后领导越南人民进行了长达九年的抗法救国战争并取得胜利。1952年秋，胡志明将缴获法军的这块手表赠给毛泽东主席，附钤“胡志明印”的越文名片一张，以感谢中国对越南抗法战争的支持。10月9日，毛泽东在中央办公厅转送此表的便笺上批示：“送适当机关保存以作纪念。”此表先存政务院典礼局礼品保管科，后由故宫博物院保存，1975年10月拨交。

**285．中国人民志愿军用被击落美机残骸制作的烟灰碟**

1952年2月

直径9、高4.8厘米

铝合金质，用戴维斯座机残骸制作，赠给中国人民赴朝慰问团的纪念品之一

在中朝军队五战五捷，迫使美方坐到谈判桌旁后，美国并不服输，竟投入其全部空军的五分之一，企图以“空中绞杀”压迫中朝方面屈服。1951年9月，新组建的志愿军空军首次投入反“绞杀”作战，在清川江以北实施掩护作战，击落美机多架。1952年2月10日，志愿军飞行员张积慧驾驶米格－15战斗机在博川郡上空，击落美空军第四联队“王牌飞行员”戴维斯驾驶的F－86E战斗机。美远东空军司令威兰哀叹这是“对远东空军的一大打击”。1955年5月中国人民保卫世界和平反对美国侵略委员会拨交。

**286．中国人民志愿军坚守的上甘岭阵地的一铲土**

1952年

重3795克

取自激战后的上甘岭志愿军阵地，钢铁质地的弹片、子弹头重量约占一半，其余是碎石和沙

上甘岭战役是志愿军粉碎美军“金化攻势”的著名战役。1952年10月，美方单方面宣布停战谈判“无限期休会”，企图先拿下上甘岭两高地，进而拿下五圣山，压迫志愿军后退，造成谈判中的有利地位。10月14日至11月25日，美军投入六万余人、3000余架飞机、170余辆坦克，向不过3.7平方公里的上甘岭阵地倾泻了200万发炮弹，把山头削低了两米。志愿军依托以坑道为主体的坚固阵地成功地进行了坚守防御，先后打垮了美军900余次冲锋，歼敌2.5万余人。1959年中国人民革命军事博物馆拨交。

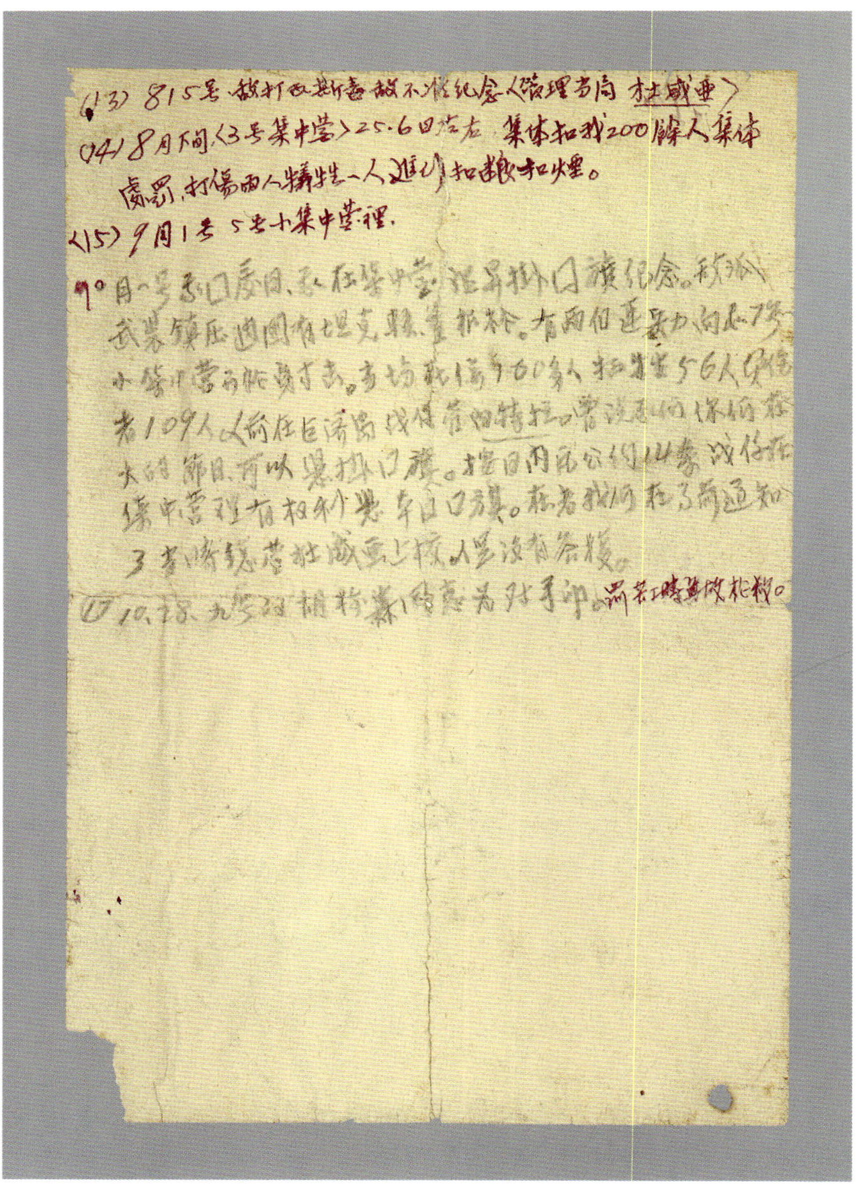

**287．志愿军战俘为揭露美方暴行写的大事记**

1952年10月

纵22.7、横15.2厘米

纸质，用罐头盒剪成笔尖蘸紫药水书写，少量为铅笔书写

在朝鲜战争中，志愿军战俘在美军集中营受到种种虐待、酷刑、苦役甚至残杀。美方还唆使特务实施暴力统治，胁迫利诱，阻挠战俘表达回国意愿。仅在1952年的“四八甄别”中，就有很多要求回国的战俘被打死打伤，甚至割肉挖心。要求回国的战俘们成立了各种地下斗争组织，经过斗争，陆续集中到“602”回国战俘营，并于1952年7月迁往济州岛第八战俘营。在济州岛，“共产主义团结会”组织战俘们写了若干份大事记和控诉材料。大事记由黎子颖（化名傅稚恒）起草，讨论修改后分头抄写。这份大事记抄者不详。它记述了1951年8月底至1952年10月28日发生的美方暴行和战俘们的英勇斗争，共17件事。后由遣返归国战俘折为四折密藏带至板门店交给中方接收人员。1959年外交部拨交。

**288．朝鲜人民致中国人民志愿军和中国人民的感谢信屏风及签名簿**

1958年

屏风高120.5、宽48.9厘米，签名簿纵35.4、横26.7厘米

屏风为漆木六联屏，镌刻感谢信全文。签名簿共228本，有朝文和中文，钢笔书写

朝鲜停战后，中国人民志愿军分批撤回国内。1958年2月27日，朝鲜内阁决定向志愿军致以由全体朝鲜人民签名的感谢信。6月11日，朝鲜第二届最高人民议会第三次会议通过朝鲜人民给志愿军官兵和中国人民的感谢信，赞扬以鲜血捍卫朝鲜的独立自由的志愿军以及中国人民的无私援助和支持。据统计，至1958年8月，金日成等682.7万人在签名簿上签了名。并由专人送达北京。1959年中国人民革命军事博物馆拨交。

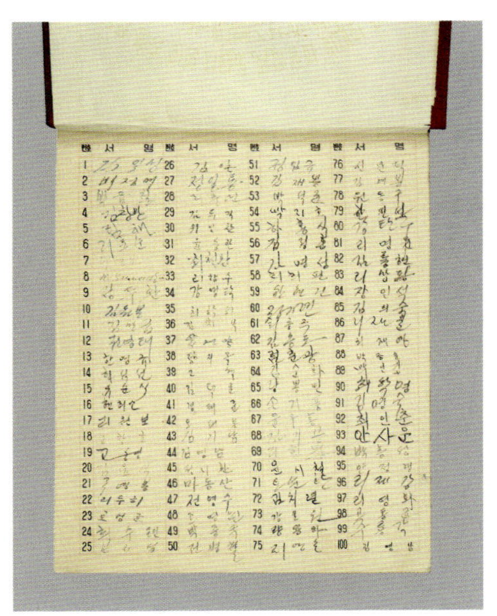

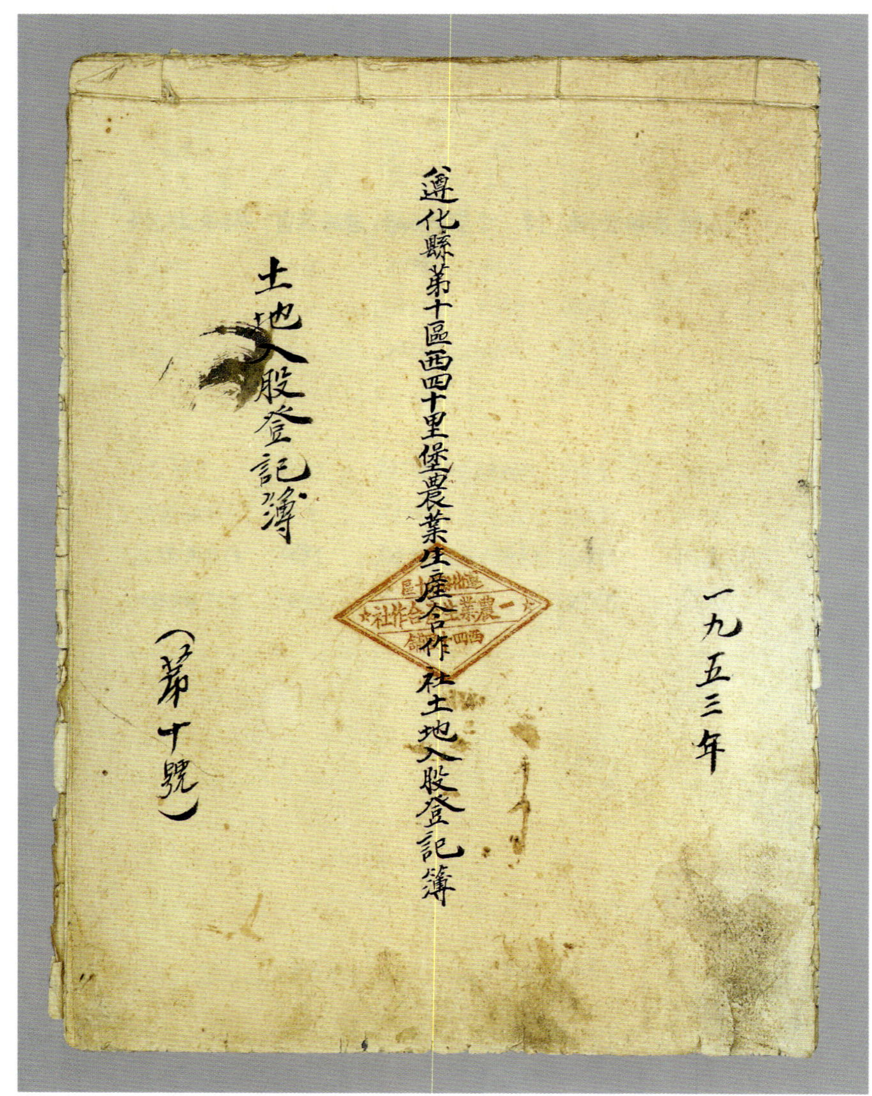

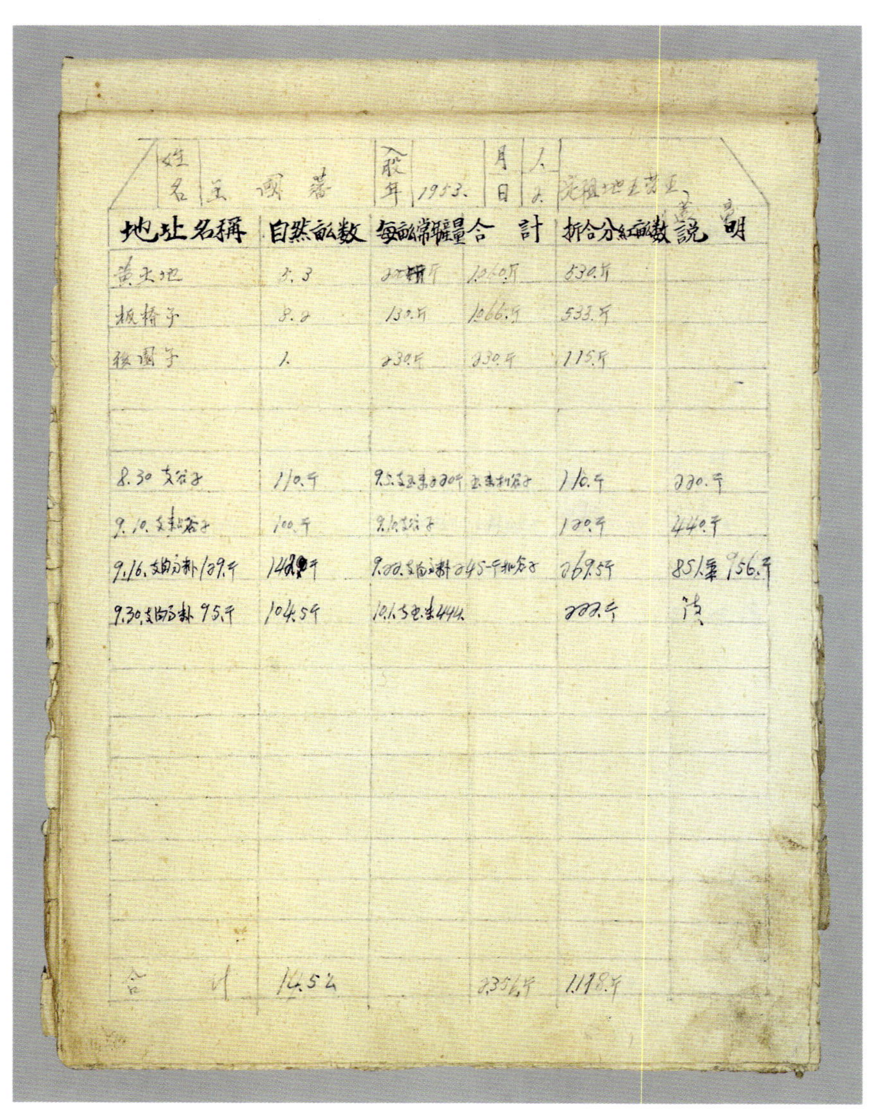

**289．西四十里铺农业生产合作社土地入股登记簿**

1953年

纵27.3、横19.8厘米

纸质，钢笔写

1952年秋，河北省遵化县西四十里铺农业生产合作社成立，王国藩任社长，23户农民只有3条驴腿，230亩山地，人称“穷棒子社”。该社土地入股，按地五、劳五定租分红，反映了初级社的半社会主义性质。后依靠组织起来的力量，发展为户有千斤余粮的148户的建明农林牧生产合作社（高级社），毛泽东主持编写的《中国农村的社会主义高潮》一书介绍了该社。1959年遵化县建明人民公社拨交。

**290．喀什市第一次全国基层选举时的选民榜**

1953年3月
纵82、横84.5厘米
纸质，钢笔、铅笔写

人民代表大会制度是我国的根本政治制度。1953年上半年，根据中央人民政府《关于召开全国人民代表大会及地方各级人民代表大会的决议》和《选举法》，在全国开展了规模空前的基层人大代表的选举工作。经登记的选民总数为3.2亿人，参加投票的有2.7亿人，占选民总数85.88%。充分表达了各族人民群众饱满的政治热情。喀什市是新疆南疆第一大城市和经济中心，居民以维吾尔族为主。这是该市一区第三选区第二登记站在基层普选中张贴过的维吾尔文选民榜。1959年国务院秘书厅拨交。

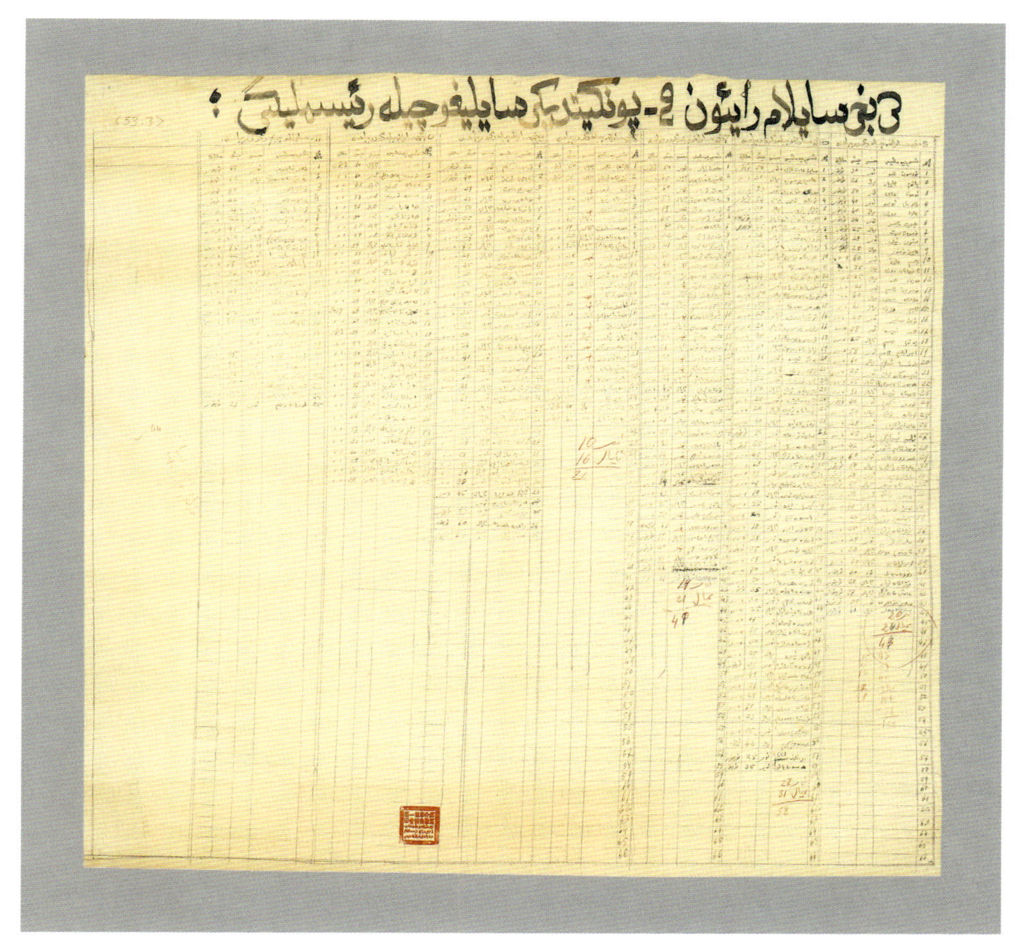

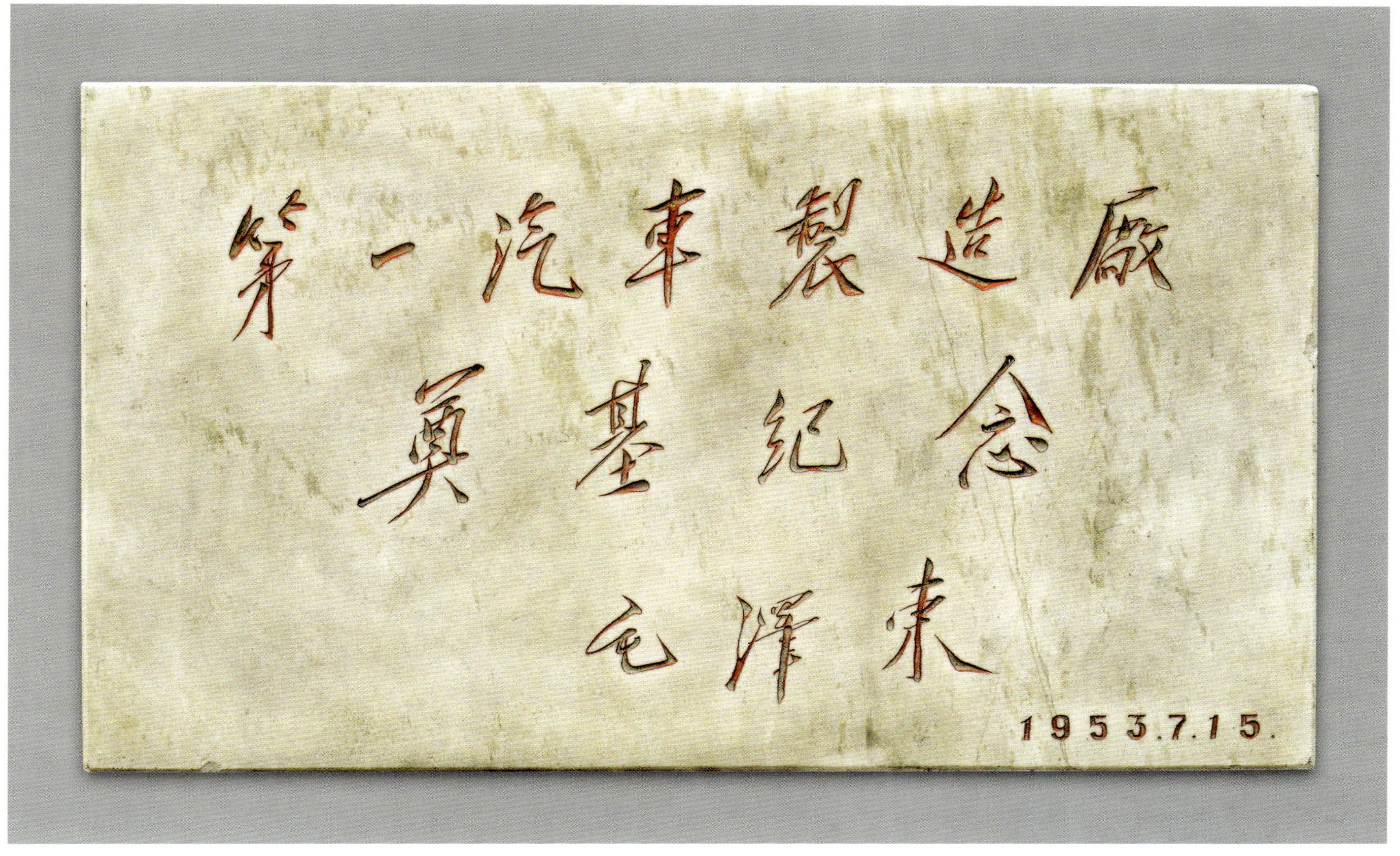


**291．毛泽东题词的第一汽车制造厂基石**

1953年7月15日
纵70、横120.5、厚5.5厘米，重250公斤
汉白玉质地，镌刻毛泽东题词“第一汽车制造厂奠基纪念”

1950年初毛泽东、周恩来访问苏联时，商定由苏方援建我国一座中型卡车制造厂。1951年春中央确定在长春建厂。1953年7月15日，该厂正式开工兴建，镌刻毛泽东亲笔题词的奠基石被植入黑土中。1956年该厂建成投产，生产能力为年产4吨解放牌汽车3万辆，是我国第一个汽车生产基地。基石后陈列于该厂一号门展览室。1987年11月21日第一汽车制造厂拨交。

## 292. 齐白石绘赠毛泽东的松鹤旭日图

1953 年
纵 295、横 71 厘米
纸质，毛笔绘，题跋“毛主席万岁　九十三岁齐白石”

齐白石（1864～1957 年），现代国画艺术大师、篆刻家、书法家。曾任中央美术学院名誉教授、中国画研究会和中国美术家协会主席、中国画院名誉院长。1949 年后毛泽东多次致函问候齐白石先生，表达敬老崇文之意。1950 年夏又请他到中南海品茗赏花，共进晚餐。1953 年 1 月 7 日，中国美术家协会为齐白石先生举办祝寿会，文化部授予他“中国人民杰出的艺术家”称号，周恩来致祝寿词，毛泽东送了寿礼。齐白石特作此画赠给毛泽东。1954 年 12 月 18 日中共中央办公厅秘书室拨交。

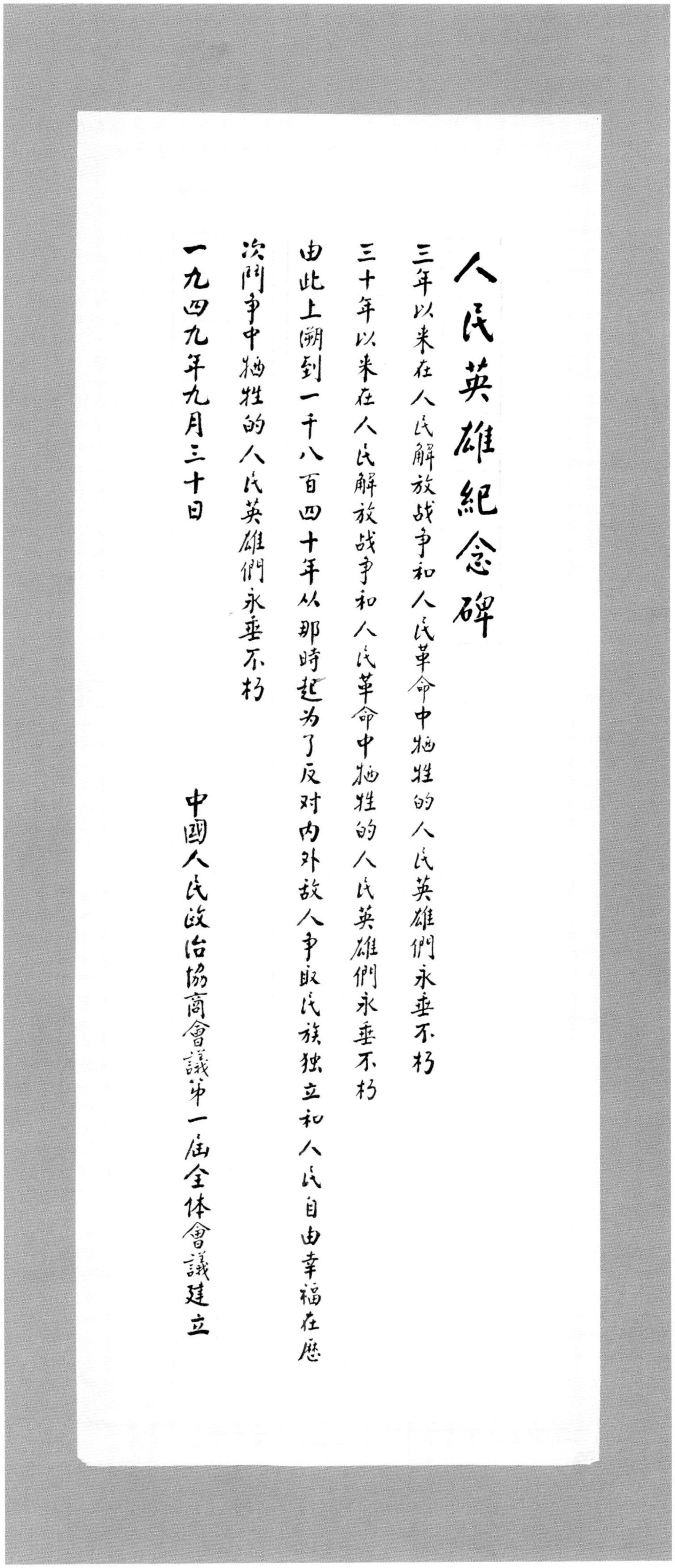

人民英雄紀念碑

三年以来在人民解放战争和人民革命中牺牲的人民英雄們永垂不朽

三十年以来在人民解放战争和人民革命中牺牲的人民英雄們永垂不朽

由此上溯到一千八百四十年从那時起为了反对内外敌人争取民族独立和人民自由幸福在歷次鬥争中牺牲的人民英雄們永垂不朽

中國人民政治協商會議第一屆全体會議建立

一九四九年九月三十日

**293．周恩来书写的人民英雄纪念碑碑文**

1955年夏
纵102、横35.3厘米
宣纸，行楷书写

1949年9月30日，中国人民政治协商会议第一届全体会议为纪念在人民解放战争和人民革命中牺牲的人民英雄，决定在首都北京天安门前建立为国牺牲的人民英雄纪念碑，并一致通过毛泽东起草的碑文。下午6时，全体代表在天安门广场举行了奠基礼。纪念碑于1952年8月1日动工，1958年5月1日正式落成。碑身正面为毛泽东题词，背面为周恩来书写的这份150字的碑文。1960年5月26日施工单位北京市房管局雕塑工厂拨交。

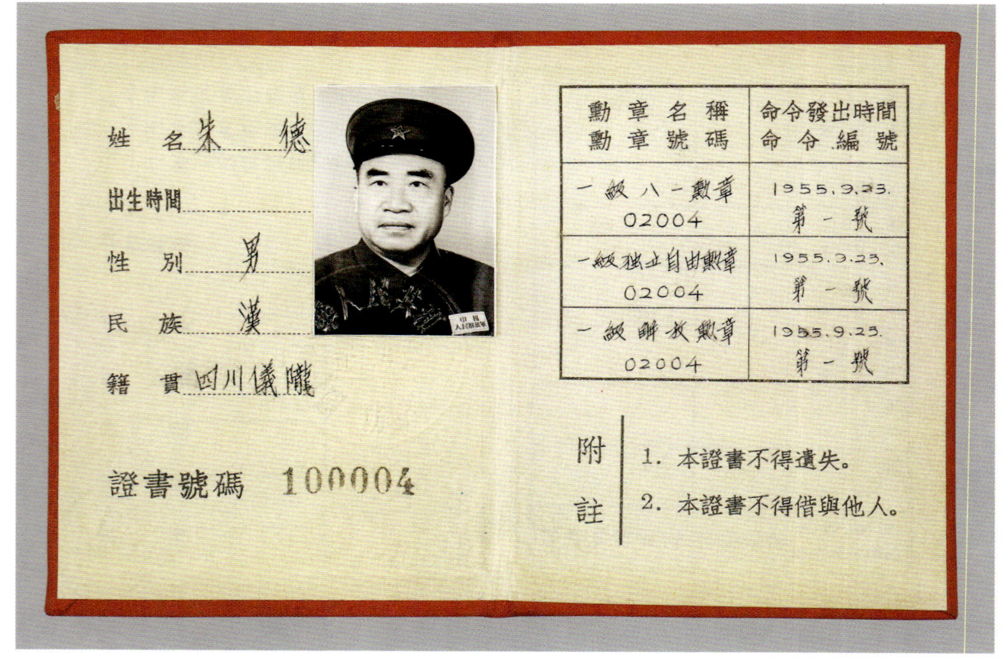

姓名 朱德

出生時間

性別 男

民族 漢

籍貫 四川儀隴

證書號碼 100004

| 勳章名稱<br>勳章號碼 | 命令發出時間<br>命令編號 |
| --- | --- |
| 一級八一勳章<br>02004 | 1955.9.23.<br>第一號 |
| 一級獨立自由勳章<br>02004 | 1955.9.23.<br>第一號 |
| 一級解放勳章<br>02004 | 1955.9.23.<br>第一號 |

附註
1. 本證書不得遺失。
2. 本證書不得借與他人。

**294．朱德的一级八一勋章、一级独立自由勋章、一级解放勋章**

1955 年 9 月
纵 5.5、横 5.5 厘米
勋章金质，有勋表；证书纸质

1955 年 2 月 12 日，全国人大常委会通过人民解放军有功人员授勋授奖的决议和条例。规定一级八一勋章图案为红五角星中有“八一”字样，授予红军时期的师以上干部；一级独立自由勋章图案为红星照耀下的延安宝塔山，授予抗战时期的旅以上干部；一级解放勋章图案为红星照耀下的天安门，授予解放战争时期的军以上干部。9 月 23 日，全国人大常委会通过第一批授勋名单。27 日下午 5 时，国家主席授衔授勋典礼在北京怀仁堂隆重举行，毛泽东亲自将“授予中华人民共和国元帅军衔的命令状”和这三枚金质勋章授予朱德。1979 年 10 月康克清捐赠。

**295. 朱德的中华人民共和国元帅小礼服**

1955 年 9 月～1965 年 5 月
衣长 77、裤长 109、帽周长 86 厘米
毛哔叽质地

1955 年 9 月 23 日，全国人大常委会通过决议，授予朱德等 10 人中华人民共和国元帅军衔。27 日下午 5 时，在北京怀仁堂隆重举行国家主席授衔授勋典礼，毛泽东亲自将“授予中华人民共和国元帅军衔的命令状”和勋章授予朱德等 10 位元帅。这是朱德穿过的元帅小礼服。1979 年 9 月 4 日康克清捐赠。

中國共產黨中央委員會：

我們懷着萬分感激和無比興奮的心情，向你會報喜。

由於毛主席、中國共產党和人民政府的正確領導，全國主要城市資本主義工商業，已經全行全業地轉變為公私合營經濟，完成了社會主義改造的第一步。全國工商業者已經愉快地、幸福地進入了社會主義社會。

為了更進一步接受社會主義改造，為了在偉大的社會主義建設事業中積極貢献我們的力量，我們代表全國工商業者誠懇地向你會保証：

第一，我們一定服從領導，守職盡責，搞好生產經營；

第二，我們一定加强學習，更好地改造我們的思想；

第三，我們一定努力學會本領，學會社會主義經營管理方法，改造自己成為自食其力的劳動者。

我們永遠忠誠地跟着中國共產党向着社會主義社會邁進。

謹致

崇高的敬禮

全國工商界報喜人

李燭塵　盛丕華　樂松生　淩其峻　畢鳴岐

朱繼聖　榮毅仁　胡厥文　苗海南　王幸生

胡子昂　王少岩　嚴樹棠　王德輿　張敬礼

唐南屏　成盛三　高振声　楊瀏芬　廖靄亭

湯元炳　葉雨田　陳經畬　陳芸田　毛鐵橋

武百祥　米吉提·木沙巴元夫　黃長水

潘清啟　輦天民　黃　織　戴翩英　沈方成

一九五六年一月三十日

**296. 全国工商界李烛尘等33人献给中共中央的报喜信**

1956年1月30日
纵55.5、横79厘米
纸质，毛笔写

1956年1月，全国出现资本主义工商业社会主义改造的热潮。10日，北京市首先宣布已全部实现全行业公私合营。月底，全国50多个资本主义工商业比较集中的大中城市相继实现了全行业公私合营。30日，在全国政协二届二次会议开幕式上，全国工商界报喜队将这封由李烛尘等33位全国工商界知名人士署名的报喜信献给中共中央。年底，对农业、手工业和资本主义工商业的社会主义改造基本完成，标志着我国实现了从新民主主义到社会主义的伟大转变。同年11月中共中央办公厅秘书室拨交。

**297. 各民主党派和无党派民主人士献给中共“八大”的牙雕**

1956年9月
通高21.5、长43、宽12厘米
象牙质地，雕刻工艺细腻，构图生动，是现实主义题材牙雕早期作品中的佳作。作者为北京象牙雕刻生产合作社杨士惠等

1956年9月17日下午，各民主党派和无党派民主人士代表向中共第八次全国代表大会致祝词后，李济深、沈钧儒、黄炎培、郭沫若等九人向大会献上礼品。李济深说：我们献的象牙雕刻工艺品，雕刻的是二万五千里长征中红军胜利渡过大渡河，象征我们各民主党派在中共领导下同舟同济，胜利地过渡到繁荣幸福的社会主义和共产主义。“红军强渡大渡河”牙雕后由故宫博物院保存，1958年3月拨交。

**298.“跃进龙舟”牙雕**

1959年7月15日
长152、高76厘米，重132.5公斤
象牙质地

牙雕以“跃进龙舟”为主题，舟身用整根象牙雕成，上有三层楼阁和大纛。一层为各民族欢聚一堂，载歌载舞；二层为小放牛、手鼓舞和刘海戏金蟾等民间舞蹈；三层为少先队员放气球，共69名栩栩如生的人物。龙口衔珠，即“龙戏珠”。整体气势磅礴，局部雕刻细腻，堪称牙雕史上的巨制和佳作。

这是北京象牙雕刻厂为庆祝建国十周年的五件献礼作品之一。由著名牙雕老艺人崔华轩、老技工孙宝元等33人集体设计创作，历时8个月竣工。郭沫若题词“乘风破浪”。1959年购藏。

299. 周恩来批改审定的国家统计局关于“一五”计划执行结果的公报

1959年4月13日
纵26.1、横18.9厘米
纸质，铅印，毛笔、钢笔批改

1953年到1957年发展国民经济的第一个五年计划，基本任务是建立工业的初步基础，中心环节是优先发展重工业。“一五”期间，全国工业总产值平均每年增长18%，农业增长4.5%，从无到有地建立起一批为工业化所必需的飞机、汽车、新式机床、发电设备的制造业和高级合金钢等基础工业部门。周恩来、陈云、李富春等主持制定和组织实施了“一五”计划。关于“一五”计划执行结果公报经周恩来批改审定后，由邓小平批发，刘少奇、彭真核阅。当晚全文广播，次日见报，并印发全国人大代表和政协委员。1959年国家计委拨交。

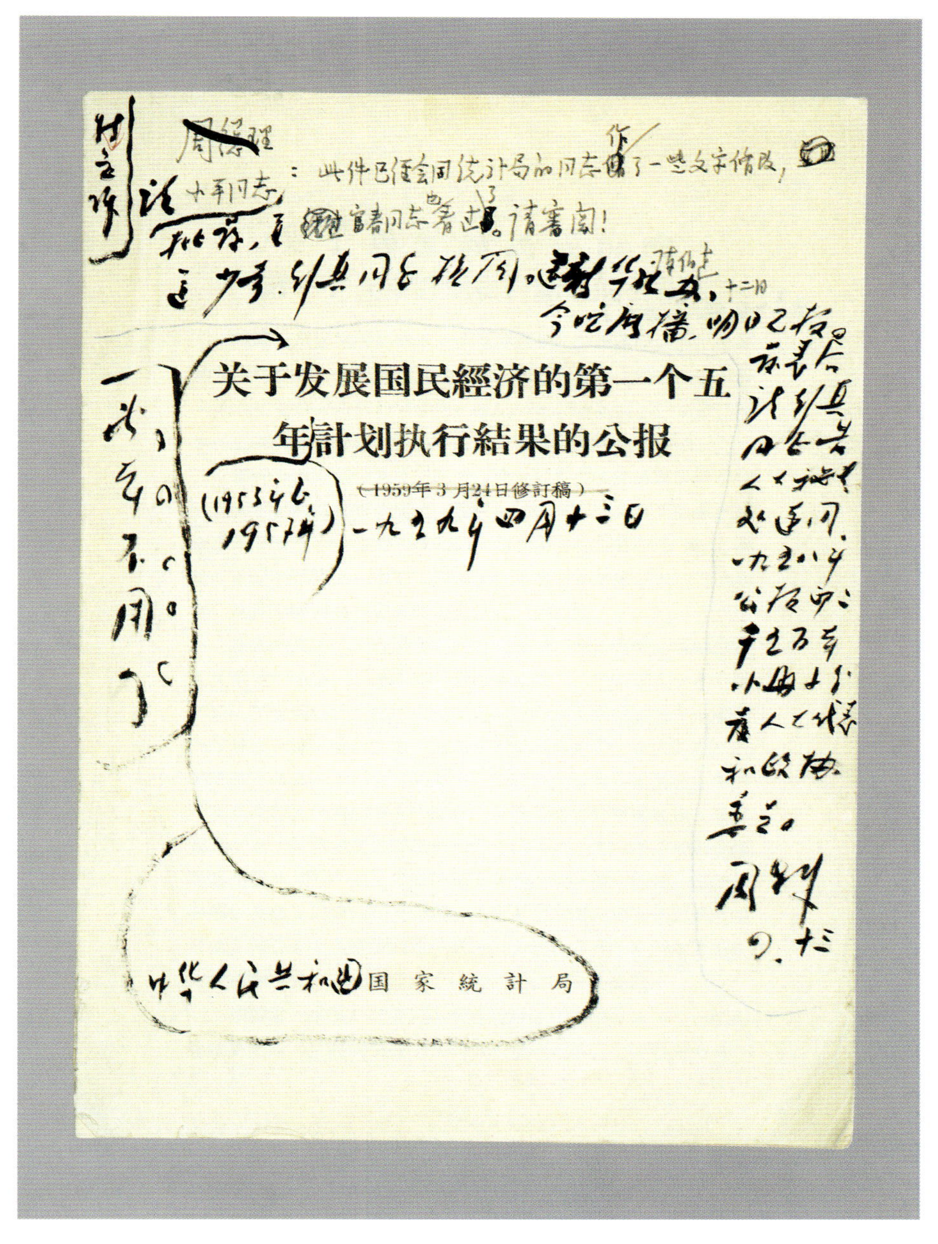
关于发展国民經济的第一个五年計划执行結果的公报

~~（1959年3月24日修訂稿）~~ 一九五九年四月十三日

中华人民共和国国家統計局

300. 全国群英大会奖给时传祥的英雄牌钢笔

1959年
长13.9厘米
金属、塑料质，刻款：“奖　全国群英大会　一九五九”

时传祥（1916～1975年），15岁当掏粪工人，新中国建立后为北京市崇文区清洁队工人，当选为全国劳动模范，北京市政协委员，全国人大代表。他工作不怕脏不怕累，是环卫战线的一面旗帜，受到刘少奇等党和国家领导人多次接见。1959年10月26日至11月8日，出席在北京举行的全国工业、交通运输、基本建设、财贸方面社会主义建设先进集体和先进生产者代表大会（即全国群英大会）。“文化大革命”中含冤去世。钢笔由其子时纯利保存，1980年4月捐赠。

**301．中国登山队首次登上珠穆朗玛峰顶采集的岩石**

1960年5月25日
通长3～10厘米
共九块岩石，大小不一，形状各异

珠穆朗玛峰海拔8848.13米，为世界第一高峰。中国登山队于1960年3月25日开始攀登，5月25日北京时间4点20分，王富洲、贡布（藏族）、屈银华三名运动员，登上了珠穆朗玛峰顶，完成了世界上第一次从北坡征服珠峰的伟大壮举。他们从峰顶采集的九块岩石，于6月底带回北京。一度被借去拍摄电影。后由国家体委转中共中央办公厅献给毛泽东。1961年8月8日中共中央办公厅拨交。

**302．何香凝、廖承志等合绘陈毅题跋的“长征会师图”**

1961年春

纵249.5、横124.2厘米

纸质，毛笔绘

为庆祝中国共产党成立四十周年，何香凝、廖承志母子和画家胡佩衡、陈半丁、秦仲文在北京合绘此巨幅国画，献给中共中央。82岁的何香凝绘了四棵挺拔的青松，象征中国共产党及其事业万古长青。廖承志画了周恩来等六位红军领导人及三名警卫员的形象，堪称点睛之笔。胡、陈、秦诸画家绘了山水花草。陈毅题跋揭示画的主题：1936年10月红军一、二、四三个方面军在陕北胜利会师，成为中国历史新开端。1963年7月中共中央办公厅特会室拨交。

Letter from China

**303．安娜·路易斯·斯特朗出版《中国通讯》时用的刊头章**

1962年
纵1.5、横6.5、高4.7厘米
长方形，木托，橡胶皮，刻阳文“Letter from China”

安娜·路易斯·斯特朗（Anna Louise Strong，1885～1970年），美国著名记者和作家，中国人民的老朋友。1958年第六次来华后定居北京。为了报道中国社会主义建设的成就，增进中国与美国及世界人民之间的了解和友谊，1962年创办《中国通讯》。最初仅用英文打印几份寄赠亲友，几年后发展到每期发行几万份，六种文字印刷的大型刊物。此章是出版《中国通讯》时用的。斯特朗逝世后，刊头章由其秘书赵风风保存，1985年5月捐赠。

**304．苏加诺赠给刘少奇的宝剑**

1963年4月
全长68.5、剑长61.5厘米
剑为金属质，柄为金质狮头人身雕像，柄与鞘镶有宝石、钻石，鞘上有象牙护手。剑身有小缺口

1963年4月12日至20日，刘少奇主席访问印度尼西亚，受到隆重欢迎。19日，印尼总统苏加诺(Sukarno)在雅加达国家宫的告别宴会上赠送此剑。此剑应是国王或酋长使用过的“格里斯”。“格里斯”（印尼语）即印尼主要民族爪哇人男子佩带的祖传短剑，被认为可以辟邪驱秽。国王、酋长的祖传佩剑更是被作为宝物传给后嗣，或作为礼品赠给友邦的元首和君主。同年11月25日刘少奇主席办公室拨交。

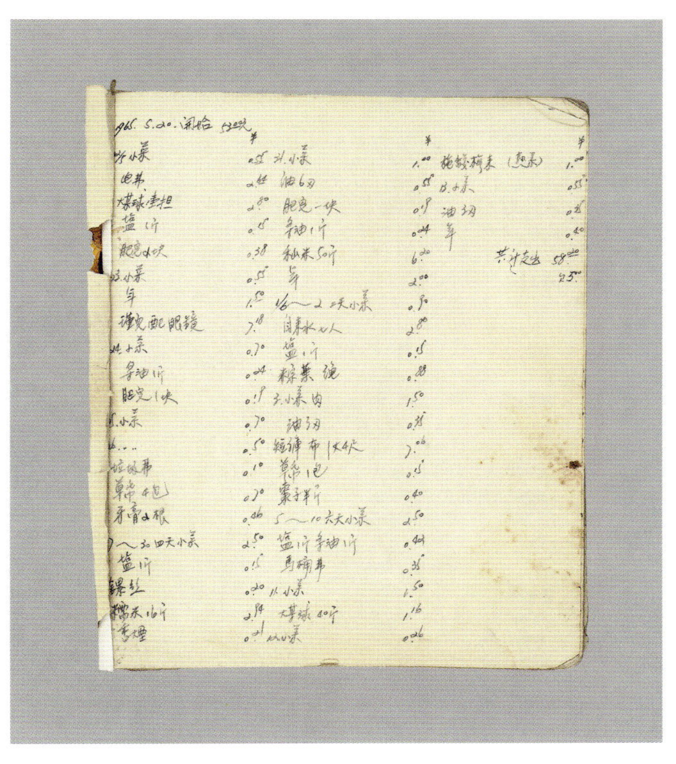

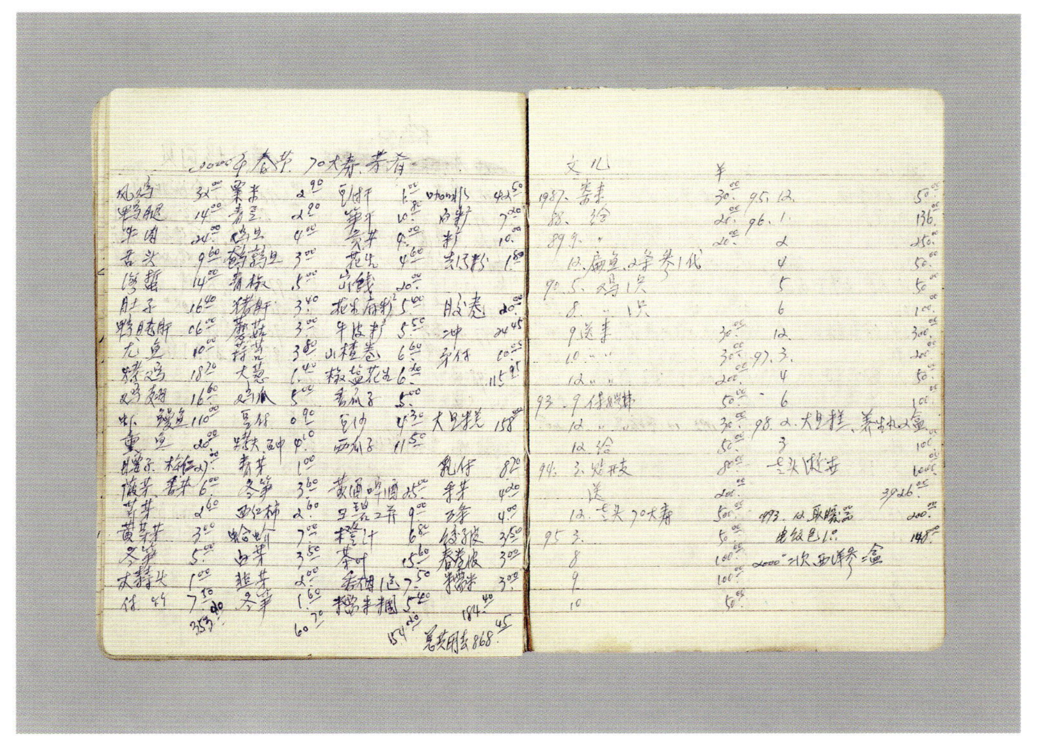

**305．上海市民杨燕秀登记的家庭收支明细账簿**

1965年5月20日～2000年10月

纵20、横16.5厘米

纸质，钢笔、圆珠笔写。20册

杨燕秀夫妇育有四女一男，1965年时为盖房借了4000多元钱。为了勤俭持家、尽早还债，养成了精打细算、天天记账的习惯。35年未曾中断，积累了20本“豆腐账”。它详细记录了一个普通工人家庭生活水平的变化。从恩格尔系数（即食物支出金额占总支出金额的比例）看，1965年为79.7%，2000年为44.4%，已由贫困进入小康。它是中国人民总体生活水平提高的缩影，见证了中国经济在“文革”时期的濒临崩溃和改革开放后的蒸蒸日上，从一个角度折射出中国社会的进步。2001 年4月杨燕秀捐赠。

**306．邓稼先领导研制中国第一颗原子弹用的手摇计算机**

1963 年
通长 28、通宽 33.7、通高 16.4 厘米
金属、塑料质地。上海通用牌（第 34695 号），201 型

邓稼先（1924～1986 年），安徽怀宁人。核物理学家，中国科学院院士。1950 年在美国获物理博士学位后回国。曾任第二机械工业部九院理论部设计部主任等职，领导该部用手摇计算机等对原子弹爆炸时的物理过程进行了九次模拟计算和分析，完成原子弹的理论设计方案，迈出中国独立研制核武器的第一步。1999 年北京应用物理与计算数学研究所（前身为二机部九院）拨交。

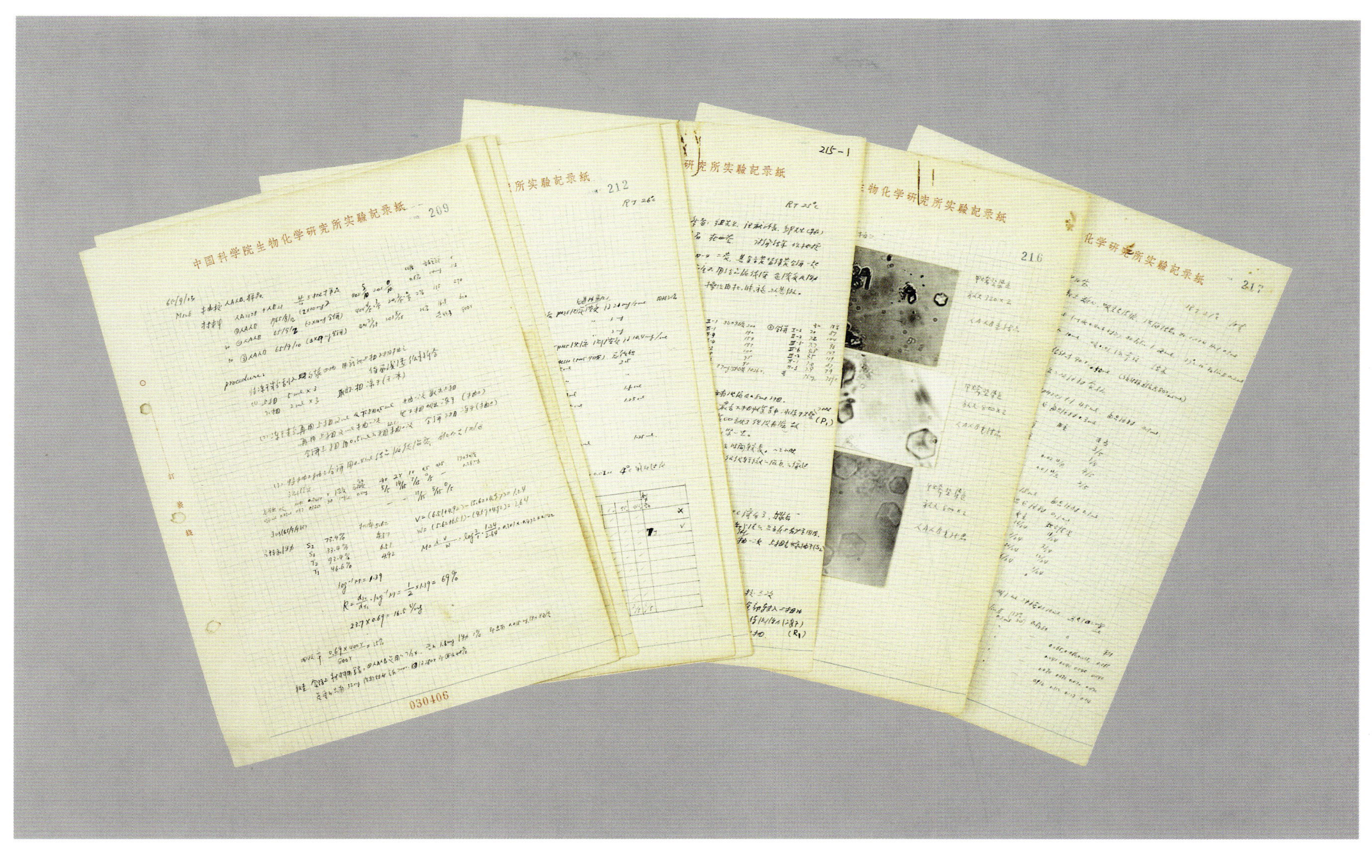

### 307. 上海生物化学研究所等进行人工合成牛胰岛素实验的关键部分记录

1965年9月13日～10月9日
纵26.7、横19.3厘米
纸质，钢笔写。10页

1965年9月17日，中科院上海生化研究所、上海有机化学研究所和北京大学的科研人员密切合作，在世界上首次成功完成人工合成牛胰岛素。这是世界上第一次用化学方法合成一种具有生物活力的结晶蛋白质。在长达六年的科学攻关中，科学家们完成了大量精细的实验，写下了难以计数的实验记录。这是实验取得成功的关键部分的记录。2000年5月30日中科院上海生化所捐赠。

**308．陈景润的“哥德巴赫猜想”简要论文手稿**

1966 年
纵 26.5、横 18.9 厘米
纸质，钢笔写。6 页。

陈景润（1933～1996 年），福建福州人。数学家，中国科学院院士。1966 年初，他找到解答 200 多年来悬而未决的“哥德巴赫猜想”的必由之路，命题证明达 200 多页。5 月，《科学通报》公布此证明结果。1973 年春在《中国科学》发表详细证明结果，轰动了国际数学界，被称为“陈氏定理”。这项研究成果至今仍保持着“哥德巴赫猜想”证明上的国际领先地位。这是中科院数学所留档的 1966 年陈景润简要论文，即“表大偶数为一个素数及一个不超过二个素数的乘积之和（“1+2”）手稿（中英文）。1997 年 3 月陈景润夫人由昆捐赠。

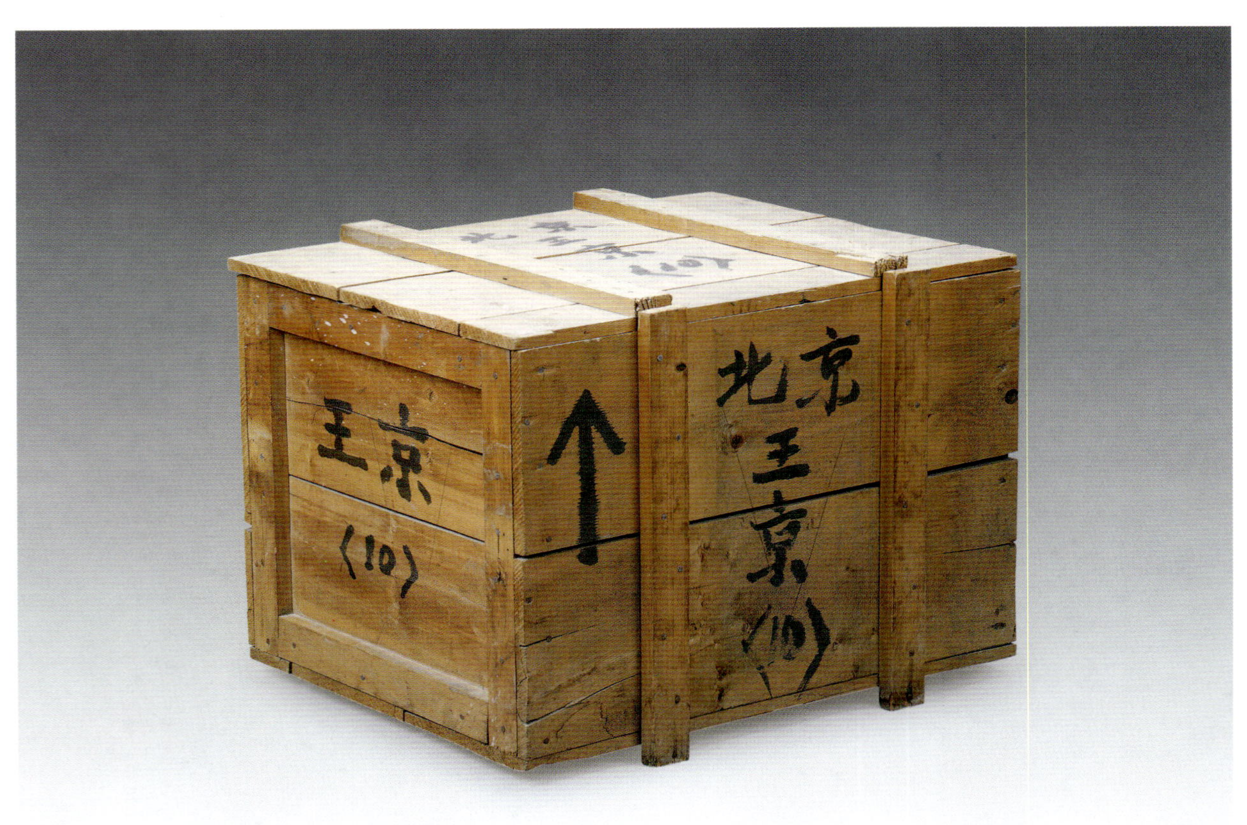


**309．王淦昌秘密从事核武器研制工作时装运资料用的箱子**

1971～1978 年
纵 57.4、横 67、高 51.3 厘米
木质，毛笔写有“北京　王京< 10 >”字样

王淦昌（1907～1998），江苏常熟人。核物理学家，中国科学院院士，中国核武器研究实验工作的开拓者。1934 年在德国柏林大学获博士学位后回国。曾任第二机械工业部九所副所长等职。1961 年至 1978 年间，为服从国家研制原子弹和氢弹工作保守机密的需要，更名为“王京”达 17 年之久。此木箱是 1971 年他随二机部九院（九所等已合并入九院）迁到四川工作期间装运资料用的。1999 年 8 月 12 日王淦昌之子王德基捐赠。

**310. 周恩来在床上批阅文件用的斜面小桌**

1971～1975年
纵41、横91、高53厘米
木质。造型独特，一边高一边低，桌边有框

“文化大革命”中，周恩来总理在极为困难的情况下坚持工作，常常十七八个小时不能休息。1967年发现心脏病后仍坚持通宵工作，即使被工作人员“强迫”回卧室后，仍用木板或书垫着批阅文件几个小时才入睡。过度紧张、繁重的工作使他原本健康的身体急剧衰弱。为了保护周恩来的健康，1971年4月，邓颖超亲自设计并请木工制作了这个斜面小桌，桌边有框，可防止文件滑落，靠坐在床上工作可以不用手扶文件。周恩来病重住院后仍使用这张小桌。1976年12月23日邓颖超捐赠。

**311．尼克松赠给毛泽东的嵌月球表面岩石碎片摆件**

1971 年 7 月

通高 28.5、纵 18、横 24 厘米

木座，嵌金属说明牌，有机玻璃板下一球体内的七粒月球表面岩石碎片及美国国旗，由 1969 年 11 月美国阿波罗十二号宇宙飞船的宇航员从月球表面采集带回

1971 年 7 月，美国总统国家安全事务助理基辛格(Henry Alfred Kissinger)秘密访华，与周恩来会谈并发表公告，宣布尼克松(Richard Milhous Nixon)总统将于 1972 年访华。中美两国在对抗了二十多年后，关系开始缓和。这是当时基辛格代表尼克松赠给毛泽东的礼品。1978 年 5 月 31 日中共中央办公厅警卫局和人民大会堂管理局拨交。

**312．田中角荣赠给毛泽东的东山魁夷绘画《春晓》**

1972 年 9 月
连框纵 82、横 100 厘米
纸质、水粉绘

1972 年 9 月 25 日至 29 日，日本政府首相田中角荣访问中国。中日两国政府签署了建立外交关系的联合声明，结束了两国长期敌对的历史。9 月 27 日，毛泽东主席在中南海会见田中首相。这是田中赠给毛泽东的礼品——日本著名画家东山魁夷绘水粉画《春晓》。描绘的是京都比叡山风景，破晓时分，各处青翠的山峰上，点点樱花映着微薄的白光，淡雅的色调烘托出亲切和平的气氛，预示中日两国将迎来一个新的充满希望的春天。1984 年 5 月 30 日中共中央办公厅警卫局和人民大会堂管理局拨交。

313．田中角荣赠给周恩来的杉山宁绘画《韵》

1972年9月
连框纵81.5、横100厘米
纸质，水粉绘

1972年9月25日至30日，日本政府首相田中角荣访问中国。他与周恩来总理就中日邦交正常化举行了四次会谈。9月29日，中日两国政府签署联合声明，决定即日起建立大使级外交关系。中日建交结束了两国长期敌对的历史。这是田中赠给周恩来的礼品——日本著名画家杉山宁绘水粉画《韵》。画面为孔雀开屏，色调明快艳丽，韵味隽永，象征吉祥如意和两国关系的光明前景。1984年5月30日中共中央办公厅警卫局和人民大会堂管理局拨交。

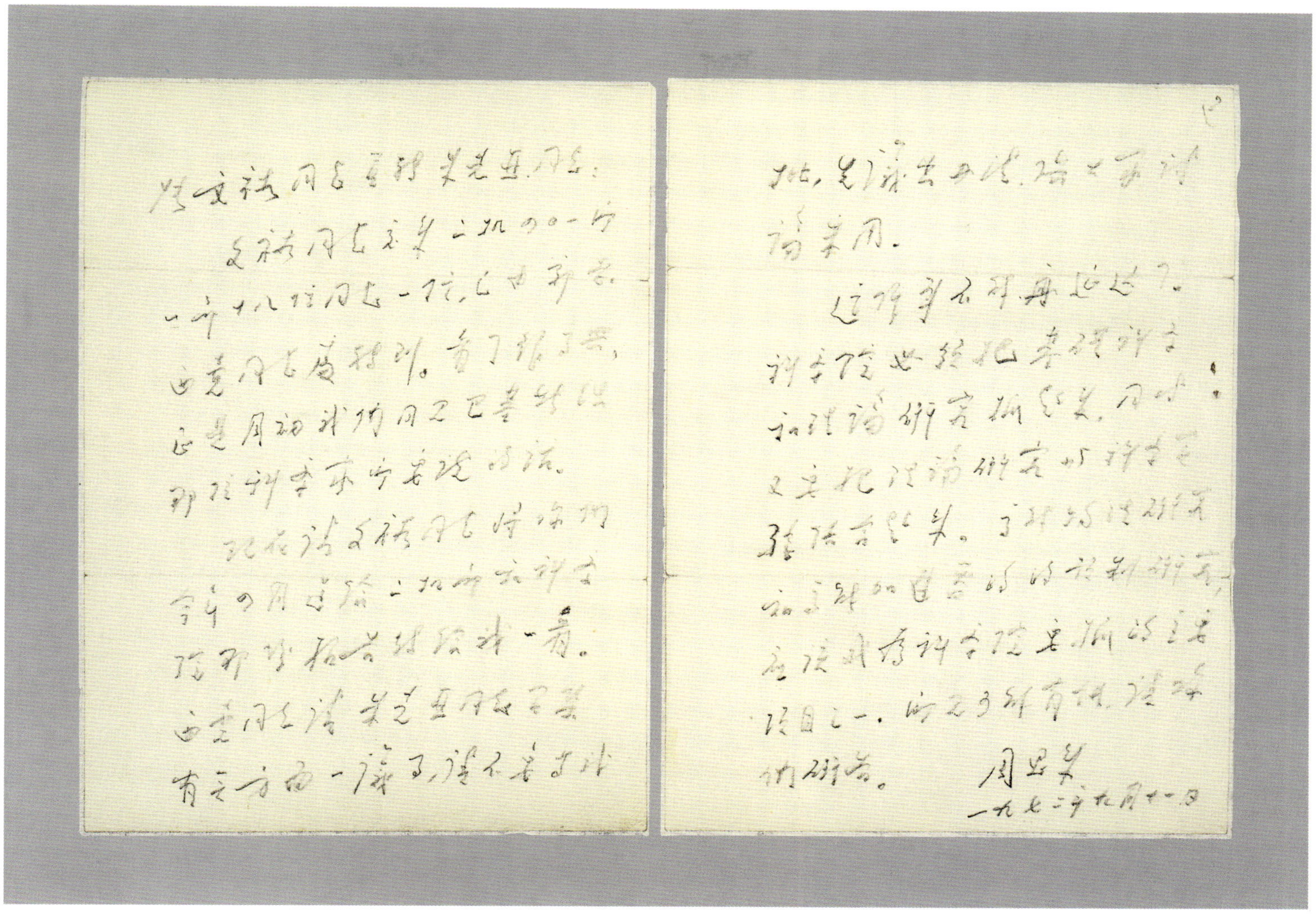

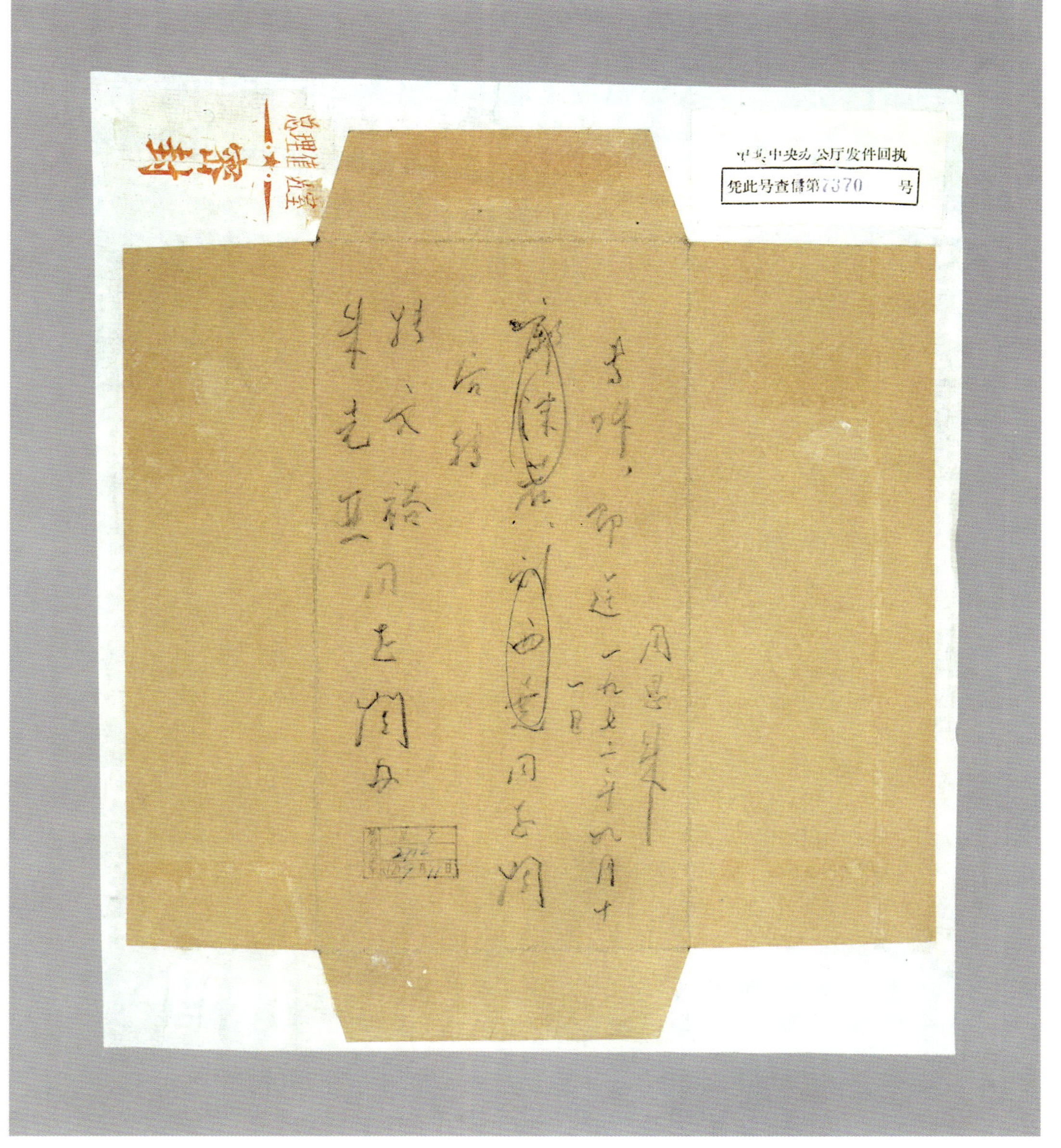

**314．周恩来致张文裕并转朱光亚的信**

1972年9月11日
纵21.6、横15.6厘米
纸质，铅笔写，有信封

“文化大革命”中，文教科研事业，尤其是基础科学和理论研究工作受到很大冲击。1971年林彪事件后，周恩来在毛泽东支持下主持中央日常工作，各方面的工作有了转机。1972年9月11日，他看了二机部张文裕等18名同志关于发展高能物理研究的建议信后，给科学院有关领导朱光亚等写信，指示“科学院必须把基础科学和理论研究抓起来，同时又要把理论研究与科学实验结合起来。”此信对恢复文教科研部门的正常工作起了重大影响。1977年10月5日中国科学院拨交。

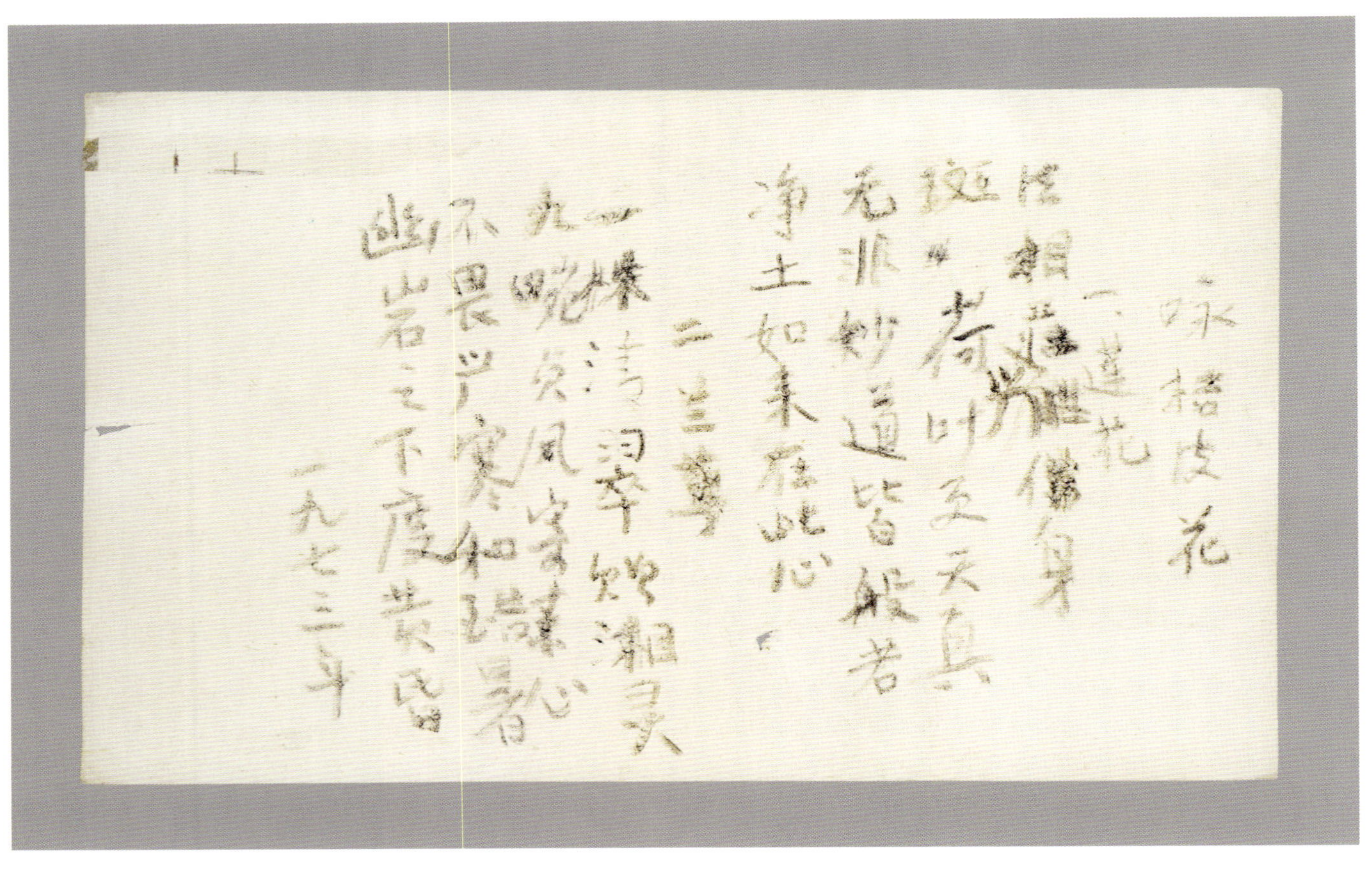

咏桔皮花

一、莲花

法相庄严佛自身

斑斑荷叶交天真

无非妙道皆般若

净土如来在此心

二、兰草

一株清翠赛湘灵

九畹[illegible]风守素心

不畏严寒和酷暑

幽岩之下度黄昏

一九七三年

**315．廖沫沙写在烟标背面的《咏桔皮花》诗**

1973 年秋

纵 9.5、横 16 厘米

纸质，焦火柴梗写

廖沫沙（1907～1991 年），湖南长沙人，曾任中共北京市委统战部长等职。1966 年 5 月与邓拓、吴晗一起被错误地批判为“三家村黑店”。1968 年 3 月在北京被隔离监护。1970 年夏起，利用烟盒纸写诗和读书笔记。1973 年初秋，他将食后的桔皮掐成莲花、兰草等状自赏，并用烧焦的火柴梗在前门牌烟标背面作《咏桔皮花》诗，表达了作者的乐观情绪和信念。1975 年 5 月下放江西分宜芳山林场劳动改造，妻儿来探望时为免惹祸，焚毁诗稿。此诗稿侥幸留存。平反后收入廖沫沙诗集《馀烬集》。1987 年 8 月廖沫沙捐赠。

**316．美国康宁公司赠给中国代表团的玻璃蜗牛**

1973 年

通长 8.5、高 7 厘米

玻璃质地

1973年底，四机部为引进彩色显像管生产线派团赴美国考察。美国著名玻璃制造企业康宁公司国际部经理将几只工艺精巧的玻璃蜗牛赠给考察团成员。江青得知后以此为借口大反所谓“崇洋媚外”。1974 年 2 月，江青到四机部讲话，称送蜗牛“是美方在污蔑我们，……说我们爬行；……这条彩显生产线我们不要了”。是为喧嚣一时的“蜗牛事件”。周恩来总理顶住压力，查明蜗牛系该公司生产的圣诞节礼品，是美国人挚爱的礼品和陈设品，毫无恶意，事件方告平息。但引进彩显生产线的工作却推迟了。1988 年 1 月原四机部国际司司长邓国军捐赠。

## 317．袁隆平使用的简易显微镜

1977年
纵12.5、横14.2、高6.1厘米
金属、玻璃、皮革质地

袁隆平，1930年生，江西德安人。中国工程院院士，联合国粮农组织首席顾问。1964年起长期从事杂交水稻研究，1973年实现了三系配套，并选育了第一个在生产上大面积应用的强优高产杂交水稻组合—南优2号。1981年荣获中国第一个国家特等发明奖。被国际上誉为“杂交水稻之父”。1985年后，先后获得联合国知识产权组织“杰出发明家”金质奖、联合国教科文组织“科学奖”等八项国际大奖。2000年获首届中国国家最高科学技术奖。图为袁隆平从事水稻研究时使用的国产15倍简易显微镜。1999年袁隆平捐赠。

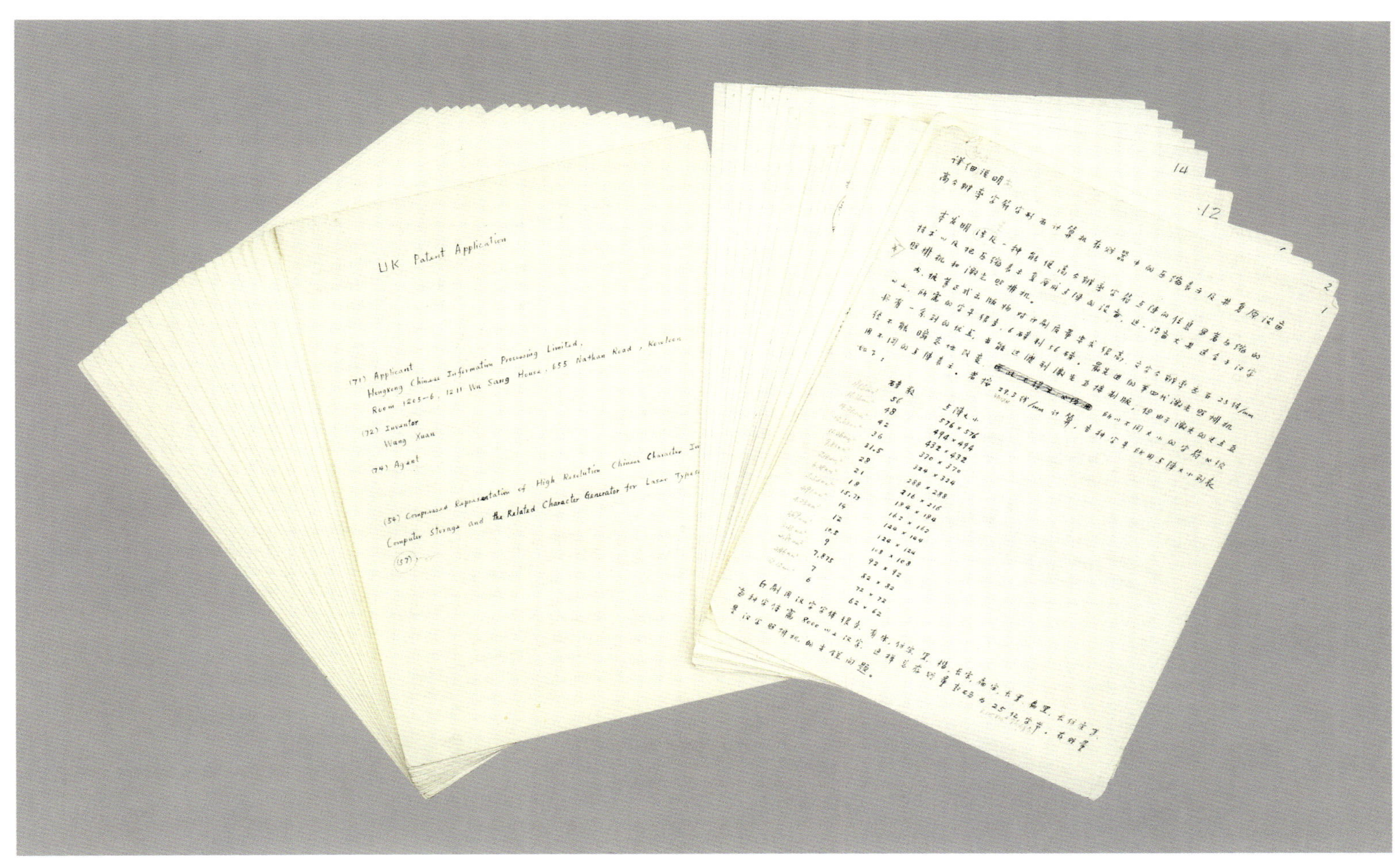

UK Patent Application

(71) Applicant
Hongkong Chinese Information Processing Limited,
Room 1203-6, 1211 Wu Sang House, 655 Nathan Road, Kowloon

(72) Inventor
Wang Xuan

(74) Agent

(54) Compressed Representation of High Resolution Chinese Character In
Computer Storage and the Related Character Generator for Laser Typese

(57)

## 318．王选发明汉字激光照排核心技术的欧洲专利申请书手稿

1981年
纵29.8、横21.5厘米
纸质，钢笔、铅笔写

王选，1937年生，江苏无锡人。计算机专家，中国科学院院士。现任文字信息处理国家重点实验室主任。1976年，首创汉字激光照排核心技术“字形信息压缩及快速复原方法”，使汉字出版、印刷业实现了“无纸编辑和照相排版”的新技术时代。被称为“当代毕升”。由于中国当时尚未实行专利制度，为使知识产权得到保护，王选于1981年参考国外专利说明写成欧洲专利申请书（中英文），1982年递交专利申请，1987年3月18日获准授权。1998年捐赠。

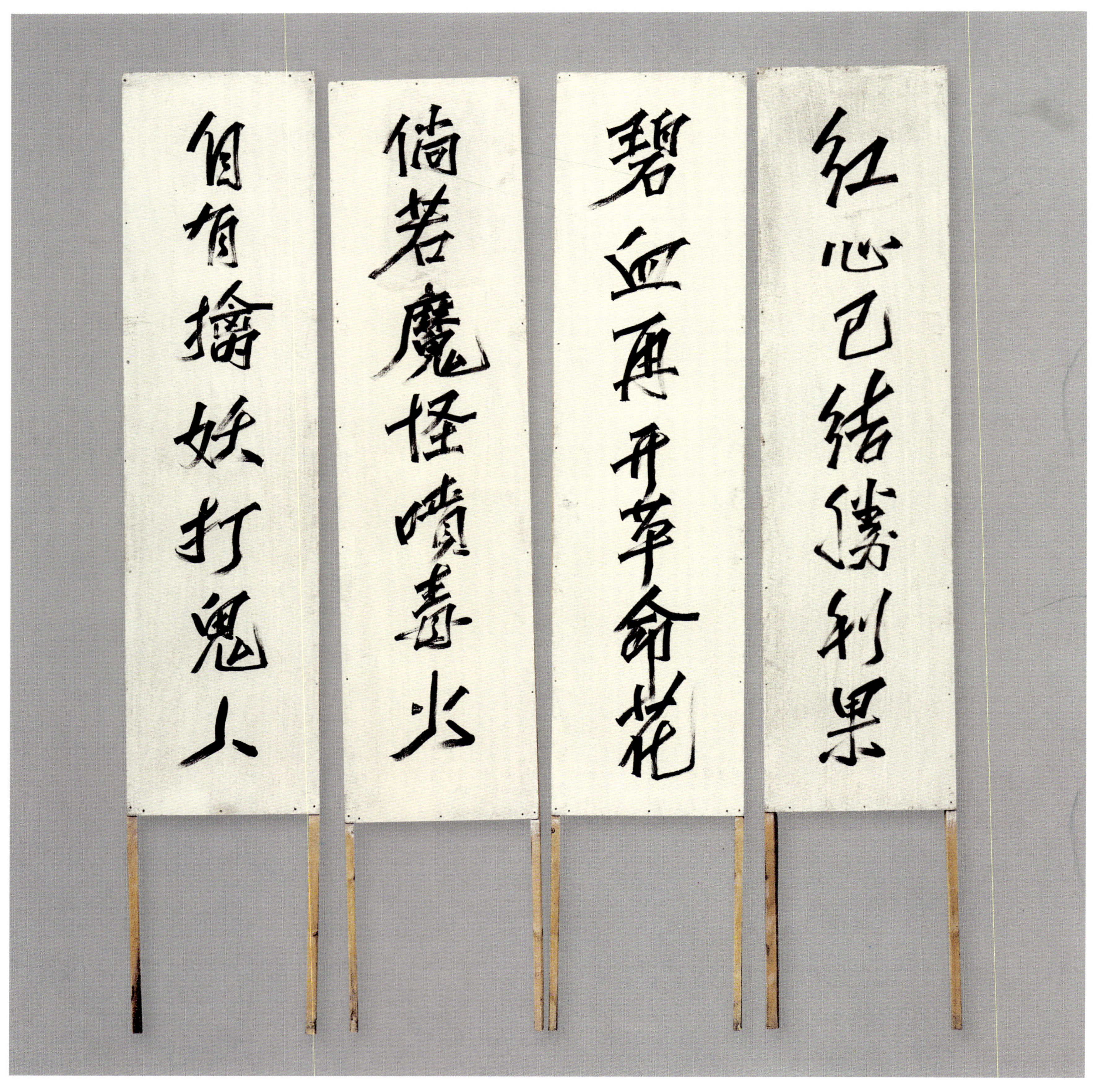


**319．中科院一〇九厂群众清明节悼念周恩来的诗牌**

1976年4月2日
纵237、横44.7厘米
木质，毛笔写

1976年3月30日至4月5日，北京上百万群众自发地汇集天安门广场人民英雄纪念碑前，悼念周恩来总理，愤怒声讨“四人帮”的倒行逆施。这实质上是对以邓小平为代表的党的正确领导的拥护和支持。4月2日，中国科学院一〇九厂工人400余人，高举这四块诗牌沿王府井、长安街游行到广场，举行悼念仪式，并将诗牌放置在纪念碑正面碑座上。4月3日凌晨，诗牌被“四人帮”下令没收，诗牌作者宋胜均也被捕入狱。诗牌于“四五”运动平反后发还该厂。1978年3月16日该厂拨交。

320．中国向太平洋预定海域发射的第一枚运输火箭的仪器舱

1980年5月18日

高80、直径60厘米

金属、橡胶、化纤质地。已取出记录数据仪器

1980年5月18日上午，中国成功地向以太平洋南纬7° 0′，东经171° 33′为中心，半径70海里的圆形海域发射了第一枚运载火箭。当火箭由太空再次进入大气层时，装有火箭飞行重要参数的仪器舱，在距洋面数千米高度自动弹射出来，打开降落伞，徐徐飘落预定溅落海域。打捞船和直升飞机立即开进，迅速捞起仪器舱。这次试验标志中国运载火箭技术达到了新的水平。1985年11月27日解放军某部拨交。

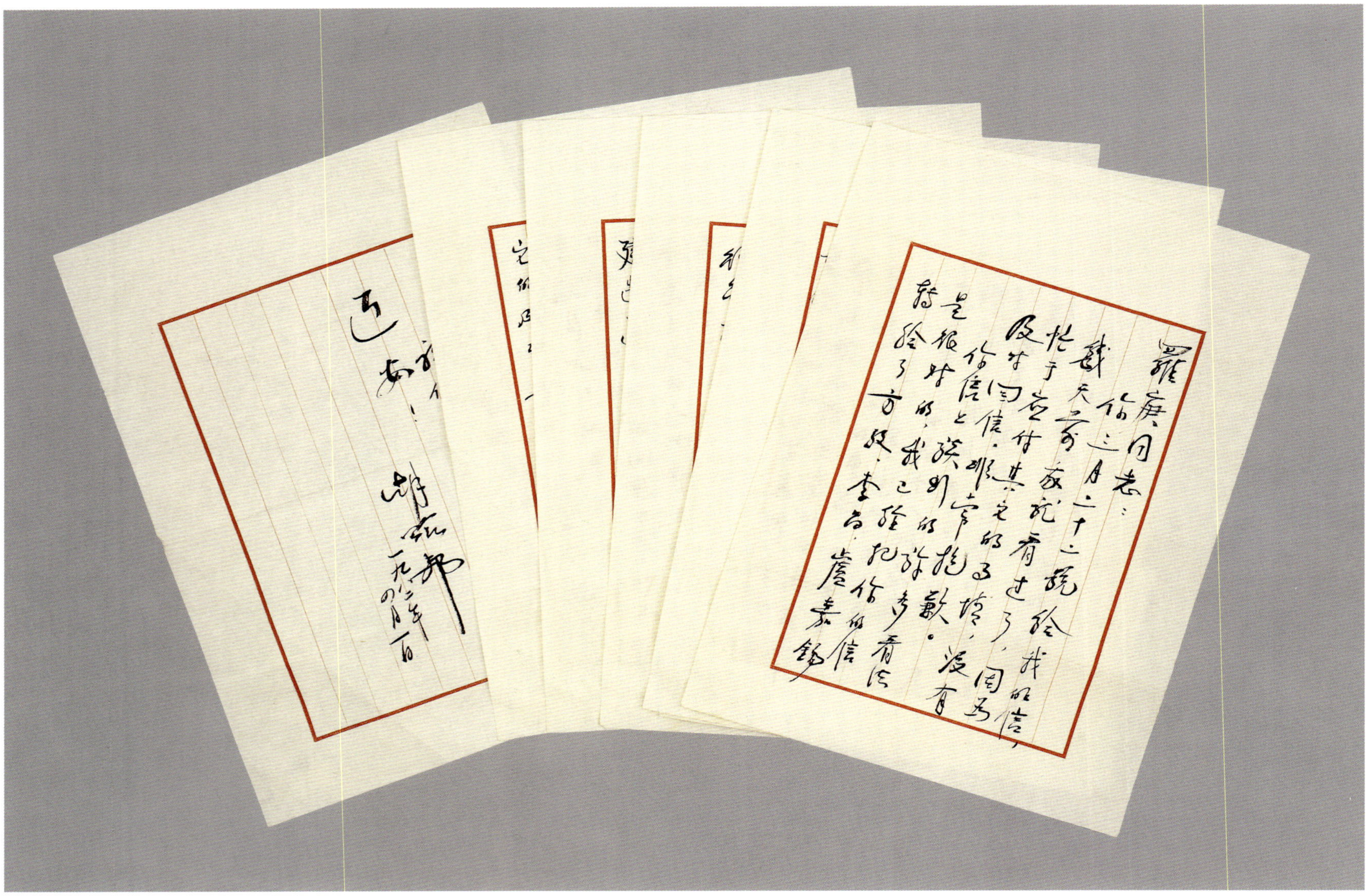

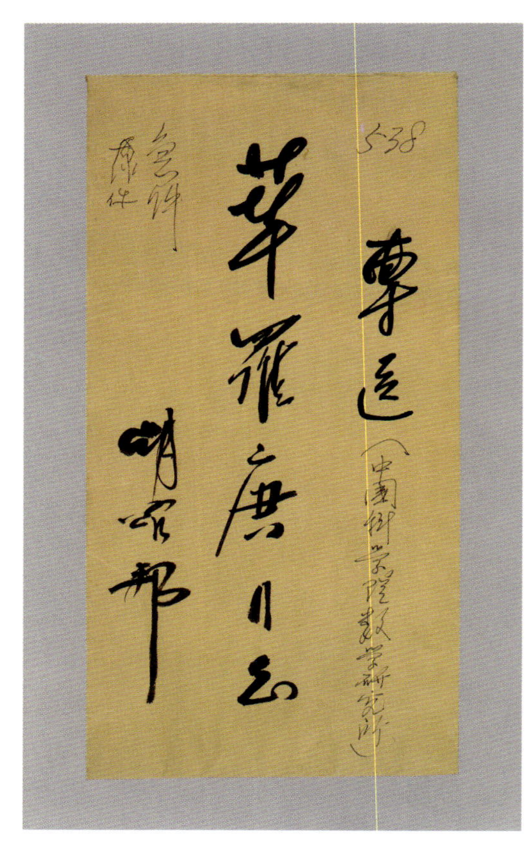


**321．胡耀邦致华罗庚的信**

1982年4月1日
纵29、横21厘米
宣纸，毛笔写。7页，有信封

1981年5月20日，中共中央总书记胡耀邦在接见参加中科院第四次学部委员大会的代表时作了重要讲话。数学家华罗庚因故未到会。事后，从报纸上看到胡耀邦讲话，备受鼓舞，提笔给胡耀邦写信。几天后，胡耀邦复信，希望华罗庚把“一生为科学而奋斗的动人经历，以回忆录的形式写下来，留给年轻人”，并以古代巴比伦人建造通天塔的故事，勉励中国科学工作者齐心协力，团结一致地进行科学攻关，建造中国的“通天塔”。1999年华罗庚长子华俊东、长媳柯小英捐赠。

**322．里根赠给邓小平的水晶玻璃鹰**

1984年4月

长18.5、宽8.5、高12厘米

水晶玻璃质地，纯净透明，造型粗犷威猛，线条明快，是美国著名的斯图本玻璃器

1984年4月26日至5月1日，美国总统里根（Ronald Wilson Reagan）访问中国。他是1979年中美建交以来访华的第一位在任美国总统。4月28日，中共中央顾问委员会主任、中央军委主席邓小平在人民大会堂会见里根总统并举行会谈。里根赠给邓小平这件礼品——水晶玻璃白头鹰。白头鹰俗称秃鹰，是美国特有的珍贵鸟类，既是美国国鸟，又是国徽的中心图案，是美国的标志。1985年10月16日外交部拨交。

**323．许海峰获得的奥运会金牌**

1984年7月29日
直径6厘米
银质镀金质

1984年7月28日至8月12日，第二十三届奥林匹克运动会在美国洛杉矶举行，中国自1952年以来第一次派体育代表团参加奥运会。7月29日，比赛的第一天，中国射击运动员许海峰在男子自选手枪慢射比赛中以566环的成绩获得冠军。这是本届奥运会的第一块金牌，也是中国参加奥运会历史上金牌记录“零的突破”。在本届奥运会上，中国运动员获金牌15块，银牌8块，铜牌9块，金牌总数名列第四。1984年10月14日许海峰捐赠。

**324．中国女子排球队获奥运会冠军签名纪念排球**

1984年9月18日
直径18厘米

奥运会训练用球，皮革质。印有英文“1984年洛杉矶奥林匹克运动会”和奥运会会徽。软笔题字：“荣获23届奥运会冠军　中国女子排球队　一九八四、八、七”。签名有领队张一沛、教练袁伟民、邓若曾，队员张蓉芳、郎平、梁艳、朱玲、杨锡兰、侯玉珠、杨晓君、李延军、姜英、周晓兰、苏惠娟。

1984年8月7日晚，在美国洛杉矶长滩体育馆，中国女排在决赛中直落三局战胜美国队，夺得冠军。完成了自1981年日本第三届世界杯女子排球赛和1982年秘鲁第九届世界女子排球锦标赛后的“三连冠”，也是世界女排运动史上第三个“三连冠”。1984年9月19日中国女排拨交。

**325．中国南极考察队在南极洲升起的第一面五星红旗**

1984年12月30日
纵122、横145厘米
亚麻布质，被海风吹残，少于标准尺寸47厘米

人类考察南极始于18世纪中叶。许多国家建有常年考察站。中国于1980年至1983年先后派出40余人次考察南极。1984年，中国南极考察委员会派出第一支中国南极考察队，共591人。于2月26日抵达南极洲。27日登上南设得兰群岛的乔治岛。30日，在乔治岛的菲尔德斯半岛东岸，南纬62° 13′，西经58° 58′，举行南极长城科学考察站奠基典礼（1985年2月25日建成），五星红旗第一次在南极洲升起。1985年2月下旬，考察队返航，5月16日国家海洋局南极考察办公室拨交。

**326．王赣骏乘航天飞机带上太空的五星红旗**

1985 年
纵 61、横 96 厘米
尼龙绸、布质

1985 年 4 月，美籍华人科学家、宇航员王赣骏参加了“挑战者号”航天飞机的第 17 次飞行，成为第一个进入太空的华人。经美国航天工业局批准，王赣骏将中华人民共和国国旗带上太空。在航天飞行中，他奋力排除“液滴动力测定仪”的故障，使实验取得圆满成功，为中华儿女争得了荣誉。1985 年 7 月，王赣骏作为美国航天工业局的代表访华时，向中国领导人赠送了这面第一次带上太空的五星红旗。1985 年 8 月 13 日航天部办公厅拨交。

为表彰在促进科学技术进步工作中做出重大贡献，特颁发此证书，以资鼓励。

奖励日期：一九八五年

证　书　号：85-KG2-T-004-1

获奖项目：原子弹的突破和武器化

获　奖　者：王淦昌

奖励等级：特等

国家科学技术进步奖
评审委员会

**327. 王淦昌获得的国家科技进步特等奖奖章和证书**

1985 年
奖章对角线 4.8 厘米
证书纵 16.3、横 22 厘米
奖章为铝质，背面有“143”字样。证书为纸质，铅印、钢笔填写，编号为“85 － KG2 － T － 004 － 1”

王淦昌在参加中国核武器研制工作期间，完成了“原子弹的突破和武器化”等项目。1985 年，为表彰王淦昌在这项研究上的杰出成绩，国家科技进步奖评审委员会特颁发此奖章及证书。这是中国首次评选国家级科技进步奖。该项目在 1986 年 5 月 15 日召开的第一次全国科学技术奖励大会上受到表彰。1999 年王淦昌之子王德基捐赠。

328．上海宝山钢铁总厂一期工程投产的产品样品

1985年9月15日

纵39、横10、高30.2厘米

样品包括钢管、铁块、钢坯、钢锭、烧结矿、焦炭等

上海宝山钢铁总厂是改革开放以来，我国兴建的第一个新型的现代化钢铁基地，是第七个五年计划期间大量引进国外先进技术的重点项目。1978年12月23日动工兴建。1985年第一期工程竣工，规模为年产铁300万吨，钢312万吨。1990年第二期工程竣工，全部建成后生产能力为年产铁650万吨，钢670万吨。1985年9月15日，宝钢一期工程竣工。11月26日举行投产仪式，翌日正式开工。这是该厂一期工程投产的产品样品。1986年7月9日宝钢工会拨交。

**329．中英签署关于香港问题的联合声明时用的国产台式英雄金笔**

1984年12月19日
笔长20、台纵15、横15厘米
金属、塑料、石质

1840年鸦片战争后，英国政府先后以《南京条约》、《北京条约》、《展拓香港界址专条》三个不平等条约强迫清政府割让香港岛、九龙半岛，强租了新界。历届中国政府均不承认英国对香港地区的永久主权。中华人民共和国成立后，明确表示要收回整个香港。在"一国两制"构想指引下，经过谈判，1984年12月19日，在北京人民大会堂西大厅，中英两国政府首脑正式签署了《中华人民共和国政府和大不列颠及北爱尔兰联合王国政府关于香港问题的联合声明》。确认中国政府将于1997年7月1日收回香港，恢复行使主权，并设立特别行政区，维持其现行社会制度、经济制度、生活方式五十年不变。1984年12月25日外交部礼宾司拨交。

330．中葡签署关于澳门问题的联合声明时用的两国国旗

1987年4月13日
通高41.8、通宽49.5厘米
旗丝绸质，旗架金属质

十六世纪葡萄牙殖民者以欺骗手段入居澳门。鸦片战争后又逐步侵占澳门半岛、凼仔岛和路环岛，并于1887年诱迫清政府签订中葡《和好通商条约》，强占了澳门。但历届中国政府从未放弃对澳门的主权。中华人民共和国成立后，明确表示将收回澳门。在“一国两制”构想指引下，经过多次会谈，1987年4月13日，在北京人民大会堂西大厅，长桌中央镀金旗架插着中葡两国国旗，两国政府首脑分别在本国国旗一侧入座，代表本国政府正式签署了《中华人民共和国政府和葡萄牙共和国政府关于澳门问题的联合声明》。确认中国政府将于1999年12月20日恢复对澳门行使主权，并设立特别行政区，维持其现行社会制度、经济制度、生活方式五十年不变。1987年4月22日外交部礼宾司拨交。

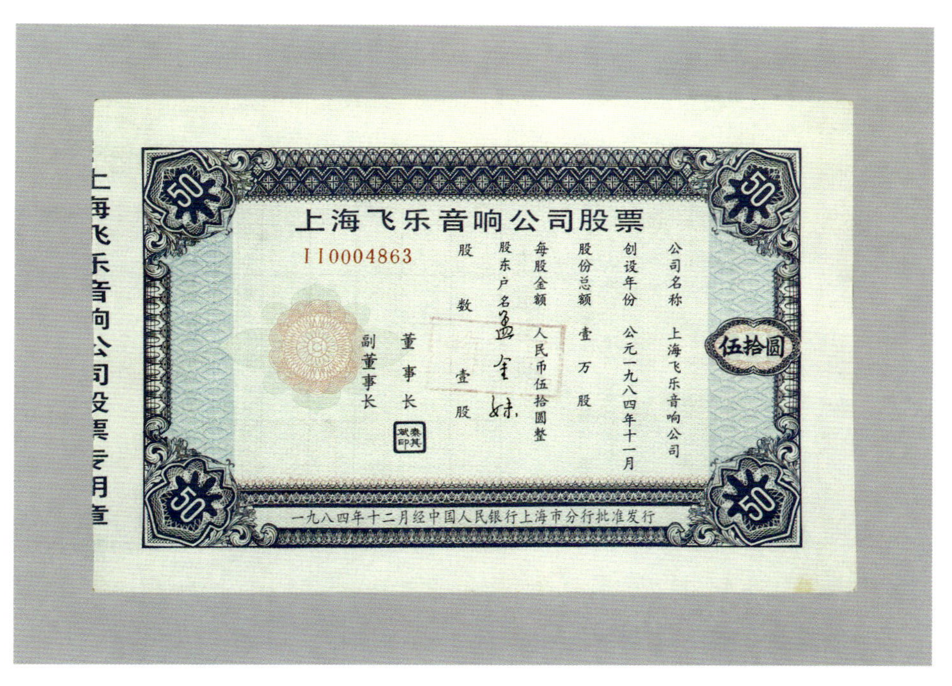


**331．上海飞乐音响公司首次公开发行的伍拾元股票**

1984年12月
纵12.4、横18.6厘米
纸质，胶印，钢笔写。盖“作废”章

上海飞乐音响公司是以承接音响工程为主，代客设计音响成套设备，并兼营音响器材设备的著名企业。1984年11月，该公司第一次向社会公开发行股票，每股面值50元人民币，共发行10000股。其中单位股占50%，个人股占50%。飞乐音响公司股票是改革开放后中国股票市场较早出现的股票之一。1986年11月，中国领导人曾将其作为礼品赠送美国纽约证券交易所董事长约翰·范尔霖。这是飞乐音响公司保存的一张首次发行的个人股票。1994年6月拨交。

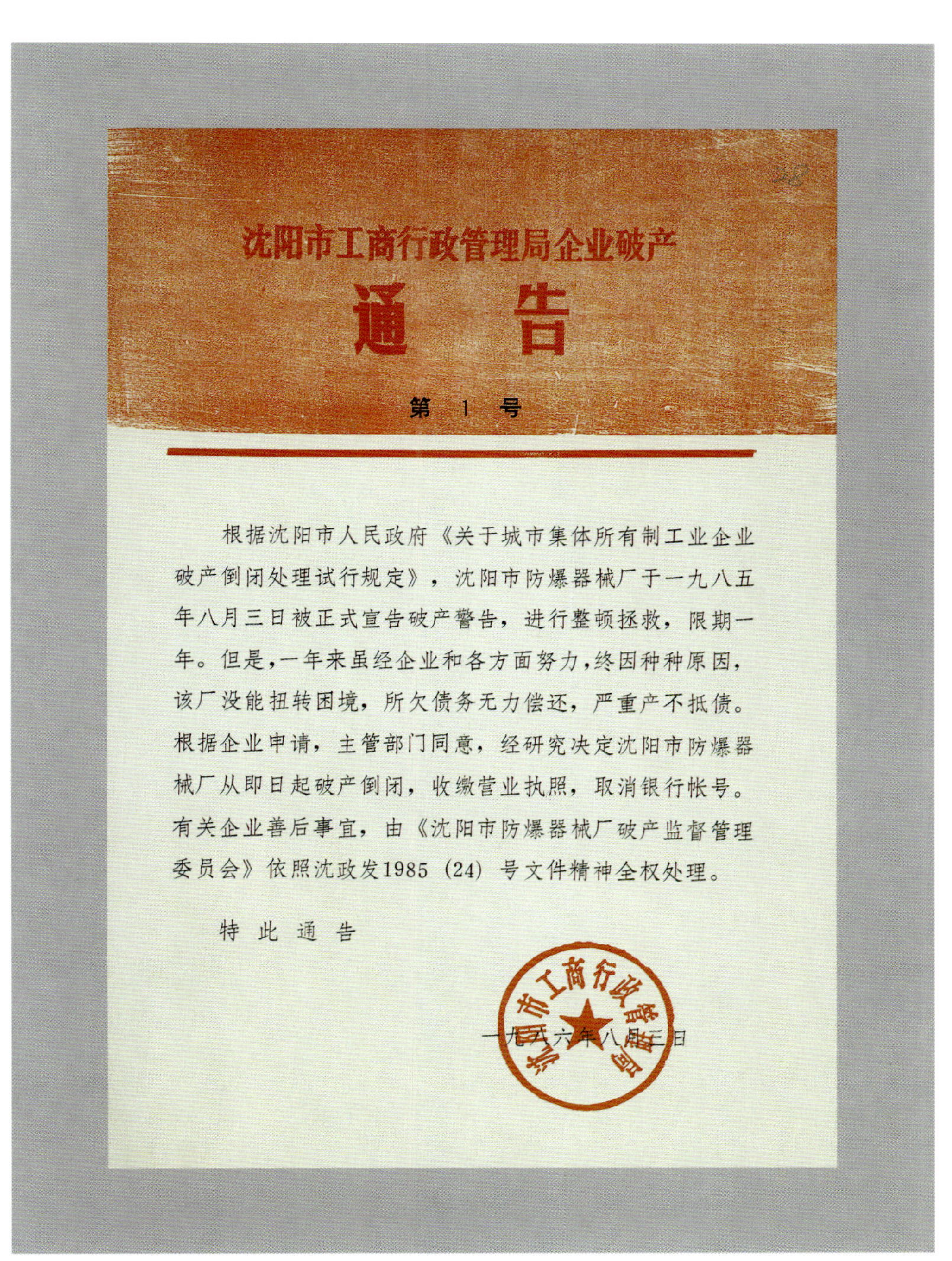

沈阳市工商行政管理局企业破产

通　告

第 1 号

根据沈阳市人民政府《关于城市集体所有制工业企业破产倒闭处理试行规定》，沈阳市防爆器械厂于一九八五年八月三日被正式宣告破产警告，进行整顿拯救，限期一年。但是，一年来虽经企业和各方面努力，终因种种原因，该厂没能扭转困境，所欠债务无力偿还，严重资不抵债。根据企业申请，主管部门同意，经研究决定沈阳市防爆器械厂从即日起破产倒闭，收缴营业执照，取消银行帐号。有关企业善后事宜，由《沈阳市防爆器械厂破产监督管理委员会》依照沈政发1985（24）号文件精神全权处理。

特此通告

沈阳市工商行政管理局

一九八六年八月三日

**332．沈阳市工商局发布的关于市防爆器械厂破产通告**

1986年
纵26.3、横18厘米
纸质，铅印

随着国家经济体制改革的不断深入，1985年2月9日，沈阳市委、市政府率先制定《关于城市集体所有制工业企业破产倒闭处理试行规定》。根据此规定，沈阳市防爆器械厂等三家“素质差、经营管理不善，资不抵债，无定型产品”企业被提出为期一年的“黄牌警告”。1986年8月3日，市工商行政管理局对仍没有扭转被动局面的市防爆器械厂正式发出破产倒闭通告。该厂成为建国以来第一家依据法规破产倒闭的集体所有制企业。沈阳市为我国破产制度的建立作出了贡献。1987年沈阳市工商行政管理局拨交。

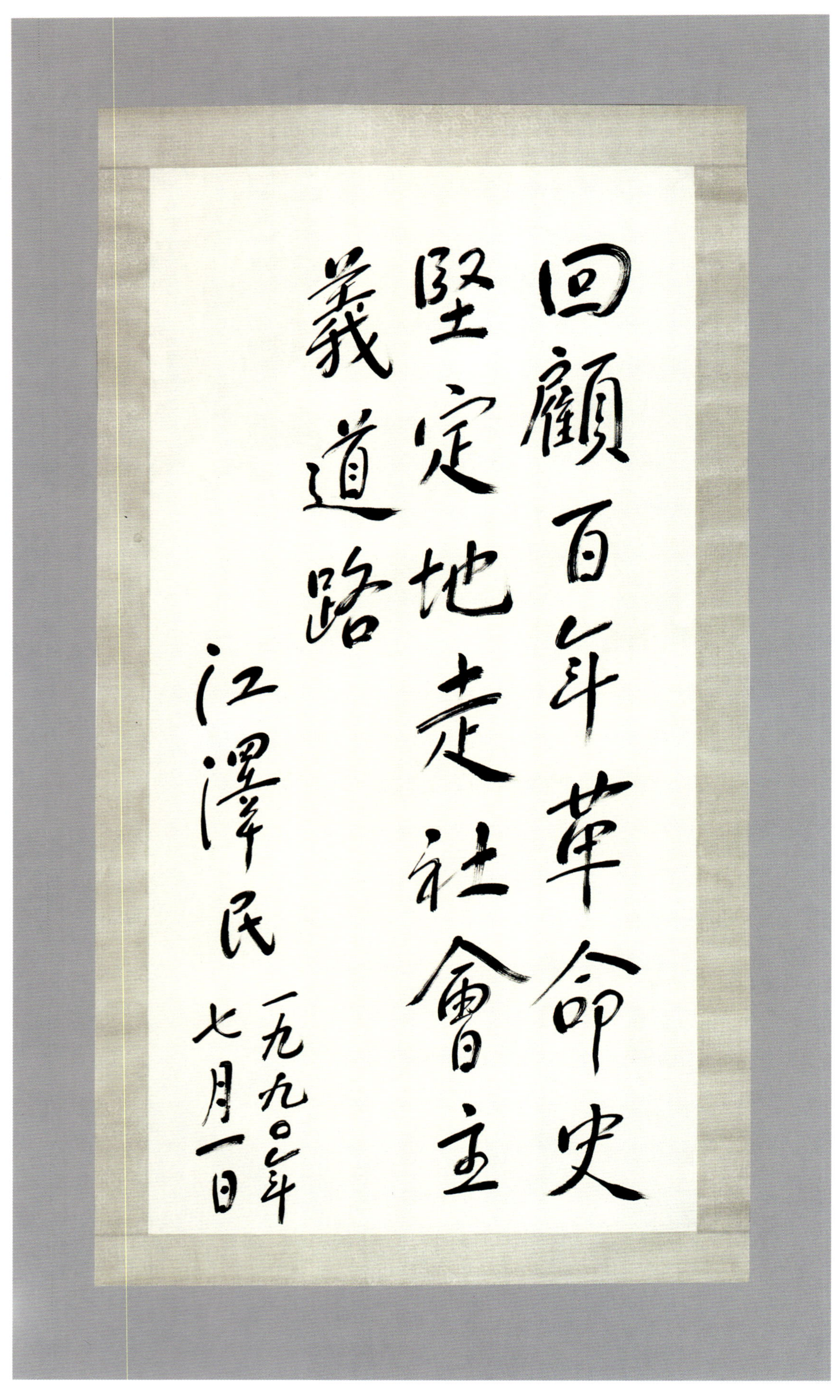


**333．江泽民为中国革命博物馆中国革命史陈列题词**

1990年7月1日
纵139、横70厘米
纸质，毛笔写

1990年7月1日，重新修改后的中国革命博物馆基本陈列——《中国革命史陈列》正式展出。当日下午，中共中央总书记江泽民等党和国家领导人亲临参观。江泽民欣然为陈列题词："回顾百年革命史，坚定地走社会主义道路"。并在参观结束时发表重要讲话，指挥工作人员高唱《团结就是力量》。给全国革命博物馆、纪念馆职工以极大鼓舞。

334. **科威特政府颁发给中国灭火队的奖牌**

1991 年 11 月

纵 22.8、横 30.5、高 2.5 厘米

铜版，电脑激光刻制，用铆钉镶嵌在木板上

海湾战争结束后，共有 10 个国家的 28 支灭火队参加科威特油井灭火大会战。1991 年 7 月 14 日，中国继美国、加拿大之后第三个和科威特签订油井灭火合同。8 月 22 日，中国石油天然气总公司派出 63 人组成的灭火队，配备了中国最好的技术装备，在短短的一个多月内，扑灭了布尔甘油田 10 口喷油量万吨以上的油井大火，得到外国同行的赞誉和科威特政府的高度评价。1992 年 2 月 20 日中国石油天然气总公司捐赠。

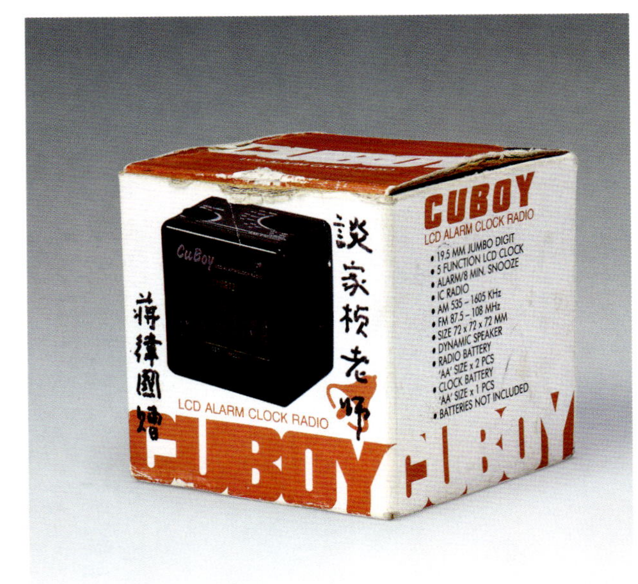


**335. 蒋纬国赠谈家桢的 CUBOY 收音机**

1992 年 6 月

纵 7.5、横 7.3、高 8.2 厘米

塑料、金属质地。侧面镌刻“我们的基本立场——出发点：海峡两边都自认为是中国人。所以我们只需要一个中国。我们的愿望——国家战略目标：每一个中国人都有过好日子的机会！中国要受到全世界的尊敬！蒋纬国敬赠”。包装纸盒上软笔书：“谈家桢老师　蒋纬国赠”

1928 年秋，蒋纬国在苏州桃坞中学（即东吴大学附中）读书时，谈家桢作为代理教师，教蒋纬国生物课。1992 年 6 月，谈家桢参加大陆第一批科学家代表团访问台湾，与阔别半个多世纪的蒋纬国重逢，畅叙师生情。临别，蒋纬国将这台可作电子钟使用的收音机赠送给老师。1997 年 2 月 8 日谈家桢捐赠。

**336. 台湾同胞何文德返乡探亲时穿的夹克衫**

1987 年

长 68 厘米

化纤、棉质、白色。正面墨笔书“想家”，背面朱书“西望乡关何处是，梦里家园路迢迢”

1987 年 10 月中旬，台湾当局有限制地开放台湾居民到大陆探亲，国务院有关方面负责人当即表示欢迎。11 月 4 日起，首批公开返乡探亲的台湾同胞陆续进入大陆。何文德等台湾退役老兵自发组成“外省人返乡探亲促进会”，于是年底统一身着有“想家”字样的夹克衫，作为首批老兵返乡探亲团到大陆。1988 年 1 月谒黄陵。然后到北京登长城，并把台湾的泥土和特产送给在北京的乡亲。1988年4月23日何文德捐赠。

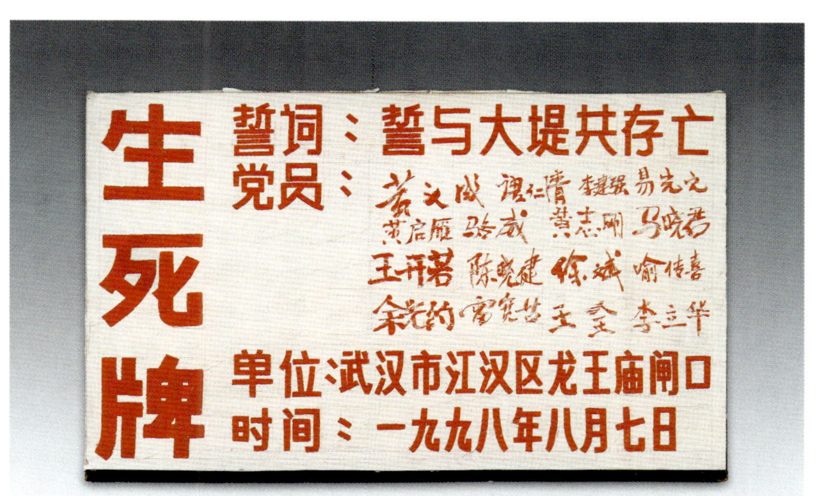


**337．武汉龙王庙闸口16名共产党员立的抗洪抢险“生死牌”**

1998年8月7日

纵79、横120厘米

纸质，广告色毛笔写。贴在黑板上

1998年夏，长江流域发生特大洪灾。位于汉江与长江交汇处的龙王庙闸口，是武汉市14个险段中的险中之险，直接关系到全市700万人民的生命财产安全。武汉市江汉区防汛指挥部的32名抗洪勇士昼夜轮流值班，临时党支部发挥了战斗堡垒作用。在坚守数十天抗洪抢险形势更为严峻的情况下，16名共产党员立下“生死牌”，表达了他们“誓与大堤共存亡”的决心和战胜大自然的英雄气概。1998年8月26日武汉江汉区党委宣传部捐赠。

**338．武汉海军工程学院潜水抢险队队旗**

1998年夏

纵165、横243厘米

绸、布质地，漏印

由潜水专业教练和潜水兵组成的武汉海军工程学院潜水抢险突击队，是湖北省唯一一支专业化水下抗洪抢险队伍。在1998年夏长江流域抗洪抢险中，该队官兵冒着生命危险，对武汉市内3处和嘉鱼、洪湖等地15处江堤险段进行水下探查和摄像，最深下潜20多米，潜水作业200多人次，累计水下作业时间100多小时，排除大小险情及疑点20多处，并为湖北省和武汉市防汛指挥部制定正确的抗洪决策提供了可靠依据。1998年8月26日武汉海军工程学院捐赠。

**339．联合国授予中国多吉才让、王昂生的“联合国灾害防御奖”奖杯**

1998 年

通高 37.1、通宽 14.2、通厚 10 厘米

水晶玻璃质地。上有联合国穗标托着“雷电”、“江河”等图案，基座上镌刻获奖者姓名及其国名等英文字样

1986年，联合国为促进以有效减轻自然灾害或其他紧急事件造成的危险和生命财产损失为目的人道主义活动和科学研究、并将科研成果运用到政策制定和防灾实践中，特设立灾害防御奖，每年只授予一个获奖人或单位。1998 年，联合国评选委员会对上百名候选人进行多轮评选，最终，中国民政部部长多吉才让和中国科学院减灾中心主任王昂生教授联合入选。1998 年和 2002 年多吉才让和王昂生捐赠。

340．中共中央、国务院、中央军委授予姚桐斌的“两弹一星”功勋奖章和证书

1999年

奖章：直径8厘米、重约515克

背板、证书：纵28.5、横20.5厘米

奖章、背板为金、钛金、红木等质地。主体图案为五星、长城、橄榄枝和光芒。证书为纸质

姚桐斌（1922～1968年），江苏无锡人。中国航天材料工艺研究的开拓者和奠基人。1951年在英国获冶金博士学位，回国后任航天材料工艺研究所所长等职。“文革”中被迫害致死。1978年被追认为革命烈士。1999年9月18日，中共中央、国务院、中央军委为表彰在我国原子弹、导弹和人造地球卫星研制工作中作出突出贡献的姚桐斌等23位科技专家颁发“两弹一星”功勋奖章和证书。1999年12月22日姚桐斌夫人彭洁清捐赠。

**341．国际体育记者协会颁发给李宁的本世纪最佳运动员奖杯**

1999 年

高 56、宽 18 厘米

铜像、大理石底座。正面刻有“LI NING AIPS TROPHY FOR THE BEST ATHLETES OF THE CENTURY BUDAPEST 1999”(李宁 本世纪最佳运动员奖杯　布达佩斯　1999)，背面刻有当选的 25 名运动员的名字

李宁 1963 年生，壮族，广西柳州人。1980 年入选国家体操队，1989 年退役。共获得奥运会、世界杯、世界锦标赛等各种高水平体操比赛的 106 枚金牌。1982 年在第六届世界杯体操赛上独得六枚金牌，被誉为“体操王子”。他完成的吊环“正吊臂后悬垂前摆上接直角支撑”和双杠“下回环转体 180 度成倒立”动作，被列为以“李宁”命名的世界男子体操评分规则。他曾五次获得国家体育运动荣誉奖章，四次被评为全国十佳运动员。1999 年 9 月 7 日李宁捐赠。

**342．中国北极科学考察队队旗**

1999年
纵126、横200厘米
化纤质地，软笔、钢笔写

1991年以来，中国科学家开始介入北极地区科学考察研究，1996年成为国际北极科学委员会成员。1999年7月1日至9月9日，中国北极科学考察队进行了首次北极科学考察。参加考察的队员共124人，分别来自7个部委局，40多个单位，有5名俄罗斯、日本、韩国及中国香港台湾地区的科考人员。袁绍宏任船长，陈立奇任首席科学家兼科学考察队队长。这次考察历时71天，总航程14180海里，圆满完成了三大科学目标预定的现场科学考察计划任务，获得了大批极其珍贵的样品、数据和资料。考察到达极点时，92名队员在队旗上签名留念。2000年5月29日国家海洋局极地考察办公室捐赠。

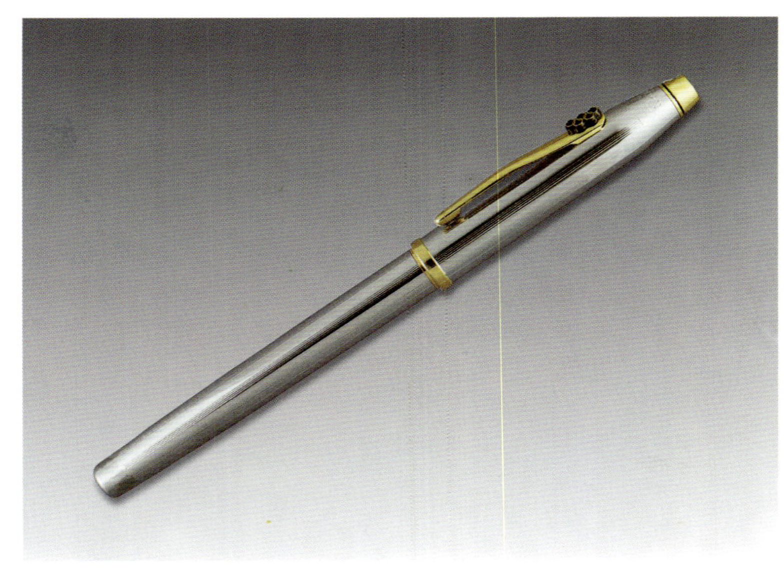

**343．申办2008年奥运会北京代表团团长刘淇签署举办城市合同时用的签字笔**

2001年7月13日
长13.5厘米
金属、塑料质地。笔帽上有五环标志

奥林匹克运动会每隔四年轮换在一个城市举行。改革开放后，中国综合国力增强，申办奥运会随之提上议事日程。1991年，北京第一次申请举办奥运会。后以一票之差落选。1999年，北京再次向国际奥委会提出申请举办2008年第29届奥运会。在各级政府及各界人士的关注和支持下，在2001年7月13日国际奥委会第112次全会投票中，北京在第二轮即以过半数胜出，成为2008年第29届奥运会举办城市。这是北京代表团团长刘淇签署举办城市合同时用的签字笔。2002年6月4日刘淇捐赠。

**344．世界贸易组织宣布中国加入时用的木槌**

2001年11月13日
长32.2厘米
木质

世界贸易组织（WTO）成立于1995年1月1日，前身为关税及贸易总协定。自1986年中国提出恢复关贸总协定缔约国地位以来，为加入关贸总协定/世界贸易组织做出了不懈努力，先后完成了加入双边谈判和多边谈判。2001年11月13日，在多哈举行的世贸组织第四次部长级会议上，大会主席卡塔尔财政经济和贸易大臣卡迈勒敲响木槌，宣布中国正式成为世贸组织成员。会后，报道这次会议的北京晚报记者向工作人员征集到这把具有特殊意义的木槌。2001年12月12日北京日报报业集团捐赠。

**345．列宁宣布苏维埃政权成立（油画）**

270 × 210 厘米

弗·谢罗夫（1910～1968 年，原苏联画家）1947 年作（1957 年苏联政府赠毛泽东）

346. **战斗后的休息（油画）**

148 × 226 厘米

尤·莫·涅普林采夫（1909 年生，原苏联画家）1951 年作（1953 年苏共中央和部长会议赠毛泽东）

347．开镣（油画）

174 × 244 厘米

胡一川（1910～2000 年，广州美术学院教授）1950 年作

**348．地道战（油画）**

144 × 169 厘米

罗工柳（1916 年生，中央美术学院教授）1951 年作

349．过雪山（油画）

280 × 200 厘米

吴作人（1908～1997 年，中央美术学院教授）1951 年作

**350．开国大典（油画）**

230 × 405 厘米

董希文（1914～1973 年，中央美术学院教授）1953 年作

351．春到西藏（油画）

150 × 232 厘米

董希文　1953 年作

352．**南昌起义（油画）**

200 × 260 厘米

黎冰鸿（1913～1986 年，中国美术学院教授）1959 年作

353．狼牙山五壮士（油画）

186 × 203 厘米

詹建俊（1931 年生，中央美术学院教授）1959 年作

354．毛泽东在十二月会议上（油画）

158 × 134 厘米

靳尚谊（1934年生，中央美术学院教授）

1961 年作

355．延安火炬（油画）

164 × 382 厘米

蔡亮（1932～1995 年，中国美术学院教授）1959 年作

356．**武昌起义（油画）**　189 × 225 厘米　王征骅（1937 年生，中央美术学院副教授）1961 年作

357．**刘少奇和安源矿工（油画）**　160 × 330 厘米　侯一民（1930 年生，中央美术学院教授）1961 年作

358．英勇不屈（油画）

231 × 216 厘米

全山石（1930 年生，中国美术学院教授）1961 年作

359．**夜渡黄河（油画）**　142 × 320厘米　艾中信（1915年生，中央美术学院教授）1961年作

360．**山花烂漫时（油画）**　172 × 220厘米　赵友萍（1932年生，中央美术学院教授）、李天祥（1928年生，中央美术学院教授）1977年作

361．周恩来在病中（油画）　152 × 212 厘米　尹戎生（1930 年生，中央美术学院教授）1977 年作

362．峥嵘岁月（油画）　166 × 296 厘米　林岗（1925 年生，中央美术学院教授）、庞涛（1934 年生，中央美术学院教授）1979 年作

363. **兼容并包（油画）**

198 × 180 厘米

沈加蔚（1948 年生，辽宁画院专业画家）1988 年作

364．遵义会议（油画）

185 × 500 厘米

沈尧伊（1943 年生，中国人民大学徐悲鸿艺术学院教授）1997 年作

365．延河边上（油画）

150 × 300 厘米

钟涵（1929 年生，中央美术学院教授）1963 年作

366．血衣（素描）

192 × 345 厘米

王式廓（1911～1973 年，中央美术学院教授）1959 年作

**367．转战陕北（国画）**

233 × 216 厘米

石鲁（1919～1982 年，陕西国画院名誉院长）1959 年作

**368．北平解放（国画）**

197 × 130厘米

叶浅予（1907～1995年，中央美术学院教授）1959年作

369．六盘山（国画）

93 × 174 厘米

李可染（1907～1989 年，中央美术学院教授）1959 年作

**370．包身工（国画）**

158 × 114 厘米

蒋兆和（1904～1986 年，中央美术学院教授）1959 年作

371．刘胡兰（雕塑）

112 × 38 × 30厘米

王朝闻（1909年生，中国艺术研究院研究员）1951年作

372．翻身农民（雕塑）

222 × 160 × 148 厘米

潘鹤（1926 年生，广州美术学院教授）1959 年作

373．**大路歌（雕塑）**

70 × 223 × 50 厘米

钱绍武（1928 年生，中央美术学院教授）1959 年作

374．运筹帷幄（雕塑）

204 × 130 × 126 厘米

张松鹤（1912 年生，北京画院专业画家）1960 年作

# 后　记

《中国革命博物馆藏品选》的编辑始于1991年，至1993年已写了初稿，后一度中断。2002年初，在有关领导部门大力支持下，本书编辑再次提上日程。为了在初稿的基础上有所提高，两次召开专家讨论会。经过反复斟酌，对入选藏品的范围、种类、数量作了调整，对撰稿和摄影提出新的要求，编辑人员也有一些变动。除列名编辑人员外，参加过初稿写作的还有周永珍、王南、张晨、何芳等。马海鹏、李雅兰、李翠屏、刘月兰、张玉兰、纪远新、吴虹、刘巧云、赵立业、贺秦华、陈禹、崔秀芬、王金娟、孟广泰、康默如等同志做了不少工作。本书的编辑得到了全馆各有关部门以及一些未列名单的同志的支持与通力合作，在此特向他们表示感谢！

本书的编辑、出版完全是为了加强藏品研究、文化交流和保存版本的需要，得到了广大藏品捐赠单位、个人包括美术作品的作者及其后人的大力支持，在此谨向他们表示感谢！

文物出版社为支持文物事业的发展，为本书的策划、编辑、制作做了大量的工作，使本书能如期高质量地与读者见面。谨此特别鸣谢。

编　者

2003年5月

ISBN 7-5010-1573-2
9 787501 015733 >